TOUT SUR LE SOCCER

Édition : Martin Corteel
Graphisme : Luke Griffin & Katie Baxendale
Recherche iconographique : Paul Langan
Production : Rachel Burgess
Traduction française : © 2013, Les Éditions Gründ

Pour l'édition française au Canada : © 2013, Les Éditions de l'Homme

DISTRIBUTEUR EXCLUSIF :
Pour le Canada et les États-Unis :
MESSAGERIES ADP*
2315, rue de la Province
Longueuil, Québec J4G 1G4
Téléphone : 450 640-1237
Télécopieur : 450 674-6237
Internet : www.messageries-adp.com
* filiale du Groupe Sogides inc.,
filiale de Québecor Média inc.

Gouvernement du Québec – Programme de crédit
d'impôt pour l'édition de livres – Gestion SODEC –
www.sodec.gouv.qc.ca

L'Éditeur bénéficie du soutien de la Société de
dévelop pement des entreprises culturelles
du Québec pour son programme d'édition.

Conseil des Arts   Canada Council
du Canada   for the Arts

Nous remercions le Conseil des Arts du
Canada de l'aide accordée à notre
programme de publication.

Nous reconnaissons l'aide financière
du gouvernement du Canada par
l'entremise du Fonds du livre du Canada
pour nos activités d'édition.

Suivez les Éditions de l'Homme sur le Web
Consultez notre site Internet et
inscrivez-vous à l'infolettre pour rester
informé en tout temps de nos publications
et de nos concours en ligne.
Et croisez aussi vos auteurs préférés
et l'équipe des Éditions
de l'Homme sur nos blogues !

EDITIONS-HOMME.COM
EDITIONS-JOUR.COM
EDITIONS-PETITHOMME.COM
EDITIONS-LAGRIFFE.COM

Ci-dessous : Thiago Silva, le capitaine de l'équipe du Brésil,
brandit la Coupe des Confédérations de la FIFA après la victoire
de 3-0 contre l'Espagne lors de la finale 2013.

Pages de garde : Les joueurs de l'équipe de l'Espagne se
réunissent pour célébrer leur victoire de 4-0 sur l'Italie
en finale du Championnat d'Europe 2012.

Pages suivantes (de gauche à droite) en haut : Yaya Toure
(Côte d'Ivoire), Xavi Hernandez (Espagne) ; au centre : Cristiano
Ronaldo (Portugal), Philipp Lahm (Allemagne), Andrea Pirlo
(Italie) ; en bas : Wayne Rooney (Angleterre), Neymar (Brésil),
Lionel Messi (Argentine).

Les éditeurs remercient les sources ci-dessous pour leur aimable autorisation de reproduction des images dans ce livre.
h = haut, b = bas, m = milieu, g = gauche, d = droite

Action Images: /Matthew Childs: 95bd, 230bg

Getty Images: 161hg; /2010 FIFA World Cup Organising Committee: 183g; /2010 Qatar 2022: 182d; /AFP: 55m, 119hg, 119bg, 163bd, 171g, 192bd, 197d, 204bg, 206g; /Eitan Abram-ovich/AFP: 5hg, 102hd; /Vanderlei Almeida/AFP: 5bg, 146-147; /Odd Andersen/AFP: 33d, 73m; /Rodrigo Arangua/AFP: 114d, 158hg; /Brian Bahr: 150bd; /Dennis Barnard/Fox Photos: 107hg; /Scott Barbour: 132bg; /Lars Baron: 107b, 173b, 231hd, 231bd; /Juan Barreto/AFP: 116h; /Robyn Beck/AFP: 68bd, 179hd; /Sandra Behne/Bongarts: 136bg; /Fethi Belaid/AFP: 123bd; /Bentley Archive/Popperfoto: 78m, 79bg, 169bd; /Martin Bernetti/AFP: 117bd; /Gunnar Berning/Bongarts: 177bg; /Monirul Bhuiyan/AFP: 154-155, 185b; /Bongarts: 36g, 167bg; /Shaun Botterill: 8-9, 13bd, 44bg, 61bg, 74m, 84hd, 128hd, 162g, 170g, 177hd, 178bd, 185hd, 194bd, 223d; /Cris Bouroncle/AFP: 220h; /Gabriel Bouys/AFP: 33hg, 42b, 176m; /Clive Brunskill: 113d; /Simon Bruty: 80bd, 116bd; /Rodrigo Buendia/AFP: 103bg; /Martin Bureau/AFP: 23bd; /Eric Cabanis/AFP: 158d; /Jose Cabezas/AFP: 156hd; /Giuseppe Cacace/AFP: 5m, 35h; /Felipe Caicedo/LatinContent: 251hg; /David Cannon: 18g, 39d, 40bd, 50bd, 55bd, 74bd, 106hd, 145hd; /Mario Castillo/Jam Media/LatinContent: 148bd; /Central Press: 77bg; /Central Press/Hulton Archive: 62bd; /Andre Chaco/FotoArena/LatinContent: 181bg; /Graham Chadwick: 74hd; /Chung Sung-Jun: 161hd; /Robert Cianfone: 28hg, 81h, 83g, 133hd; /Timothy A Clary/AFP: 153bd; /Thomas Coex/AFP: 165d; /Fabrice Coffrini/AFP: 61d, 156bd; /Chris Cole: 109bd; /Phil Cole: 57bd, 86m, 96d, 122b, 148bg; /Yuri Cortez/AFP: 152bd; /Anesh Debiky/Gallo Images: 211bd, 217hg; /Stephane de Sakutin/AFP: 185g, 213bd; /Carl de Souza/AFP: 173hd; /Adrian Dennis/AFP: 79m, 194hd; /Philippe Desmazes/AFP: 142hg; /Khaled Desouki/AFP: 122hd, 215bg, 217m; /Dimitar Dilkoff/AFP: 52bg, 68g; /Kevork Djansezian: 151m; /Nikolay Doychinov/AFP: 50m; /Denis Doyle: 10-11, 43bd, 46g; /Stephen Dunn: 126bd; /Paul Ellis/AFP: 27m; /Darren England: 158bg, 158bd; /Francisco Estrada/LatinContent: 138bd; /Evening Standard: 134; /Franck Fife/AFP: 21bd, 23bd, 107hd, 125hd, 198hd, 212hm; /Julian Finney: 62g, 234-235; /Stu Forster: 15hg, 56m, 73bg, 92bg, 93bg, 105hg; /Stuart Franklin: 61h, 242-243; /Romeo Gacad/AFP: 58m; /Daniel Garcia/AFP: 202bd; /Paul Gilham: 47hg, 128m, 171b, 178hd; /Georges Gobet/AFP: 59bd; /Sergio Goya/AFP: 202m; /Sebastian Granata/LatinContent: 118b; /Otto Greule Jr: 150hd; /Laurence Griffths: 2, 13m, 42d, 56g, 76hd, 87m, 135d, 145g, 164h; /Alex Grimm: 47bd, 69hd; /Gianluigi Guercia/AFP: 31d, 186bg, 214b; /Jack Guez/AFP: 190hd; /Steve Haag: 211m; /Valery Hache/AFP: 118m, 141d, 177m, 196bg; /Ronny Hartmann/AFP: 88hd, 190b; /Alexander Hassenstein: 233, 245bd, 247hg; /Alexander Hassenstein/Bongarts: 22hd, 29d, 136g; /Haynes Archive/Popperfoto: 160hd, 161b, 203bg; /Richard Heathcote: 38bd, 105b; /Scott Heavey: 16g, 51hg; /Alexander Heimann/Bongarts: 153bg; /Alfredo Herms/LatinContent: 110bd; /Marcelo Hernandez/LatinContent: 113hg; /Patrick Hertzog/AFP: 19bd, 22d, 41bd, 90hd, 160bg; /Mike Hewitt: 25h, 63bd, 65bd, 111bg, 226g, 229g; /Antonia Hille: 98m; /Boris Horvat/AFP: 38bg, 195h; /Hulton Archive: 14hm, 63hd, 160obd, 168bg; /Karim Jaafar/AFP: 129g, 132m, 135bg, 137hd, 138g; /Liu Jin/AFP: 168hg; /Alexander Joe/AFP: 120-121, 215hg; /Hannah Johnston: 156g; /Jose Jordan/AFP: 46bd; /Jasper Juinen: 14hm, 44m, 45hg, 194g, 221bd, 227hd, 248-249; /Yuri Kadobnov/AFP: 76m; /Gorm Kallestad/AFP: 66bg; /Nicholas Kamm/AFP: 151hg; /Keystone: 18hd, 62bg, 77bd; /Keystone/Hulton Archive: 31bg, 45bg; /Saeed Khan/AFP: 156bg; /Ian Kington/AFP: 16hd; /Ross Kinnaird: 172hd; /Pedro Kirilos/LatinContent: 185d; /Glyn Kirk/AFP: 229bd; /Toshifumi Kitamura/AFP: 50h, 130-131, 159m, 218-219, 226hd; /Joe Klamar/AFP: 57g, 67hd; /Christof Koepsel: 30m, 57hd, 112hd, 225m, 226bg, 244g, 246; /Mark Kolbe: 133hg; /Patrick Kovarik/AFP: 97m; /Jimin Lai/AFP: 136hd; /LatinContent: 200-201; /David Leah: 175hg; /David Leah/Mexsport: 148hd; /Christopher Lee: 82hd, 83hd, 85m; /Bryn Lennon: 65hd, 72hd; /Francisco Leong/AFP: 24hd, 77m; /Matthew Lewis: 68hd; /Alex Livesey: 20d, 43hd, 58h, 59h, 77hg, 85hg, 92m, 127m, 139bd, 157hd, 169d, 199hd, 224g, 251hd; /John MacDougall/AFP: 75bd; /Pierre-Philippe Marcou/AFP: 44hg, 126hg, 170hd; /Francois-Xavier Marit/AFP: 179hg; /Tony Marshall: 46bg; /Clive Mason: 26g, 55bg, 89bg, 91bd, 127hg, 165bg, 174hg; /Jamie McDonald: 38h, 56bd, 62hd, 72m, 127bd, 149m, 223bg; /Chris McGrath: 103hd, 178hg; /Miguel Medina/AFP: 19hd; /Buda Mendes/LatinContent: 109hd, 115hd, 182g, 205hd; /Philippe Merle/AFP: 119d; /Aris Messinis/AFP: 60bg; /Damien Meyer/AFP: 27d, 188-189; /Douglas Miller/Keystone: 12bg; /Sandra Montanez: 239h; /Filippo Monteforte/AFP: 94m; /Olivier Morin/AFP: 247bd; /Dean Mouhtaropoulos: 100-101; /Peter Muhly/AFP: 96bg, 191g; /Jonathan Nackstrand/AFP: 197g; /Hoang Dinh Nam/AFP: 140bg, 150m; /Mark Nolan: 133bd; /Kiyoshi Ota: 247d; /Jeff Pachoud/AFP: 193m; /Pascal Pavani/AFP: 89bd; /Valerio Pennicino: 31hg; /Doug Pensinger: 14bd, 180bg; /Ryan Pierse: 94bg, 144hd, 152g, 174b; /Vincenzo Pinto/AFP: 176bd; /Jan Pitman/Bongarts: 180hd; /Hrvoje Polan/AFP: 52m; /Joern Pollex: 5g, 24bg, 28d, 58bg, 125m, 222m; /Joern Pollex/Bongarts: 29hg; /Popperfoto: 20bg, 26bd, 28bg, 29b, 51bd, 64bg, 84m, 93h, 110g, 113bg, 137g, 140d, 141h, 143b, 151bg, 159bd, 167bd, 169g, 192bg, 196hd, 198b, 205bg, 206bd, 228bg; /Anne-Christine Poujoulat/AFP: 71bd, 232bg; /Savo Prelevic/AFP: 99b; /Craig Prentis: 146bd; /Gary M Prior: 110hd, 139m, 174m; /Ben Radford: 49hd, 49bd, 111m, 135h, 175bd; /Roslan Rahman/AFP: 143hd; /Aizar Raldes/AFP: 118hg; /David Ramos: 244bd; /Patricio Realpe/LatinContent: 117g; /Michael Regan: 12hd, 17hd, 90b, 93bd; /Chris Ricco/Backpagepix: 217bd; /Rafa Rivas/AFP: 45d; /Miguel Rojo/AFP: 104hg, 119hd, 207hg; /Rolls Press/Popperfoto: 15b, 33b, 108hd; /Quinn Rooney: 241bm; /Clive Rose: 81bg, 91bg, 106bg; /Martin Rose: 21m, 245hg; /Martin Rose/Bongarts: 89hd, 94bd; /Shd/AFP: 99hd; /Jewel Samad/AFP: 40hg, 71hd, 176bg; /Mark Sandten/Bongarts: 124bg; /Issouf Sanogo/AFP: 125bg, 129hd, 210b; /Genia Savilov/AFP: 69g; /Roberto Schmidt/AFP: 164bg, 181hd, 187hg; /Antonio Scorza/AFP: 111d, 115bg; /Abdelhak Senna/AFP: 216; /Lefty Shivambu/Gallo Images: 128g, 210g, 212hd, 213hd, 215m; /Torsten Silz/AFP: 171hd; /Christophe Simon/AFP: 7, 167hd; /Janek Skarzynski/AFP: 199bg; /Javier Soriano/AFP: 163g, 183b, 195bd; /Cameron Spencer: 168hd; /Jamie Squire: 123hg, 172bg; /Michael Steele: 51h, 84bg, 163hd, 186hd; /Srdjan Stevanovic: 81d; /Patrik Stollarz/AFP: 4d, 26hd, 97bg, 187bd; /Boris Streubel: 88g; /Graham Stuart/AFP: 78hd; /Henri Szwarc/Bongarts: 116g, 193b; /Mehdi Taamallah/AFP: 5bm; /Bob Thomas: 32bg, 32bd, 34b, 48hd, 51bg, 64hd, 65m, 65bg, 69bd, 70hd, 72bg, 78g, 83bd, 92hd, 92bd, 97d, 104bd, 105m, 108bg, 112bg, 115bd, 123hd, 137bd, 168bd, 180m, 184b, 186bd, 191hd; /Bob Thomas/Popperfoto: 46hd, 98bg, 157b; /Mark Thompson: 66hd, 212bd; /John Thys/AFP: 50bg, 51d, 54hd; /Atsushi Tomura: 142bd; /Omar Torres/AFP: 138hd, 166hd, 207bd; /Pedro Ugarte/AFP: 162d; /Pius Utomi Ekpei/AFP: 4d; /VI Images: 37hg, 37hd, 41h, 191b; /Robert van den Brugge/AFP: 48bg; /Manus van Dyk/Gallo Images: 210m, 214g; /Jean-Christophe Verhaegen/AFP: 95hd; /Claudio Villa: 32hg, 35bg, 98d; /Claudio Villa/Grazia Neri: 34d; /Friedemann Vogel: 236m; /Nigel Waldon: 67bg; /Ian Walton: 18bd, 39bg, 208-209, 211hd, 215d; /Koji Watanabe: 228hd; /Andrew Yates/AFP: 129b; /Rick Yeatts: 149bd; /Jung Yeon-Je/AFP: 170bd

Press Association Images: 16bg, 80hd, 104d, 204bd, 229hd; /ABACA Press: 165hg; /AP: 166bg; /Matthew Ashton: 109m, 133m, 144bg, 153hd, 238bd; /Greg Baker/AP: 237bg; /Jon Buckle: 239bd; /Felice Calabro/AP: 178bg; /Roberto Candia/AP: 237hg; /Barry Coombs: 60hd; /Malcolm Croft: 159hg; /Claudio Cruz/AP: 224m; /DPA: 22g, 27hg, 37b, 132hd, 162bg; /Adam Davy: 236b; /Sean Dempsey: 25bd; /Paulo Duarte/AP: 70g, 70m; /Mike Egerton/AP: 152hd; /Paul Ellis/AP: 76bg; /Denis Farrell/AP: 182b; /Dominic Favre/AP: 86bd; /Gouhier-Hahn-Orban/ABACA: 86hd; /Michel Gouverneur/Reporter: 222bg; /Jae C Hong/AP: 145b; /Intime Sports/AP: 60m; /Silvia Izquierdo/AP: 232g, 232d; /Julie Jacobson/AP: 238hg, 241bd; /Lee Jin-Man/AP: 238hd; /Ross Kinnaird: 205m; /Tony Marshall: 34g, 39hg, 88b, 108hg, 167hg, 203hd, 221hg, 224hd, 225hd, 230hd; /Cathal McNaughton: 12m; /Phil O'Brien: 30bg; /Panoramic: 222d; /Eraldo Peres/AP: 231bg; /Natacha Pisarenko/AP: 206m; /Nick Potts: 19bg; /Duncan Raban: 106bd; /Peter Robinson: 25g, 35bd, 36hd, 64m, 78bd, 80g, 82bg, 91hd, 102g, 114bg, 124hg, 220bg, 220bd; /S&G and Barratts: 13h, 15hd, 17b, 70bd, 73bd, 176hd; /SMG: 79hd; /Ariel Schalit/AP: 124d; /Murad Sezer/AP: 23m; /Matthias Schrader/AP: 240bd; /Sven Simon: 108bd; /Neal Simpson: 51bg, 75hd, 87bd, 204h; /Michael Sohn/AP: 240hd; /Jon Super/AP: 227bd, 237hd; /Topham Picturepoint: 71bg, 85bg, 96hg, 102b; /John Walton: 105hd; /Aubrey Washington: 67m; /Witters: 179b

Tous les efforts ont été apportés pour identifier correctement et contacter les propriétaires et/ou ayants droit de chaque photo ; Carlton Books Limited s'excuse pour toute erreur involontaire ou omission qui se serait glissée et serait corrigée dans une prochaine édition.

À PROPOS DE L'AUTEUR

Keir Radnedge couvre le soccer depuis plus de 40 ans. S'adressant aux publics les plus divers, il a écrit d'innombrables ouvrages sur le ballon rond, du simple guide aux encyclopédies. Radnedge a été journaliste au *Daily Mail* pendant 20 ans, travaillant aussi pour le *Guardian* et d'autres journaux et magazines. Il est l'ancien rédacteur en chef de *World Soccer*, le premier magazine de langue anglaise couvrant l'actualité internationale du soccer. Hormis la presse écrite, il a offert son expertise à la radio (BBC) et à la télévision (Sky Sports et CNN). Il a dirigé la publication du journal de la Coupe du Monde Fifa en 1982, 1986 et 1990. Enfin, Radnedge est le rédacteur en chef londonien de SportsFeatures.com, le site Internet consacré à l'actualité du football et des jeux Olympiques.

KEIR RADNEDGE

TOUT SUR LE SOCCER

RECORDS • HISTOIRE • STATISTIQUES

LES ÉDITIONS DE L'HOMME

Une société de Québecor Média

SOMMAIRE

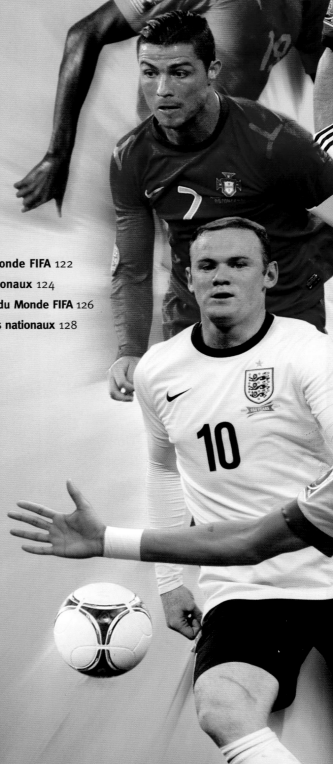

INTRODUCTION

LA PHASE FINALE DE LA COUPE DU MONDE 2014 est toute proche, désormais. Et ce ne seront pas seulement les yeux des fans, des organisateurs et des joueurs des 32 nations qui seront fixés sur le Brésil, en juin et juillet 2014 : plus de 200 pays se passionneront pour ce spectacle, tant est grand l'enthousiasme pour le sport le plus populaire du monde.

Tous les participants sont présentés, d'une manière ou d'une autre, dans cette édition de *Tout sur le soccer*. Vous trouverez dans cet ouvrage les principales compétitions internationales, masculines et féminines, et leurs différentes déclinaisons par catégorie d'âge.

La Coupe des Confédérations 2013 n'a pas été oubliée, tant elle a éveillé les appétits pour la Coupe du Monde 2014, en s'achevant sur une renaissance du Brésil vainqueur – sans oublier les belles performances d'autres équipes renommées comme l'Espagne, l'Italie et l'Uruguay.

En battant l'Espagne en finale de la Coupe des Confédérations, le Brésil touche ainsi du doigt la pression qui s'exercera sur lui en tant que pays hôte, cinq fois champion du monde, et de nouveau en quête du plus prestigieux des titres.

La fascination qu'exerce le soccer est due en grande partie à l'équilibre entre les talents individuels et la dynamique d'équipe. D'où les réussites en équipe nationale d'un Neymar, d'un Messi ou d'un Cristiano Ronaldo, qui dépendent aussi de leurs coéquipiers du Brésil, de l'Argentine et du Portugal.

Le coup d'envoi de la Coupe du Monde 2014 a eu lieu le 15 juin 2011 au stade Ato Boldon de Couva, à Trinité-et-Tobago. Le Bélize a battu Montserrat 5-2, lors du premier des 824 matchs prévus. Deon McCaulay, du Bélize, a laissé son nom dans l'histoire du soccer en inscrivant le premier but de la Coupe du Monde à la 24e minute.

Voici la preuve tangible que la Coupe du Monde ne concerne pas que les géants du ballon rond. Ce sport international bouillonne de compétitions entre clubs, et les championnats nationaux passionnent aussi les fans.

Les lecteurs trouveront ici aussi les grandes compétitions et les tournois annexes, les géants et les tueurs de géants, les stars et les débutants motivés... du Bélize au Brésil.

Keir Radnedge
Londres, Juillet 2013

Fred salue son 2e but – et le 3e de son pays – lors de la victoire surprise du Brésil par 3 à 0 contre les champions du monde espagnols, en Coupe des Confédérations 2013.

PARTIE 1 : LES PAYS

D'AUCUNS L'APPELLENT *soccer,* d'autres *futbol, calcio* ou *voetbal,* qu'importe! Il se trouvera toujours quelqu'un, dans quasiment n'importe quel pays du monde, pour vous parler ballon rond. Le soccer ne connaît aucune frontière, qu'elle soit raciale, politique ou religieuse.

Son principe est simple et a largement contribué à son succès à l'échelon international. Au sommet de la pyramide socceristique siège la FIFA, la fédération internationale. Elle est épaulée par 6 confédérations, associées aux différentes régions du globe : Afrique, Asie, Europe, Océanie, Amérique du Sud (et Caraïbes), Amériques centrale et du Nord. Le travail des confédérations est à son tour relayé par les associations nationales de quelque 209 pays. La FIFA compte ainsi plus de pays membres que les Nations unies. Les fédérations nationales jouent un rôle capital, car elles alignent les équipes qui ont écrit l'histoire du ballon rond dans les compétitions majeures telles que la Coupe du Monde. Elles accompagnent aussi le développement du soccer dans leur pays, des championnats professionnels au travail local des clubs amateurs.

Deux sélections anglaise et écossaise ont disputé, à la fin du XIXᵉ siècle, la première rencontre internationale de l'histoire, posant ainsi les fondations du statut unique des quatre nations britanniques dans la famille du soccer mondial, par ailleurs composée d'États-nations. Le British Home Championship fut la première compétition réservée à des équipes nationales. Mais depuis son abandon, la Copa America sud-américaine est la doyenne des survivantes, les Jeux olympiques mis à part.

C'est à l'intérêt suscité par les Jeux olympiques dans les années 1920 que l'on doit la naissance de la Coupe du Monde de la FIFA en 1930. L'Amérique du Sud avait déjà son propre championnat entre équipes nationales, et elle fut suivie des cinq autres régions de la FIFA. Les vainqueurs s'affrontent tous les quatre ans à l'occasion de la Coupe des Confédérations de la FIFA, en préparation de la Coupe du monde, une année plus tard, fête ultime du sport le plus populaire du monde.

La cérémonie d'ouverture de la Coupe des Confédérations 2013, au Brésil, a lancé le compte à rebours pour la Coupe du Monde 2014.

EUROPE

Dès que les règles du soccer moderne furent établies en Angleterre, le sport connut une croissance rapide, enthousiasmant toute l'Europe, berceau du ballon rond. L'instance européenne du soccer, l'UEFA, compte 54 États membres, du Petit Poucet andorran aux ténors espagnols, italiens, anglais, néerlandais, allemands et français. En Europe, ballon rond rime avec passion, qu'il s'agisse des clubs ou des équipes nationales, dans un paysage dominé par le double champion espagnol.

Ces dernières années, Andres Iniesta (6) s'est affirmé comme un pilier de la toute-puissante équipe espagnole. Le vainqueur de la finale de la Coupe du Monde 2010 a également remporté l'Euro 2008 et 2012.

ANGLETERRE

L'Angleterre est le berceau du ballon rond, le pays où le soccer s'est d'abord développé, donnant naissance à la première fédération et au premier championnat organisé. Aujourd'hui, l'Angleterre héberge le championnat national le plus riche de la planète. Malgré ce prestigieux patrimoine, la sélection a rarement été en réussite sur la scène internationale. Hormis le sacre mondial de 1966 sur leurs terres, les Anglais ont toujours eu du mal à justifier leur statut dans les grandes compétitions.

CAP CASQUETTE

Lors du premier match face à l'Écosse, les joueurs anglais portaient des **casquettes de cricket** et leurs adversaires des capuchons. Cette tenue a engendré l'utilisation du mot *cap* (devenu cape en Français) pour désigner une sélection en équipe nationale. Aujourd'hui, les internationaux britanniques reçoivent encore ce couvre-chef.

L'HEURE DE COLE

Le défenseur de Chelsea **Ashley Cole** est l'un des 7 joueurs anglais à détenir plus de 100 sélections mais – en dehors du goal Peter Shilton – il est le seul à avoir atteint ce score sans jamais avoir marqué un but. Il a dépassé Kenny Sansom comme défenseur anglais le plus capé en jouant en équipe nationale pour la 87e fois (contre le Danemark, en février 2011), et il a joué son 100e match contre le Brésil à Wembley, en mars 2012. Il détient le record du plus grand nombre de sélections (hors gardien), devant Gary Neville (85). Le 98e match international de Cole – contre l'Italie, lors du quart de finale de l'Euro 2010 – s'est mal terminé, car il a raté le dernier tir aux buts anglais. En revanche, Cole a établi un nouveau record ce jour-là : son 22e match en phase finale, devant tous ses compatriotes. Cole a également remporté plus de médailles de la FA Cup d'Angleterre que tout autre joueur, avec 3 victoires pour Arsenal et 4 pour Chelsea.

CORRECTIONS

L'Angleterre a signé des scores à deux chiffres à cinq reprises : 13-0 et 13-2 contre l'Irlande en 1882 et 1899, 11-1 contre l'Autriche en 1908, 10-0 contre le Portugal à Lisbonne en 1947 et 10-0 contre les États-Unis à New York en 1964. Les buteurs ? Roger Hunt (4), Fred Pickering (3), Terry Paine (2) et **Bobby Charlton**.

ACTE FONDATEUR

Le jour où tout a commencé, le 30 novembre 1872. L'Angleterre dispute son premier match international officiel face à l'Écosse à Hamilton Crescent (Partick). Les deux équipes font match nul 0-0 devant 4 000 personnes, une affluence énorme pour l'époque. Prix du billet ? Un petit shilling (1 centime d'euro). Les deux sélections s'étaient déjà affrontées à cinq reprises, mais la plupart des joueurs écossais évoluaient en Angleterre et les matchs n'étaient pas considérés comme officiels. Pour cette première rencontre officielle, c'est Charles Alcock, le secrétaire de la fédération, qui avait sélectionné les joueurs, son seul regret étant de ne pas avoir pu jouer en raison d'une blessure. Si la première rencontre de rugby entre les deux pays remontait à 1871, l'Angleterre n'a disputé son premier test-match de cricket qu'en mars 1877, contre l'Australie à Melbourne.

PREMIÈRE

En 1953, l'Angleterre subit sa première défaite à domicile face un adversaire continental. La Hongrie l'écrase 6-3 à Wembley. Son premier revers à domicile remontait au 2-0 infligé par la république d'Irlande à Goodison Park (Liverpool) en 1949.

STEVIE G FORCE

Steven Gerrard a décroché sa 100e sélection lors d'une défaite 4-2 en match amical contre la Suède, en novembre 2012. Une blessure l'a empêché d'être à nouveau sélectionné. Gerrard a marqué lors des Coupes du Monde 2006 et 2012 et fut le seul Anglais dans l'«équipe du tournoi» de l'Euro 2012. Il détient un autre record, indésirable celui-là: son carton rouge contre l'Ukraine, en septembre 2012, a fait de lui le joueur anglais le plus âgé expulsé.

LES PLUS LARGES VICTOIRES

1882	Irlande 0 Angleterre 13
1890	Irlande 1 Angleterre 9
1895	Angleterre 9 Irlande 0
1896	Pays de Galles 1 Angleterre 9
1899	Angleterre 13 Irlande 2
1908	Autriche 1 Angleterre 11
1927	Belgique 1 Angleterre 9
1947	Portugal 0 Angleterre 10
1960	Luxembourg 0 Angleterre 9
1964	États-Unis 0 Angleterre 10
1982	Angleterre 9 Luxembourg 0

LES PLUS LOURDES DÉFAITES

1878	Écosse 7 Angleterre 2
1881	Angleterre 1 Écosse 6
1882	Écosse 5 Angleterre 1
1928	Angleterre 1 Écosse 5
1931	France 5 Angleterre 2
1953	Angleterre 3 Hongrie 6
1954	Hongrie 7 Angleterre 1
1958	Yougoslavie 5 Angleterre 0
1963	France 5 Angleterre 2
1964	Brésil 5 Angleterre 1

BAD BOYS

Alan Mullery est le premier des 13 Anglais expulsés en match international. Il a été exclu lors de la défaite 1-0 des siens en demi-finale de l'Euro 1968 contre la Yougoslavie. David Beckham et  **Wayne Rooney** sont les seuls à avoir été expulsés deux fois en sélection. Enfin, Paul Scholes est le seul joueur anglais à avoir été expulsé dans l'ancien stade de Wembley, au cours d'un match contre la Suède en juin 1999.

LE DOYEN DES DÉBUTANTS

Le gardien David James est le doyen des débutants en Coupe du Monde. À 39 ans et 321 jours il a joué pour la première fois avec les Anglais en Afrique du Sud, en 2010. Il n'a laissé passer aucun but lors du match de groupe C contre l'Algérie. Il remplaçait alors Robert Green, coupable d'une énorme boulette lors du match contre les États-Unis.

EN AVANT!

Deux arrières centraux ont eu l'honneur de marquer à la fois le dernier but anglais de l'ancien stade de Wembley, fermé en 2000, et le premier de la nouvelle version, inaugurée en 2007. Tony Adams marqua le deuxième but anglais du match remporté 2-0 contre l'Ukraine en mai 2000, tandis que le capitaine John Terry permit à son équipe de mener dans le nouveau stade lors d'un match amical contre le Brésil en 2007, qui se termina sur un nul 1-1. Terry partage le record du plus grand nombre de buts marqués pour l'Angleterre par un défenseur (6) avec **Jack Charlton,** vainqueur de la Coupe du Monde 1966.

MATCH NUL ANGLAIS

Un match sans but contre l'Algérie au Cap, en juin 2010, fit de l'Angleterre le premier pays à conclure 10 matchs de Coupe du Monde par un score vierge. La première fois remonte à 1958, mais on peut également citer les matchs de 1982 contre la RFA et l'Espagne (pays organisateur).

L'ASCENDANT ALLEMAND

L'Angleterre a subi sa plus sévère défaite en huitième de finale de Coupe du Monde FIFA, 4-1 face à l'Allemagne à Bloemfontein, en Afrique du Sud, en 2010. Auparavant, leur pire défaite avait été un 4-2 face à l'Uruguay, en quart de finale, en 1954. Au cours de ce match, l'Allemagne a marqué plus de buts que l'Angleterre durant tout le tournoi 2010. Le défenseur Matthew Upson a quant à lui marqué le but de consolation de l'Angleterre à Bloemfontein, après les deux seuls buts de **Steven Gerrard** et Jermain  Defoe en match de groupe. En septembre 2001, l'Angleterre avait remporté une victoire écrasante 5-1 contre l'Allemagne, lors d'un match de qualification pour la Coupe du Monde à Munich, grâce à un exploit de Michael Owen et aux buts de Steven Gerrard et Emile Heskey. L'Allemagne a continué sa progression l'année suivante, lors de la Coupe du Monde en Corée du Sud et au Japon, bien qu'elle se soit inclinée en finale face au Brésil, après l'élimination de l'Angleterre par le même Brésil en quart.

TOISE ET BALANCE

Avec 1,98 m, l'avant-centre **Peter Crouch** est l'international anglais le plus grand de tous les temps. Le plus petit fut l'ancien ailier de Tottenham **Fanny Walden,** 1,57 m (2 capes en 1914 et 1922). Avec 114 kg, le gardien de Sheffield United Billy Foulke est devenu le plus lourd international lorsqu'il a joué contre le Pays de Galles le 29 mars 1897.

LE RECORD DE BECKHAM

Entré en cours de jeu lors d'une victoire 4-0 contre la Slovaquie le 28 mars 2009, **David Beckham** a fêté sa 109e sélection, battant ainsi le record de capes pour un joueur de champ avec les *Three Lions,* jusque-là détenu par Bobby Moore, capitaine des Champions du Monde 1966. Né le 2 mai 1975 à Leytonstone (Londres), Beckham fête sa première sélection le 1er septembre 1996 contre la Moldavie, en éliminatoires pour la Coupe du Monde. En 2001, il est désigné capitaine par le nouveau sélectionneur de l'époque, Sven-Goran Eriksson, qui quittera son poste après la défaite en quart d'Allemagne 2006 contre le Portugal. Il a achevé sa carrière anglaise avec 115 sélections et pris sa retraite en mai 2013, à l'âge de 38 ans, juste après avoir remporté le championnat dans un 4e pays, pour le PSG. Ses 68 matchs de tournoi pour l'Angleterre constituent aussi un record national. En été 2013, le 4e meilleur buteur anglais, **Michael Owen,** a également pris sa retraite. Il avait marqué un incroyable but en solo contre l'Argentine lors de la Coupe du Monde 1998. Beckham avait été expulsé et le match s'était conclu sur un nul 2-2, suivi de tirs aux buts que l'Angleterre avait perdus.

PRÉCOCITÉ

Le 30 mai 2006 à Old Trafford, contre la Hongrie, Theo Walcott devient, à 17 ans et 75 jours, le plus jeune international anglais de l'histoire. Son prédécesseur était Wayne Rooney, âgé de 17 ans et 111 jours lors de son baptême du feu, contre l'Australie, en février 2003. Le 10 septembre 2008, à 19 ans et 178 jours, Walcott devenait le plus jeune membre des *Three Lions* à signer un *hat-trick,* lors de la victoire 4-1 contre la Croatie à Zagreb.

OUVREZ LA PARENTHÈSE

Quatre internationaux anglais ont joué la Coupe du Monde FIFA 1966 sans participer à la finale triomphale contre la RFA : Ian Callaghan, John Connelly, Jimmy Greaves et Terry Paine. L'ailier de Liverpool, Callaghan, allait ensuite supporter la plus longue attente enregistrée entre deux apparitions avec l'Angleterre, soit 11 années et 49 jours entre sa participation à la victoire 2-0 contre la France en 1966 et son retour sur la scène internationale lors d'un nul 0-0 contre la Suisse en septembre 1977, sa 3e et avant-dernière sortie pour l'Angleterre.

FRANK MARQUE

Frank Lampard a marqué plus de tirs aux buts pour l'Angleterre que tout autre joueur, avec neuf buts depuis ses débuts en octobre 2005. L'ancien milieu de terrain prolifique de West Ham United et Chelsea aurait dû ajouter un autre but à son compteur international, avec un but égalisateur contre l'Allemagne lors du match de 2e tour pour la Coupe du Monde 2010, mais il a été jugé que le ballon n'était pas entré dans le but, à tort (ce qui a relancé le débat sur l'introduction de technologie sur la ligne de but). En mai 2013, Lampard est devenu le meilleur buteur de Chelsea, alors champion européen, avec son 203e but pour le club, énorme score pour un milieu de terrain.

DES DÉBUTS TARDIFS

Le joueur le plus âgé à faire ses débuts dans l'équipe d'Angleterre fut Alexander Morten : il avait 41 ans et 114 jours lorsqu'il joua contre l'Écosse, le 8 mars 1873, lors du premier match de l'Angleterre à domicile, à l'Oval de Kennington (Londres). Il était aussi capitaine ce jour-là. Il reste, aujourd'hui encore, le doyen des capitaines de l'équipe nationale.

BON SANG NE SAURAIT MENTIR

Alex Oxlade-Chamberlain (18 ans) est devenu le cinquième fils d'un international anglais à coiffer une cape, lors d'un match contre la Norvège en mai 2012 – 28 ans après la dernière des 8 sélections de son père Mark Chamberlain. Oxlade-Chamberlain est devenu le plus jeune buteur anglais en éliminatoire de la Coupe du Monde avec son but contre Saint-Marin, en octobre 2012. Les quatre autres couples père-fils sont : George Eastham Senior (1 sélection, 1935) et George Eastham Junior (19s, 1963-1966) ; Brian (2s, 1959) et Nigel Clough (14s, 1989-1993) ; Frank Lampard Senior (2s, 1972-1980) et **Frank Lampard Junior** (90s, 1999) ; Ian Wright (33s, 1991-1998) et son fils adoptif Shaun Wright-Phillips (36s, 2004-2010). Les seuls grand-père et petit-fils à jouer pour l'Angleterre sont Bill Jones, avec 2 sélections en 1950, et Rob Jones, avec 8 sélections de 1992 à 1995.

LONGÉVITÉ

Stanley Matthews est devenu l'international anglais le plus âgé lorsqu'il s'est aligné sur l'aile contre le Danemark le 15 mai 1957, à 42 ans et 104 jours, 22 ans et 229 jours après sa première sélection. Matthews est également le doyen des buteurs des *Three Lions*. Il avait 41 ans et 8 mois lorsqu'il a marqué contre l'Irlande du Nord le 10 octobre 1956.

BUTEURS

1	Bobby Charlton	49
2	Gary Lineker	48
3	Jimmy Greaves	44
4	Michael Owen	40
5	Wayne Rooney	36
6	Tom Finney	30
=	Nat Lofthouse	30
=	Alan Shearer	30
9	Frank Lampard	29
=	Vivian Woodward	29

UNE CAPE, UN BRASSARD

Claude Ashton, l'avant-centre de Corinthian (ancien club londonien), a établi un record en portant le brassard anglais lors de sa seule sélection, un nul 0-0 contre l'Irlande du Nord à Belfast, le 24 octobre 1925.

SÉLECTIONS

1	Peter Shilton	125
2	David Beckham	115
3	Bobby Moore	108
4	Bobby Charlton	106
5	Billy Wright	105
6	Ashley Cole	103
7	Steven Gerrard	102
8	Frank Lampard	97
9	Bryan Robson	90
10	Michael Owen	89

CAPITAINES COURAGE

Les carrières internationales de Billy Wright et de **Bobby Moore**, recordmen des capitanats en équipe d'Angleterre (90), se sont presque chevauchées. Wright, des Wolves, a joué en sélection entre 1946 et 1959, et Moore, de West Ham, entre 1962 et 1973, notamment lors du triomphe à la Coupe du Monde 1966.

RESPONSABILITÉS PARTAGÉES

Du fait des remplacements, le brassard du capitaine fut porté par 4 joueurs différents lors du match amical gagné par l'Angleterre face à la Serbie & Monténégro le 3 juin 2003. En l'absence du capitaine en titre, David Beckham, Michael Owen porta le brassard, puis il fut remplacé, dans la 2e mi-temps, par Emile Heskey, Jamie Carragher (Liverpool) et Philip Neville (Manchester United). C'est en 1986, contre le Maroc, que pour la première fois 3 capitaines se sont succédé pour l'Angleterre dans un match de Coupe du Monde. Après la sortie sur blessure de Bryan Robson, Ray Wilkins fut expulsé et le goal Peter Shilton a pris le brassard.

EN POINTILLÉS

L'attaquant de Tottenham **Jermain Defoe** a joué comme remplaçant pour l'Angleterre plus souvent qu'aucun autre joueur – 31 fois précisément depuis ses débuts en mars 2004 – et a été remplacé avant la fin des 90 minutes lors de ses 17 premières apparitions.

SEPT SAMOURAÏS

En mars 2013, l'Anglais Roy Hodgson a égalé un record national lors de la défaite écrasante (8-0) infligée à Saint-Marin en éliminatoire de la Coupe du Monde : les buts ont été marqués par 7 joueurs différents, soit autant que lors de la victoire 9-0 contre le Luxembourg, en décembre 1982. Cette fois-ci, cependant, à cause du but d'ouverture d'Alessandro Della Valle, seuls six des buteurs étaient anglais : Jermain Defoe avec un doublé, et **Alex Oxlade-Chamberlain**, Ashley Young, Frank Lampard, Wayne Rooney et Daniel Sturridge.

QUI EST LE PLUS GRAND ?

Fabio Capello est le champion des sélectionneurs anglais, avec 67 % de victoires, suivi par **Sir Alf Ramsey** (ci-dessous) et Glenn Hoddle, 61 % chacun. Toutefois, la Coupe du Monde gagnée en 1966 par Sir Alf place celui-ci largement au-dessus du lot. Statistiquement, l'intérimaire Peter Taylor affiche le pire bilan (100 % de défaites), mais il n'a dirigé qu'un match, une défaite 1-0 contre l'Italie à Turin qui a vu David Beckham porter le brassard pour la première fois. Don Revie, dans les années 1970, et Steve McClaren, dans les années 2000, sont les seuls sélectionneurs à plein-temps à ne s'être qualifiés pour aucune compétition majeure. Terry Venables n'a pas eu à gérer les éliminatoires pour son seul tournoi, l'Euro 96, organisé par l'Angleterre. Le mandat de 16 mois de McClaren (durant lequel Venables a été son assistant) est aussi l'un des plus courts d'un sélectionneur national anglais.

LES VISITEURS

L'Argentine a été la première sélection non britannique à jouer à Wembley – victoire anglaise 2-1 le 9 mai 1951. Les Magyars magiques de Ferenc Puskás ont été les premiers « continentaux » à battre l'Angleterre à domicile, avec leur célèbre victoire 6-3 à Wembley en 1953. C'est sur cette humiliation qu'Alf Ramsey a mis un terme à sa carrière internationale. L'Espagne a été le premier pays « continental » à battre l'Angleterre : 4-3 à Madrid le 15 mai 1929. Deux ans plus tard, l'Angleterre se vengeait avec un succès 7-1 à Highbury.

CONTRE SON CAMP !

Même si ce but est parfois mis au crédit de l'attaquant écossais John Smith, Edgar Field serait le premier Anglais à avoir marqué contre son camp, lors d'une correction 6-1 contre l'Écosse en 1881. Quand Field a commis sa bourde, les Anglais étaient déjà menés 4-1. Vainqueur et finaliste de la FA Cup avec Clapham Rovers, il n'est pas mal accompagné puisque le Mancunien Gary Neville a marqué deux fois « contre » l'Angleterre.

IL Y A FOULE

L'affluence record pour un match de l'Angleterre a été enregistrée à l'Hampden Park (Écosse) le 17 avril 1937 : 149 547 spectateurs pour voir les locaux s'imposer 3-1 dans le British Home Championship. Ils n'étaient que 2 378 à Bologne pour voir Saint-Marin surprendre dès la 9e seconde les hommes de Graham Taylor, finalement vainqueurs 7-1, mais non qualifiés pour la Coupe du Monde 1994.

À L'ORIGINE

Le premier match officiel international de l'Angleterre s'est soldé par un nul 0-0 avec l'Écosse à Glasgow, le 30 novembre 1872, même si les deux pays avaient déjà disputé un certain nombre de rencontres non officielles l'un contre l'autre. Pendant quatre décennies, les seuls adversaires de l'Angleterre ont été les autres nations britanniques. Pendant les sept premières années, elle rencontrait exclusivement l'Écosse. Il n'est donc pas étonnant qu'elle ait enregistré ses premiers nuls, succès et revers face à ses voisins septentrionaux. Le deuxième rendez-vous, disputé à *The Oval* (Londres) le 8 mars 1873, a vu l'Angleterre s'imposer 4-2. Un an plus tard jour pour jour à Glasgow, l'Écosse a pris sa revanche en s'imposant 2-1. En 2013, à l'occasion du 150e anniversaire de la Soccer Association, un match amical a eu lieu contre l'Écosse à Wembley. C'était la 1re fois que les deux équipes se rencontraient depuis un match aller-retour de barrage en octobre 1999, pour se qualifier à l'Euro 2000. L'Angleterre a gagné par 2-1, après une victoire 2-0 à Hampden Park et une défaite 1-0 à domicile.

ROY ET SES BOYS

Si Fabio Capello avait du mal à maîtriser l'anglais, **Roy Hodgson** parle couramment le suédois, le norvégien, l'italien et l'allemand. Ancien sélectionneur de la Suède et de la Finlande, et ancien entraîneur de l'Inter Milan, Hodgson a été nommé à la tête des Trois Lions six semaines avant le début de l'Euro 2012. Ses hommes sont malgré tout sortis en tête de leur groupe, avant de quitter la compétition aux tirs au but contre l'Italie en quart de finale. En phase de poule, ils ont battu pour la première fois en huit tentatives la Suède en compétition officielle. Quant à leur victoire contre les co-organisateurs ukrainiens, elle marque le premier triomphe anglais contre un pays organisateur depuis le Mondial suisse de 1954.

ENGAGEZ-VOUS !

Les premières équipes d'Angleterre étaient constituées grâce à des sélections ouvertes qui faisaient l'objet de publicités de la part de la fédération (FA). Lorsque ces campagnes sont devenues trop populaires et ingérables, la FA a décidé de mettre en place un International Selection Committee, qui a procédé aux sélections jusqu'à la désignation de sir Alf Ramsey en 1962.

LES SÉLECTIONNEURS

Walter Winterbottom	(1946-1962)
Sir Alf Ramsey	(1962-1974)
Joe Mercer	(1974)
Don Revie	(1974-1977)
Ron Greenwood	(1977-1982)
Bobby Robson	(1982-1990)
Graham Taylor	(1990-1993)
Terry Venables	(1994-1996)
Glenn Hoddle	(1996-1998)
Howard Wilkinson	(1999-2000)
Kevin Keegan	(1999-2000)
Peter Taylor	(novembre 2000)
Sven-Goran Eriksson	(2001-2006)
Steve McClaren	(2006-2007)
Fabio Capello	(2008–2012)
Stuart Pearce	(mars 2012)
Roy Hodgson	(2012–)

L'HEURE ITALIENNE

L'Italien Fabio Capello est devenu le 2e sélectionneur étranger de l'Angleterre en janvier 2008 et a conduit le pays en Afrique du Sud en 2010. Capello gardait d'excellents souvenirs du stade de Wembley : joueur, il avait marqué l'unique but de la première victoire italienne contre les Anglais à l'extérieur, le 14 novembre 1973. Après avoir qualifié les Trois Lions pour l'Euro 2012, il démissionna, à la surprise générale, pour protester contre la décision de la Fédération anglaise de retirer le brassard de capitaine à John Terry.

SUPER WALTER

Walter Winterbottom a été le premier manager à plein-temps de l'Angleterre. Il a effectué le plus long mandat (138 matchs) et reste le plus jeune sélectionneur des *Three Lions* : il avait 33 ans à sa prise de fonctions d'entraîneur en 1946. En 1947, il est passé manager. Cet ancien professeur et joueur de Manchester United a dirigé l'Angleterre dans quatre Coupes du Monde.

FRANCE

La France est l'un des trois pays à avoir détenu simultanément le titre mondial et la couronne européenne. Les Bleus ont remporté «leur» Coupe du Monde 1998 en battant le Brésil 3-0 en finale. Deux ans plus tard, ils réussissaient un improbable renversement de situation en finale de l'Euro 2000 contre l'Italie (2-1). La France avait déjà remporté le titre européen en 1984 en battant l'Espagne 2-0 à Paris. Les Bleus ont atteint la finale d'Allemagne 2006, mais ils ont perdu aux tirs au but contre l'Italie. La France compte aussi deux Coupes des Confédérations (2001 et 2003) et un titre olympique (1984).

KOPA, PREMIÈRE SUPERSTAR FRANÇAISE

Né le 13 octobre 1931 dans une famille d'immigrants polonais, les Kopaszewski, **Raymond Kopa** a été la première superstar internationale du foot français. Après avoir fait les beaux jours de Reims dans les années 1950, il signera ensuite au Real Madrid, où il deviendra le premier Français à remporter la Coupe d'Europe. Grand artisan de la 3e place des Bleus à la Coupe du Monde 1958, le meneur de jeu verra ses performances récompensées par un Ballon d'or *France Soccer* la même année.

UNE CARRIÈRE EN PLATINE

Né à Jœuf le 21 juin 1955, **Michel Platini** a connu une carrière dorée. Le jeune homme révélé à Nancy est devenu l'un des plus grands joueurs français, un héros en Italie et le président de l'UEFA. Il a été également (avec Fernand Sastre) président du Comité d'organisation de la Coupe du Monde 1998 en France. Petit-fils d'un cafetier italien venu s'installer en Lorraine, Platini a débuté à Nancy, avant de faire les beaux jours de Saint-Étienne, de la Juventus et de l'équipe de France. Décisif dans l'accession des Bleus au dernier carré d'Espagne 1982, il sera la grande vedette du Championnat d'Europe 1984 remporté par l'équipe de France sur ses terres.

COURANT ALTERNATIF

Deux buts de **Jérémy Ménez** et Yohan Cabaye ont permis à la France de battre l'Ukraine en phase de poules de l'Euro 2012 – après que la partie avait été interrompue une heure à cause d'un orage. Ce fut la première victoire acquise par les Bleus dans un Euro en l'absence de Michel Platini ou de Zinédine Zidane. L'équipe a ainsi mis un terme à une série de 8 matchs sans victoire en phase finale d'une grande compétition, depuis la demi-finale du Mondial 2006 contre le Portugal. Elle a également porté à 23 rencontres son invincibilité sous l'ère Laurent Blanc (2e meilleure série française, hélas suivie d'une défaite 2-0 contre la Suède lors du dernier match du groupe D, puis d'un autre 2-0 face à l'Espagne en quart de finale). Le record d'invincibilité des Bleus, sous Aimé Jacquet, s'étira de février 1994 à octobre 1996 (avec, certes, une élimination aux tirs au but en demi-finale de l'Euro 1996 face à la République tchèque).

AU-DELÀ DES FRONTIÈRES

Les sélections françaises comptent traditionnellement un important contingent de joueurs issus de l'immigration. Trois des légendes françaises, Kopa, Platini et Zidane, sont des immigrés de 2ᵉ ou 3ᵉ génération. En 2006, 17 des 23 hommes retenus pour la Coupe du Monde avaient des liens avec les anciennes colonies françaises.

BIG BISOUS

Laurent Blanc et **Fabien Barthez** s'adonnaient à un rituel durant le parcours victorieux de la France à la Coupe du Monde 1998. Avant chaque match, le Cévenol embrassait le crâne rasé de l'Ariégeois, même lors de la finale, pour laquelle le défenseur était suspendu. Blanc a remporté la finale de l'Euro 2000, annonçant ensuite qu'il prenait sa retraite comme joueur. Il devient entraîneur et sélectionneur de l'équipe de France (2010-2012). Il a déclaré alors : « L'équipe de France a été ma vie, et m'a conduit à faire des choses que je n'aurais pas dû faire. Elle a été ma maîtresse – une maîtresse magnifique ».

POUR ÊTRE FRANCK

Franck Ribéry est devenu l'un des plus importants footballeurs français actuels. Ses performances sur les deux ailes ont contribué à faire parvenir son pays en finale de la Coupe du Monde 2006, et à conduire le Bayern au titre de la Ligue des Champions de l'UEFA, en 2013. Il est le premier joueur à avoir été nommé footballeur de l'année à la fois en France et en Allemagne. Pourtant, le club français de Lille l'avait refusé, adolescent, affirmant par la suite que Ribéry était trop petit avec son 1,70 mètre. À l'âge de deux ans, Ribéry a été gravement blessé dans un accident de voiture, dont il a gardé les cicatrices sur le côté droit de son visage.

LES SPÉCIALISTES

L'équipe de France est la seule à avoir remporté par deux fois tous ses matchs de qualification pour un Championnat d'Europe – éditions 1992 et 2004. En 1992, les Bleus furent toutefois éliminés dès la phase de poule. En 2004, pourtant tenants du trophée, ils s'inclinèrent en quart de finale contre les Grecs, futurs vainqueurs surprise de la compétition. Les seules autres nations à avoir réalisé des éliminatoires parfaites sont la République tchèque (2000), l'Espagne et l'Allemagne (2012). La Coupe du Monde FIFA 2010 marque la première série de 4 qualifications consécutives pour ce tournoi.

LA FRANCE ET LA FIFA

La France faisait partie des membres fondateurs de la FIFA, en 1904, Robert Guérin devenant le premier président de l'institution. Il sera suivi à ce poste par Jules Rimet, qui assurera son mandat de 1921 à 1954. Ce dernier est le père fondateur de la Coupe du Monde, dont le trophée a porté son nom jusqu'en 1970.

MICHEL PLATINI (en club et en sélection)

Années	Club	Matchs	Buts
1972-1979	Nancy	181	98
1979-1982	Saint-Étienne	104	58
1982-1987	Juventus	147	68
1976-1987	France	72	41

GRÉVISTES INATTENDUS

En Coupe du Monde FIFA 2010, les joueurs français ont refusé de s'entraîner 2 jours avant leur match final de Groupe A, en signe de protestation face au renvoi de Nicolas Anelka, qui avait insulté Raymond Domenech. La France a terminé en dernière position du groupe, après un match sans but face à l'Uruguay et deux défaites, face au Mexique et à l'Afrique du Sud. Nicolas Sarkozy ordonna la tenue d'une enquête, tandis que l'ancien défenseur Lilian Thuram demandait à ce que le capitaine, **Patrice Evra**, soit interdit d'équipe de France. Le nouveau sélectionneur, Laurent Blanc, annonça qu'aucun des 23 joueurs ayant participé à la Coupe du Monde FIFA 2010 n'entrerait dans la composition de l'équipe de France pour le match amical face à la Norvège (perdu 2-1).

HENRY SUR LE BANC

Le recordman de buts en équipe de France n'a pas pu entrer en jeu lors de la finale de France 1998 à cause du carton rouge de Marcel Desailly. Aimé Jacquet comptait solliciter le jeune Monégasque, meilleur buteur de son équipe en phase de groupes (3 buts), mais l'expulsion du Milanais a contraint le sélectionneur à revoir ses plans. Devant la nécessité de renforcer l'entrejeu, Henry resta sur le banc, remplacé par son futur coéquipier à Arsenal, Patrick Vieira. Henry détient en revanche le record du seul Français à avoir joué 4 Coupes du Monde (1998, 2002, 2006 et 2010). Il a également dépassé le record de buts de Platini avec un doublé contre la Lituanie, en octobre 2007.

SÉLECTIONS

1	Lilian Thuram	142
2	Thierry Henry	123
3	Marcel Desailly	116
4	Zinedine Zidane	108
5	Patrick Vieira	107
6	Didier Deschamps	103
7	Laurent Blanc	97
=	Bixente Lizarazu	97
9	Sylvain Wiltord	92
10	Fabien Barthez	87

BUTEURS

1	Thierry Henry	51
2	Michel Platini	41
3	David Trezeguet	34
4	Zinedine Zidane	31
5	Just Fontaine	30
=	Jean-Pierre Papin	30
7	Youri Djorkaeff	28
8	Sylvain Wiltord	26
9	Jean Vincent	22
10	Jean Nicolas	21

GÉNÉRAL DESCHAMPS

Didier Deschamps, milieu de terrain dédaigneusement qualifié de «porteur d'eau» par son compatriote Éric Cantona, a riposté en devenant le capitaine le plus distingué de l'histoire du football français. Meneur inspiré, il a remporté la Coupe du Monde 1998 et l'Euro 2000, avec un record de 55 brassards de capitaine en 103 matchs internationaux, avant de prendre sa retraite en juillet 2000. Après plusieurs succès comme entraîneur de l'AS Monaco, de la Juventus de Turin et de Marseille, Deschamps a pris les rênes de l'équipe nationale en remplacement de Laurent Blanc, démissionnaire à la suite de l'Euro 2012.

TOUS UNIS POUR ABIDAL

Le défenseur **Éric Abidal,** membre clé de la sélection française aux Mondiaux de la FIFA 2006 et 2010, s'illustrait au sein du club espagnol de Barcelone quand on lui diagnostiqua une tumeur au foie en mars 2011. Pour le soutenir, les rivalités entre clubs furent mises de côté, les joueurs du Real Madrid et de l'Olympique lyonnais (son ancien club) arborant sur leurs maillots le message de soutien «*Animo Abidal*» (Courage, Abidal), après leur match nul, quelques jours plus tard. De leur côté, les fans de Barcelone lui firent une ovation à la 22e minute (allusion à son n° 22) de leur match de la Liga contre Getafe. Après son opération, Abidal réussit à faire un retour surprise en compétition dès le 3 mai pour la victoire en demi-finale de la Ligue des Champions de l'UEFA de Barcelone contre Madrid. Abidal eut ensuite l'honneur de porter le brassard de capitaine pour les dernières minutes de la finale de la Ligue des Champions, le 28 mai 2011 et donc de recevoir le trophée, après la victoire 3-1 de son équipe contre Manchester United. Mais en avril 2012, Abidal doit subir une greffe du foie. Pourtant, il reprend l'entraînement dès décembre 2012 et joue même quelques dizaines de minutes avec l'équipe première en 2013. À l'été, il quitte Barcelone pour l'AS Monaco, le club de ses débuts professionnels.

TREZEGUET ET L'ITALIE

David Trezeguet garde des souvenirs mitigés de ses rencontres face à l'Italie. Auteur du but en or fatal à la *Squadra* en finale de l'Euro 2000, il manquera 6 ans plus tard son penalty lors de l'épreuve de vérité, en finale d'Allemagne 2006. La frappe du *Juventino* s'écrasera sur la barre transversale pour retomber du mauvais côté de la ligne.

LE PARDON PRÉSIDENTIEL

L'arrière central Laurent Blanc, surnommé alors «Le Président», est sélectionneur de l'équipe de France après Raymond Domenech. Il n'a pas participé à la finale de la Coupe du Monde 1998, après son exclusion en demi-finale pour avoir poussé Slaven Bilic, même si la vidéo a révélé que le défenseur croate avait exagéré. Blanc a pu effacer ce mauvais souvenir en remportant avec son équipe l'Euro deux ans plus tard. Il accepta le poste de sélectionneur de l'équipe de France 12 mois après avoir conduit le club bordelais à la victoire en championnat national. Après avoir démissionné à la suite de l'Euro 2012, il est devenu à l'été 2013 l'entraîneur du Paris-Saint-Germain.

Ô CAPITAINE… QUEL CAPITAINE?

Patrice Evra destitué du brassard suite à son rôle dans le fiasco des Bleus à la Coupe du Monde 2010, le nouveau sélectionneur Laurent Blanc a désigné quatre capitaines différents durant les éliminatoires de l'Euro 2012. Les milieux de terrain Florent Malouda, Alou Diarra et Samir Nasri ont ainsi porté le brassard avant que celui-ci ne revienne, de façon permanente, à **Hugo Lloris** pour la compétition. Le gardien des Bleus est le seul à avoir disputé l'intégralité des rencontres de qualification et de phase finale, conservant sa cage inviolée 7 fois en 14 matchs.

COLLECTIONNEURS

Ils ont gagné ce qui se fait de mieux: la Coupe du Monde, l'Euro et la Ligue des Champions. Didier Deschamps, Marcel Desailly, Christian Karembeu, Bixente Lizarazu et Zinedine Zidane ont tous participé aux épopées de 1998 et de 2000. Desailly a remporté la Ligue des Champions avec Marseille en 1993 et avec le Milan AC l'année suivante; Deschamps avec l'OM en 1993 et la Juventus en 1996; Lizarazu a triomphé avec le Bayern Munich en 2001; Karembeu en 1998 et 2000 avec le Real Madrid; Zidane avec le Real en 2002. À noter que Karembeu n'est entré en jeu ni en finale de la Ligue des Champions 2000 ni lors de celle de l'Euro 2000.

THURAM INOXYDABLE

Lilian Thuram a connu sa 142e et dernière sélection lors de la défaite de la France face à l'Italie à l'Euro 2008, lui qui avait fait ses débuts avec les Bleus 14 ans plus tôt, le 17 août 1994 contre la République tchèque. Né à Pointe-à-Pitre le 1er janvier 1972, il est passé par l'AS Monaco, Parme, la Juventus et le FC Barcelone avant de raccrocher à l'été 2008 suite à un problème cardiaque. Son doublé en demi-finale de France 1998 contre la Croatie – ses deux seuls buts en sélection – a fait de lui l'une des grandes stars de l'épopée des Bleus. Champion d'Europe en 2000, il prendra sa retraite internationale après l'élimination française à l'Euro 2004, mais Raymond Domenech le persuadera de revenir pour les éliminatoires de la Coupe du Monde 2006. Après avoir battu le record de sélections de Marcel Desailly (116) lors du match de groupe contre le Togo, il disputera sa deuxième finale de Coupe du Monde.

ALBERT Ier

Albert Batteux (1919-2003) a été le premier sélectionneur de l'équipe de France. Un comité avait déjà défini la liste de joueurs retenus avant sa nomination, en 1955. Batteux est aussi l'entraîneur le plus titré du soccer français, lui qui combinait son mandat fédéral avec son poste à Reims. Lors de son meilleur résultat avec les Bleus, la 3e place à Suède 1958, il avait sous ses ordres ses deux vedettes rémoises, Raymond Kopa et Just Fontaine.

RÉVEILLÈRE RESTE

Anthony Réveillère est le seul joueur sélectionné par les quatre derniers entraîneurs français : Jacques Santini, Raymond Domenech, Laurent Blanc et Didier Deschamps. Pourtant, en une décennie, ce défenseur n'a joué que 19 matchs, depuis ses débuts contre Israël en octobre 2003.

BALLON OVALE

Alain Barthez, le père de Fabien, le gardien ayant totalisé le plus de sélections en équipe de France, était un joueur de rugby de talent, sélectionné une fois en équipe de France.

LE TRIOMPHE DE JACQUET

Aimé Jacquet, qui a mené la France au titre mondial en 1998, était loin de faire l'unanimité. Malgré l'accession aux demi-finales de l'Euro 1996 et un bilan de seulement trois défaites en 4 ans, l'ancien Stéphanois était critiqué pour ses stratégies trop frileuses. Avant France 1998, *L'Équipe* l'avait même déclaré incapable de bâtir une équipe en mesure de s'imposer...

FONTAINE JOUEUR ÉPHÉMÈRE

Just Fontaine a connu le plus court mandat à la tête de l'Équipe de France. Intronisé le 22 mars 1967, il a quitté son poste le 3 juin après deux défaites en amical. Il détient toutefois le record du plus grand nombre de buts lors d'une Coupe du Monde : 13 en six matchs joués à l'occasion de la Coupe 1958, dont 4 pendant la victoire 6-3 de la France sur l'Allemagne, en match de 3e place.

SÉLECTIONNEURS FRANÇAIS

Albert Batteux	1955-1962
Henri Guérin	1962-1966
José Arribas/Jean Snella	1966
Just Fontaine	1967
Louis Dugauguez	1967-1968
Georges Boulogne	1969-1973
Stefan Kovacs	1973-1975
Michel Hidalgo	1976-1984
Henri Michel	1984-1988
Michel Platini	1988-1992
Gérard Houllier	1992-1993
Aimé Jacquet	1993-1998
Roger Lemerre	1998-2002
Jacques Santini	2002-2004
Raymond Domenech	2004-2010
Laurent Blanc	2010-2012
Didier Deschamps	2012-

VALBUENA NOTTE

Depuis 50 ans, la France est invaincue contre l'Italie en match à l'extérieur. Ce record a été obtenu grâce à une victoire 2-1 à Parme, en novembre 2012, avec des buts de Mathieu Valbuena et du remplaçant Bafetimbi Gomis. Avec cette victoire, le milieu de terrain marseillais Valbuena a étendu son record de matchs invaincu lors de ses apparitions en équipe nationale (à 16 reprises). La dernière victoire à domicile de l'Italie sur la France remonte à mai 1962, par 2-1 (deux buts du Brésilien d'origine Jose Altafini).

CARTE JEUNES

Au début des années 1990, la France devient le premier pays européen à lancer un programme de formation à l'échelle nationale. Les jeunes éléments les plus prometteurs sont rassemblés à Clairefontaine, avant de rejoindre les excellents centres de formations des meilleurs clubs français. Parmi les champions du monde, Didier Deschamps, Marcel Desailly et Christian Karembeu sont issus de l'école nantaise ; Lilian Thuram, Thierry Henry, Emmanuel Petit et David Trezeguet ont grandi à Monaco ; **Zinedine Zidane** et Patrick Vieira ont été formés à l'AS Cannes.

TOUJOURS PLUS

En juin 2007, une affluence record de 80051 spectateurs a marqué la rencontre France-Ukraine qualifiante pour l'Euro 2008, au Stade de France à Saint-Denis. La France l'emporta 2-0, 2 buts signés Franck Ribéry et **Nicolas Anelka**.

LES BANDES DE LA VICTOIRE

Lors de la Coupe du Monde FIFA 1978 en Argentine, pour un match de groupe à Mar del Plata, Les Bleus furent contraints de porter les bandes vertes et blanches d'un club local, l'Atletico Kimberley, quand ils rencontrèrent la Hongrie. La France avait apporté son second jeu de maillots, blancs, au lieu du bleu habituel, mais la Hongrie portait aussi un maillot blanc. Ce changement de dernière minute n'a semble-t-il pas affecté la France, qui a remporté le match 3-1.

PASSAGE ÉCLAIR

Le malheureux défenseur Franck Jurietti détient un record : celui de la plus courte carrière internationale, avec 5 secondes de jeu avant le coup de sifflet final du match opposant la France à Chypre en octobre 2005 – une carrière encore plus courte que celle de Bernard Boissier, qui avait joué 2 minutes contre le Portugal en avril 1975.

LA « GÉNÉRATION 87 »

En inscrivant le but de la victoire française 2-1 contre l'Espagne en finale de l'Euro des moins de 17 ans en 2004, **Samir Nasri** a permis aux Bleus de soulever ce trophée pour la première fois. La France a par ailleurs remporté sept fois l'Euro des moins de 19 ans – la dernière, c'était en 2010, toujours face aux Espagnols – et une fois l'Euro des moins de 21 ans, en 1988 (Laurent Blanc étant alors désigné Meilleur joueur du tournoi). Nasri fait partie de la « Génération 87 », au même titre que Jérémy Ménez, Hatem Ben Arfa et Karim Benzema. Tous participèrent à la défaite des Bleus en quart de finale de l'Euro 2012 contre l'Espagne… face notamment à Cesc Fabregas et Gerard Piqué, deux de leurs anciennes victimes. Nasri a par la suite été critiqué par la ministre des Sports Valérie Fourneyron (et suspendu 3 matchs) pour sa réaction agressive aux questions des journalistes après la rencontre.

ALLEMAGNE

Bien que scindée en deux pendant plus de 40 ans, l'Allemagne possède l'un des palmarès les plus riches du soccer. Triple championne du monde (1954, 1974 et 1990 – sous l'appellation RFA) et d'Europe (1972, 1980 et 1996), elle est devenue en 1974 le premier pays à détenir simultanément les titres mondial et européen. Depuis, la *Mannschaft* est toujours aussi redoutable dans les grandes compétitions.

L'ITALIE DEVANT

L'Allemagne n'a jamais battu l'Italie dans une compétition internationale. Et la série s'est poursuivie lors de l'Euro 2012, puisque la Squadra azzura a sorti la *Mannschaft* de **Bastian Schweinsteiger** 2-1 en demi-finale. Leur confrontation la plus spectaculaire reste la demi-finale du Mondial 1970 (4-3 après prolongation). L'Italie a également battu l'Allemagne en finale de l'édition 1982 et en demi-finale du Mondial... allemand de 2006. Mais l'Allemagne a remporté un succès récent sur sa rivale européenne. À partir de la saison 2011-2012, la Bundesliga, grâce à ses résultats des dernières saisons en compétition européenne, aura un 4e club en Ligue des Champions, une place gagnée aux dépens de la Série A italienne.

SANG-FROID

Les formations allemandes ont toujours passé des heures à travailler les tirs au but. Leurs deux derniers titres – la Coupe du Monde 1990 et l'Euro 1996 – ont été précédés de demi-finales remportées depuis le point de penalty. Chaque fois, c'est l'Angleterre qui en a fait les frais.

ZÉRO DÉFAITE

L'Allemagne a conservé son record de zéro défaite en match d'ouverture de Coupe d'Europe, en battant le Portugal 1-0 en 2012, sur une tête de **Mario Gomez**. La victoire allemande 4-2 sur la Grèce, en quart de finale, a établi un nouveau record mondial de 15 victoires consécutives en tournoi, une de plus que les précédents détenteurs, l'Espagne et les Pays-Bas.

ILS ONT CONNU LES DEUX

Huit joueurs ont défendu les couleurs de l'ancienne RDA puis de l'Allemagne après la réunification d'octobre 1990.

Ulf Kirsten	49	51
Matthias Sammer	23	51
Andreas Thom	51	10
Thomas Doll	29	18
Dariusz Wosz	7	17
Olaf Marschall	4	13
Heiko Scholz	7	1
Dirk Schuster	4	3

2010 FIFA WORLD CUP
SOUTH AFRICA

ALLEMAGNE DE L'EST : SÉLECTIONS ET BUTS

Sélections

1	Joachim Streich	98
2	Hans-Jurgen Dorner	96
3	Jurgen Croy	86
4	Konrad Weise	78
5	Eberhard Vogel	69

Buts

1	Joachim Streich	53
2	Eberhard Vogel	24
3	Hans-Jurgen Kreische	22
4	Rainer Ernst	20
5	Henning Frenzel	19

LES 99 MATCHS

L'Allemagne (avec la RFA) totalise le plus grand nombre de matchs disputés en Coupe du Monde FIFA. La demi-finale perdue en 2010 contre l'Espagne était son 98e match en phase finale, soit un de plus que le Brésil, éliminé en quart. La **3e place qu'elle a obtenue** a porté son score à 99 matchs, dont 60 victoires, 19 nuls et 20 défaites, avec 203 buts marqués et 115 concédés.

BERLIN HAUT

Berlin accueillera la finale de la Ligue des Champions de l'UEFA 2015. Il s'agira donc de la 2e ville allemande, après Munich, à avoir reçu JO, finale de Coupe du Monde et finale de Coupe UEFA. Berlin a été ville hôte des JO en 1936 et de la Coupe du Monde en 2006, tandis que Munich a reçu les JO en 1972, la Coupe du Monde deux ans plus tard et la phase finale de la Coupe d'Europe en 1979, 1993, 1997 et 2012.

L'ALLEMAGNE REJOINT LE CLUB DES 200

Le but de Thomas Müller à la 3e minute du match Allemagne-Argentine, en quart de finale 2010 (victoire 4-0), fit de l'Allemagne le 2e pays à franchir la barre des 200 buts en Coupe du Monde. Dirigée par Joachim Löw, l'équipe termina le tournoi avec 203 buts, soit 7 de moins que le Brésil. Le 1er but allemand en phase finale fut marqué par Stanislaus Kobierski lors d'une victoire 5-2 contre la Belgique en 1934. La *Mannschaft* de 2010 est la 1re, depuis le Brésil en 1970, à aligner 3 victoires à 4 buts lors d'une même Coupe du Monde : Australie 4-0, Angleterre 4-1 et Argentine 4-0.

HISTORIQUE

Les deux équipes premières d'Allemagne se sont affrontées une seule fois, le 22 juin 1974, en match de groupe de la Coupe du Monde organisée à l'Ouest. La RDA créa la surprise en s'imposant 1-0 à Hambourg. Les deux équipes accédèrent au 2e tour. Jürgen Sparwasser, auteur du but victorieux, passera à l'Ouest en 1988, deux ans avant la réunification du pays.

SCHNELL, SCHNELL

En mai 2013, Lukas Podolski a marqué l'un des buts les plus rapides de l'histoire du soccer international en donnant l'avantage à l'Allemagne contre l'Équateur, en match amical en Équateur, neuf secondes à peine après le début du match. Lars Bender en a ajouté un autre peu après, créant un nouveau record : c'était la 1re fois que l'Allemagne marquait à deux reprises dans les 4 premières minutes. Podolski et Bender ont tous deux marqué à nouveau dans les 24 premières minutes, et l'Allemagne a conclu sur une victoire 4-2.

OR MASSIF

L'Allemagne est le premier pays à avoir remporté un titre majeur grâce à l'ancienne règle du but en or, en finale de l'Euro 1996 contre la République tchèque à Wembley. L'égalisation d'**Oliver Bierhoff** après le penalty du Tchèque Patrik Berger envoie la rencontre en prolongation. À la 5e minute de cette prolongation, Bierhoff récidive et offre ainsi le titre à la *Mannschaft*.

DEUX BENDER

Quand l'entraîneur Joachim Low a effectué un remplacement 12 minutes avant la fin du match de mai 2012 contre la Suisse (défaite 5-3 de l'Allemagne), on aurait cru voir double. Ses deux remplaçants étaient les frères jumeaux **Lars et Sven Bender.** Nés le 27 avril 1989, ils ont commencé tous deux leur carrière avec le Munich 1860 avant que Lars (l'aîné de 12 minutes) passe au Bayer Leverkusen et Sven au Borussia Dortmund. Tous deux jouaient dans l'équipe victorieuse du Championnat d'Europe 2008 des moins de 19 ans, mais seul Lars a été sélectionné pour l'Euro 2012. Ils étaient les seconds jumeaux à jouer pour l'Allemagne, après Erwin et Helmut Kramers. L'attaquant Erwin a marqué 3 buts en 15 matchs entre 1972 et 1974, et le défenseur Helmut a joué 8 fois, sans marquer. Erwin a fait partie de l'équipe victorieuse du championnat d'Europe 1972, mais n'a pas été retenu pour celle qui a remporté la Coupe du Monde 1974, qui comprenait Helmut, en revanche.

« DER BOMBER »

Gerd Müller est le buteur le plus prolifique de son époque. Cet attaquant trapu, peu élégant mais très rapide, était un tueur devant le but. Sa force mentale le rendait déterminant dans les grands matchs, comme en témoignent ses buts victorieux en demi-finale et finale de la Coupe du Monde 1974. Au Championnat d'Europe 1972, il signa un doublé en finale contre l'URSS. Il a inscrit 68 buts en 62 matchs avec la RFA et reste le meilleur réalisateur de la Bundesliga et de son club, le Bayern Munich.

LE ROI OTTO

Mario Gomez a été le plus récent joueur à réaliser un *hat-trick* pour l'Allemagne, avec 4 buts lors d'un match amical contre les Émirats Arabes Unis en juin 2009 (7-2). Gerd Muller a réussi plus de *hat-tricks* que tout autre international allemand – 8 en tout, dont 4 fois 4 buts d'affilée. Mais Otto Siffling reste le seul à avoir marqué 5 buts en un match pour l'Allemagne, lors d'un 8-0 contre le Danemark, en mai 1937, à Wroclaw, aujourd'hui en Pologne, alors en Allemagne (Breslau).

UN LAHM AIGUISÉ

L'arrière **Philipp Lahm,** capable de jouer des deux côtés du terrain, est le plus jeune capitaine à avoir emmené une sélection allemande en Coupe du Monde. Il avait 26 ans quand il remplaça Michael Ballack, blessé, lors du tournoi 2010 en Afrique du Sud. Il ne réitéra pourtant pas son exploit de 2006, où il avait marqué le 1er but du Mondial, une spectaculaire frappe de loin contre le Costa Rica. Il joua chaque minute de chaque match de la sélection allemande de 2006 et des éliminatoires de 2010, avant d'être remplacé lors du match crucial pour la 3e place contre l'Uruguay en Afrique du Sud.

LE KAISER

Franz Beckenbauer est considéré comme le meilleur joueur de l'histoire du soccer allemand. Il a aussi marqué son sport en remportant la Coupe du Monde en tant que sélectionneur puis en organisant l'épreuve dans son pays en 2006. Né le 11 septembre 1945, le jeune Franz évolue au poste de demi offensif en finale d'Angleterre 1966. Plus tard, il invente le poste de libéro offensif (arrière qui agit comme électron libre dans la défense), appliqué au plus haut niveau à la Coupe du Monde 1970. Dans ce rôle, il remporte un titre européen en 1972 puis le sacre mondial en 1974. En 1984, la fédération ouest-allemande confie la sélection au jeune retraité. Beckenbauer conduit son pays à la finale de Mexique 1986, au dernier carré de l'Euro 1988 et au titre suprême lors de Italie 1990, pour son dernier match. Il deviendra président du Bayern Munich, club qu'il a mené à trois sacres européens entre 1974 et 1976 en tant que capitaine. Fer de lance de la candidature allemande, il présidera le comité organisateur de la Coupe du Monde 2006. Son impact sur le soccer allemand justifie son surnom, le «Kaiser».

MAGIQUE MATTHÄUS

Lothar Matthäus est le plus titré des joueurs allemands. Il a disputé cinq Coupes du Monde – 1982, 1986, 1990, 1994 et 1998 –, un record pour un joueur de champ. Polyvalent, Matthäus a occupé les postes de milieu offensif, milieu défensif et libéro. Vainqueur d'Italie 1990 et du Championnat d'Europe 1980, il a disputé la finale de la Coupe du Monde 1986. Sur ses 20 ans de carrière, il a connu 150 sélections, 87 avec la RFA et 63 avec l'Allemagne. Auteur de 23 buts en équipe nationale, il a été élu meilleur joueur de la Coupe du Monde 1990.

SÉLECTIONS
(RFA et Allemagne)

1	Lothar Matthäus	150
2	Miroslav Klose	127
=	Lukas Podolski	110
3	Jurgen Klinsmann	108
4	Jurgen Kohler	105
5	Franz Beckenbauer	103
6	Thomas Hassler	101
8	Michael Ballack	98
=	Philipp Lahm	98
=	Bastian Schweinsteiger	98

BUTEURS
(RFA et Allemagne)

1	Gerd Müller	68
2	Miroslav Klose	67
3	Jurgen Klinsmann	47
=	Rudi Voller	47
6	Lukas Podolski	46
5	Karl-Heinz Rummenigge	45
7	Uwe Seeler	43
8	Michael Ballack	42
9	Oliver Bierhoff	37
10	Fritz Walter	33

LE CAS KLOSE

Miroslav Klose a rejoint Gerd Müller au rang de meilleur buteur en Coupe du Monde FIFA, après avoir porté son score à 14 buts dans l'édition 2010. Il avait réussi un premier exploit contre l'Arabie saoudite en 2002, avec cinq buts cet été-là, avant de remporter le Soulier d'or pour cinq buts à domicile quatre ans plus tard. Ses quatre buts en Coupe du Monde FIFA 2010 incluent le but d'ouverture contre l'Angleterre en huitième de finale et deux buts en quart de finale contre l'Argentine. Klose, natif de Pologne, a engrangé plus de buts pour l'Allemagne lors de la Coupe du Monde 2010 que les trois buts alignés au cours d'une saison décevante au Bayern. Klose détient aussi un record moins enviable en Coupe du Monde FIFA: il a été remplacé 13 fois, plus qu'aucun autre joueur.

DES GANTS DORÉS

Sepp Maier a été une pièce maîtresse des triomphes de la RFA au Championnat d'Europe 1972 et à la Coupe du Monde 1974. Avec 95 sélections entre 1965 et 1979, il est le gardien ouest-allemand le plus capé de l'histoire. Il a passé toute sa carrière au Bayern Munich, avec lequel il a remporté quatre Coupes d'Europe. En 1979, suite à un grave accident lors duquel il manque de perdre la vie, il raccroche les gants pour devenir entraîneur des gardiens de la sélection allemande et de son ancien club.

LE BENJAMIN AUX 100 CAPES

Lukas Podolski est devenu, à 27 ans et 13 jours, le plus jeune joueur européen à compter 100 sélections. Ce fut au premier tour de l'Euro 2012, lors d'un match contre le Danemark. Il en profita pour ouvrir le score de la victoire 2-1 des siens, et inscrire son 44e but en sélection. Né à Gliwice, en Pologne, Podolksi a choisi de jouer pour la *Mannschaft*, sa famille ayant émigré en Allemagne alors qu'il avait deux ans. Il fut élu Meilleur jeune du Mondial allemand de 2006, que son équipe termina à la 3e place.

⚽ LA FORCE DE LA DIVERSITÉ

L'Allemagne est de plus en plus cosmopolite, en tant que pays, mais également en tant qu'équipe de soccer nationale, comme le démontre le fait que 11 des 23 joueurs de sa sélection en Coupe du Monde FIFA 2010 auraient pu jouer pour au moins un autre pays, notamment les avants d'origine polonaise Lukas Podolski et Miroslav Klose, le joueur d'ascendance turque **Mesut Özil,** le milieu de terrain germano-tunisien Sami Khedira, l'attaquant d'origine brésilienne Cacau, et l'arrière Dennis Aogo, né de père nigérian.

⚽ PROFIL BAS

Jusqu'à l'arrivée de **Joachim Low,** l'Allemagne avait eu pour habitude de confier la sélection nationale à d'anciennes légendes qui avaient plus brillé sur le terrain que sur le banc de touche : les vainqueurs de la Coupe du Monde FIFA 1974 Franz Beckenbauer (sélectionneur en 1986 et 1990) et Berti Vogts (1994 et 1998), et ceux de 1990 Rudi Völler (sélectionneur en 2002) et Jürgen Klinsmann (2006). Low, l'assistant de Klinsmann en 2006, est le 1er à avoir conduit l'Allemagne en Coupe du Monde sans avoir participé à aucune finale en tant que joueur depuis Jupp Derwall, en 1982. Derwall avait au moins été sélectionné 2 fois en 1954, mais avait manqué le rendez-vous de la Coupe du Monde cette même année, remportée par la RFA.

⚽ MAUVAIS DÉPART

Le gardien Marc-André ter Stegen a connu des débuts oubliables en mai 2012, lors d'un match amical contre la Suisse, qui a battu l'Allemagne 5-3. Il est devenu le premier goal allemand en 58 ans à concéder plus de trois buts lors d'un 1er match. Le dernier à détenir ce « record » était Heinrich Kwiatowski, lors d'un match d'ouverture de la Coupe du Monde 1954, remporté 8-3 par la Hongrie face à la RFA – la seule apparition de Kwiatowski dans cette compétition (il n'en ferait que trois autres) ; Kwiatowski a néanmoins obtenu la médaille des vainqueurs en battant les mêmes adversaires 3-2 en finale. Malgré le caractère prometteur de ter Stegen, le goal allemand incontesté reste Manuel Neuer, avec 38 sélections.

⚽ LES SÉLECTIONNEURS DE L'ALLEMAGNE

Otto Nerz	1928-1936
Sepp Herberger	1936-1964
Helmut Schoen	1964-1978
Jupp Derwall	1978-1984
Franz Beckenbauer	1984-1990
Berti Vogts	1990-1998
Erich Ribbeck	1998-2000
Rudi Voller	2000-2004
Jürgen Klinsmann	2004-2006
Joachim Low	2006-

⚽ PRIMES D'INTÉRESSEMENT

Les champions du monde 1974 ont bien failli ne jamais l'être, **Helmut Schön** étant à deux doigts de renvoyer ses hommes après un conflit au sujet des primes. *In extremis,* une solution fut trouvée entre Franz Beckenbauer et le vice-président de la fédération Hermann Neuberger. Onze joueurs votèrent pour et 11 contre, mais Beckenbauer persuada ses coéquipiers d'accepter l'offre de la DFB.

⚽ AVALANCHE

La plus large victoire de l'Allemagne sera contre la Russie, 16-0 en 1932. Lors de ce succès aux JO de Stockholm, Gottfried Fuchs inscrivit 10 buts, le record de la *Mannschaft.*

SCHÖN ET LA SARRE

Helmut Schön fait partie des grands sélectionneurs de l'Allemagne. Il a débuté sa carrière internationale avec la Sarre, qui était devenue indépendante (avec ses 970 000 habitants) après la Seconde Guerre mondiale. Ce minuscule État avait connu son heure de gloire lors des éliminatoires de la Coupe du Monde 54, où il avait battu la Norvège 3-2 à Oslo pour prendre la tête de son groupe. La sélection sarroise fut éliminée par la RFA de Herberger.

DOUBLÉ INÉDIT

Le milieu de terrain du Borussia Dortmund **Mario Götze** et l'attaquant vedette de Mayence Andre Schürrle sont devenus en même temps les premiers internationaux allemands nés après la réunification allemande (1990), en entrant comme remplaçants à la 79e minute d'un match amical contre la Suède en novembre 2010. En avril 2013, Gotze est devenu le transfert allemand le plus cher de tous les temps, quand il a quitté le Borussia Dortmund pour le Bayern de Münich pour 37 millions d'euros. En 2013, une blessure l'a empêché de jouer un dernier match pour Dortmund, en finale de la Ligue des champions de l'UEFA – l'adversaire se trouvant être le Bayern.

L'ÂGE DE BRONZE POUR L'ALLEMAGNE

L'affrontement en Coupe du Monde FIFA 2010 pour la 3e place entre l'Allemagne et l'Uruguay était une redite de l'édition de 1970, où la RFA l'avait emporté 1-0. L'Allemagne décrocha à nouveau la 3e place en 2010 au stade Nelson Mandela Bay, à Port Elizabeth, sur le score de 3 buts à 2. Ce succès, assuré par un but tardif de Sami Khedira, offre à l'Allemagne une 3e place en Coupe du Monde pour la 4e fois de l'histoire, après celles de 1934, 1970 et 2006.

JULIAN SOUS PRESSION

Julian Draxler est devenu le 5e plus jeune joueur allemand à faire ses débuts – contre la Suisse en mai 2012, à l'âge de 18 ans et 248 jours. Son coéquipier Mario Gotze est le 3e de ce palmarès, en jouant son 1er match (contre la Suède) en novembre 2010, à l'âge de 18 ans et 166 jours. Le plus jeune joueur de soccer allemand reste Oskar Ritter, âgé de 17 ans et 254 jours à ses débuts, également contre la Suède, en juin 1925. Uwe Seeler avait 90 jours de plus quand il a débuté en octobre 1954, contre la France. Olaf Thon avait 63 jours de plus que Gotze quand il a effectué sa 1re apparition internationale, contre Malte, en décembre 1984.

SEPP, C'ÉTAIT BIEN

Sepp Herberger (1897-1977) a été l'une des figures de proue du soccer allemand. Ce sélectionneur qui a assuré un mandat record de 28 ans a consolidé sa légende en menant les siens à un exploit contre les Hongrois en finale de la Coupe du Monde 1954. Ce succès avait contribué à tirer le pays de la crise d'après-guerre. Nommé en 1936, Herberger conduit l'équipe à la Coupe du Monde de 1938. Pendant la guerre, il fait jouer ses relations pour préserver ses meilleurs joueurs des dangers du front. À la reprise du championnat en 1949, la fédération décide de rechercher un nouveau sélectionneur, mais Herberger persuade le président de la DFB Peco Bauwens de reconduire son mandat. Une clause de son contrat lui laisse les mains libres en termes d'organisation et de choix des joueurs. Parmi ses plus célèbres citations : « Le ballon est rond et le match dure 90 minutes. Tout le reste, c'est de la théorie. »

ITALIE

Seul le Brésil, avec 5 titres, peut s'enorgueillir d'un palmarès plus fourni que l'Italie. La *Squadra Azzurra* a été la première sélection à conserver son trophée, grâce à ses victoires en 1934 et en 1938. Elle a créé la surprise lors du Mondial espagnol de 1982 et décroché sa 4e étoile en 2006 au terme d'une séance de tirs au but électrique face à la France. Ajoutez à cela un titre européen en 1968 et vous obtenez un bilan dont peu de pays peuvent se targuer. Les clubs transalpins se montrent à la hauteur de ce prestigieux patrimoine, eux qui ont remporté 29 Coupes d'Europe et disputent l'un des meilleurs championnats de la planète, la Série A. Aucun doute là-dessus, l'Italie est un cador du soccer mondial.

FÂCHÉS TOUT ROUGE

Après leur élimination dès le premier tour de la Coupe du Monde 1966, les Italiens ont essuyé les jets de tomates de tifosi furieux à leur retour. Après une victoire 2-0 peu convaincante face au Chili, les Transalpins avaient perdu 1-0 contre l'URSS, avant de subir un humiliant revers (1-0) face à la Corée du Nord.

MAUDITS

Seule l'Angleterre a perdu autant de séances de tirs au but dans l'épreuve suprême que l'Italie (trois). Chaque fois – en 1990, 1994 et 1998 –, **Roberto Baggio** a été impliqué dans ces défaites. L'arrière latéral Antonio Cabrini est le seul joueur à avoir raté 1 penalty dans le temps réglementaire d'une finale de Coupe du Monde, en 1982. Le score était de 0-0 à ce moment-là, mais heureusement pour lui, la *Squadra* a battu la RFA 3-1.

CASSANO A DU CŒUR

D'aucuns craignaient qu'**Antonio Cassano** ne puisse plus rejouer au soccer après son AVC de novembre 2011 et le problème cardiaque alors décelé qui nécessita une opération chirurgicale. De retour sur les terrains avec l'AC Milan en avril 2012, Cassano fut titulaire lors de tous les matchs de l'Italie à l'Euro 2012. Il fut également le seul, avec Giorgio Chiellini, à disputer l'intégralité des éliminatoires pour le tournoi (26 points en 10 rencontres, record national). Meilleur buteur de son équipe en éliminatoires avec 6 buts, il fera trembler les filets en phase finale, lors du succès 2-0 des Azzuri contre la République d'Irlande. Double buteur à l'Euro 2004, il détient, avec Mario Balotelli, le record de réalisations dans cette compétition pour un joueur italien. Il a aussi, malheureusement, été remplacé huit fois lors de finales de l'Euro – une de plus que Dennis Bergkamp, des Pays-Bas, et que le buteur allemand Mario Gomez.

CACHETTE

Pendant la guerre 1939-1945, le trophée Jules-Rimet remporté par l'Italie en 1938 est resté dans une boîte à chaussures, chez Ottorino Barassi. Ce dirigeant avait jugé l'emplacement plus sûr que sa cachette d'origine, une banque romaine. Le trophée a été rendu à la FIFA en parfait état lorsque la Coupe du Monde a repris ses droits, en 1950.

LES JEUNOTS

En disputant un match amical contre l'Irlande du Nord en juin 2009, l'arrière de l'Inter Milan Davide Santon est devenu, à 18 ans et 155 jours, le 2e plus jeune international italien depuis l'après-guerre. Un autre arrière de l'Inter, le moustachu Giuseppe Bergomi, était plus jeune de 42 jours quand il fit ses débuts contre la RDA en avril 1982, tout juste trois mois avant d'aider l'Italie à gagner la Coupe du Monde. Plus jeune encore fut le milieu de terrain de Casale, Luigi Barbesino, âgé de 18 ans et 61 jours quand il joua contre la Suède en juillet 1912 ; mais le record absolu revient à Renzo De Vecchi, un défenseur du Milan AC, âgé de 16 ans et 112 jours lors d'un match contre la Hongrie en mai 1910.

LE BOSS DE ROSSI

Le combatif milieu de terrain **Daniele de Rossi** a été condamné après son expulsion due à un coup de coude décoché à l'Américain Brian McBride lors du 2e match de l'Italie en Coupe du Monde 2006. De Rossi a purgé sa peine de suspension à temps pour revenir comme remplaçant en finale, remportée par l'Italie contre la France. Pourtant, plus tôt cette année-là, de Rossi avait été salué pour son honnêteté lors du match de Série A AS Roma-Messine. De Rossi avait marqué un but pour l'AS Roma en détournant le ballon de la main, mais il avait persuadé l'arbitre de refuser ce but...

La Roma l'avait finalement emporté 2-1. De Rossi a également obtenu le bronze pour l'Italie lors des JO 2004 – peu de temps avant ses débuts d'international.

ÉGALITÉ

L'Italie détient le record de matchs nuls en Coupe du Monde de la FIFA: 21 rencontres à égalité dont les matchs nuls face au Paraguay et à la Nouvelle-Zélande (groupe F) en 2010. Leur premier match nul (1-1) remonte aux quarts de finale face à l'Espagne en 1934. Le match avait été rejoué le lendemain, et Giuseppe Meazza avait inscrit le seul but de la rencontre, offrant ainsi à l'Italie son premier trophée.

ABONNÉS AUX GRANDS RENDEZ-VOUS

COUPE DU MONDE: 17 participations – victoires en 1934, 1938, 1982, 2006
CHAMPIONNAT D'EUROPE: 8 participations – victoire en 1968
PREMIER MATCH INTERNATIONAL: Italie 6 France 2 (Milan, 15 mai 1910)
PLUS LARGE VICTOIRE: Italie 9 États-Unis 0 (Brentford, Londres, 17 août 1948 – Jeux olympiques)
PLUS LARGE DÉFAITE: Hongrie 7 Italie 1 (Budapest, 6 avril 1924)

DE HAUT VOL

Vittorio Pozzo est le seul homme à avoir remporté deux Coupes du Monde en tant que sélectionneur – en 1934 et 1938 (seuls Giuseppe Meazza et Giovanni Ferrari ont disputé les deux finales). Il a aussi décroché l'or olympique à Berlin en 1936. Né à Turin le 2 mars 1886, Pozzo apprend le soccer pendant ses études en Angleterre, en regardant Manchester United. Il traîne les pieds quand sa famille lui achète un billet retour pour assister au mariage de sa sœur, avant de lui interdire de quitter l'Italie. Pour motiver ses hommes avant la demi-finale de 1938 contre le Brésil, Pozzo leur révèle que les Sud-Américains ont déjà réservé leur vol pour Paris: la *Squadra* s'impose 2-1.

DE LA MÉDAILLE AU REVERS

La contre-performance des Italiens en Coupe du Monde 2010, malgré leur statut de tenant du titre, a été le pire épisode pour le soccer italien. Après deux matchs nuls et une défaite 3-2 contre la Slovaquie, les Italiens ont quitté la compétition sans avoir gagné une seule rencontre, et ont terminé en dernière position de leur groupe lors du premier tour. Cet échec a dû faire regretter à **Marcello Lippi**, l'entraîneur vainqueur de la Coupe du Monde 2006, d'avoir accepté de reprendre la tête du groupe en 2008. Après le match contre la Slovaquie, Lippi a endossé seul la responsabilité de cet échec. Il avait déjà annoncé son intention de démissionner après la Coupe du Monde.

LES SÉLECTIONNEURS DE L'ITALIE

Vittorio Pozzo	1912, 1924
Augusto Rangone	1925-1928
Carlo Carcano	1928-1929
Vittorio Pozzo	1929-1948
Ferruccio Novo	1949-1950
Carlino Beretta	1952-1953
Giuseppe Viani	1960
Giovanni Ferrari	1960-1961
Giovanni Ferrari/Paolo Mazza	1962
Edmondo Fabbri	1962-1966
Helenio Herrera/Ferruccio Valcareggi	1966-1967
Ferruccio Valcareggi	1967-1974
Fulvio Bernardini	1974-1975
Enzo Bearzot	1975-1986
Azeglio Vicini	1986-1991
Arrigo Sacchi	1991-1996
Cesare Maldini	1997-1998
Dino Zoff	1998-2000
Giovanni Trapattoni	2000-2004
Marcello Lippi	2004-2006
Roberto Donadoni	2006-2008
Marcello Lippi	2008-2010
Cesare Prandelli	2010-

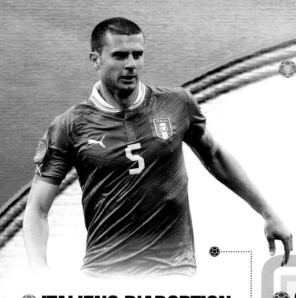

DU DIABLE VAUVERT

Paolo Rossi a été l'improbable héros du triomphe italien en 1982. L'attaquant décrocha le Soulier d'or grâce à ses 6 réalisations, dont un *hat-trick* mémorable contre le Brésil au 2ᵉ tour et le premier des trois buts contre la RFA en finale. Et dire qu'il avait bien failli manquer la compétition, lui qui avait fini de purger, six semaines avant le coup d'envoi, une suspension de 2 ans pour une affaire de paris truqués.

COUP DE MAIN

À 14 ans, Angelo Peruzzi était ramasseur de ballons lors de la finale de la Ligue des Champions en 1984 (Rome-Liverpool). Le gardien de but a joué 16 fois à Rome avant d'être transféré à la Juventus, à l'Inter Milan puis à la Lazio, et il a joué 31 fois en équipe d'Italie de 1995 à 2006.

ITALIENS D'ADOPTION

Plus de 80 ans se sont écoulés entre le moment où le premier et le dernier joueur nés à l'étranger ont porté le maillot de la *Squadra azzura*. Julio Libonatti, né en Argentine, a disputé le 28 octobre 1926, à Prague contre la Tchécoslovaquie (défaite 3-1), le premier de ses 17 matchs avec l'Italie. L'un des plus récents est le milieu défensif né à São Paulo **Thiago Motta,** qui joua deux fois pour le Brésil (moins de 23 ans) en Gold Cup. Mais, ayant des grands-parents italiens des côtés maternel et paternel, il put faire ses débuts avec l'Italie en février 2011.

Il est entré en cours de jeu lors de la finale de l'Euro 2012. Le jeune attaquant Pablo Osvaldo, né lui à Buenos Aires, fêta sa première cape en octobre 2011, mais ne fut pas retenu pour l'Euro 2012.

MISTER INTER, GIACINTO

Aucun joueur de soccer international italien ne portera plus le numéro 3, car il a été retiré en hommage au légendaire défenseur **Giacinto Facchetti,** après son décès en 2006, à l'âge de 64 ans. Il a passé toute sa carrière de haut niveau à l'Inter, de 1960 à 1978, devenant par la suite directeur technique et président du club. En tant que joueur, il avait initié le rôle offensif de l'arrière, préférant jouer du pied droit alors qu'il avançait du gauche. Au cours de ses 94 sélections, il a été 70 fois capitaine de l'Italie, et a remporté le Championnat d'Europe en 1968.

SÉLECTIONS

1	Fabio Cannavaro	136
2	Gianluigi Buffon	133
3	Paolo Maldini	126
4	Dino Zoff	112
5	Andrea Pirlo	102
6	Gianluca Zambrotta	98
7	Giacinto Facchetti	94
8	Alessandro Del Piero	91
9	Daniele De Rossi	90
10	Franco Baresi	81
=	Giuseppe Bergomi	81
=	Marco Tardelli	81

BUTEURS

1	Luigi Riva	35
2	Giuseppe Meazza	33
3	Silvio Piola	30
4	Roberto Baggio	27
=	Alessandro Del Piero	27
6	Alessandro Altobelli	25
=	Adolfo Baloncieri	25
=	Filippo Inzaghi	25
9	Francesco Graziani	23
=	Christian Vieri	23

DINO MONUMENTAL

Le gardien **Dino Zoff** a établi un record mondial en conservant ses cages inviolées pendant 1142 minutes, entre septembre 1972 et juin 1974. Zoff était le capitaine des champions du monde 1982, à l'instar d'un autre portier de la Juve, Gianpiero Combi, capitaine de l'équipe sacrée en 1934. Sélectionneur, Zoff a emmené l'Italie en finale de l'Euro 2000, perdue 2-1 contre la France sur un but en or. Il quitta son poste quelques jours plus tard, mécontent d'être montré du doigt par le président de l'AC Milan, l'homme politique Silvio Berlusconi.

MARIO EST PARFOIS SUPER

Mario Balotelli est l'un des joueurs les plus explosifs – et pas seulement parce que les pompiers ont dû intervenir pour un feu d'artifice dans sa salle de bains, la veille d'un match où il a marqué pour Manchester City, son équipe écrasant 6-1 le voisin Manchester United. Balotelli a célébré son but d'ouverture en montrant un T-shirt sous son maillot avec l'inscription «Pourquoi toujours moi?». À Manchester City, il a remporté un titre de Premier League mais s'est aussi violemment opposé au coach Roberto Mancini pendant l'entraînement. Il aurait aussi cumulé 100 000 livres d'amendes de stationnement. Il joue maintenant à l'AC Milan. Né Mario Barwuah à Palerme, de parents ghanéens, Balotelli a été adopté par un couple italien à l'âge de 3 ans avec des problèmes de santé. Il a pu jouer pour l'Italie en recevant la citoyenneté de ce pays à 18 ans et a été l'un des joueurs italiens stars de l'Euro 2012, marquant ses 3 premiers buts en match international – dont un doublé décisif contre l'Allemagne en demi-finale. Pourtant, son caractère instable lui a valu un carton rouge en juin 2013, lors d'un match de qualification pour la Coupe du Monde 2014 contre la République tchèque. En sortant du terrain, il s'est défoulé sur des bouteilles d'eau, puis un mur de briques.

VERNI

Le capitaine italien Giacinto Facchetti fit le bon choix après la demi-finale du Championnat d'Europe 1968. Le score étant toujours nul au terme de la prolongation, le vainqueur fut désigné à pile ou face, les tirs au but n'existant pas à l'époque. Bien servi par la chance, cet élégant latéral brandira le trophée après une victoire 2-0 lors du match d'appui de la finale contre la Yougoslavie. Facchetti, qui a également remporté la Coupe d'Europe avec l'Inter en 1964 et 1965, était un arrière latéral gauche extrêmement précieux dans le jeu d'attaque. Ce droitier naturel a inscrit 59 buts en 476 matchs de championnat.

«GIGI» SANS RIVAL

Le meilleur buteur de l'histoire de la sélection italienne se nomme **Luigi Riva**, auteur de 35 réalisations en 42 sélections pour les *Azzurri*. Son ouverture du score en finale du Championnat d'Europe 1968 contre la Yougoslavie fait partie de ses grands exploits. Redoutable d'efficacité après son passage de l'aile gauche à l'axe de l'attaque, il n'a jamais joué dans une grande écurie italienne. Né le 7 novembre 1944 à Leggiuno, «Gigi» est resté fidèle pendant toute sa carrière au modeste club de Cagliari. Il refusa notamment une offre de la Juventus. Grâce à ses 21 buts, il contribua au seul *Scudetto* des Sardes, en 1970. Riva n'a pas été épargné par les blessures puisqu'il s'est fracturé la jambe gauche avec la *Squadra* en 1966 et la droite en 1970, toujours en sélection.

UN CENTENAIRE RADIEUX

Après avoir mené l'Italie au titre mondial en 2006, le capitaine **Fabio Cannavaro** est devenu, à 33 ans, le joueur de soccer le plus âgé et le premier défenseur à être nommé Joueur mondial de la FIFA. Né à Naples en 1973, l'ancien Parmesan n'a pas manqué une seule minute du parcours italien en Allemagne, fêtant au passage sa 100e cape lors de la finale gagnée face à la France.

DES HAUTS ET DES BAS

Le goal italien **Gianluigi Buffon** n'a pas seulement été l'un des meilleurs gardiens du monde, il a surpassé son légendaire prédécesseur italien Dino Zoff. Buffon a égalé le record de Zoff, champion du Monde 1982, en remportant la Coupe du Monde 2006 – avec seulement 2 buts concédés lors du tournoi, dont un marqué par un joueur contre son camp et un penalty. L'arrivée de l'Italie en finale de l'Euro 2012 a permis à Buffon de jouer son 25e match de phase finale pour son pays, soit un de plus que Zoff, et derrière les seuls défenseurs Paolo Maldini (36 matchs) et Fabio Cannavaro (26). L'échec en Coupe du Monde 2010, avec une élimination au 1er tour, est en partie due à la blessure au dos reçue par Buffon en première mi-temps du premier match, qui l'a empêché de participer à la suite de la compétition. Contrairement aux autres vétérans Cannavaro et Gattuso, qui se sont retirés de la scène internationale après ces matchs, Buffon a voulu continuer et s'est vu confier le titre de capitaine par le nouvel entraîneur, Cesare Prandelli.

RAZZIA

Les clubs italiens ont fait main basse sur les trois trophées de l'UEFA pour la saison 1989/1990, un triplé unique. L'AC Milan a remporté la Coupe des Clubs champions (1-0 contre Benfica), la Juve la Coupe de l'UEFA (3-1 contre la Fiorentina) et la Sampdoria la Coupe des Vainqueurs de coupes (2-0 contre Anderlecht).

DES GANTS EN OR

Le gardien Walter Zenga a passé 517 minutes sans prendre de but à la Coupe du Monde 1990 – le record de la compétition. En 2006, Gianluigi Buffon n'en prendra que deux.

LES PLUS GRANDS JOUEURS ITALIENS
(choix de la Fédération italienne de soccer)

1	Giuseppe Meazza	5	Giacinto Facchetti
2	Luigi Riva	6	Sandro Mazzola
3	Roberto Baggio	7	Giuseppe Bergomi
4	Paolo Maldini	8	Valentino Mazzola

UNE AFFAIRE DE FAMILLE

Cesare et **Paolo Maldini** sont les seuls père et fils à avoir brandi la Coupe d'Europe en tant que capitaines. Tous deux l'ont fait avec l'AC Milan ; et en Angleterre pour la première fois. Cesare a triomphé face à Benfica à Wembley en 1963. Paolo a réédité l'exploit 40 ans plus tard, lorsque le club lombard a battu la Juventus à Old Trafford. À la Coupe du Monde 1998, Cesare était le sélectionneur de la *Squadra* et Paolo son capitaine. Les deux hommes étaient également présents à l'édition 2002, le père dirigeant cette fois-ci le Paraguay. La dynastie Maldini pourrait bien ne pas s'arrêter là puisque Christian, le fils de Paolo, fait forte impression chez les jeunes de l'AC Milan. S'il accède à l'équipe première, il sera le seul *Rossonero* autorisé à porter le célèbre n°3 de son père. Deuxième joueur le plus capé de la sélection transalpine, Paolo n'a jamais rien gagné avec elle, échouant en finale du Mondial 1994 et de l'Euro 2000.

GLOBE-TROTTER

L'entraîneur **Giovanni Trapattoni** a remporté 4 championnats : Italie (Juventus), Autriche (Salzbourg), Allemagne (Bayern Munich) et Portugal (Benfica), performance réussie uniquement aussi par Ernst Happel et José Mourinho. «Trap» est le seul entraîneur à avoir gagné les trois compétitions de clubs de l'UEFA ainsi que la Coupe du Monde des Clubs, tout cela avec la grande Juve des années 1980.

PIRLO, LA PERLE

Meneur de jeu reculé, **Andrea Pirlo** est l'un des
meilleurs passeurs du soccer moderne. Grand
artisan du succès des *azzuri* au Mondial 2006,
il fut le seul joueur à être désigné trois fois
Homme du match lors de l'Euro 2012.
On n'est pas près d'oublier sa panenka
réussie lors de la séance de tirs au
but qui permit aux Italiens d'éliminer
les Anglais en quart de finale. Transféré
gratuitement de l'AC Milan à la Juventus en 2011,
il est sacré champion d'Italie en 2012 sans avoir
perdu une seule rencontre de Série A.

LES SCUDETTI

Juventus	28	Lazio	2
Inter Milan	18	Napoli	2
AC Milan	18	Cagliari	1
Genoa	9	Casale	1
Bologna	7	Hellas Verona	1
Pro Vercelli	7	Novese	1
Torino	7	Sampdoria	1
Roma	3	Spezia	1
Fiorentina	2		

GRAND HUIT

Giovanni Ferrari n'a pas seulement remporté
les Coupes du Monde 1934 et 1938, il détient
également le plus beau palmarès en Série A, avec
huit sacres. Ferrari a remporté le Scudetto cinq fois
avec la Juventus, deux avec l'Inter de Milan et une
avec Bologne. Il partage ce record avec Virginio
Rosetta, qui a triomphé deux fois avec Pro
Vercelli et six fois avec la Juventus, et Giuseppe
Furino, titré huit fois avec les *Bianconeri*.

INCONTOURNABLE VIEILLE DAME

Toutes les sélections italiennes alignées en Coupe
du Monde ont compté au moins un joueur de la Juventus.
Mais coupable dans l'affaire des matchs truqués, la «Vieille
Dame» a été reléguée en Série B en 2006. Depuis sa
fondation en 1897, l'institution turinoise n'avait jamais été en
marge de l'élite. Avec 53 trophées, les *Bianconeri* détiennent
le plus beau palmarès du pays. En 1985, la Juve est devenue
le premier club italien à avoir conquis les trois coupes
européennes : la Coupe d'Europe, de l'UEFA et celle des
Vainqueurs de coupe. Les 55 trophées de la Juventus, après
ses victoires championnat de 2012 et 2013, sont un record
pour un club italien.

LA PROMESSE DE PRANDELLI

Cesare Prandelli, ancien entraîneur de
la Fiorentina, a pris la succession de
Marcello Lippi à la tête de l'équipe
d'Italie après le Mondial 2010. Présent
en Afrique pendant le tournoi, Prandelli
en a profité pour inaugurer à Zanzibar,
avec sa fille, une école à la mémoire
de son épouse Manuela, emportée par
un cancer trois ans plus tôt. Pour son
premier match international sur le sol
italien, ses hommes ont écrasé les îles
Féroé 5-0. À l'Euro 2012, ils
ont créé la surprise en
atteignant la finale du
tournoi. Finale perdue
contre l'Espagne
– première défaite
en 16 matchs officiels pour
Prandelli. Nicolo, le fils
de Prandelli, préparateur
physique, a intégré
l'équipe technique
de l'Italie en vue
de l'Euro 2012.

LE SIRE MEAZZA

Le nom officiel de San Siro, enceinte de l'AC Milan et de
l'Inter, est le Stadio Giuseppe Meazza. Ce légendaire inter
(sorte de milieu-ailier offensif) était aussi à l'aise sur les
terrains que sur les pistes de danse. Champion du monde
en 1934 et en 1938, Meazza a joué pour les deux
grands ennemis lombards. Né à Milan le 23 août
1910, il est repéré par les recruteurs intéristes
alors qu'il jongle dans la rue avec une pelote de
chiffons. Le club *nerazzurro* le gavera de steaks
afin d'épaissir un physique trop frêle. Il a inscrit
son dernier but pour l'Italie en demi-finale
de la Coupe du Monde de 1938. Pour
la petite histoire, il tira son penalty tout
en retenant son short, dont l'élastique
avait cédé.

LE TORINO ANÉANTI

Alors que le Torino domine le soccer italien, il perd tous ses
joueurs le 4 mai 1949 dans une catastrophe aérienne sur
la colline de Superga, au-dessus de la capitale piémontaise.
Il ne remportera plus qu'un seul titre de Série A, en
1976-1977. Souffrant, l'attaquant vedette Valentino
Mazzola était du déplacement... Son fils **Sandro,** qui n'a
que 6 ans à l'époque du drame, brillera avec la *Squadra*
lors de la victoire au Championnat d'Europe 1968 et de
l'accession à la finale de la Coupe du Monde 1970.

PAYS-BAS

Les tribunes tapissées d'orange par les supporters néerlandais sont aujourd'hui une tradition dans les compétitions internationales, mais elles n'ont pas toujours fait partie du paysage. Ce n'est qu'à partir des années 1970, avec le «soccer total» pratiqué par Johan Cruyff et consorts, que les Pays-Bas ont acquis leurs lettres de noblesse. Vainqueurs de l'Euro 1988, les *Oranje* font désormais partie des candidats sérieux aux titres majeurs.

SÉLECTIONNEURS DES PAYS-BAS
(DEPUIS 1978)

Jan Zwartkruis	1978-1981
Rob Baan	1981
Kees Rijvers	1981-1984
Rinus Michels	1984-1985
Leo Beenhakker	1985-1986
Rinus Michels	1986-1988
Thijs Libregts	1988-1990
Nol de Ruiter	1990
Leo Beenhakker	1990
Rinus Michels	1990-1992
Dick Advocaat	1992-1995
Guus Hiddink	1995-1998
Frank Rijkaard	1998-2000
Louis van Gaal	2000-2002
Dick Advocaat	2002-2004
Marco van Basten	2004-2008
Bert van Marwijk	2008-2012
Louis van Gaal	2012-

MICHELS, LE MAÎTRE

En 1999, **Rinus Michels** (1928-2005) a été nommé entraîneur du siècle de la FIFA pour son travail avec l'Ajax et les Pays-Bas. L'ancien attaquant international de l'Ajax prend les rênes de son ex-club en 1965 et commence à façonner une équipe amenée à dominer le soccer européen au début des années 1970. Comme plus tard en sélection, il fait de Johan Cruyff la pierre angulaire de son concept de «soccer total». Après le titre européen de l'Ajax en 1971, il signe au FC Barcelone, avant d'être appelé par la fédération pour présider aux destinées de la sélection à la Coupe du Monde 1974. Surnommé «le général», il parvient à imposer sa discipline aux différents clans du vestiaire néerlandais. Cette force de caractère lui sera très utile pour triompher à l'Euro 1988, lors de son deuxième mandat. Après avoir battu l'Angleterre et la République d'Irlande, les Pays-Bas éliminent la RFA en demie, avant de battre l'URSS 2-0 en finale. Pour sa troisième mission fédérale, Michels conduira les siens jusqu'au dernier carré de l'Euro 1992, avant de se retirer.

CRUYFF, LE MAGICIEN

Joueur de soccer d'exception, **Johan Cruyff** est le Néerlandais le plus célèbre sur Terre. Né à Amsterdam le 25 avril 1947, il a été le catalyseur de la progression de l'Ajax et de l'équipe nationale. «Cruyff a réveillé les Pays-Bas et il nous a emmenés au plus haut niveau mondial», écrivait un journaliste néerlandais avant la finale de 1974. Son meilleur ennemi, Franz Beckenbauer, a dit de lui: «C'est le meilleur joueur à avoir évolué en Europe.» Arrivé à l'Ajax à 10 ans, Cruyff a débuté en première division 7 ans plus tard. Il a mené son club à huit titres nationaux et trois Coupes d'Europe consécutives. Avec Rinus Michels, il a développé le célèbre «soccer total», devenu la marque de fabrique du club et de la sélection. Le génie a fait ses débuts contre la Hongrie, le 7 septembre 1966. Auteur de 33 buts en 48 sélections, il a porté le brassard à 33 reprises. Meilleur joueur de la Coupe du Monde 1974, il a reçu trois Ballons d'or *France Soccer*.

JUSQU'À ONZE

La plus large victoire des Pays-Bas fut un écrasant 11-0 infligé à Saint-Marin en septembre 2011 lors d'une qualification pour l'Euro à Eindhoven. Robin van Persie a marqué 4 buts, tandis que **Wesley Sneijder** et Klaas-Jan Huntelaar réussissaient des doublés, et Dirk Kuyt, John Heitinga et Georginio Wijnaldum marquaient chacun un but. Ce dernier a fait ses débuts internationaux comme remplaçant à la 86e minute, marquant 4 minutes plus tard.

LOUIS LOUIS

Louis van Gaal a repris ses fonctions de sélectionneur après l'échec de l'équipe de Bert van Marwijk à l'Euro 2012. Van Gaal avait déjà œuvré de 2000 à 2002. Parmi ses victoires en club figurent un titre de Ligue des Champions avec l'Ajax d'Amsterdam en 1995, deux titres de la Liga avec Barcelone, et un de la Bundesliga avec le Bayern de Munich. Les Néerlandais avaient déjà reconduit d'anciens entraîneurs : Karel Kaufman, Friedrich Donenfeld, Leo Beenhakker et Dick Advocaat, sans compter le vainqueur de l'Euro 1988, Rinus Michels, qui a servi quatre fois à ce poste.

DES BUTS À PROFUSION

Seuls 4 joueurs ont marqué 5 buts dans un même match pour les Pays-Bas : Jan Vos, quand la Finlande fut écrasée 9-0 en 1912 ; Leen Vente, quand la Belgique fut battue 9-3 en mars 1934 ; John Bosman, quand Chypre prit une raclée 8-0 en octobre 1987 ; et Marco van Basten, quand Malte s'inclina 8-0 en décembre 1990. Bosman a réussi 3 triplés distincts pour les Pays-Bas, tout comme Mannes Francken, Beb Bakhuys et Faas Wilkes – avec 2 la même année (1946) pour ce dernier, puis un 3e, 13 ans plus tard.

LE TOURNOI DE MARCO

Marco van Basten a été le héros de l'Euro 1988. Auteur d'un *hat-trick* contre l'Angleterre en match de groupe, il inscrit le but de la victoire en demi-finale contre la RFA avant de décocher une fabuleuse reprise de volée lors de la finale remportée 2-0 contre l'URSS. L'attaquant néerlandais a également brillé avec l'AC Milan, terminant deux fois meilleur buteur de la Série A, avant de raccrocher prématurément à cause d'une cheville récalcitrante.

TOUTE PETITE PORTE

Les Pays-Bas ont perdu leurs trois rencontres de phase de poule à l'Euro 2012 – 1-0 contre les Danois, 2-1 contre les Allemands et les Portugais. Dix des onze finalistes du Mondial 2010 avaient pourtant été retenus pour ce Championnat d'Europe, à l'exception du jeune retraité Giovanni van Bronckhorst. Ils sont ainsi devenus le 3e pays d'affilée à s'incliner en finale du Mondial puis à quitter l'Euro suivant dès le 1er tour. La France avait connu le même sort après la Coupe du Monde 2006, et l'Allemagne après l'édition 2002. Finaliste de l'épreuve suprême en 1994, l'Italie avait elle aussi échoué lors de l'Euro 1996 au stade fatidique des phases de poule. Concernant les Néerlandais, leur piteuse élimination de l'Euro 2012 leur a valu leur première absence au niveau des matchs à élimination directe depuis 1984. Cette année-là, les Bataves n'avaient même pas réussi à se qualifier pour la phase finale du tournoi. En 2012, ils n'auront inscrit que deux buts en trois rencontres, dont une première fois par l'intermédiaire de **Robbie van Persie.**

BIG HAPPEL

Ernst Happel possède le deuxième palmarès à la tête d'équipes néerlandaises derrière Rinus Michels. L'ancien défenseur autrichien a fait du Feyenoord le premier club néerlandais à remporter la Coupe d'Europe. Après avoir mené le FC Bruges en finale de l'épreuve, il est nommé au poste de sélectionneur des Pays-Bas pour la Coupe du Monde 1978. En l'absence de Cruyff, Happel tire le meilleur des Ruud Krol, Johan Neeskens et autres Arie Haan, qui s'inclinent en finale contre l'Argentine après prolongation, à Buenos Aires.

DOUBLE RECORD

Sander Boschker attendit longtemps pour pouvoir jouer les internationaux, mais quand il entra finalement comme remplaçant contre le Ghana en juin 2010, ce fut pour établir deux records. À l'âge de 39 ans et 256 jours, il ne fut pas seulement le plus vieux Néerlandais à gagner sa première (et unique jusqu'à présent) sélection, il fut surtout le plus vieil international néerlandais tout court.

LE HOLLANDAIS NON VOLANT

Dennis Bergkamp aurait décroché beaucoup plus de 79 sélections sans sa peur des avions, héritée d'une fausse alerte à la bombe à la Coupe du Monde 1994 aux États-Unis. Refusant de voyager par les airs, il manquait donc les matchs à l'extérieur de ses clubs et de la sélection, à moins de pouvoir rejoindre le groupe par d'autres moyens.

LES MULTIPLES FACETTES DE SNEIJDER

Wesley Sneijder espérait réussir un quintuplé sans précédent quand les Pays-Bas affrontèrent l'Espagne en finale de la Coupe du Monde FIFA 2010. Aucun joueur n'avait jusqu'alors remporté une Coupe du Monde FIFA la même saison qu'un championnat national et que la Ligue des Champions de l'UEFA. Sneijder remporta le triplé 2009-2010 avec son club, l'Inter de Milan, avant de manquer de peu la Coupe du Monde FIFA et le Soulier d'or. Après la déception en finale, Sneijder put profiter de six jours de répit, et de romantisme, en épousant la comédienne et présentatrice néerlandaise Yolanthe Cabau van Kasbergen.

FACE À LA DOULEUR

Le défenseur Khalid Boulahrouz a insisté pour jouer le quart de finale de l'Euro 2008 contre la Russie, malgré le décès de sa fille Anissa, née prématurée, quelques jours auparavant. Pendant le match, ses coéquipiers et lui ont tous porté des brassards noirs en son honneur.

NEESKENS D'ENTRÉE

En finale de la Coupe du Monde 1974, les Pays-Bas marquent au bout d'une minute, sans que la RFA ait touché le cuir. Dès le coup d'envoi, ils déploient un mouvement de 14 passes qui aboutit à une faute de Hoeness sur Cruyff dans la surface. Neeskens transforme alors le premier penalty sifflé dans une finale d'épreuve suprême... La suite sera moins heureuse.

HISTOIRE DE FAMILLE

Le milieu de terrain **Mark van Bommel** n'a pas été choisi par le sélectionneur Marco van Basten pour figurer dans l'équipe nationale pour l'Euro 2008 Il était en revanche omniprésent à la Coupe du Monde FIFA 2010. Bert van Marwijk, le successeur de van Basten, est le beau-père de van Bommel, ce dernier étant marié avec sa fille, Andra. Van Bommel s'est retiré du soccer international après l'Euro 2012, au cours duquel il a été écarté pour le dernier match de son pays. Il a réagi en déclarant: «Avant, j'étais un héros. À présent, je ne suis plus que le gendre de van Marwijk.»

DOUBLES PERDANTS

Neuf joueurs ont perdu les finales des Coupes du Monde 1974 (2-1 contre la RFA) et 1978 (3-1 contre l'Argentine). Jan Jongbloed, Ruud Krol, Wim Jansen, Arie Haan, Johan Neeskens, Johnny Rep et Rob Rensenbrink étaient titulaires chaque fois. Wim Suurbier avait débuté en 1974 mais était remplaçant en 1978. René Van De Kerkhof était sur le banc en 1974 et dans le onze en 1978.

CAPITAINE VICTORIEUX

Avec ses célèbres dreadlocks, **Ruud Gullit** était une figure unique du soccer dans les années 1980 et 1990. Double vainqueur de la Coupe d'Europe avec l'AC Milan et Ballon d'or il restera dans le cœur des supporters comme le 1er joueur néerlandais à avoir brandi un trophée majeur, celui de l'Euro 1988.

BALLONS D'OR ORANGES

Trois joueurs néerlandais ont reçu le Ballon d'or : Johan Cruyff a été récompensé en 1971, 1973 et 1974. Suivra ensuite Ruud Gullit, en 1987. Marco Van Basten sera choisi en 1988, 1989 et 1992.

BUTEURS

1	Patrick Kluivert	40
2	Dennis Bergkamp	37
3	Faas Wilkes	35
=	Ruud van Nistelrooy	35
=	Robin van Persie	35
6	Klaas-Jan Huntelaar	34
7	Johann Cruyff	33
=	Abe Lenstra	33
9	Beb Bakhuys	28
10	Kick Smit	26

LE RECORD DES DE BOER

Les jumeaux De Boer détiennent le record du nombre de matchs joués ensemble par des frères pour les Pays-Bas. Frank compte 112 sélections et Ronald 67.

SÉLECTIONS

1	Edwin Van der Sar	130
2	Frank De Boer	112
3	Gio Van Bronckhorst	106
4	Rafael van der Vaart	105
5	Philip Cocu	101
6	Dirk Kuyt	94
7	Wesley Sneijder	93
8	Clarence Seedorf	88
9	John Heitinga	87
10	Marc Overmars	86

DU GRAND VAART

Rafael van der Vaart est devenu le 5e joueur à être sélectionné 100 fois pour les Pays-Bas, après le gardien Edwin van der Sar, les défenseurs Frank de Boer et Giovanni van Bronckhorst et le milieu de terrain Philip Cocu. Pourtant, van der Vaart a failli ne pas obtenir ce record : il a terminé l'Euro 2012 avec 99 sélections, et l'entraîneur van Marwijk a laissé entendre qu'il pourrait être écarté des futures équipes. Mais cet été-là, le départ de van Marwijk lui a redonné ses chances et il a joué son 100e match lors d'un match amical perdu 4-2 contre la Belgique, en août 2012. Pour sa 99e sélection, l'ancien meneur de jeu de l'Ajax Amsterdam, du Real de Madrid et des Tottenham Hotspurs avait marqué avec un impressionnant but de loin, lors du dernier match de 1er tour contre le Portugal à l'Euro 2012. Van der Vaart a également frappé le poteau, son équipe perdant 2-1 et quittant la compétition plus tôt que prévu.

SIXIÈME SENS

Maarten Stekelenburg, le successeur d'Edwin van der Sar dans les buts néerlandais, impressionna en faisant assaut de talent durant le Mondial 2010, ne concédant que 6 buts en 7 matchs, dont 2 sur penalty. Sourd d'une oreille, son ascension fut d'autant plus étonnante. Il se distingua par ailleurs en devenant le premier gardien international néerlandais à écoper d'un carton rouge. Le 6 septembre 2008, en effet, durant un match amical contre l'Australie à Eindhoven, il fut expulsé pour une faute sur Joshua Kennedy.

FINE GÂCHETTE

Né à Amsterdam le 1er juillet 1976, Patrick Kluivert a débuté en équipe nationale en 1994. Au cours de la décennie suivante, il a profité de ses 79 capes pour établir le record de buts en sélection néerlandaise : 40.

LES ÉQUIPES KOEMAN

Le seul joueur à avoir été joueur puis entraîneur pour les trois grands clubs néerlandais de l'Ajax d'Amsterdam, du PSV Eindhoven et du Feyenoord s'appelle **Ronald Koeman.** Il a remporté deux fois l'Euro, avec le PSV Eindhoven en 1988, et avec Barcelone 4 ans plus tard, lors d'un match où il a marqué le but vainqueur, un coup franc lointain et dévastateur. Bien qu'ayant joué principalement en défense, il a marqué 14 buts en 78 matchs pour les Pays-Bas. Son frère aîné Erwin a joué à 31 reprises pour son pays et leur père Martin a obtenu une sélection en équipe nationale, en 1964. Ronald et Erwin ont tous les deux joué dans l'équipe néerlandaise victorieuse de l'Euro 1988.

ENTRE VOISINS

Les Pays-Bas ont joué et gagné 4-1 leur premier match international, contre la Belgique à Bruxelles le 30 avril 1905, Eddy de Neve inscrivant tous les buts néerlandais. Depuis, les deux voisins entretiennent une rivalité féroce.

LES PAYS-BAS, UNE ÉQUIPE EN OR

L'équipe néerlandaise est l'une des plus performantes de ces 35 dernières années. Menée par Johan Cruyff et organisée autour du concept du «soccer total», elle parvient en finale de la Coupe du Monde en 1974, mais perd 2-1 face à l'Allemagne de l'Ouest. En 1978, à Buenos Aires, les *Oranje* perdent la finale contre l'Argentine 3-1 dans les prolongations. En 1976, ils se hissent en demi- finale du Championnat d'Europe. En 1988, l'entraîneur Rinus Michels emmène son équipe vers sa plus grande victoire, la finale du Championnat d'Europe : 2-0 contre l'Union soviétique. En demi-finale, l'équipe prend sa revanche contre les Allemands de l'Ouest : 2-1. Avant la finale de la Coupe du Monde 2010, les Pays-Bas ont connu une série de défaites en demi-finale : aux tirs au but contre le Brésil lors de la Coupe du Monde 1998 et en Championnat d'Europe en 1992, 2000 et 2004.

WILLEMS, UNE BONNE GRAINE

L'arrière gauche **Jetro Willems** est devenu le plus
jeune joueur à disputer un Championnat d'Europe
lors du premier match des Pays-Bas dans le tournoi
2012, face au Danemark, le 9 juin. Âgé de 18 ans
et 71 jours, il avait 44 jours de moins que le Belge
Enzo Scifo lors de l'édition 1984. Willems est aussi
le 4e plus jeune joueur sélectionné pour les Pays-
Bas, le record étant détenu par Jan van Breda Kolff
– 17 ans et 74 jours pour sa première cape, contre
la Belgique, le 2 avril 1911. Auteur ce jour-là de son
seul but en 11 sélections, il est aussi le benjamin
des buteurs bataves.

SI PRÈS, SI LOIN

Si la frappe de Rob Rensenbrink n'avait pas été renvoyée
par un poteau, les Pays-Bas auraient remporté la finale
de la Coupe du Monde 1978. Le score en restera à 1-1 au
bout du temps réglementaire et l'Argentine s'imposera 3-1
en prolongation. Pour la deuxième fois, les Néerlandais
s'inclinent en finale de l'épreuve suprême.

LE SUPPLICE DES PÉNALTIES

Les séances de tirs au but sont le cauchemar des Pays-Bas.
La malédiction débute en demie de l'Euro 1992 : Peter
Schmeichel arrête le penalty de Marco Van Basten et envoie
les Danois en finale. Défaits par la France 5-4 aux tirs au
but en quart de l'Euro 1996, les *Oranje* succombent depuis le
point de penalty contre le Brésil (4-2) en demi-finale de France
1998. Le pire est à venir. À l'Euro 2000 disputé chez eux, ils
manquent 2 penalties dans le temps réglementaire de leur
demi-finale contre l'Italie. Après la prolongation, le gardien
transalpin Francesco Toldo sort deux tentatives et élimine
les Bataves.

L'HOMME AU PIANO

Maintenir l'harmonie lors des principales compétitions internationales
a toujours été une tâche difficile pour les entraîneurs néerlandais.
C'est le défi qu'a relevé Bert Van Marwijk lors de la Coupe du Monde
de la FIFA 2010, en dépit des rumeurs de tension entre plusieurs
de ses titulaires stars. Lorsqu'il ne dirigeait pas son équipe depuis
la ligne de touche, Van Marwijk était dans le hall de l'hôtel de son
équipe, à Johannesburg, en train de jouer du piano.

VAN DER SAR AU-DESSUS DU LOT

Le gardien **Edwin van der Sar** (né à Voorhout le 29 octobre 1970) est
le Néerlandais comptant le plus grand nombre de sélections :
130 participations pour les Pays-Bas. Il rejoint l'Ajax en 1990 avec qui
il remporte la Ligue des Champions 1995. Son premier match avec les
Pays-Bas a lieu le 7 juin 1995 contre la Biélorussie. Titulaire pendant
13 ans, il abandonne le soccer international après l'élimination des
Pays-Bas de l'Euro 2008. Face aux blessures de ses successeurs,
Maarten Stekelenburg et Henk Timmer, Bert van Marwijk le persuade de
revenir. Van der Sar a remporté la Ligue des Champions de l'UEFA avec
Manchester United et a évolué au sein de la Juventus et à Fulham.

PROS SUR LE TARD

Le professionnalisme n'est apparu aux
Pays-Bas qu'en 1954, mais l'émergence
néerlandaise sur la scène internationale
est intervenue encore plus tard, quand
l'Ajax et le Feyenoord sont passés 100 %
pros au début des années 1960.
Jusque-là, même les stars avaient un
emploi « à côté », comme l'ailier gauche
de l'Ajax Piet Keizer, qui travaillait chez
un tailleur.

LES SABOTS HOLLANDAIS

En 2010, en finale contre l'Espagne, les
Pays-Bas deviennent la première équipe
à recevoir 9 cartons au cours d'un seul
match de Coupe du Monde : 8 cartons
jaunes (dont 1 donné à Nigel de Jong pour
son coup de pied dans la poitrine de Xabi
Alonso) et 1 carton rouge. En 2006, les
Pays-Bas ont disputé le match de Coupe
du Monde qui compte le plus de cartons
distribués : 20 cartons lors de leur défaite
en huitième de finale contre le Portugal
(16 jaunes et 4 rouges).

L'AMI SCHAKEN

En mars 2013, Ruben Schaken,
l'ailier de Feyenoord, a marqué
le 1500e but international des
Pays-Bas lors d'un match victorieux
3-0 contre l'Estonie, au cours d'une
qualification pour la Coupe du
Monde. C'était son 2e but en
3 matchs pour son pays.

ESPAGNE

L'Espagne possède certains des clubs les plus puissants d'Europe (en témoignent les 13 Coupes des Champions/Ligue des Champions gagnées) et des plus grands joueurs de soccer du monde. Pourtant, pendant longtemps, au fil des échecs dans les compétitions internationales (sauf lors du Championnat d'Europe 1964), la Roja a été l'éternelle perdante. Retournement de tendance en 2008, elle gagne la finale du Championnat d'Europe (1-0) contre l'Allemagne, renouant ainsi avec la gloire après 44 années de disette et se propulse en tête du classement mondial FIFA/Coca-Cola. Lauréate du Mondial 2010, puis d'un troisième trophée de rang avec l'Euro 2012 – une première –, l'Espagne est la nation phare du soccer actuel.

LE « FAUX N° 9 »

Opposée à l'Italie lors de son premier match de l'Euro 2012 puis en finale du tournoi, l'Espagne est devenue la première nation à être sacrée championne d'Europe en alignant les mêmes 11 joueurs au coup d'envoi de ces deux rencontres. Dépourvue de réel attaquant de pointe, l'équipe de Vicente del Bosque évoluait en 4-6-0, avec le milieu de terrain **Cesc Fabregas** jouant en « faux n° 9 ».

ET UN, ET DEUX, ET TROIS…

En 2010, l'**Espagne** a été le 1er pays, après la RFA en 1974, à remporter la Coupe du Monde en qualité de champion d'Europe en titre. La France a combiné ces deux victoires mais dans l'autre sens, remportant d'abord la Coupe du Monde 1998, puis l'Euro 2000. En revanche, aucune nation n'avait glané trois titres majeurs d'affilée… jusqu'au triomphe (4-0) des Espagnols face aux Italiens en finale de l'Euro 2012. La *Roja* est la première formation à conserver le trophée européen. Le score de la finale est le plus large jamais enregistré à ce stade d'un Euro ou d'un Mondial. En n'encaissant aucun but au cours de la finale, l'Espagne a aussi prolongé à 990 minutes son record de temps passé sans concéder de but dans un match à élimination directe (en compétition de haut niveau).

TRIO RÉCIDIVISTE

Seuls trois Espagnols ont marqué lors de trois Coupes du Monde : Raúl (1998, 2002, 2006), Julio Salinas (1986, 1990, 1994) et Fernando Hierro (1994, 1998, 2002). Bien que défenseur pendant une grande partie de sa carrière, ce dernier est le 4e meilleur buteur de la *Furia*.

DISPATCHING

Avec 17 stades répartis sur 14 villes en 1982, l'Espagne est le pays à avoir réquisitionné le plus d'enceintes pour une Coupe du Monde. L'édition 2002 s'est disputée sur 20 terrains différents, mais répartis à parts égales entre le Japon et la Corée du Sud. La Coupe du Monde 1982, dont la finale a été jouée à Santiago Bernabéu (Madrid), a marqué le passage de 16 à 24 équipes.

CHANGEMENT DE BORD

Menée 2-0 puis 3-2 avant de s'imposer 4-3 contre l'Angleterre à Madrid, en mai 1929, l'Espagne est devenue le premier pays non britannique à battre les inventeurs du soccer. Ce succès a été obtenu sous la houlette d'un Anglais, Fred Pentland. Arrivé en 1920, il a triomphé avec l'Athletic Bilbao, qu'il a mené au doublé coupe-championnat en 1930 et 1931. Il est aussi derrière la pire défaite infligée au FC Barcelone, 12-1 en 1931.

XABI, CHAPEAU

Le maître des passes, **Xabi Alonso,** a aussi marqué les deux buts lors du match victorieux contre la France, en quart de finale de l'Euro 2012 – une manière idéale de fêter le jour où il est devenu le 5e Espagnol, après Iker Casillas, Raúl, Xavi et Andoni Zubizarreta, à jouer son 100e match international. Son père, Periko Alonso a obtenu 21 capes ainsi que 3 titres de Liga – 2 avec la Real Sociedad et 1 avec Barcelone, alors que Xabi jouera par la suite pour l'adversaire acharné du Barça, le Real Madrid. Le frère de Xabi, Mikel, et son demi-frère, Marcos, sont tous deux joueurs de soccer professionnels, et un autre de ses frères, Jon, est arbitre.

GRANDES COMPÉTITIONS

COUPE DU MONDE :
13 participations – victorieuse en 2010

CHAMPIONNAT D'EUROPE :
9 participations – victorieuse en 1964, 2008 et 2012

PREMIER MATCH INTERNATIONAL :
Espagne 1 Danemark 0 (Bruxelles, Belgique, 28 août 1920)

PLUS LARGE VICTOIRE :
Espagne 13 Bulgarie 0 (Madrid, 21 mai 1933)

PLUS LARGE DÉFAITE :
Italie 7 Espagne 1 (Amsterdam, Pays-Bas, 4 juin 1928) ; Angleterre 7 Espagne 1 (Londres, Angleterre, 9 décembre 1931)

ALERTE ROUGE

L'Espagne a boycotté le premier Championnat d'Europe, en 1960, refusant de se rendre en URSS, un pays communiste. En 1964, la nation ibérique organisait et remportait la compétition en s'imposant 2-1 en finale contre… les Soviétiques. La sélection espagnole avait pour capitaine Fernando Olivella et pour entraîneur Jose Villalonga. En 1956, ce dernier avait remporté, à la tête du Real Madrid, la première Coupe d'Europe.

MAÎTRES DU MONDE

L'Espagne n'a pas perdu un match de qualification pour la Coupe du Monde depuis sa défaite 1-0 contre le Danemark en mars 1993. Cette série s'étend sur 50 matchs et 20 ans, avec une victoire 1-0 contre la France en mars 2013, sur un but de Pedro Rodriguez, à la 58e minute.

LA FOLLE VICTOIRE DU SAGE

À l'Euro 2008, **Luis Aragonés** est devenu l'entraîneur le plus âgé à remporter le Championnat d'Europe, un mois avant son 70e anniversaire. Cet ancien avant-centre faisait partie du groupe espagnol avant le Championnat d'Europe 1964, mais écarté de la liste finale, «Luis» n'avait pas participé à la conquête du titre continental. Durant son mandat fédéral entre 2004 et 2008, *El Sabio de Hortaleza* (le Sage de Hortaleza, quartier madrilène où il est né) a battu le record de matchs gagnés à la tête de la *Furia Roja* : 38. Né le 28 juillet 1938, Aragonés a passé l'essentiel de sa carrière de joueur à l'Atlético de Madrid, où il a été nommé entraîneur immédiatement après avoir raccroché les crampons, en 1974, à 36 ans seulement.

EL NINO

Fernando Torres rêvait d'être gardien, mais il est devenu attaquant. Né le 20 mars 1984, il n'avait que 19 ans lorsqu'il est devenu capitaine de l'Atlético Madrid, le club de son cœur. El Niño s'est fait une spécialité de marquer le seul but des finales des grands tournois. Le plus célèbre est celui qu'il a inscrit en finale de l'Euro 2008 contre l'Allemagne, à Vienne. Il avait déjà réalisé cette performance aux Championnats d'Europe des moins de 16 ans (2001) et des moins de 19 ans (2002). Torres devint le joueur espagnol le plus cher quand Chelsea l'acheta 58,5 millions d'euros au club anglais de Liverpool en janvier 2011 – 8 mois après que son coéquipier international David Villa fut acheté à Valence 40 millions d'euros par Barcelone. En 2012, Torres est devenu le premier joueur à inscrire un but en finale de deux Championnats d'Europe lorsque, entré en cours de jeu face à l'Italie, il a trouvé le chemin des filets.

SÉLECTIONS

1	Iker Casillas	148
2	Xavi Hernandez	126
=	Andoni Zubizarreta	126
4	Sergio Ramos	108
5	Xabi Alonso	107
6	Fernando Torres	106
7	Raúl Gonzalez	102
8	Carles Puyol	100
9	David Villa	92
10	Fernando Hierro	89

BUTEURS

1	David Villa	56
2	Raúl Gonzalez	44
3	Fernando Torres	36
4	Fernando Hierro	29
5	Fernando Morientes	27
6	Emilio Butragueno	26
7	Alfredo Di Stefano	23
8	Julio Salinas	22
9	Michel	21
=	David Silva	21
10	Telmo Zarra	20

HEUREUX HERNANDEZ

L'incroyable passeur **Xavi Hernandez** a prouvé qu'il était davantage qu'un héritier légitime de Pep Guardiola en milieu de terrain pour Barcelone et l'Espagne. En plus de remporter la Ligue des Champions avec son club en 2006, 2009 et 2011, il fut sacré Meilleur joueur du tournoi quand l'Espagne gagna l'Euro 2008, et brilla encore lors des triomphes ibériques au Mondial 2010 et à l'Euro 2012. Troisième du classement du Ballon d'or FIFA en 2010 et 2011, derrière son coéquipier en club Lionel Messi, Xavi a pourtant été sur le point de quitter Barcelone pour l'AC Milan à 17 ans – un choix qu'il se dit heureux de n'avoir pas fait.

CESC PRÉCOCE

Quand il entre en jeu contre l'Ukraine lors de la Coupe du Monde 2006, Cesc Fabregas a 19 ans et 41 jours. Il devient ainsi le plus jeune Espagnol à disputer l'épreuve suprême. Cela faisait 70 ans que la *Furia* n'avait pas aligné un si jeune joueur.

LE MEILLEUR DES CAS

C'est à l'occasion d'une (rare) défaite contre l'Angleterre en amical (1-0) en novembre 2011 qu'**Iker Casillas** a égalé le record espagnol de sélections. Trois jours plus tard, la Roja faisait match nul contre le Costa Rica, et le portier du Real devenait seul détenteur du record. Enfin, sept mois après cette rencontre, en tant que capitaine de l'équipe d'Espagne, Casillas soulevait un troisième trophée consécutif: celui de l'Euro 2012. La finale contre l'Italie lui a permis de devenir le premier joueur à remporter 100 victoires en sélection. À cette occasion, il a conservé sa cage inviolée pour la 78e fois (record mondial, devant les 72 matchs du Néerlandais Edwin van der Sar). Casillas a passé 821 minutes en jeu sans concéder de but, jusqu'à ce qu'Olivier Giroud marque pour la France lors d'un match de qualification pour la Coupe du Monde, en octobre 2012.

VILLA, IMPRESSIONNANT

En 2010, **David Villa** est devenu le meilleur buteur espagnol en Coupe du Monde lorsqu'il a inscrit un but contre le Chili en phase de groupes, son sixième depuis la Coupe du Monde 2006. En marquant l'unique but des rencontres contre le Portugal et le Paraguay, il totalise huit réalisations. Emilio Butragueno, Fernando Hierro, Fernando Morrientes et Raúl ont chacun marqué cinq buts pour l'Espagne en Coupe du Monde. Villa est aussi devenu le seul Espagnol à rater un penalty lors d'un match de cette compétition, ratant ainsi l'occasion d'inscrire un *hat-trick* contre le Honduras. Jusqu'alors, l'Espagne avait transformé un total de 14 penalties, hors tirs au but, lors de matchs de Coupe du Monde. En mars 2011, Villa est passé devant Raúl comme meilleur buteur espagnol grâce à un doublé contre la République tchèque. Hélas, une fracture de la jambe l'a privé du Championnat d'Europe 2012, tandis que son coéquipier de Barcelone Carles Puyol, champion d'Europe et du Monde en titre comme lui, déclarait forfait suite à un problème de genou.

SERRE-LE, SERGIO

En mars 2013, à l'âge de 26 ans et 358 jours, **Sergio Ramos** est devenu le plus jeune joueur européen à atteindre les 100 sélections internationales. À cette occasion, il a marqué le but d'ouverture lors d'un nul 1-1 contre la Finlande. Ramos a ainsi détrôné l'Allemand Lukas Podolski, qui avait 21 jours de plus à sa 100e sélection. Le Sud-coréen Cha Bum-Kun, âgé de 24 ans et 139 jours à sa 100e cape, détient le record mondial. Ramos, qui peut jouer à droite ou au centre en défense, appartenait à l'équipe d'Espagne victorieuse de l'Euro 2008 et 2012, ainsi que de la Coupe du monde 2010. Il a brandi ces trophées plus soigneusement que la fois où il avait tenu la Coupe du Roi espagnole, remportée avec le Real de Madrid en 2011, lors d'un voyage en bus à étage : il avait laissé tomber la coupe du haut du bus et elle avait été écrasée sous les roues du véhicule...

MÊME PAS MAL

Blessé, **Luís Suárez** a quand même disputé la finale du Championnat d'Europe 1964. Heureusement pour l'Espagne, car il a été à l'origine des 2 buts de la victoire 2-1. À ce jour, Suárez est le seul Espagnol à avoir reçu le Ballon d'or *France Soccer*, en 1960.

UN HOMME, TROIS DRAPEAUX

Ladislav Kubala est le seul homme à avoir joué pour trois pays différents, même s'il n'a jamais participé à la phase finale d'une grande compétition. Né à Budapest le 10 juin 1927, il effectue ses débuts internationaux avec la Tchécoslovaquie en 1946 et connaîtra 5 capes supplémentaires avec le pays de naissance de ses parents. À son retour en Hongrie, il joue trois fois pour l'équipe nationale magyare. Il fuit son pays en tant que réfugié et signe au FC Barcelone en 1951. S'ensuivront 19 sélections avec l'équipe d'Espagne.

ÇA MARCHE POUR MARCHENA !

Lorsque l'Espagne a gagné contre l'Arabie saoudite 3-2 en mai 2009, l'arrière central Carlos Marchena est devenu le premier joueur à avoir gagné 50 rencontres internationales à la suite, soit une de plus que Garrincha, l'ailier brésilien des années 1950 et 1960. Avec la victoire au mondial 2010, Marchena cumule 54 victoires internationales consécutives. Marchena a réussi une série de 57 matchs sans défaite, qui s'est achevée lors d'un match perdu 4-1 par l'Espagne contre l'Argentine, en septembre 2010.

CHASSE AU TRÉSOR

Chaque saison, le gardien le plus hermétique de *Primera División* reçoit le Trophée Zamora. Le légendaire portier **Ricardo Zamora** a été sélectionné à 46 reprises entre 1920 et 1936. Présent lors de l'épique victoire 4-3 face à l'Angleterre à Madrid en 1929, Zamora a été la première star espagnole à jouer pour Barcelone et le Real Madrid, avant de gagner le championnat en tant qu'entraîneur avec... l'Atlético de Madrid.

PAS DE CHANCE, JUAN

Un seul joueur a échoué en séance de tirs au but lors d'une Coupe du Monde de la FIFA avec une action qui aurait permis de faire remporter le match à son équipe : l'Espagnol Juan Carlos Valerón, contre l'équipe d'Irlande en 2002. Le score des tirs au but était de 2-1 en faveur de l'Espagne, avec un seul tir irlandais à suivre, mais il a raté sa frappe... ce qui n'a pas empêché l'Espagne de gagner.

LES ÉCLAIREURS

L'Espagne est experte en ouverture de score lors de matchs gagnés : elle a marqué en premier dans 43 matchs consécutifs, dont lors des 6 victoires du Mondial 2010. La dernière équipe s'étant retrouvée derrière l'Espagne mais qui a ensuite renversé la situation pour gagner est l'Irlande du Nord (3-2 lors des qualifications pour l'Euro 2008 en 2006).

LES CHAMPIONS D'ESPAGNE

Real Madrid	32
FC Barcelone	22
Atlético Madrid	9
Athletic Bilbao	8
Valence CF	6
Real Sociedad	2
Deportivo La Corogne	1
Séville FC	1
Betis Séville	1

RAÚL IRRÉEL

Raúl Gonzalez Blanco – surnommé Raúl – n'est pas seulement le 2e buteur le plus prolifique d'Espagne, avec 44 buts en 102 matchs, mais aussi le meilleur buteur en Ligue des Champions/Euro (66) et au Real Madrid (323) : il a dépassé les 309 d'Alfredo di Stefano en 2008-2009. Malgré sa carrière impressionnante, Raul n'a pas connu la gloire internationale aux côtés de l'Espagne : il a été écarté – de manière controversée – de l'équipe victorieuse à l'Euro 2008 et à la Coupe du Monde 2010.

SUPER PED

L'ailier espagnol **Pedro** est le seul à avoir marqué dans 6 tournois des clubs officiels sur une année calendaire, réussissant à envoyer la balle au fond des filets pour Barcelone en Primera Liga, Copa del Rey et Supercoupe en 2009, ainsi qu'en Ligue des Champions UEFA, Supercoupe de l'UEFA et Coupe des Coupes. Il fit aussi partie des « 5 de base » du Mondial 2010 – tout cela moins de 2 ans après avoir fait partie de l'équipe de réserve de Barcelone en 3e division espagnole, et après l'intervention du sélectionneur Pep Guardiola pour empêcher qu'on le renvoie à Tenerife.

PRÉCIEUX PUYOL

Le jeu de tête de l'arrière central **Carles Puyol** a non seulement offert la victoire à l'Espagne en demi-finale de la Coupe du Monde 2010, mais aussi le premier succès espagnol contre l'Allemagne sur quatre matchs disputés en Coupe du Monde. L'Allemagne de l'Ouest avait gagné 2-1 en 1966 et 1982, puis concédé un match nul 1-1 en 1994. En gagnant 1-0 en 2010, la *Roja* a fait écho à son triomphe sur les Allemands lors de la finale du Championnat d'Europe deux ans plus tôt, à laquelle 19 joueurs des deux équipes de la Coupe du Monde 2010 (11 Espagnols et 8 Allemands) avaient participé.

LE VRAI PICHICHI

Le titre remis chaque année au meilleur buteur de la Liga s'appelle le «*Pichichi*», surnom de Rafael Moreno, attaquant de l'Athletic Bilbao entre 1911 et 1921. Il a marqué 200 buts en 170 matchs pour ce club et 1 but en 5 sélections. Souvent coiffé d'une casquette blanche, le *Pichichi* est mort en 1922 à 29 ans.

«PLUS QU'UN SIMPLE CLUB»

Fondé en 1899 par un homme d'affaires suisse, Hans Gamper, le FC Barcelone se targue d'être «plus qu'un club». Vierge de tout commanditaire pendant plus d'un siècle, la fameuse tunique *blaugrana* s'est marquée en 2006, mais pour la bonne cause: elle arborait alors le logo de l'UNICEF, organisation dont le club fait partie des bienfaiteurs. Par la suite, c'est Qatar Foundation qui a pris le relais.

JOUEURS ESPAGNOLS SACRÉS EN 2008, 2010 ET 2012

Iker Casillas*
Sergio Ramos*
Andres Iniesta*
Xabi Alonso*
Xavi Hernandez*
Cesc Fabregas*
Fernando Torres*
David Silva
Alvaro Arbeloa
Raul Albiol
Pepe Reina

= ont disputé les trois finales.

BOSS DEL BOSQUE

Vicente Del Bosque était remplaçant lors du 68e et dernier match de l'entraîneur espagnol Ladislao Kubala, en 1980. En mars 2013, Del Bosque était de nouveau sur le banc lorsque l'Espagne a joué contre le Danemark, mais cette fois-ci comme sélectionneur, et pour la 69e fois, dépassant le record de Kubala. Del Bosque a remporté la Coupe du Monde 2010 et l'Euro 2012, titres qui se sont ajoutés aux deux Ligues des Champions du Real Madrid que Del Bosque dirigeait alors. Del Bosque et l'Italien Marcelo Lippi sont les seuls à avoir remporté l'Euro et la Coupe du Monde – mais la victoire de Del Bosque à l'Euro 2012 lui a permis de réaliser un triplé sans précédent. Del Bosque détient un autre record inégalé : 13 victoires lors de ses 13 premiers matchs comme sélectionneur espagnol, après avoir succédé à Luis Aragonés en 2008.

TELMO STAR

Telmo Zarraonaindía, alias «Zarra», est le recordman de buts en Championnat d'Espagne. En 277 matchs pour l'Athletic Bilbao (1940-1955), il a mis 251 buts. S'y ajoutent ses 20 réalisations en 20 sélections (1945-1951). Son surnom? «La meilleure tête d'Europe après Churchill»!

MADRID, REAL OU PAS

Le Real Madrid était le seul club espagnol représenté officiellement lors de la première réunion de la FIFA, à Paris en 1904. Il siégeait en tant que Madrid FC. Durant la Seconde République espagnole, entre 1931 et 1939, les clubs espagnols tels que le Real Madrid et le Real Betis ôtèrent la référence royale (Real) à leur nom.

BELGIQUE

Dans les années 1980, une période de gloire s'est ouverte pour les Diables rouges, après huit décennies passées à l'écart des compétitions internationales : une place en finale à l'Euro 1980, suivie par une demi-finale à la Coupe du Monde 1986. La dernière qualification belge à un tournoi important date de 2002, mais la génération montante offre un nouvel espoir. Si l'équipe se qualifie pour le Brésil 2014, elle deviendra un *outsider* intéressant.

NOMBRE DE VICTOIRES EN CHAMPIONNAT BELGE

31	Anderlecht
13	Club Brugge
11	Union Saint-Gilloise
10	Standard de Liège
7	Beerschot
6	Racing de Bruxelles
5	RFC de Liège
5	Daring de Bruxelles
4	Anvers
4	Mechelen
4	Lierse
3	Genk
3	Cercle de Brugge
2	Beveren
1	Molenbeek

SITUATION ERWIN–WIN

La Belgique a fait sensation en 1982 lors du match d'ouverture de la Coupe du Monde, en battant le champion en titre argentin 1-0 grâce à un but de l'attaquant **Edwin Vandenburgh**, marqué à la 62ᵉ minute au stade Nou Camp de Barcelone. Les Sud-Américains ont eu leur revanche quatre ans plus tard grâce aux 2 buts de Maradona, qui envoyèrent l'Argentine en finale de la Coupe du Monde 1986. Lors de cette même compétition, Vandenburgh avait aussi inscrit un but lors du match d'ouverture, une défaite 2-1 dans le groupe B contre le Mexique, qui jouait à domicile.

ET DE SIX !

En accédant à la Coupe du Monde FIFA 2002, la Belgique a été le premier pays à se qualifier six fois de suite sans jamais avoir été ni le champion sortant ni le pays organisateur.

VOILÀ NOTRE HOMME

Guy Thys était incontestablement le plus grand sélectionneur de Belgique, et le plus capé. Il a mené l'équipe à la finale du championnat d'Europe 1980, et six ans plus tard, à la demi-finale de la Coupe du Monde, avec des joueurs comme Enzo Scifo et Nico Claesen. Guy Thys a occupé ses fonctions de 1976 à 1989, puis il les a reprises pendant huit mois, avant son départ définitif. Guy Thys s'est effacé après la Coupe du Monde 1990. Il avait joué comme attaquant pour la Belgique dans les années 1940 et 1950, remportant deux sélections. Il est décédé en août 2003, à l'âge de 80 ans.

TRIOMPHES ET TRAGÉDIE

Le plus grand stade de soccer belge est celui du **Roi Baudouin à Bruxelles** (50 000 places), inauguré sous le nom de stade du Jubilé le 23 août 1930, avant d'être rebaptisé le Heysel en 1946. Il a connu une tragédie en 1985, avec la mort de 39 supporters lors d'émeutes, pendant la finale de la Coupe européenne entre Liverpool et la Juventus. Le stade a été reconstruit et porte son nom actuel depuis 1995. Lors du championnat d'Europe 2000 de l'UEFA, coorganisé par la Belgique et les Pays-Bas, le stade a accueilli la cérémonie d'ouverture et le premier match, une victoire de la Belgique sur la Suède par 2-1. Désormais, les matchs internationaux de la Belgique à domicile se déroulent au Roi Baudouin.

PRIX DE CONSOLATION

La Belgique a perdu au second tour de la Coupe du Monde 2002, battue 2-0 par le Brésil, futur champion. Cependant, l'équipe belge a reçu le prix du *fair-play* et les félicitations de l'entraîneur brésilien Luiz Felipe Scolari, qui a déclaré que les Belges avaient été les adversaires les plus coriaces.

LIÈGE, LITIGES EN LIGUE

Le FC Liège a remporté le premier championnat belge en 1896 ; le club en a décroché quatre autres et ajouté le préfixe « Royal » à son nom. Depuis les années 1990, le RFC de Liège a connu des difficultés financières et plusieurs relégations, avant d'être dissous en 2011 – pour réapparaître en CFA belge. Liège s'est trouvé au cœur d'une bataille juridique qui a inspiré des changements importants dans le transfert de joueurs : en 1990, le milieu de terrain Jean-Marc Bosman a intenté un procès au club après s'être vu refuser son transfert à Dunkerque.

HONNEUR AU BARON

Le baron de Laveleye a été le premier membre honoraire de la FIFA, instance dirigeante du soccer mondial. Ce Belge était ainsi récompensé d'avoir convaincu en 1905 la Soccer Association anglaise de rejoindre la FIFA, au lieu de rester indépendante. De Laveleye a été le premier président de la FA belge, fondée en 1895. Il est resté en fonction durant 29 ans. Fondateur et premier président du Comité olympique belge, il a fait campagne avec succès pour que Anvers accueille les Jeux de 1920.

ANDERLECHT EN FORCE

En 1964, la Belgique termina un match contre les Pays-Bas avec une équipe entièrement anderlechtoise, quand le gardien de but Guy Delhasse fut remplacé par Jan Trappeniers.

ENTRAÎNEURS LES PLUS CAPÉS

1   Guy Thys (1976-1989, 1990-1991)
2   William Maxwell (1910-1913, 1920-1928)
3   Constant Vanden Stock (1958-1968)
4   Raymond Goethals (1968-1976)
5   Bill Gormlie (1947-1953)
6   Jack Butler (1935-1940)
7   Paul Van Himst (1991-1996)
8   Hector Goetinck (1930-1934)
9   Aimé Anthuenis (2002-2005)
10 René Vandereycken (2006-2009)

UN BEAU PÉDIGREE

Anderlecht est le club le plus titré de Belgique, avec 31 titres de ligue et cinq trophées européens. Il joue au stade Constant Vanden Stock, construit en 1917 et pouvant accueillir 28 000 spectateurs. Ce lieu, appelé à l'origine Émile Verse, a été rebaptisé en 1983 en l'honneur de Constantin Vanden Stock, ancien joueur et président du club, qui avait entraîné l'équipe nationale de 1958 à 1968, tout en dirigeant une brasserie. Il est décédé en 2008, à 93 ans, et son fils Roger est désormais le président du club. Anderlecht a notamment remporté la Coupe des vainqueurs de Coupes et la Super Cup en 1976 et 1978, ainsi que la Coupe de l'UEFA 1983, avec des joueurs comme l'attaquant Franky Vercauteren et le capitaine danois Morten Olsen. Anderlecht était alors dirigé par l'autre grand buteur belge, Paul van Himst.

MONSIEUR LE SÉNATEUR

Seuls Paul Van Himst et Bernard Voorhoof ont marqué plus de buts pour la Belgique que **Marc Wilmots**, surnommé le «taureau de Dongelberg», ou encore le «cochon de combat», avant qu'il ne devienne entraîneur assistant de l'équipe nationale belge. En tant que joueur, son heure de gloire reste un tir au but réussi en finale retour de la Coupe de l'UEFA 1997, avec les Allemands de Schalke 04 contre les Italiens de l'Inter de Milan. Outre ses fonctions de sélectionneur national, Wilmots a fait un court passage en politique, siégeant un temps au Sénat belge. Après la démission soudaine de Georges Leekens en 2012, Wilmots est devenu entraîneur de la Belgique.

VISION

Aujourd'hui, beaucoup de joueurs portent des verres de contact. À la fin des années 1950 et au début des années 1960, Jef Jurion se distinguait par ses lunettes spéciales.

SUPER VOORHOOF

Le record de buts marqués appartient à Bernard Voorhoof et Paul van Himst: ils en ont tous deux marqué 30, en 61 matchs pour Voorhoof, de 1928 à 1940, contre 81 pour van Himst, de 1960 à 1974. Voorhoof est l'un des cinq joueurs à avoir figuré dans les trois Coupes du Monde d'avant-guerre, en 1930, 1934 et 1938. Les autres sont Edmond Delfour et Étienne Mattler (France), Nicolae Kovacs (Roumanie) et Patesko (Brésil). Voorhoof n'a marqué que deux buts en Coupe du Monde, en 1934. Van Himst a pris sa retraite de joueur en 1977 pour se consacrer à la direction d'Anderlecht, qui a remporté la Coupe de l'UEFA en 1983, puis à l'équipe belge, l'emmenant en Coupe du Monde en 1994.

SAINT MICHEL

Le gardien belge Michel Preud'homme a été le premier à remporter le prix Lev Yavin du meilleur gardien, à sa création en 1994, à l'occasion de la Coupe du Monde. Les quatre prestations de Preud'homme – où il a concédé quatre buts – ont impressionné les jurés, même si la Belgique a été battue au second tour. À l'époque où il jouait pour le Benfica, les supporters surnommaient Preud'homme «Saint Michel».

PRINCE FERNAND

Fernand Nisot appartenait à l'équipe belge qui a remporté la médaille d'or en soccer aux Jeux olympiques d'Anvers, en 1920. Il détient toujours le record du plus jeune international belge – à ses débuts, il n'était âgé que de 16 ans.

UN VÉRITABLE EDEN

L'incroyable **Eden Hazard**, qui évolue au club de Chelsea, est devenu l'un des joueurs les plus prisés du soccer international. En 2011, il est devenu le plus jeune joueur à être nommé joueur national de l'année; il a conservé ce titre l'année suivante, juste avant d'intégrer le champion européen d'alors, Chelsea. Le club londonien a également signé son frère Thorgan, deux ans plus jeune, et international junior de Belgique. Eden Hazard, comparé au grand **Enzo Scifo**, a fait ses débuts internationaux à l'âge de 17 ans, en devenant le huitième plus jeune joueur à représenter la Belgique au niveau international. Les frères Hazard viennent d'une famille très liée au ballon rond: leur père Thierry, est un ancien semi-professionnel et leur mère Carine, également joueuse, ne s'est retirée des terrains qu'une fois enceinte d'Eden.

VERTONGHEN EST VERT

Le défenseur **Jan Vertonghen** s'est fait connaître en marquant un but spectaculaire – bien qu'involontaire – pour l'équipe réserve de l'Ajax en 2006. Il avait projeté le ballon en direction du gardien de but adverse, Cambuur Leeuwarden, pour lui donner après un arrêt de jeu – mais la balle avait terminé au fond des filets. Pour s'excuser, Vertonghen et ses coéquipiers avaient permis à leurs adversaires d'obtenir un but. Le transfert de Vertonghen en Angleterre, en 2012, est venu s'ajouter à une invasion belge de la Premier League. Parmi ses compatriotes figurent Moussa Dembele chez Tottenham, Vincent Kompany à Manchester City, Marouane Fellaini à Everton, Eden Hazard et Romelu Lukaku à Chelsea et Thomas Vermaelen à Arsenal.

SÉLECTIONS

1	Jan Ceulemans	96
2	Timmy Simons	93
3	Eric Gerets	86
=	Franky van der Elst	86
5	Enzo Scifo	84
6	Paul van Himst	81
7	Bart Goor	78
8	Georges Grun	77
9	Daniel Van Buyten	71
10	Lorenzo Staelens	70
=	Marc Wilmots	70

FILS À MAMAN

Une offre de l'AC Milan, ça ne se refuse pas. Sauf quand on s'appelle **Jan Ceulemans** et qu'on écoute sa maman. Le recordman de sélections avec la Belgique (96) a passé l'essentiel de sa carrière au FC Bruges, mais les supporters belges se souviennent surtout de ce milieu de terrain pour ses prouesses lors de trois Coupes du Monde consécutives. Les Diables Rouges ont réalisé leur plus beau parcours mondialiste lors du Mondial, en 1986, avec une 4e place, leur capitaine Ceulemans signant 3 buts. Né à Lierre le 28 février 1957, Jan a pris sa retraite internationale après la Coupe du Monde 1990 et a entraîné le FC Bruges entre 2005 et 2006.

BUTEURS

1	Paul van Himst	30
=	Bernard Voorhoof	30
3	Marc Wilmots	29
4	Joseph Mermans	27
5	Raymond Braine	26
=	Robert De Veen	26
7	Wesley Sonck	24
8	Jan Ceulemans	23
=	Marc Degryse	23
10	Henri Coppens	21

EN BONNE KOMPANY

L'actuel capitaine belge **Vincent Kompany** est devenu l'un des meilleurs arrières centraux du soccer international, et l'un des joueurs les plus respectés et écoutés en dehors du terrain. Il mène des études à la Manchester Business School parallèlement à sa carrière pro. En 2012-2013, il a été le capitaine de Manchester City, qui a remporté son premier titre de championnat anglais depuis 44 ans. Rappelé par son club, le SV Hambourg, Kompany a dû manquer la demi-finale des JO de Pékin, en 2008. En son absence, la Belgique a perdu 4-1 contre le Nigeria, puis 3-0 contre le Brésil dans le match pour la 3e place, se privant ainsi d'une médaille à ajouter à l'or remporté aux JO d'Anvers, en 1920. Kompany a été nommé capitaine de la Belgique en novembre 2011, remplaçant l'arrière central Thomas Vermaelen.

BULGARIE

À la Coupe du Monde 1994, la «génération dorée» du soccer bulgare prend la 4e place en battant au passage les tenants du titre allemands 2-1 en quart de finale. Hormis cette parenthèse enchantée, l'histoire a souvent été la même pour la sélection bulgare. Régulièrement qualifié pour les grandes compétitions, ce pays qui a engendré quelques stars du ballon rond, comme Hristo Stoïchkov et Dimitar Berbatov, s'est trop souvent pris les pieds dans le tapis dans les grands moments. D'où une reconnaissance internationale limitée.

SÉLECTIONS

1	Stiliyan Petrov	106
2	Borislav Mihaylov	102
3	Hristo Bonev	96
4	Krassimir Balakov	92
5	Dimitar Penev	90
=	Martin Petrov	90
7	Radostin Kishishev	88
8	Hristo Stoïchkov	83
9	Nasko Sirakov	82
10	Zlatko Yankov	80

DIVIN CHAUVE

C'est le crâne chauve de Yordan Letchkov qui a donné la victoire aux Bulgares face aux tenants du titre allemands, en quart de finale de la Coupe du Monde 1994. Lors de son exploit, il jouait en Allemagne, à Hambourg. Il deviendra maire de Sliven, la ville où il est né en juillet 1967.

PROBLÈMES DE JEUNESSE

Martin Petrov a connu un très mauvais début international, avec une expulsion sur deux cartons jaunes huit minutes après son entrée comme remplaçant, lors d'un match de qualification contre l'Angleterre pour l'Euro 2000. Petrov a fondu en larmes à sa sortie du terrain. Rétabli, il est devenu l'un des Bulgares les plus capés, jouant avec de grands clubs comme l'Atlético Madrid et Manchester City. Il compte 90 sélections et 19 buts, dont le seul marqué par la Bulgarie à l'Euro 2004, contre l'Italie.

EN DEUIL

La Bulgarie a perdu deux de ses joueurs les plus talentueux, les attaquants Georgi Asparuhov (28 ans) et Nikola Kotkov (32 ans), dans un accident de voiture en juin 1971. Asparuhov a signé 19 réalisations en 50 sélections, dont le tout 1er but bulgare en Coupe du Monde, lors de la défaite 3-1 contre la Hongrie en 1966.

CHER TRANSFERT

Avant-centre à Fulham et dans l'équipe bulgare, **Dimitar Berbatov** dit avoir appris l'anglais en regardant *Le Parrain*. En 2008, il a été transféré de Tottenham à Manchester pour un montant de 38 millions d'euros – c'est un record pour un joueur bulgare. Avant cela, il avait joué au Bayer Leverkusen, un club qui a manqué de peu un triplé en 2002, en terminant deuxième de la Bundesliga et en s'inclinant en finale de la Coupe d'Allemagne et de la Ligue des Champions. En 2012, Berbatov a envisagé un temps de revenir en équipe nationale, mais a finalement décidé de «laisser leur chance aux jeunes». Après avoir intégré Fulham à l'été 2012, il s'est fait remarquer lors d'un match en révélant un T-shirt avec le slogan «Reste calme et passe-moi le ballon».

« STAN » : DIGNE OVATION

Stiliyan Petrov – « Stan » pour les fans de son club
(Aston Villa) – fut ovationné lorsque, entrant sur le
terrain face à la Suisse en mars 2011, il devint le
1er joueur bulgare à atteindre les 100 sélections.
Recruté à 20 ans par le Celtic Glasgow, Petrov joue
en Angleterre depuis 1999 mais reste nostalgique
de sa Bulgarie natale. Il a révélé qu'il avait amélioré
son anglais en travaillant dans la baraque à frites
d'un ami écossais : « Certains clients me fixaient
en se disant : "On dirait Stiliyan Petrov, mais non,
c'est impossible." Et très vite, j'ai progressé. »
Les supporters et les joueurs du monde entier
lui ont manifesté leur soutien après qu'il a révélé
être atteint d'une forme aiguë de leucémie en
mars 2012. C'est notamment ainsi que, à la
19e minute de chaque match d'Aston Villa à
domicile, les supporters du club lui offrent
une *standing ovation* de 60 secondes – Stan
porte le numéro 19, en club.

INDESTRUCTIBLE LUBO

L'actuel sélectionneur bulgare, Lubo Penev, est
le neveu de Dimitar Penev, qui, au même poste,
conduisit ses hommes à la 4e place du Mondial
1994. Avant-centre à l'époque, Lubo avait dû
déclarer forfait pour le tournoi, suite à un
cancer des testicules. Il vainquit la maladie
et put de nouveau jouer pour son pays lors
de l'Euro 1996 et de la Coupe du Monde
1998. Il termina également meilleur buteur
de son club, l'Atlético Madrid, quand celui-ci
réalisa le doublé Coupe-Championnat en 1996.
Ancien entraîneur du CSKA Sofia et du Litex Lovich,
il a été nommé sélectionneur en 2011 – 4e titulaire
du poste lors des éliminatoires ratés pour l'Euro 2012.
Ses compatriotes Stanimir Stoilov et Michael Madanski
et l'ancien international allemand Lothar Matthäus
l'avaient précédé à la tête de la sélection. Sous
la houlette de Penev, la Bulgarie a quitté les
tréfonds du classement FIFA, passant de la
96e à la 40e place en novembre 2012.

ALEKSANDAR LE POLYVALENT

Le défenseur Aleksandar Shalamanov a participé à la Coupe du Monde 1966.
Il représentait, six ans auparavant, son pays aux Jeux olympiques d'hiver, en
ski alpin. Aux JO 1964, il figurait dans l'équipe de volley, sans toutefois jouer.
Shalamanov a été élu meilleur sportif de Bulgarie en 1967 et 1973.

BUTEURS

1	Dimitar Berbatov	48
=	Hristo Bonev	48
3	Hristo Stoïchkov	37
4	Emil Kostadinov	26
5	Ivan Kolev	25
=	Petar Zhekov	25
7	Atanas Mihaylov	23
=	Nasko Sirakov	23
9	Dimitar Milanov	20
10	Georgi Asparukhov	19
=	Dinko Dermendzhiev	19
=	Martin Petrov	19

STOÏCHKOV, L'ÉCORCHÉ VIF

Né à Plovdiv le 8 février 1968, **Hristo Stoïchkov** a partagé le Soulier d'or de
la Coupe du Monde 1994 avec le Russe Oleg Salenko, les deux hommes
ayant inscrit 6 buts chacun. Mais le génial Bulgare a bien été le seul lauréat
du Ballon d'or 1994. Cette saison-là, son association avec le Brésilien
Romario emmena le FC Barcelone en finale de la Ligue des Champions de
l'UEFA. Ce joueur au sang chaud fut suspendu 1 an suite à une bagarre lors
de la finale de la Coupe de Bulgarie 1985 entre le CSKA Sofia et le Levski
Sofia. Stoïchkov a bâti son palmarès en Bulgarie, en Espagne, en Arabie
saoudite et aux États-Unis avant de raccrocher les crampons en 2003.

TRADITION BIEN GARDÉE

Le recordman en second de sélections pour la Bulgarie
est **Borislav Mikhailov**. Né à Sofia le 12 février 1963,
ce gardien jouait avec une perruque avant de recourir
à l'implantation capillaire. Retraité depuis 2005, il est
devenu président de la fédération bulgare. Son père
Bisser jouait également portier, tout comme
son fils Nikolay, qui honora sa première
cape face à l'Écosse en mai 2006. Les
trois hommes ont joué au Levski Sofia.

CROATIE

Le maillot à damier rouge et blanc fait partie des plus connus du monde. Demandez donc aux Anglais. Les Croates les ont crucifiés à deux reprises au cours des éliminatoires de l'Euro 2008: en les battant 2-0 à Zagreb puis en leur arrachant la qualification à Wembley grâce à une victoire 3-2. Quart-de-finaliste de la compétition, la sélection croate a prouvé qu'elle n'avait pas volé son billet. Hélas, elle a par la suite échoué à se qualifier pour le Mondial 2010. L'Euro 2012 a été pour elle l'occasion de redorer son blason, malgré une élimination au 1er tour dans le groupe de l'Italie et de l'Espagne.

BUTEURS

1	Davor Suker	45
2	Eduardo da Silva	27
3	Darijo Srna	20
4	Ivica Olic	16
5	Niko Kranjcar	15
=	Goran Vlaovic	15
7	Niko Kovac	14
8	Mladen Petric	13
9	Zvonimir Boban	12
=	Ivan Klasnic	12

BILIC ROCK

Slaven Bilic et Igor Stimac ont formé un duo défensif extraordinaire pour la Coupe du Monde 1998, où la Croatie a fini 3e. C'est Stimac qui a succédé à son ancien coéquipier quand Bilic a quitté ses fonctions de sélectionneur suite à l'Euro 2012, après six ans de service. Le très branché Bilic avait conduit son pays à l'Euro 2008 et 2012. Bilic et Stimac ont aussi en commun l'amour de la musique: le groupe rock de Bilic a sorti le titre *Vatreno Ludilo* («Folie furieuse»), n° 1 des palmarès croates, et Stimac a décroché un hit avec *Mare i Kate*.

LA LOI DU MILIEU

Luka Modrić marqua le penalty le plus rapide de l'histoire de l'Euro, un tir à la 4e minute qui fut l'unique but de la victoire croate au 1er tour contre l'Autriche, coorganisatrice du tournoi 2008. Il rata cependant un autre penalty pour la Croatie, en quart de finale contre la Turquie, un échec qui n'affecta pas sa popularité chez lui. Celui que l'on a surnommé le «Cruyff croate» – et pas seulement parce qu'il porte le n° 14 – est aujourd'hui considéré comme l'un des milieux de terrain les plus doués du monde. En 2008, Modrić est parti en Angleterre, aux Tottenham Hotspurs, où il a passé quatre ans avant de rejoindre le Real Madrid en 2012.

DÉBUTS EN FANFARE

Peu d'équipes ont connu autant de succès à leurs débuts que la Croatie. Faisant jusqu'alors partie de la Yougoslavie, sa première grande compétition en tant que pays indépendant fut l'Euro 1996, où elle a atteint les quarts de finale. Puis la fameuse «génération dorée» s'est classée 3e de la Coupe du Monde 1998. Depuis 1993, elle n'a manqué qu'un Mondial (2010) et un Euro. Les Croates ont par ailleurs inscrit quatre buts dans tous les Championnats d'Europe auxquels ils ont participé (1996, 2004, 2008 et 2012). Lors de la dernière édition, trois de ces buts ont été l'œuvre de **Mario Mandzukic** – le premier après seulement 2 minutes et 38 secondes de jeu face à la République d'Irlande (sixième réalisation la plus rapide d'une phase finale d'Euro). Mandzukic a rejoint les géants du Bayern de Munich cet été-là, marquant leur premier but en Ligue des Champions lors de leur victoire contre le Borussia Dortmund.

SUPER SUKER

Davor Suker remporte le Soulier d'or lors de la Coupe du Monde FIFA 1998 : 6 buts en 7 matchs – la Croatie termine à la 3e place. Suker marque le premier but de la demi-finale qui verra son équipe s'incliner 2-1 face à la France, vainqueur du tournoi. Il est aussi l'auteur du but qui permet à la Croatie de battre les Pays-Bas 2-1 et de prendre la 3e place du Mondial. Suker est de loin le meilleur buteur croate ; il a marqué 3 buts lors de l'Euro 1996, dont un tir lobé qui a trompé Peter Schmeichel, le gardien danois. En juillet 2012, Suker a été nommé président de la Fédération croate de soccer.

LE CERF

Darijo Srna est le 3e meilleur buteur de l'histoire du soccer croate, bien qu'il ait souvent occupé le poste de latéral droit. Il s'est fait tatouer un cerf (*srna* en croate) sur un mollet. Il porte un autre tatouage sur la poitrine : le prénom de son frère Igor atteint de trisomie, à qui il dédie chacun de ses buts. Srna a obtenu sa 100e cape (contre la Corée du Sud, en février 2013) – honneur partagé avec deux coéquipiers : le gardien Stipe Pletikosa et le défenseur Josip Simunic.

DES REINS QUI VONT BIEN

L'attaquant Ivan Klasnić est revenu dans l'équipe croate bien qu'ayant souffert d'insuffisance rénale début 2007. La première transplantation (un rein de sa mère) a échoué, mais le second essai (avec un rein de son père) est un succès. Il récupère suffisamment vite pour jouer dans l'équipe de Croatie en mars 2008 et représenter son pays au Championnat d'Europe où il se distingue en marquant 2 buts, dont celui de la victoire contre la Pologne.

AFFAIRES DE FAMILLES

Niko Kranjcar est le fils de l'ancien sélectionneur Zlatko Kranjcar, une filiation pas toujours facile à vivre… « Deux jours avant qu'il soit nommé, tout le monde réclamait ma sélection, a déclaré Niko. Et quand il m'a convoqué pour l'Euro 2004, tout d'un coup, c'est parce que j'étais son fils. » Les frères Robert et Niko Kova n'ont pas eu ce genre de problème et font partie de la légende du soccer croate. Bien que nés à Berlin, les frères sont fiers de leur nationalité croate. Ils ne jouent désormais plus au niveau international – après la retraite de Niko, Robert a encore joué pendant un an.

SÉLECTIONS

1	Darijo Srna	104
2	Stipe Pletikosa	103
3	Josip Simunic	102
4	Dario Simic	100
5	Ivica Olic	85
6	Robert Kovac	84
7	Niko Kovac	83
8	Robert Jarni	81
9	Niko Kranjcar	79
10	Davor Suker	69

DOUBLE IDENTITÉ

Robert Jarni et Robert Prosinecki ont la particularité d'avoir joué des phases finales de la Coupe du Monde FIFA sous deux maillots différents. Ils ont représenté la Yougoslavie en 1990 en Italie puis la Croatie en 1998 en France. L'arrière Jarni a définitivement choisi les couleurs croates en 1992 quand la Croatie a rejoint la FIFA et l'UEFA. Il a pris sa retraite avec 81 sélections pour la Croatie et 7 pour la Yougoslavie.

COUPS DE CHAPEAU

Mladen Petric est le seul joueur à avoir inscrit un quadruplé pour la Croatie, lors d'un 7-0 contre Andorre en octobre 2006. Ce score égale le carton réalisé contre l'Australie en août 1998. **Davor Suker** avait alors signé un *hat-trick*, devenant le premier Croate à réussir deux *hat-tricks*. Son premier remontait à un 7-1 contre l'Estonie en septembre 1995.

RÉPUBLIQUE TCHÈQUE

Parmi les anciens pays de l'Est, la Tchécoslovaquie possédait le meilleur palmarès puisqu'elle fut finaliste des Mondiaux 1934 et 1962, avant d'enlever l'Euro 1976 face à la RFA grâce à un audacieux tir au but décisif. Depuis son indépendance, la République tchèque a frôlé la victoire à l'Euro 1996 et échoué en demi-finale huit ans plus tard. Le passé récent a été moins glorieux car, malgré ses qualités, l'équipe tchèque n'est pas parvenue à se qualifier pour la Coupe du Monde 2010. En revanche, elle a atteint les quarts de finale de l'Euro 2012.

EURO QUI COMME VLADIMIR...

Vladimir Smicer – l'actuel patron de l'équipe nationale tchèque – est avec Jürgen Klinsmann, Thierry Henry, Nuno Gomes, Helder Postiga, Cristiano Ronaldo et Zlatan Ibrahimovic l'un des rares joueurs à avoir marqué dans trois Championnats d'Europe différents, en 1996, 2000 et 2004. Son autre grand exploit fut son dernier match pour Liverpool où, entré en 2e mi-temps en finale de La Ligue des Champions 2005 contre l'AC Milan, il permit à son équipe menée 3-0 de revenir au score puis de l'emporter aux tirs au but. Sa femme, Pavlina, est la fille de l'ancien attaquant tchèque Ladislav Vizek, qui remporta la médaille d'or avec son pays aux Jeux olympiques de 1980, mais se fit expulser contre la France en Coupe du Monde deux ans plus tard.

LA PANENKA

Antonín Panenka a marqué l'un des plus fameux buts de l'histoire du soccer au cours de la finale de l'Euro 1976 opposant la Tchécoslovaquie à la RFA, lors des tirs au but. Malgré la pression et la responsabilité reposant sur ses épaules, Panenka a envoyé doucement son ballon au centre de la cage alors que le gardien Sepp Maier s'élançait sur la gauche. Ce type de frappe a pris le nom de son auteur et est devenu «la Panenka», reprise notamment par Zinedine Zidane en finale de la Coupe du Monde FIFA 2006.

LE GARDIEN CASQUÉ

Depuis sa fracture du crâne lors d'un match de Premier League anglaise en octobre 2006, le gardien **Petr Čech** porte un casque de protection. Le joueur de Chelsea a dû ajouter une protection au niveau du menton suite à un choc à l'entraînement. Čech est né dans une fratrie de triplés : une sœur, Sarka, et un frère Michal, malheureusement décédé à l'âge de 2 ans. Čech s'est fait rapidement remarquer en ne concédant qu'un tir au but contre la France dans la finale de l'Euro 2002 des moins de 21 ans, performance qui a aidé les Tchèques à obtenir le trophée. Čech a également remporté la Ligue des Champions 2012 et la ligue Europa 2013 avec Chelsea. Lors du match de 2012, où Chelsea a battu le Bayern aux tirs au but, Čech a été nommé joueur du match après avoir arrêté un penalty d'Arjen Robben au cours du temps réglementaire.

KAREL EXPLOSE

L'Euro 1996 aura été un tremplin parfait pour la carrière de **Karel Poborský**. Après avoir emmené la sélection en finale, l'homme à la crinière blonde frisée a signé un contrat de rêve avec Manchester United. Son lob en quart de finale face au Portugal fait partie des plus opportunistes de l'histoire de la compétition. Il détient le record de capes avec la *Reprezentace* : 118.

UN TRÈS LONG RÈGNE

La finale de la Coupe du Monde FIFA 1934, la première avec prolongations, s'achève par la défaite de la Tchécoslovaquie face à l'Italie (organisateur) 2-1, malgré l'avantage des Tchèques qui marquent à la 76ᵉ minute grâce à Antonin Puč. Celui-ci reste le recordman de buts pour son pays jusqu'en 1995, lorsque son record est battu par Jan Koller puis Milan Baros.

MAUVAIS ESPRIT

Aux JO 1920, la sélection tchécoslovaque a éclipsé la victoire belge en quittant le terrain au bout d'une demi-heure pour protester contre un arbitrage qu'elle jugeait défavorable. Elle est la seule équipe à avoir été disqualifiée d'un tournoi olympique de soccer.

JOUEUR CLÉ

Le capitaine tchèque **Tomas Rosicky** est surnommé depuis longtemps «le petit Mozart», même si son instrument préféré est la guitare, qu'il a eu beaucoup de temps pour pratiquer en 2008 et 2009, à cause d'une blessure aux tendons. Rosicky a été nommé capitaine tchèque en 2009 après la nomination de l'entraîneur Michal Bilek, un ancien milieu de terrain qui avait marqué contre la Pologne en 1987, deux minutes après le début de sa carrière internationale. Rosicky, qui joue à présent avec Arsenal, a encore joué de malchance à l'Euro 2012 : il est sorti sur blessure à la mi-temps lors du 2ᵉ match de son équipe – contre la Grèce – et n'est pas réapparu dans cette compétition, même si ses coéquipiers ont atteint les quarts de finale.

41 ANS PLUS TARD

Le Ballon d'or *France Soccer* reçu par **Pavel Nedved** en 2003 a mis fin à la longue attente des supporters tchèques, qui ont vu nombre de leurs pépites ignorées depuis la désignation de Josef Masopust en 1962. Ce milieu organisateur avait ouvert le score lors de la finale de la Coupe du Monde chilienne de 1962 avant que le Brésil ne revienne au score pour s'imposer 3-1 à Santiago. Plus de 40 ans plus tard, Pelé le citera dans sa liste des 125 meilleurs joueurs encore en vie. Masopust a remporté huit championnats de Tchécoslovaquie avec le Dukla Prague, le club de l'armée. En 1962, il décrochait le premier Ballon d'or tchèque récompensant le meilleur joueur du pays. Le lauréat s'était vu remettre le trophée avant le coup d'envoi d'un quart de finale de Coupe d'Europe contre le Benfica, sans grand cérémonial. Masopust racontera : «Eusebio m'a serré la main, j'ai mis le trophée dans mon sac de sport et je suis rentré à la maison en tram.» Autres temps, autres mœurs...

BUTEURS

1	Jan Koller	55
2	Milan Baros	41
3	Vladimir Smicer	27
4	Pavel Kuka	22
5	Tomas Rosicky	20
6	Patrik Berger	18
=	Pavel Nedved	18
8	Vratislav Lokvenc	14
9	Marek Jankulovski	11
10	Karel Poborsky	8

SÉLECTIONS

1	Karel Poborsky	118
2	Petr Cech	101
3	Milan Baros	93
4	Jan Koller	91
=	Pavel Nedved	91
=	Tomas Rosicky	91
7	Jaroslav Plasil	84
8	Vladimir Smicer	80
9	Tomas Ujfalusi	78
10	Marek Jankulovski	77

DIX SUR DIX

Jan Koller est le meilleur buteur tchèque de tous les temps, avec 55 buts en 91 matchs. Dès ses débuts professionnels, il marque contre la Belgique avant de signer 10 buts au cours des 10 matchs internationaux suivants. Il est l'auteur de 6 buts lors des éliminatoires pour l'Euro 2000, 2004 et 2008. Jan Koller a commencé au Sparta Prague, qui a transformé le gardien qu'il était en attaquant. Puis, en Belgique, il a fini meilleur buteur du championnat avec Lokeren, avant de signer 42 buts pour Anderlecht sur deux saisons couronnées de titres. Lors d'un match avec le Borussia Dortmund, il jouera gardien suite à l'expulsion de Jens Lehmann et conservera sa cage inviolée – après avoir marqué en tant que buteur en première période.

DANEMARK

Le Danemark a disputé son premier match international en 1908, mais ce n'est qu'à partir des années 1980 qu'il s'est montré compétitif dans les grands tournois. Il a connu son heure de gloire en 1992. Appelés pour remplacer la Yougoslavie 10 jours à peine avant le début du Championnat d'Europe, les Nordiques remportent le trophée en battant les champions du monde allemands 2-0 en finale. S'il ne rééditera peut-être jamais un tel exploit, le Danemark reste une nation importante du soccer mondial.

SÉLECTIONS

1	Peter Schmeichel	129
2	Dennis Rommedahl	126
3	Jon Dahl Tomasson	112
4	Thomas Helveg	108
5	Michael Laudrup	104
6	Martin Jorgensen	102
=	Morten Olsen	102
8	Thomas Sorensen	101
9	Christian Poulsen	92
10	John Sivebaek	87

PORTIER DE LUXE

Peter Schmeichel était le meilleur gardien du monde au début des années 1990. Il a remporté le Championnat d'Angleterre avec Manchester United et, bien entendu, l'Euro 1992 avec l'équipe nationale. Son fils Kasper a disputé l'Euro 2012 sous le maillot danois. Il n'a dû sa sélection qu'au forfait de Thomas Sorensen, suite à une blessure au dos. Kasper n'est hélas pas entré en jeu durant le tournoi.

L'ÉTOFFE DES LEADERS

Capitaine du Danemark au Mondial 1986, **Morten Olsen** devint par la suite le 1er Danois à passer le cap des 100 sélections. Il aura inscrit 4 buts en 102 matchs internationaux (1970-1989). Après cela, il entraîna les clubs de Brondby, du FC Cologne, de l'Ajax Amsterdam, puis l'équipe du Danemark à partir de 2000, qu'il mena aux Mondiaux 2002 et 2010. La défaite de ses hommes 2-1 face à l'Angleterre en amical en février 2011 marqua son 116e match international à ce poste; il battit à cette occasion le record établi entre 1979 et 1990 par Sepp Piontek. Olsen, qui comptait démissionner après l'Euro 2012, a finalement décidé de rester en poste jusqu'à la Coupe du Monde 2014. On voit souvent des affiches à l'effigie d'Olsen au Danemark – même s'il s'agit d'une publicité pour des prothèses auditives, autorisée par le sélectionneur, qui souffre de surdité.

UN BON CHRISTIAN

Les talents danois sont associés depuis longtemps à l'Ajax d'Amsterdam, de Soren Lerby et Frank Arnesen dans les années 1970 et 1980 aux frères Laudrup à la fin des années 1990. Par la suite, l'enfant chéri des géants néerlandais a été le meneur de jeu **Christian Eriksen,** qui a contribué à la série victorieuse d'Amsterdam. Eriksen a effectué ses débuts danois en mars 2010, âgé d'à peine 18 ans, ce qui en fait le 4e plus jeune joueur en équipe nationale et le plus jeune depuis Michael Laudrup. Lors de la Coupe du monde 2010, Eriksen était le benjamin des 32 équipes. Il a attendu avril 2011 pour marquer son 1er but, lors d'une victoire contre l'Islande, devenant ainsi le plus jeune buteur danois dans un match de qualification pour l'Euro – il avait 9 jours de moins que le même Laudrup, auquel il est souvent comparé.

DE LA DYNAMITE

La victoire 6-1 sur l'Uruguay lors de son 1er match de la Coupe du Monde 1986 à Neza (Mexique) compte parmi les plus belles performances du Danemark. Malheureusement, l'Espagne mit un terme à cette belle aventure en huitième de finale, écrasant le Danemark 5-1. Les Danois avaient déjà subi un coup dur avec la suspension de leur meneur de jeu Frank Arnesen, éliminé pendant leur dernier match du 1er tour, une victoire sur l'Allemagne de l'Ouest, future finaliste. Cette équipe, surnommée la «dynamite danoise», était emmenée par le futur sélectionneur Morten Olsen et dirigée par Sepp Piontek, Allemand qui devint le 1er entraîneur professionnel de l'équipe danoise en 1979. Michael Laudrup, joueur phare de l'équipe de référence dans les années 1980, la décrivit comme «la réponse de l'Europe au Brésil».

LE PENALTY DE LA RÉDEMPTION

L'ancien milieu de terrain du Brøndby et du Celtic Glasgow **Morten Wieghorst** est le seul joueur············· à avoir été expulsé 2 fois avec le Danemark. Ce qui ne l'empêcha pas de recevoir un prix du fair-play. Son 1er carton rouge international tomba 3 minutes après qu'il fut entré sur le terrain comme remplaçant contre l'Afrique du Sud lors de la Coupe du Monde FIFA 1998. Il écopa du second lors d'un match éliminatoire pour l'Euro 2000 contre l'Italie à Naples : 28 minutes après son entrée en jeu dans une rencontre remportée 3-2 par les siens (Wieghorst inscrivant le 2e but). Une autre facette de son caractère est apparue lors d'un match contre l'Iran en février 2003, durant lequel il rata volontairement un penalty, après une main d'un défenseur iranien, Jalal Kameli Mofrad, qui avait confondu un sifflet venu du public avec le coup de sifflet de mi-temps de l'arbitre. Le Comité international olympique accorda plus tard à Wieghorst un prix du fair-play pour son geste, d'autant plus fort que son équipe perdit ce jour-là 1-0.

BUTEURS

1	Poul Nielsen	52
=	Jon Dahl Tomasson	52
3	Pauli Jorgensen	44
4	Ole Madsen	42
5	Preben Elkjaer Larsen	38
6	Michael Laudrup	37
7	Henning Enoksen	29
8	Michael Rohde	22
=	Ebbe Sand	22
=	Nicklas Bendtner	22

DÉTENTE RAPIDE

Ebbe Sand a signé le but le plus rapide inscrit par un remplaçant en Coupe du Monde. Lors de France 1998, il a fait trembler les filets contre le Nigeria 16 secondes à peine après son entrée en jeu.

MICHAEL AU MAX

Michael Krohn-Delhi n'a pas que des bons souvenirs de son passage au sein de l'Ajax. Il n'a joué que quatre fois pour le club de 2006 à 2008, souffrant notamment de blessures gênantes, contribuant à l'écarter de la Coupe du Monde 2010. En revanche, l'Euro 2012 lui a permis de marquer le seul but de la victoire surprise du Danemark contre les Pays-Bas. Krohn-Delhi a déclaré par la suite : « C'est un peu particulier pour moi, parce que j'ai joué huit ans pour les Pays-Bas et que ma copine est néerlandaise, et je crois qu'en Hollande, eux nous applaudissaient. » Le sélectionneur Olsen a reconnu par la suite qu'il aurait dû prendre Krohn-Delhi pour la Coupe du Monde, deux ans plus tôt. Le seul autre Danois à avoir marqué – à deux reprises – à l'Euro 2012 était Nicklas Bendtner, même s'il a ensuite subi une amende de 100 000 dollars et une interdiction de match après avoir fêté sa seconde apparition en montrant un caleçon au nom d'une société de paris.

IMPOSSIBLE N'EST PAS DANOIS

Summum du soccer danois, le mois de juin 1992 restera gravé dans la mémoire de tous les passionnés de ballon rond. Le Danemark ne s'est pas qualifié pour la phase finale de l'Euro, mais 10 jours avant le coup d'envoi, l'UEFA lui demande de remplacer la Yougoslavie, exclue suite aux sanctions internationales entraînées par la guerre des Balkans. Les Danois étant arrivés deuxièmes de leur groupe derrière la Yougoslavie, ils héritent de la place vacante. Les attentes sont minimes, mais l'inconcevable va se produire. En s'appuyant sur son gardien Peter Schmeichel, sa défense et le génie de Brian Laudrup, l'*outsider* va créer l'une des plus grandes surprises du soccer moderne en remportant le tournoi, avec en point d'orgue une victoire 2-0 face aux champions du monde allemands. L'exploit est d'autant plus remarquable qu'il a été réalisé sans le meilleur joueur danois, Michael Laudrup, le frère de Brian, qui a quitté la sélection au cours des éliminatoires après un conflit avec l'entraîneur Richard Moller Nielsen. Le Barcelonais fera son retour en 1993, mais le Danemark ne parviendra pas à se qualifier pour la Coupe du Monde américaine.

LES FRÈRES LAUDRUP

Brian (à gauche) et Michael Laudrup ···········⊛ font partie des meilleurs frères joueurs des temps modernes. Michael a joué en Italie à la Lazio et à la Juventus, et en Espagne, au FC Barcelone et au Real Madrid. Il a disputé trois Euros et deux Coupes du Monde. Brian a brillé en Allemagne avec le Bayer Urdingen et le Bayern Munich (1990-1992), en Italie avec la Fiorentina et le Milan, en Écosse avec les Rangers et en Angleterre à Chelsea.

GRÈCE

Aucun doute : le jour de gloire de la Grèce a été son triomphe inattendu lors du Championnat d'Europe 2004, l'une des plus grandes surprises de la compétition internationale. Guidée par Otto Rehhagel, leur entraîneur allemand à l'imposante carrière, l'équipe participait alors seulement à sa deuxième phase finale de l'Euro. Le Mondial 2010 a marqué la deuxième qualification des Grecs en Coupe du Monde. Cette série gagnante s'est poursuivie avec l'arrivée en quart de finale de l'Euro 2012.

BUTEURS

1	Nikos Anastopoulos	29
2	Angelos Charisteas	25
3	Theofanis Gekas	24
4	Dimitris Saravakos	22
5	Mimis Papaioannou	21
6	Nikoas Machlas	18
7	Demis Nikolaidis	17
8	Panagiotis Tsalouchidis	16
9	Giorgos Sideris	14
10	Nikos Liberopoulos	13

THEO LE MAGNIFIQUE

Theódoros Zagorákis, dit « Theo », né près de Kavala le 27 octobre 1971, capitaine de l'équipe de Grèce lors de la victoire à l'Euro 2004, a reçu à cette occasion le prix du meilleur joueur de la compétition. Le milieu de terrain défensif est le 2e joueur grec le plus sélectionné : 120 sélections. Il marque son premier but lors de sa 101e sélection internationale, 10 ans et 5 mois après ses débuts en équipe de Grèce, lors d'un match de qualification pour la Coupe du Monde, face au Danemark, en février 2005. Il arrête sa carrière internationale dans le soccer après une dernière apparition de 15 minutes dans un match contre l'Espagne en août 2007.

TROUBLE-FÊTE

Improbable championne d'Europe 2004, la Grèce est devenue la première sélection à battre le tenant du titre et le pays organisateur au cours de son parcours victorieux dans un Euro ou une Coupe du Monde. Les Hellènes ont battu le Portugal deux fois : en ouverture et en finale. En quart, ils ont vaincu la France, tenante du titre.

SOT'S NEW

À 18 ans et 46 jours, **Sotiris Ninis** devint le plus jeune buteur grec, à ses débuts internationaux lors d'un match amical contre Chypre gagné 2-0, en mai 2008... 18 mois plus tôt, Ninis n'était qu'un ramasseur de balles pour son club, le Panathinaikos. La 2e moitié de la saison 2006-2007 vit une percée incroyable de ce milieu de terrain offensif : il fit ses débuts en club, devint le plus jeune joueur de l'équipe grecque tous tournois de l'UEFA confondus, puis contribua à l'accession de son pays en finale de l'Euro des moins de 19 ans. Ce joueur d'origine albanaise fut élu meilleur joueur du tournoi de l'été 2007, ce qui annonçait sa 1re sélection en équipe première.

DU BLEU AU BLANC

La victoire surprise de l'Euro 2004 a transformé la sélection nationale grecque : les maillots des joueurs sont passés du bleu au blanc. Les anciennes couleurs étaient utilisées depuis 1926, date de la formation de la Fédération de Grèce de soccer, la HFF. Le succès remporté par les hommes d'Otto Rehhagel sous les nouvelles couleurs ont rendu ce changement permanent.

SÉLECTIONS

1	Giorgos Karagounis	125
2	Theodoros Zagorákis	120
3	Kostas Katsouranis	103
4	Angelos Basinas	100
5	Stratos Apostolakis	96
6	Antonis Nikopolidis	90
7	Angelos Charisteas	88
8	Dimitris Saravakos	78
9	Stelios Giannakopoulos	77
=	Anastassios Mitropoulos	77

L'HONNÊTETÉ PAYE

Le 500e but grec au niveau international a été marqué en octobre 2001 par Demis Nikolaidis à l'Old Trafford et a permis à la Grèce de mener 2-1 contre l'Angleterre en finale des qualifications pour la Coupe du Monde 2002, avant que David Beckham réalise son célèbre coup franc et égalise. Au mois de mars 2002, l'attaquant Nikolaidis a été salué par le Comité international du fair-play après qu'il a avoué à l'arbitre avoir touché le ballon avec sa main lorsqu'il a marqué pour l'AEK Athènes en finale de la Coupe de Grèce. Son équipe a tout de même remporté le match et gagné le trophée.

JEUNE PREMIER

L'attaquant **Dimitrios Salpingidis** est l'auteur de l'unique but de la rencontre contre l'Ukraine lors des qualifications de la Coupe du Monde 2010, envoyant ainsi les siens en Afrique du Sud. Il offre à la Grèce une victoire 2-1 contre le Nigeria, lorsque sa frappe est déviée à la 44e minute, et devient ainsi le premier Grec à marquer lors d'un match de Coupe du Monde. Salpingidis a aussi égalisé contre la Pologne lors du match d'ouverture de l'Euro 2012, ce qui a fait de lui le 1er Grec à marquer en Coupe du Monde et à l'Euro.

LA VALEUR N'ATTEND PAS LE NOMBRE DES ANNÉES

Ioannis Fetfatzidis, déjà surnommé le «Messi grec», n'avait que sept sélections de Championnat grec à son actif pour l'Olympiakos, lorsqu'il fit ses débuts internationaux à l'âge de 19 ans contre la Lettonie en octobre 2010. Comme Messi à Barcelone, Fetfatzidis s'est vu administrer des hormones de croissance à l'âge de 13 ans par son club de l'Olympiakos.

QUALITÉ KAT

Le soccer grec entretient des liens avec le Portugal. L'entraîneur national Fernando Santos est portugais et a pris ses fonctions en 2000, après avoir été le sélectionneur du championnat grec le plus efficace des années 1990. Il a également dirigé le géant portugais du Benfica, qui a notamment signé **Kostas Katsouranis** et Giorgos Karagounis. Ces deux joueurs faisaient partie de l'équipe grecque victorieuse de l'Euro 2004 au stade da Luz, à Lisbonne. Katsouranis a également joué à l'Euro 2012, mais il a gâché ses chances de marquer son premier but en phase finale du tournoi, en ratant un penalty lors d'un match d'ouverture contre la Pologne.

RIRE ET LARMES POUR GIORGOS

Giorgos Karagounis a égalé le record de sélections en équipe de Grèce (120) lors du dernier match de poule des siens à l'Euro 2012. Il a même inscrit l'unique but de la partie, qui a permis aux Grecs de se qualifier pour les quarts de finale aux dépens des Russes. Hélas, il a récolté au cours de ce match son second carton jaune du tournoi, synonyme de suspension pour la rencontre suivante: défaite 4-2 contre l'Allemagne. Karagounis était, avec le milieu de terrain Kostas Katsouranis et le portier Kostas Chalkias, l'un des trois joueurs sélectionnés pour cet Euro à avoir remporté l'édition 2004. Toutefois, c'est en Pologne que Chalkias a disputé ses premiers matchs de phase finale: en 2004 et 2008 il n'était que doublure du titulaire. Le sélectionneur Fernando Santos a également créé la surprise en décidant de ne pas sélectionner Angelos Charisteas, buteur de la finale 2004. Chalkias, le joueur le plus âgé de l'Euro 2012 avec ses 38 ans, a annoncé sa retraite internationale à l'issue de cette compétition.

LE ROI OTTO

L'entraîneur allemand **Otto Rehhagel** est devenu le premier étranger élu «Personnalité grecque de l'année» en 2004, après avoir mené la sélection nationale à la victoire lors de l'Euro. La Grèce lui a également remis le titre de citoyen d'honneur. Ses neufs années en tant que sélectionneur font de lui l'entraîneur international ayant le plus d'ancienneté au service de la Grèce. L'Euro 2004 a été le premier trophée international remporté par une équipe nationale emmenée par un entraîneur étranger. Rehhagel était alors âgé de 65 ans, ce qui a fait de lui l'entraîneur le plus âgé à soulever le trophée du Championnat d'Europe, record battu en 2008 lorsque Luis Aragonés, âgé de 69 ans, a remporté le titre avec l'Espagne.

HONGRIE

Au début des années 1950, la Hongrie possède la plus talentueuse équipe de soccer de la planète. Celle-ci remporte l'or olympique à Helsinki en 1952 et inflige à l'Angleterre une défaite écrasante à Wembley. Invaincue depuis près de quatre ans, elle entame en grande favorite la Coupe du Monde FIFA 1954, mais elle perd en finale face à la RFA. Depuis, la Hongrie n'a jamais retrouvé sa gloire d'antan.

SÁNDOR RÉCOMPENSÉ

Un bon millier de fans hongrois survoltés envahit l'aéroport de Budapest en octobre 2009 pour accueillir l'équipe nationale, de retour après l'un de ses plus beaux exploits : les jeunes venaient de décrocher une 3e place surprise cet automne-là, derrière le Brésil et le Ghana, en Coupe du Monde FIFA des moins de 20 ans, en battant le Costa Rica aux tirs au but. Ce fut l'attaquant de Liverpool Krisztián Németh qui marqua le penalty décisif, après avoir inscrit le but gagnant contre l'Italie en quart de finale. L'entraîneur **Sándor Egervári** – qui avait accompagné la sélection nationale lors du Mondial 1986, en tant qu'entraîneur assistant – fut récompensé en se voyant confier l'ensemble des rênes du soccer international hongrois l'été suivant.

BUTEURS

1	Ferenc Puskas	84
2	Sandor Kocsis	75
3	Imre Schlosser	59
4	Lajos Tichy	51
5	Gyorgy Sarosi	42
6	Nandor Hidegkuti	39
7	Ferenc Bene	36
8	Gyula Zsengeller	32
=	Tibor Nyilasi	32
10	Florian Albert	31

GERA PREND SA PART

Aucun joueur n'était comparable à Ferenc Puskás, mais l'élégant meneur de jeu gaucher **Zoltan Gera** est l'un des joueurs hongrois les plus remarqués de ces dernières décennies – non seulement pour ses performances en Premier League anglaise (avec Fulham et West Bromwich Albion) mais aussi à l'international. Il compte 77 capes : ce score aurait pu être plus élevé, sans un bref éloignement en 2009 après un litige avec l'entraîneur d'alors, Erwin Koeman. Gera est revenu lorsque Sándor Egervári a pris les rênes l'année suivante et l'a nommé capitaine. Gera a marqué ses trois premiers buts internationaux (sur 23) dans le même match, une victoire 3-0 contre Saint-Marin en octobre 2002, huit mois après ses débuts internationaux.

CASQUE D'OR

Meilleur buteur de la Coupe du Monde 1954 avec 11 unités, **Sándor Kocsis** excellait tellement dans le jeu aérien qu'il était surnommé « L'homme à la tête d'or ». En 68 sélections, il a empilé la bagatelle de 75 buts, dont 7 *hat tricks* (un record). Il a notamment signé 2 buts décisifs en prolongation de la demi-finale de Suisse 54 contre l'Uruguay, les Magyars échappant de peu à la défaite.

LE MAJOR GALOPANT

Ferenc Puskás restera l'un des meilleurs joueurs de tous les temps. Son bilan laisse rêveur : 84 buts en 85 sélections et 514 buts en 529 matchs dans les Championnats de Hongrie et d'Espagne. Doté du pied gauche le plus redoutable de l'histoire du soccer, le « Major galopant » avait joué dans le club de l'armée, Honved, avant de fuir son pays pour jouer au Real Madrid et avec la sélection espagnole. Pendant les années 1950, il était le meilleur artilleur et le capitaine des légendaires « Magyars magiques » (surnom de la sélection hongroise de l'époque) et de Honved.

RIISE ET RIISE

Ancien de Liverpool, de l'AS Monaco et de l'AS Roma, l'offensif arrière gauche Jon Arne Riise s'est distingué lors du match où il a égalé le record d'apparitions pour la Norvège de Thorbjorn Svenssen, en mettant le ballon dans les filets contre la Grèce, en août 2012 (le match se concluant néanmoins sur une défaite 3-2). Riise a battu ce record lors d'un match perdu 2-0 contre l'Islande le mois suivant, avant de marquer son 16e but international dans son 106e match quatre jours plus tard (une victoire 2-1 contre la Slovénie). Le frère cadet de Jon Arne Riise, Bjorn Helge, un milieu de terrain, l'a rejoint en équipe nationale et dans leur club actuel, Fulham.

LE COMPTE N'EST PAS BON

L'attaquant norvégien Mohammed Abdellaoue, qui a marqué 6 buts en 25 matchs internationaux, est né avec seulement 4 orteils au pied gauche. Son frère cadet Mos l'a suivi en équipe internationale depuis janvier 2012.

ERIK LE GOAL

Le gardien de but Erik Thorstvedt compte parmi les joueurs norvégiens qui ont participé aux JO de 1984 à Los Angeles, qualifiés après le boycott du tournoi par la Pologne et l'Allemagne de l'Est. Il fut également un des éléments clés de l'équipe qui se qualifia, en 1994, pour la 1re Coupe du Monde de la Norvège depuis 1938, en plus de détenir le record du nombre de sélections (97 entre 1982 et 1996) pour un gardien norvégien.

HANGELAND LE VIKING

Le capitaine et 7e joueur le plus capé de Norvège est le défenseur **Brede Hangeland**. Il est né à quelque 7 500 kilomètres de la Norvège, à Houston, Texas, où son père avait travaillé pendant 2 ans pour une compagnie pétrolière, mais il a passé l'essentiel de son enfance à Stavanger, en Norvège, se faisant un nom au sein l'équipe locale de Viking, puis du club danois de Copenhague. Roy Hodgson, son ancien entraîneur de Viking, l'a fait signer en 2008 pour l'équipe de Premier League de Fulham, où Hangeland est devenu l'un des préférés des fans. Hangeland a effectué ses débuts internationaux en novembre 2002, mais n'a pas marqué son 1er but avant sa 62e apparition, contre l'Islande, en septembre 2010. Il a dû attendre quelque temps avant que les 3 suivants se succèdent rapidement, d'août 2012 à octobre 2012.

CHANGEMENT DE PLAN

La plus haute récompense de la Norvège dans un tournoi international reste une médaille de bronze aux Jeux olympiques d'été de 1936 à Berlin, battue par l'Italie en demi-finale, mais ensuite vainqueur de la Pologne 3-2 grâce à un triplé d'Arne Brustad. L'histoire du soccer norvégien parle encore de cette « équipe en bronze », ou « Bronslaget ». Ironie de l'histoire, les autorités norvégiennes, ne s'attendant pas à ce que leur équipe aille si loin dans la compétition, lui avaient réservé des billets de retour la veille de la demi-finale contre l'Italie. La Norvège, qui dut changer ses plans de retour, non seulement perdit 2-1 contre la sélection italienne, mais fut éliminée 2 ans plus tard par cette même sélection lors du premier tour de la Coupe du Monde FIFA.

COACH BOTTÉ

Egil Olsen est l'un des entraîneurs les plus excentriques d'Europe. La fédération norvégienne a étonné en confiant un deuxième mandat à ce spécialiste du soccer direct au cours des éliminatoires pour la Coupe du Monde 2010. Quinze ans auparavant, il avait conduit les *outsiders* scandinaves à l'édition américaine de 1994, alors que le pays n'avait plus disputé l'épreuve suprême depuis 1938. Lors de France 1998, les Nordiques ont créé la sensation en battant le Brésil au premier tour. L'homme aux bottes Wellington est devenu un héros en amenant son pays au deuxième rang du classement officiel de la FIFA. Avant de s'engager pour la deuxième fois avec l'équipe nationale, Olsen dirigeait la sélection irakienne, mais son aventure n'a duré que trois mois. Pour son premier match de retour aux commandes, il a obtenu une victoire 1-0 en Allemagne grâce à sa tactique bien rodée. Sa saison 1999/2000 à la tête du club anglais de Wimbledon n'a pas été un succès. Inconditionnel de l'approche scientifique du sport, le Norvégien était convaincu du bien-fondé de sa défense en zone. Ses détracteurs lui attribuèrent l'effondrement de Wimbledon en seconde partie de saison.

POLOGNE

L'histoire du soccer polonais alterne succès retentissants et passages à vide. À l'or olympique de 1972 et à la 3e place des Mondiaux 1974 et 1982 a succédé une période sombre marquée par l'absence de la Pologne de toutes les grandes compétitions internationales jusqu'en 1992. Qualifiée pour son premier Euro en 2008, la Pologne a coorganisé l'épreuve avec l'Ukraine en 2012, sans toutefois passer le premier tour, dans un cas comme dans l'autre.

LE RECORDMAN DE SÉLECTIONS

Michal Zewlakow, joueur phare de l'équipe polonaise, prit sa retraite internationale après un match amical à l'extérieur, mais néanmoins en terrain connu. Ce défenseur aux multiples talents disputa en mars 2011 son 102e et dernier match au stade Karaiskaki au Pirée (Grèce), où il avait joué auparavant pour l'Olympiacos. Zewlakow venait de battre le record national de sélections, détenu par Grzegorz Lato, lors d'une rencontre amicale contre l'Équateur en octobre 2000. Ce n'était pas la première fois qu'il entrait dans l'histoire du soccer polonais : lors de la rencontre Pologne-France en février 2000, Marcin et Michal Zewlakow devinrent les premiers jumeaux à disputer un même match pour ce pays. Marcin a fini sa carrière internationale avec 25 sélections et 5 buts.

BUTEURS

1	Wlodzimierz Lubanski	48
2	Grzegorz Lato	45
3	Kazimierz Deyna	41
4	Ernest Pol	39
5	Andrzej Szarmach	32
6	Gerard Cieslik	27
7	Zbigniew Boniek	24
8	Ernest Wilimowski	21
9	Dariusz Dziekanowski	20
=	Eusebiusz Smolarek	20

DU NIGERIA À LA POLOGNE

La Pologne a été le premier pays à se qualifier pour la Coupe du Monde FIFA 2002 en Corée du Sud et au Japon, dans une large mesure grâce aux 8 buts marqués par **Emmanuel Olisadebe** – un record pour la Pologne durant des éliminatoires d'une Coupe du Monde FIFA. Né au Nigeria, Olisadebe est devenu citoyen polonais après quatre années passées au KP Polonia Varsovie. De fait, il a reçu une autorisation spéciale du président polonais et a été naturalisé un an avant le temps d'attente réglementaire.

TYTON, LE TITAN

Deux matchs nuls 1-1 consécutifs à l'Euro 2012 ont porté à 8 rencontres la série d'invincibilité du onze polonais, et fait naître l'espoir que l'équipe passe pour la première fois la phase des poules. Hélas, une défaite contre la République tchèque en a décidé autrement. Parmi les satisfactions du tournoi, on songera au portier **Przemyslaw Tyton.** Avec seulement 5 capes à son actif, il a arrêté un penalty de Giorgos Karagounis juste après être entré en jeu suite à l'expulsion du gardien titulaire Wojciech Szczesny. Tyton a ensuite conservé son poste lors des deux autres matchs. Szcesny avait déjà concédé l'égalisation au Grec Dimitrios Salpingidis – après avoir tenu sa cage inviolée 512 minutes, depuis une victoire 2-1 contre la Hongrie en novembre 2011.

SÉLECTIONS

1	Michal Zewlakow	102
2	Grzegorz Lato	100
3	Kazimierz Deyna	97
4	Jacek Krzynowek	96
=	Jacek Bak	96
6	Wladyslaw Zmuda	91
7	Antoni Szymanowski	82
8	Zbigniew Boniek	80
9	Wlodzimierz Lubanski	75
10	Tomasz Waldoch	74

LATO EN MISSION

Deuxième meilleur buteur et deuxième joueur le plus capé de Pologne, **Grzegorz Lato** est aussi le seul Polonais à avoir gagné le Soulier d'or (7 buts au Mondial 1974). Il a également remporté l'or olympique en 1972. Président de la fédération polonaise depuis 2008, il a coorganisé l'Euro 2012 avec l'Ukraine. Sa promesse : « Je suis déterminé à changer l'image du soccer polonais afin de le rendre pur et transparent ».

SUPER ERNEST

Ernest Wilimowski est entré dans les annales de la Coupe du Monde FIFA en 1938 en marquant 4 buts face au Brésil. Ce qui n'empêcha pas son équipe de s'incliner 6-5 après les prolongations, lors du premier tour, à Strasbourg.

UN RETARD SÉVÈREMENT PUNI

Kazimierz Gorski est l'entraîneur (sélectionné une fois en tant que joueur) qui mena l'équipe de Pologne à la 3e place de la Coupe du Monde FIFA 1974 – elle a remporté l'or olympique à Munich deux ans plus tôt. S'il a la réputation d'être proche de ses joueurs, Gorski peut aussi être sans merci : ainsi, Adam Musial, pièce maîtresse de l'équipe, fut écarté d'un match contre la Suède en 1974 pour s'être présenté en retard à l'entraînement. La Pologne l'a cependant emporté 1-0.

LE « PETIT FIGO »

Jacub Blaszczykowski a été l'un des Polonais les plus remarqués à l'Euro 2012 – il a égalisé de manière spectaculaire contre la Russie – bien qu'il ait intégré cette compétition avec difficulté. Avant de rejoindre le reste de l'équipe à l'entraînement, il avait suivi les funérailles de son père. Sa présence à cet événement était d'autant plus remarquable qu'à l'âge de dix ans, Blaszczykowski avait vu sa mère Anna poignardée à mort par son père, qui avait purgé une peine de 15 ans de prison. Le grand Polonais Zbigniew Boniek a surnommé Blaszczykowski « le petit Figo » – en référence à l'ailier portugais Luis Figo – mais Blaszczykowski est surtout surnommé « Kuba », le nom qu'il porte souvent sur son maillot. Adolescent, il a été encouragé à poursuivre le soccer par son oncle Jerzy Brzeczek, qui a également joué pour Dortmund et fut capitaine de Pologne, avec 42 sélections de 1992 à 1999, décrochant l'argent aux JO de 1992.

ET DE CINQ !

La Pologne bat le Pérou 5-1 durant la Coupe du Monde 1982 grâce à cinq buteurs : Wlodzimierz Smolarek, Grzegorz Lato, Zbigniew Boniek, Andrzej Buncol et Wlodzimierz Ciolek. Il faut attendre la victoire des Pays-Bas sur la Corée du Sud durant la Coupe du Monde 1998 pour voir cet exploit renouvelé par Philip Cocu, Marc Overmars, Dennis Bergkamp, Pierre van Hooijdonk et Ronald de Boer.

POTION MAGIQUE ?

La Pologne est une usine à gardiens. Si les joueurs de champ restent relativement anonymes, les gardiens Jerzy Dudek (Liverpool), Artur Boruc (Celtic), Lukasz Fabianski (Arsenal) et Tomasz Kuszczak (Manchester United) ont su s'imposer dans de grosses écuries britanniques.

BONIEK

Zbigniew Boniek, est le meilleur joueur polonais de l'histoire. Il a gagné sa place parmi les légendes du ballon rond pour son rôle dans la 3e place de la Pologne à la Coupe du Monde 1982. Et si les Polonais n'avaient pas été privés de leur attaquant vedette, suspendu pour la demi-finale... Auraient-ils pu surprendre l'Italie et les pronostiqueurs ? L'histoire ne le dira jamais. Une chose est sûre, la *Squadra Azzurra* s'est imposée 2-0.

PORTUGAL

Le coup d'essai du Portugal a bien failli se transformer en coup de maître. Dans le sillage d'Eusebio, les Lusitaniens ont atteint les demi-finales de la Coupe du Monde 1966, où ils se sont inclinés face aux futurs vainqueurs, les Anglais. La *Seleçao das Quinas* a ensuite connu une traversée du désert de 30 ans entrecoupée seulement par une oasis, le Championnat d'Europe 1984. Avec l'arrivée d'une génération dorée, le Portugal est devenu, depuis le nouveau millénaire, une puissance incontournable du soccer mondial.

SÉLECTIONS

1	Luis Figo	127
2	Fernando Couto	110
3	Cristiano Ronaldo	104
4	Rui Costa	94
5	Pauleta	88
6	Simao	85
7	Joao Pinto	81
8	Vitor Baia	80
9	Nuno Gomes	79
=	Ricardo	79

BUTEURS

1	Pauleta	47
2	Eusebio	41
3	Cristiano Ronaldo	39
4	Luis Figo	32
5	Nuno Gomes	29
6	Rui Costa	26
=	Helder Postiga	26
7	Joao Pinto	23
8	Nene	22
=	Simao	22

JOYEUX ANNIVERSAIRE

En novembre 2010, le Portugal a fêté le 100e anniversaire de sa République en battant l'Espagne, championne du monde depuis quelques mois, lors d'un match amical. Ce match célébrait en outre l'union des deux pays dans une tentative manquée pour co-accueillir la Coupe du Monde 2018. Le match lui-même n'a guère été équilibré, le Portugal l'emportant haut la main 4-0 – maigre consolation après sa défaite en 2e tour de Coupe du Monde face à l'Espagne, cinq mois plus tôt.

LA GRIFFE DE LA PANTHÈRE

À la Coupe du Monde 1966, le Portugal bat la Corée du Nord 5-3 au terme d'un incroyable quart de finale, au Goodison Park de Liverpool. Sensationnel, **Eusebio** sonne la révolte alors que les Asiatiques mènent 3-0 au bout de 25 minutes. Ses 4 buts offrent au Portugal la première demi-finale de son histoire dans l'épreuve suprême. Remis de leur défaite face aux Anglais, les Lusitaniens prendront la troisième place grâce à leur succès **2-1 contre la Russie**, notamment sur un penalty signé... «la panthère noire» bien entendu!

LA PANTHÈRE NOIRE

Né au Mozambique, **Eusebio** da Silva Ferreira a été nommé «Golden Player» du Portugal lors du cinquantenaire de l'UEFA, en 2004. Engagé par Benfica en 1960, à 18 ans, il signe un *hat trick* dès sa 2e sortie, contre Santos, lors d'un tournoi amical à Paris où il éclipse le jeune Pelé. En 1962, il aide son club à conquérir sa 2e Coupe d'Europe. Ballon d'or *France Soccer* en 1965, il mène sa sélection à la 3e place de la Coupe du Monde 1966. Meilleur buteur de cette compétition, il a signé 320 réalisations en 313 matchs dans le Championnat portugais. En 1968, il décroche le premier Soulier d'or européen, qu'il remportera de nouveau en 1973. Seul Pauleta a fait mieux que ses 41 buts en équipe nationale, avec 6 unités mais aussi 24 sélections supplémentaires.

UN JOUEUR D'EXCEPTION

Cristiano Ronaldo dos Santos Aveiro doit son 2e prénom à son père, admirateur du président Ronald Reagan. Né le 5 février 1985, Cristiano a grandi dans le culte du Benfica, mais a commencé sa carrière chez ses ennemis intimes du Sporting Lisbonne, avant un transfert à Manchester United en 2003. Sa meilleure saison avec ce club, en 2008, lui a valu le Soulier d'or, ainsi que des titres en Premier League et Ligue des Champions, mais aussi celui de Joueur international de l'année. Ronaldo est ainsi devenu le 2e Portugais à obtenir cette distinction, après Luis Figo. L'année suivante, le Real Madrid a acheté Ronaldo 93,9 millions d'euros : le joueur le plus cher de l'histoire. Son record de buts en club (60), en 2011-2012, a conduit le Real au titre en Liga ; ensuite, Ronaldo a marqué à 3 reprises pour le Portugal lors de l'Euro 2012, la 5e grande compétition internationale où il mettait le ballon dans les filets. Seuls Thierry Henry, Henrik Larsson et Rudi Voller ont égalé ce palmarès, derrière Jurgen Klinsmann.

CINQ MAJEUR

Eusebio, Mario Coluna, Jose Augusto, Antonio Simoes et Jose Torres formaient l'épine dorsale du grand Benfica des années 1960 et de la sélection portugaise à la Coupe du Monde 1966. Capitaine en Angleterre, Coluna a été décisif en finale de la Coupe d'Europe 1961 en inscrivant le 3e but. Jose Augusto, auteur d'un doublé lors du premier match des Portugais au Mondial 1966, contre la Hongrie, deviendra sélectionneur puis entraîneur de l'équipe nationale féminine. Le minuscule Antonio Simoes (1,58 m) a fait ses débuts en sélection et avec le Benfica en 1962, à 18 ans seulement. Jose Torres, le seul à ne pas avoir remporté la Coupe d'Europe (il a joué la finale perdue contre Milan en 1963) a inscrit le but de la victoire contre la Russie lors de la petite finale de 1966. Il sera le sélectionneur du Portugal lors de son apparition suivante dans l'épreuve suprême : au Mexique, en 1986.

TROIS EUROS

3 des 7 joueurs ayant marqué dans trois éditions différentes de l'Euro sont portugais : Nuno Gomes (2000, 2004 et 2008), Cristiano Ronaldo et **Helder Postiga** (tous deux en 2004, 2008 et 2012). Gomes a marqué 4 buts à l'Euro 2000, dont le premier – lors de la victoire 3-2 sur l'Angleterre – fut le premier de ses 29 buts pour le Portugal, bien qu'il ait effectué ses débuts internationaux 4 ans plus tôt. Gomes a été sélectionné pour l'équipe-type UEFA de l'édition 2000, bien qu'il l'ait mal terminée, bousculant l'arbitre Gunter Benko après la défaite du Portugal en demi-finale contre la France. Gomes a subi une longue suspension de matchs internationaux.

DIVIN BUTEUR

Neuf buts en un match contre Leca, 8 contre Boavista, 6 buts en un match à 3 reprises, 12 quintuplés et 17 quadruplés... Fernando Baptista Peyroteo est l'un des buteurs les plus prolifiques de l'histoire du soccer mondial. De 1937 à 1949, il a inscrit pas moins de 330 buts en 197 matchs de championnat portugais (soit 1,68 but par match) et 15 buts en seulement 20 sélections.

RÉPUBLIQUE D'IRLANDE

La République d'Irlande aura eu besoin d'une gestion astucieuse et d'interminables recherches généalogiques pour enfin accéder à une compétition majeure, après 19 tentatives infructueuses. Mais depuis que Jacky Charlton a qualifié la sélection pour l'Euro 1988, l'Irlande est l'une des sélections les plus redoutables du Vieux Continent.

KEANE LE RAGEUR

Alors qu'il est en préparation pour la Coupe du Monde FIFA 2002 (Japon et Corée), Roy Keane quitte l'équipe d'Irlande. Sa carrière en équipe nationale commence le 22 mai 1991 contre le Chili. Il joue les 4 matchs de l'Irlande en Coupe du Monde FIFA 1994 (États-Unis), dont la victoire contre l'Italie (1-0). D'abord nommé capitaine par Mick McCarthy, il revient dans l'équipe irlandaise après la démission de celui-ci, mais il annonce son retrait de la compétition internationale après l'échec de son pays à se qualifier pour la Coupe du Monde FIFA 2006. Son dernier match, le 7 septembre 2005, voit la défaite irlandaise face à la France.

KILBANE, TOUJOURS PLUS LOIN

Seul l'Anglais Billy Wright, avec ses 70 matchs internationaux d'affilée, surpasse le palmarès de **Kevin Kilbane** : lors du match République d'Irlande-Macédoine, en mars 2011, il décrocha sa 65e sélection d'affilée sur 109 en 11 ans et 5 mois. Ce milieu de terrain talentueux (surnommé « Zinedine Kilbane » par les supporters) fut excusé pour le match amical contre l'Uruguay, 3 jours plus tard.

ROBBIE TOUS AZIMUTS

Depuis qu'il a battu le record national de buts en octobre 2004, l'attaquant irlandais **Robbie Keane** ne cesse d'allonger son palmarès (on se souviendra de son égalisation de dernière minute contre l'Allemagne et l'Espagne lors de la Coupe du Monde FIFA 2006). En novembre 2006, il signa un *hat-trick* lors du dernier match disputé dans l'ancien stade de Lansdowne Road, contre Saint-Marin. Quatre ans plus tard, il inaugurait la nouvelle version de ce stade, rebaptisé l'Aviva Stadium, en marquant contre l'Argentine lors de sa 100e sélection. Keane fit sa 41e apparition en tant que capitaine lors de la victoire de l'Irlande 2-1 sur la Macédoine en mars 2011, égalant par la même occasion le record d'Andy Townsend, invaincu depuis les années 1990. Il enchaîna avec 3 buts lors de deux autres victoires en tant que capitaine, sur l'Irlande du Nord et l'Écosse en Coupe Carling des Nations, portant son palmarès à 49 buts. En marquant 2 nouveaux buts contre la Macédoine en juin 2011, Keane devint le 1er joueur britannique à dépasser le cap des 50 buts internationaux, battant au passage le record de 49 buts de l'Anglais Bobby Charlton.

CHARLTON CHAMPION

Jack Charlton est devenu un héros en qualifiant l'Irlande pour sa première phase finale majeure, l'Euro 1988, où ses protégés entameront leur parcours par une victoire 1-0 contre l'Angleterre. Lors d'Italie 1990, les *outsiders* verts ne s'arrêteront qu'en quarts contre les locaux.

DON GIOVANNI

L'entraîneur italien Giovanni Trapattoni a pris ses fonctions en 2008 et a manqué de peu de décrocher une place en Coupe du Monde 2010. Deux ans plus tard, Trapattoni a conduit l'Irlande à son premier Euro en 24 ans. À l'âge de 73 ans et 93 jours, Trapattoni est devenu le coach le plus âgé à mener une équipe dans cette compétition, affrontant son pays natal lors du dernier match de l'Irlande. Le record précédent était détenu par le Croate Otto Baric, âgé de 71 ans et 2 jours à l'Euro 2004.

GIVEN A DONNÉ

Le gardien Shay Given, le 2e joueur le plus capé d'Irlande, a fait ses adieux au soccer international lors de l'Euro 2012 – la première compétition importante atteinte par son pays depuis la Coupe du Monde 1994, où Given avait également été sélectionné comme gardien. Invaincus pendant 14 matchs avant l'Euro 2012, les Irlandais ont perdu leurs trois matchs, contre la Croatie, l'Espagne et l'Italie. Lors du dernier match, le brassard de capitaine est revenu à l'ailier **Damien Duff**, 5e joueur à décrocher 100 sélections pour l'Irlande. Le président de l'UEFA, Michel Platini, a remercié pour leur enthousiasme les fans du pays qui s'étaient déplacés. Given, qui a donné tous les gains de ses matchs internationaux à des œuvres, a annoncé sa retraite internationale à l'été 2012, après 55 matchs sans but encaissé. En janvier 2013, Given a cependant laissé entendre qu'il pourrait revenir. L'un de ses rivaux est le gardien de Millwall, David Forde, âgé de 33 ans lors d'une rencontre contre la Suède en mars 2013, en éliminatoires de la Coupe du Monde, ce qui fait de lui le plus «vieux» débutant irlandais en compétition internationale.

SÉLECTIONS

1	Robbie Keane	127
2	Shay Given	125
3	Kevin Kilbane	110
4	Steve Staunton	102
5	Damien Duff	100
6	Niall Quinn	91
7	John O'Shea	89
8	Tony Cascarino	88
9	Paul McGrath	83
10	Packie Bonner	80

BUTEURS

1	Robbie Keane	59
2	Niall Quinn	21
3	Frank Stapleton	20
4	John Aldridge	19
=	Tony Cascarino	19
=	Don Givens	19
7	Noel Cantwell	14
8	Gerry Daly	13
=	Jimmy Dunne	13
10	Kevin Doyle	12

MOORE FORCE 4

Paddy Moore a signé le premier quadruplé de l'histoire des éliminatoires de la Coupe du Monde lors d'un nul 4-4 avec la Belgique, le 25 février 1934. En octobre 1975, Don Givens est devenu le premier Irlandais à égaler Moore lors d'une victoire contre la Turquie.

CAPITAINE TOUT-TERRAIN

Capitaine du Manchester United de Matt Busby, champion d'Angleterre en 1952, Johnny Carey a aussi porté le brassard de l'Irlande du Nord (9 sélections) puis de la République d'Irlande (27 sélections). Il dirigera ensuite la sélection irlandaise de 1955 à 1967.

BANNI

Sa passion pour le sport inventé par les Anglais a valu à **Cornelius Martin**, joueur de soccer gaélique, de se faire exclure de la Gaelic Athletic Association. Sa polyvalence lui permettait d'exceller aussi bien en défense centrale que dans les cages, en club (Aston Villa) comme en sélection. Gardien et joueur de champ de la jeune sélection irlandaise, il signa un but lors de la victoire 2-0 contre l'Angleterre à Goodison Park en 1949 (première défaite à domicile des *Three Lions* contre un adversaire non britannique).

BRAVO RAY !

Si Ray Houghton, né à Glasgow, parle avec un accent écossais, il a marqué deux des plus fameux buts de l'équipe irlandaise : sa reprise de la tête offre à celle-ci une victoire 1-0 sur l'Angleterre à l'Euro 1988 qui se déroule en RFA et, six ans plus tard, il marque l'unique but lors du match de premier tour du Mondial 1994 contre l'Italie (futur finaliste), aux États-Unis. Dix-huit ans plus tard, jour pour jour, les Irlandais s'inclinaient 2-0 face à ces mêmes Italiens lors du 3e match du Groupe C, à l'Euro 2012. John O'Shea a disputé ce match. Il avait également pris part à la victoire 2-1 des Irlandais face aux... Italiens en finale de l'Euro des moins de 16 ans (Écosse, 1998). L'unique autre titre continental de la République d'Irlande est l'Euro des moins de 19 ans, enlevé aux dépens de l'Allemagne, toujours en 1998.

ROUMANIE

L'histoire du soccer roumain est une succession de grands moments – la Roumanie fait partie des 4 pays, avec le Brésil, la France et la Belgique, à avoir disputé les 3 premières Coupes du Monde – et de périodes sombres – depuis 1938, elle n'a participé qu'à 4 éditions de l'épreuve suprême sur 14. Le pays a connu son apogée dans la planète soccer en 1994 lorsque la bande à Gheorghe Hagi s'est hissée en quart de finale de la Coupe du Monde.

SÉLECTIONS

1	Dorinel Munteanu	134
2	Gheorghe Hagi	125
3	Gheorghe Popescu	115
4	Ladislau Boloni	102
5	Dan Petrescu	95
6	Bogdan Stelea	91
7	Michael Klein	89
=	Razvan Rat	89
9	Marius Lacatus	83
=	Mircea Rednic	83
=	Bogdan Lobont	83

TRIO D'ENFER

Gheorghe Hagi, Ilie Dumitrescu et **Florin Raducioiu** ont illuminé la Coupe du Monde 1994 américaine de leur talent. À eux 3, ils ont inscrit 9 des 10 buts roumains (4 pour Raducioiu, 3 pour Hagi, 2 pour Dumitrescu). Lors de la séance de tirs au but contre la Suède, ils ont tous assuré, mais les échecs de Dan Petrescu et Miodrag Belodedici ont précipité l'élimination des Roumains. Ils ont été l'objet de transferts lucratifs pour la saison 1994/1995 : Hagi est passé de Brescia au FC Barcelone, Dumitrescu du Steaua Bucarest à Tottenham, et Raducioiu du banc milanais au onze type de l'Espanyol Barcelone.

LE HÉROS DE SÉVILLE

Le gardien du Steaua Bucarest Helmuth Duckadam a réalisé quatre parades consécutives lors de la séance de tirs au but de la finale de la Coupe d'Europe 1986 face au FC Barcelone. Le Steaua a été le premier club d'Europe de l'Est à remporter ce titre. Le héros de Séville renoncera à sa carrière en 1991 en raison d'un problème sanguin rare. Il deviendra chef dans la police frontalière roumaine.

LES TRANSFRONTALIERS

14 joueurs ont joué pour la Roumanie dans les années 1930 et la Hongrie dans les années 1940. Le plus prolifique fut l'attaquant Iuliu Bodola, qui marqua 31 buts en 48 matchs pour la Roumanie, notamment lors des Coupes du Monde 1934 et 1938 et 4 buts en 13 matchs pour la Hongrie, son pays d'adoption.

PÉRIL BLOND

Bien qu'ayant fini en tête du groupe G devant l'Angleterre, la Colombie et la Tunisie aux éliminatoires de la Coupe du Monde FIFA 1998, les Roumains sont surtout restés dans les mémoires pour s'être teints **en blond** pour leur dernier match de qualification. Les blonds Roumains ont lutté pour obtenir un match nul (1-1) face à la Tunisie avant d'être battus par la Croatie (1-0) en huitièmes de finale.

BUTEURS

1	Gheorghe Hagi	35
=	Adrian Mutu	35
3	Iuliu Bodola	31
4	Viorel Moldovan	25
5	Ladislau Boloni	23
6	Rodion Camataru	21
=	Dudu Georgescu	21
=	Anghel Iordanescu	21
=	Ciprian Marica	21
=	Florin Raducioiu	21

FIDÈLE AU POSTE

L'ancien attaquant international Victor Piturca goûta à la victoire dès son 2e match au poste d'entraîneur de la Roumanie lors de l'Euro 2008 en Autriche et en Suisse, même si son équipe fut éliminée au 1er tour. Il était déjà sélectionneur lorsque la Roumanie se qualifia pour l'Euro 2000, mais avait dû démissionner avant le début du tournoi, suite à un désaccord avec des joueurs phares comme Gheorghe Hagi. Son cousin, Florin Piturca, lui aussi joueur de soccer professionnel, mourut à seulement 27 ans en 1978. Maximilian Piturca, le père de Florin et l'oncle de Victor, ne se contenta pas de construire un mausolée à Florin: ce cordonnier passa toutes ses nuits dans le cimetière jusqu'à son propre décès en 1994.

NOUVEL ÉCRIN

Le nouveau stade dans lequel la sélection roumaine évolue à domicile est situé à Bucarest. Il est devenu la première enceinte du pays à accueillir la finale d'une grande compétition européenne en 2012, lorsque l'Atlético Madrid y a remporté la finale de la Ligue Europe face à l'Athletic Bilbao. Doté d'une capacité de 55 200 places, l'Arena Nationala a été inauguré en septembre 2011 à l'occasion d'un 0-0 entre la Roumanie et la France. Le Steaua et le Dinamo Bucarest y disputent leurs matchs de championnat. Le stade se dresse sur le site de l'ancien Stadionul National, construit en 1953 et démoli 54 ans plus tard.

LE MARADONA DES CARPATES

«Joueur roumain du XXe siècle», **Gheorge Hagi** a marqué 3 buts et été élu dans l'équipe type de la Coupe du Monde 1994. En quart de finale, son équipe s'est inclinée aux tirs au but contre la Suède, après un nul 2-2. Hagi a débuté en sélection en 1983 à tout juste 18 ans et il a marqué son 1er but à 19 ans, lors d'une défaite 3-2 contre l'Irlande du Nord. Avec 35 réalisations en 125 matchs, il reste le meilleur buteur de la sélection roumaine. Après avoir pris sa retraite internationale, à la suite de France 1998, il a répondu à l'appel du drapeau et repris du service pour l'Euro 2000. Malheureusement, après deux cartons jaunes en 6 minutes contre l'Italie en quart, le «Maradona des Carpates» a fait ses adieux au soccer international sur une expulsion. Le Farul Constanta de sa ville natale a baptisé son stade à son nom en 2000, mais les supporters ne l'appellent plus ainsi depuis que la star entraîne le club rival, Timisoara.

LE CAUCHEMAR DES JEUNES

Le club de ligue 2 CS Buftea a subi la plus lourde défaite de l'histoire roumaine en perdant 31-0 lors d'une rencontre de la Coupe roumaine en septembre 2012: l'équipe avait aligné des moins de 19 ans. Leurs vainqueurs de l'ACS Berceni venaient d'une division inférieure, et leur président a même déclaré: «J'ai honte de vous dire le score.»

MUTU, PRIVÉ DE FOOT

La Roumanie n'a perdu qu'un match où **Adrian Mutu** a marqué. Il est en outre, (avec Gheorghe Hagi) le meilleur buteur roumain de tous les temps, avec 35 buts. Mutu a atteint le record de Hagi avec un but égalisateur contre la Hongrie, lors d'un match de qualification pour la Coupe du Monde, en mars 2013: c'était son premier but en rencontre internationale depuis 21 mois. Malheureusement pour la Roumanie, son meilleur joueur du XXIe siècle a eu des problèmes de drogue à deux reprises. La première fois en septembre 2004, un test de ses employeurs de Chelsea a révélé des traces de cocaïne, ce qui a conduit à son licenciement. Après une suspension de 7 mois, Mutu a repris sa carrière en Italie, d'abord avec la Juventus, puis la Fiorentina, avant d'être suspendu 9 mois pour un test positif à un médicament anti-obésité, en janvier 2010. Mutu a marqué contre l'Italie à l'Euro 2008: le seul but de la Roumanie au cours du dernier tournoi important auquel le pays s'était qualifié.

RUSSIE

Avant son effondrement en 1991, l'Union soviétique (URSS) comptait parmi les grandes nations du soccer mondial : elle peut se vanter d'avoir remporté la 1re édition de l'Euro en 1960 et la médaille d'or aux JO de 1956 et 1988, sans oublier sept qualifications pour la Coupe du Monde FIFA. Depuis août 1992, les résultats de la Russie sont mitigés : elle a terminé demi-finaliste de l'Euro 2008, mais n'est pas parvenue à se qualifier pour la Coupe du Monde FIFA 2010. Toutefois, en 2018, elle sera le 1er pays d'Europe de l'Est à organiser le Mondial.

BUTEURS
(Russie seulement)

1	Vladimir Beschastnykh	26
2	Aleksandr Kerzhakov	22
2	Roman Pavlyuchenko	21
4	Andrei Arshavin	17
=	Valeri Karpin	17
6	Dmitri Sychev	15
7	Igor Kolyanov	12
8	Roman Shorokov	11
8	Sergei Kiryakov	10
=	Aleksandr Mostovoi	10

LE BLOC DES JUMEAUX

Les jumeaux **Vassili et Alexeï Berezutskiy** jouent pour le CSKA Moscou et la Russie depuis 2003, mais Alexeï avait fait ses débuts au CSKA en 2001, un an avant Vassili. Les jumeaux, tous deux défenseurs, ont remporté la Coupe de l'UEFA avec leur club en 2005 et sont arrivés en demi-finale de l'Euro 2008 avec leur pays – en revanche, Vassili a manqué l'Euro 2012 à cause d'une blessure. Les deux frères sont des piliers de la défense russe depuis une décennie, aux côtés de leur coéquipier du CSKA Sergueï Ignachevitch, qui a effectué ses débuts un an plus tôt.

D'IMPRESSIONNANTS DÉBUTS

Igor Akinfeev, portier du CSKA Moscou, est devenu – à 18 ans et 20 jours – le plus jeune joueur international russe de l'ère postsoviétique à l'occasion de sa première cape, en amical contre la Norvège le 28 avril 2004. La saison suivante, il réalisa le doublé coupe-championnat et s'adjugea la Coupe de l'UEFA – le CSKA devenant le 1er club russe de l'ère postsoviétique à remporter une coupe d'Europe. Le benjamin des internationaux soviétiques était Eduard Streltsov (17 ans et 340 jours), auteur d'un *hat-trick* pour sa 1re cape, contre la Suède en juin 1956... et d'un second pour sa 2e cape, contre l'Inde.

PORTEFEUILLE

Grand argentier des succès de Chelsea au XXIe siècle, le milliardaire **Roman Abramovitch** a aussi été fondamental dans la renaissance du soccer russe, avec notamment la venue de Guus Hiddink à la tête de la sélection. À l'Euro 2008, le Néerlandais a emmené les Russes jusqu'au dernier carré (meilleure performance de l'ère postsoviétique), où elle s'est inclinée 3-0 face aux futurs vainqueurs espagnols. Abramovitch finance également une académie nationale de soccer, qui contribue au développement d'installations et de terrains pour la formation des jeunes dans tout le pays.

QUEL TALENT !

Joueur professionnel diplômé de design vestimentaire, **Andreï Archavine** s'est fait remarquer par sa précision et son énergie. Même après avoir manqué les deux premiers matchs de l'Euro 2008 à cause d'une suspension, le capitaine russe a brillé dans les deux matchs suivants de son équipe – en particulier lors d'une victoire 3-1 contre les Pays-Bas, en quart de finale. Un mois plus tôt, Archavine avait joué un rôle essentiel pour offrir au Zenit Saint-Pétersbourg la Coupe de l'UEFA. En revanche, Archavine s'est moins illustré par la suite avec Arsenal, qu'il a quitté à l'été 2013. L'image d'Archavine s'est quelque peu ternie quand il s'est disputé avec des fans après la sortie de la Russie de l'Euro 2012 dès le premier tour. Par la suite, Archavine a perdu le statut de capitaine, sous le nouvel entraîneur Fabio Capello.

SÉLECTIONS
(Russie seulement)

1	Viktor Onopko	109
2	Sergei Ignachevitch	87
3	Aleksandr Anyukov	76
4	Andrei Arshavin	75
5	Valeri Karpin	72
=	Aleksandr Kerzhakov	72
7	Vladimir Beschastnykh	71
8	Vassili Berezutskiy	70
9	Sergei Semak	65
10	Igor Akinfeev	59

PUISSANCE 4

Auteur d'un but lors de la victoire 4-1 des siens contre la République tchèque (1er match des Russes à l'Euro 2012), **Ronan Pavlyuchenko** n'est plus qu'à cinq unités du record détenu par Vladimir Beschastnykh. Il avait également inscrit le premier but russe à l'Euro 2008, à l'occasion d'une défaite 4-1 contre les Espagnols. La Russie avait alors réussi à se hisser en demi-finale, tandis qu'elle n'a pas dépassé le 1er tour en 2012. Pavlyuchenko est le meilleur réalisateur russe en Championnat d'Europe, avec 3 buts en 2008 et 1 en 2012.

SPIDERMAN

La FIFA a désigné **Lev Yachine** meilleur gardien du XXe siècle. C'est tout naturellement que ce joueur légendaire a été inclus dans le onze du siècle. Sur ses 20 ans de carrière, il a disputé 326 matchs de Championnat avec le Dynamo Moscou – son seul et unique club – et décroché 78 sélections avec l'URSS, concédant moins de un but par rencontre (70 au total). Avec le Dynamo, il a remporté cinq Championnats et trois coupes soviétiques, la dernière lors de son ultime saison complète, en 1970. Il a arrêté 150 penalties au cours de sa carrière et rendu 12 copies immaculées en Coupe du Monde. Yachine jouissait d'une telle réputation que le Chilien Eladio Rojas, honoré de lui mettre un but à la Coupe du Monde 1962, est allé le prendre dans ses bras avec effusion. Yachine était surnommé « l'araignée noire » en raison de sa tenue immuablement noire et de sa capacité à mettre une main, un bras ou un pied en opposition devant toutes les tentatives. En 1963, il est devenu le premier – et jusqu'ici le seul – portier à recevoir le Ballon d'or *France Soccer*. La même année, il a remporté son cinquième Championnat soviétique et a brillé dans une sélection mondiale lors du Centenaire de la Fédération anglaise, à Wembley.

LE RECORD DE VIKTOR

Bien que né en Ukraine, Viktor Onopko a joué toute sa carrière pour la CEI et la Russie. Il a connu la première de ses 113 sélections (dont 4 avec la CEI) lors d'un nul 2-2 face à l'Angleterre à Moscou, le 29 avril 1992. Il a disputé les Coupes du Monde 1994 et 1998, ainsi que l'Euro 1996. Retenu pour l'Euro 2004, il a été contraint de déclarer forfait sur blessure. En 19 ans de carrière, Onopko est passé par le Shakhtar Donetsk, le Spartak Moscou, le Real Oviedo, le Rayo Vallecano, Alania Vladikavkaz et le FC Saturn. Il a été élu Joueur russe de l'année en 1993 et 1994.

IGOR ET L'OR

Igor Netto a été le capitaine des plus grands succès de l'URSS : l'or aux JO 1956 de Melbourne et le sacre lors du premier Championnat d'Europe, en France en 1960. Né à Moscou en 1930, il s'est vu remettre l'Ordre de Lénine en 1957. Après sa carrière de joueur, il est devenu entraîneur de hockey sur glace.

ÉCOSSE

L'Écosse possède un championnat passionné et une riche tradition de soccer – elle a accueilli le premier match international de l'histoire, contre l'Angleterre, en novembre 1872. Malgré tout, elle n'a jamais réussi à traduire sur la scène internationale son statut de pionnière. La sélection a bien connu ses heures de gloire, comme cet exploit face aux Pays-Bas à la Coupe du Monde 1978, mais elle a trop souvent sombré. On ne l'a plus vue dans une grande compétition depuis 1998.

BUTEURS

1	Kenny Dalglish	30
=	Denis Law	30
3	Hughie Gallacher	23
4	Lawrie Reilly	22
5	Ally McCoist	19
6	Kenny Miller	17
7	Robert Hamilton	15
=	James McFadden	15
9	Maurice Johnston	14
10	Robert Smith McColl	13
=	Andrew Wilson	13

KING KENNY

Kenny Dalglish est le meilleur buteur *ex aequo* (avec Denis Law) de l'équipe nationale et le seul international à avoir dépassé la centaine de sélections. Avec 102 capes, il dépasse de 11 unités son dauphin, le gardien Jim Leighton. Bien que fan des Rangers dans son enfance (il est né à Glasgow le 4 mars 1951), Dalglish est le fer de lance de la domination du Celtic dans les années 1970 (quatre championnats, quatre Coupes d'Écosse et une Coupe de la Ligue). Il devient ensuite une légende à Liverpool, en remportant trois Coupes d'Europe (1978, 1981 et 1984) et en menant les *Reds* à leur premier doublé coupe-championnat (1986) en tant qu'entraîneur-joueur. En 1994/1995, il mène les Blackburn Rovers au titre et rejoint Herbert Chapman et Brian Clough dans le cercle fermé des entraîneurs à avoir décroché le titre avec deux clubs différents. En sélection, Dalglish a trouvé le chemin des filets lors des Coupes du Monde 1978 et 1982. Il a ouvert le score lors de la victoire 3-2 face aux Pays-Bas en phase de groupes d'Argentine 1978. Il a disputé son dernier match international en 1986.

NE RENTREZ PAS TROP TÔT

En mars 2013, une défaite de l'Écosse 2-0 contre la Serbie lui a valu d'être le premier pays européen éliminé de la Coupe du Monde 2014 – et de ne pas dépasser le premier tour de la phase finale pour la première fois. **Gordon Strachan,** qui a marqué 5 buts en 50 matchs pour l'Écosse entre 1980 et 1992, avait remplacé Craig Levein, écarté en janvier 2013.

DENIS FAIT LA LOI

Avec 30 réalisations en 55 sélections, **Denis Law** détient le record de buts pour l'Écosse avec Kenny Dalglish, ce dernier ayant connu 102 capes. Law a signé deux quadruplés : le premier, contre l'Irlande du Nord le 7 novembre 1962, a permis à l'Écosse de remporter le British Home Championship. Il a récidivé contre la Norvège en amical le 7 novembre 1963. L'équipe nordique réussit bien à Law puisqu'il avait signé un *hat-trick* à Bergen 5 mois auparavant.

IL RESTE DE LA PLACE ?

Hampden Park, le stade national écossais, détient le record d'affluence pour un match de soccer en Europe. Ils étaient 149 415 – un chiffre sujet à caution tant la foule était dense – à assister à cet Écosse-Angleterre en 1937. Les locaux s'imposèrent 3-1 dans le cadre du British Home Championship mais ils finirent *ex æquo* en tête du tournoi avec le pays de Galles. Depuis sa rénovation en 1999, Hampden Park a accueilli tous les matchs internationaux de l'Écosse à domicile. Seule exception : la rencontre qualificative pour l'Euro 2008 face aux îles Féroé en septembre 2006, qui se déroula au Celtic Park de Glasgow, le chanteur Robbie Williams ayant alors réservé Hampden pour un concert.

À QUAND LE PROCHAIN ?

Plus de 29 internationaux écossais ont inscrit un total de 36 *hat-tricks* pour leur pays. Le dernier remonte toutefois à 1969, quand l'attaquant Colin Stein inscrivit quatre buts lors d'un 8-0 contre Chypre. Denis Law est le seul joueur à avoir réalisé deux quadruplés pour l'Écosse. Il partage le record du nombre de *hat-tricks* avec Bob McColl et Hughie Gallacher (3).

WEIR SUR LA BRÈCHE

David Weir, défenseur central des Glasgow Rangers, était le plus vieil international écossais lors des éliminatoires de l'Euro 2012 contre la Lituanie le 3 septembre 2010, à 40 ans et 111 jours, lors de sa 66e sélection. Trois sélections et 39 jours plus tard, il était toujours là pour le match contre l'Espagne, championne d'Europe et du monde en titre.

SÉLECTIONS

1	Kenny Dalglish	102
2	Jim Leighton	91
3	Alex McLeish	77
4	Paul McStay	76
5	Tom Boyd	72
6	David Weir	69
7	Kenny Miller	68
8	Christian Dailly	67
9	Willie Miller	65
10	Danny McGrain	62

GEMMILL LE DANSEUR

Archie Gemmill a inscrit le plus beau but de l'Écosse sur la scène internationale lors de l'étonnante victoire 3-2 contre les Pays-Bas à la Coupe du Monde 1978. Après avoir leurré 3 défenseurs, il pique le ballon au-dessus du gardien néerlandais Jan Jongbloed. En 2008, ce moment magique a été chorégraphié par l'English National Ballet dans *The Beautiful Game*.

22 MOINS 11

En Estonie, en octobre 1996, en éliminatoires de la Coupe du Monde 1998, il n'y a que les 11 Écossais sur la pelouse de Tallinn : l'équipe d'Estonie refuse de jouer pour protester contre l'avancement de près de quatre heures du coup d'envoi, suite à une plainte écossaise concernant les projecteurs. Dès que Billy Dodds et John Collins ont donné le coup d'envoi, Miroslav Radoman, l'arbitre yougoslave, siffle la fin de la rencontre. La FIFA fait rejouer le match en terrain neutre, à Monaco. Un match nul permet à l'Écosse de décrocher sa qualification pour la Coupe du Monde 1998.

FERGUS LE GRAND

L'un des plus grands sélectionneurs britanniques a fait ses adieux en mai 2013 : **Sir Alex Ferguson** a pris sa retraite à l'âge de 71 ans. Il s'est éclipsé après 27 ans à Manchester United, une période glorieuse qui lui a valu 13 titres en championnat anglais, deux en Ligue des Champions et un total de 38 trophées. Avant de partir au sud, à Old Trafford, Alex Ferguson avait connu le succès à Aberdeen – avec notamment une victoire sur le Real Madrid lors de la Coupe des Vainqueurs de Coupe, en 1983. Ferguson, fait chevalier *(sir)* après la victoire arrachée par Manchester United face au Bayern Munich lors de la Ligue des Champions 1999, a brièvement été sélectionneur de l'Écosse. Il a conduit son pays à la Coupe du Monde 1986, remplaçant Jock Stein, décédé au milieu d'un match de qualification crucial contre le pays de Galles, l'année précédente.

LES ÉCOSSAIS À WEMBLEY

L'une des victoires les plus chères au cœur des Écossais est assurément celle du 15 avril 1967 à Wembley contre les Anglais, rivaux de toujours et champions du monde en titre, **3-2**. C'était la première défaite de l'équipe de Sir Alf Ramsey depuis la Coupe du Monde FIFA remportée en 1966. L'homme du match – le premier de l'entraîneur Bobby Brown – est le très habile milieu offensif écossais Jim Baxter. Le 15 avril 1961 est un souvenir moins réjouissant : au même endroit et face aux mêmes adversaires, l'Écosse perdait 9-3. Frank Haffey, le gardien écossais jouait son deuxième match dans l'équipe d'Écosse, mais ce fut aussi le dernier.

SERBIE

La sélection yougoslave était l'un des fleurons du soccer d'Europe de l'Est. Elle a atteint le dernier carré des Coupes du Monde de 1930 et de 1962, ainsi que la finale des Championnats d'Europe de 1960 et de 1968. En outre, l'Étoile Rouge de Belgrade est le seul club de l'Est avec le Steaua Bucarest à avoir remporté la Coupe d'Europe des Clubs champions. C'était en 1991, au bout d'une finale gagnée aux tirs au but contre l'Olympique de Marseille.

IMMENSE DRAGAN

Le plus grand joueur de soccer yougoslave de l'histoire était l'ailier gauche de l'Étoile Rouge **Dragan Dzajić**, qui deviendra le président du club belgradois. Lancé en équipe nationale à 18 ans, il a connu 85 sélections et marqué 23 buts, le plus important dans les derniers instants de la demi-finale du Championnat d'Europe 1968 contre les champions du monde anglais, à Florence. Pelé disait de Dzajić : « C'est un magicien. Dommage qu'il ne soit pas brésilien. »

SÉLECTIONS

1	Savo Milošević	102
=	Dejan Stanković	102
3	Dragan Stojković	84
4	Predrag Mijatović	73
5	Slavisa Jokanović	64
6	Sinisa Mihajlović	63
7	Branislav Ivanović	61
8	Mladen Krstajić	59
=	Zoran Mirković	59
10	Darko Kovacević	58

GÉNIAL SAVIĆEVIĆ

Dejan Savićević est le meilleur joueur serbe de l'ère moderne. Ce milieu offensif a été l'un des grands artisans du triomphe européen de l'**Étoile Rouge** en 1991. Il a également mené ce club à trois titres nationaux consécutifs. Transféré à l'AC Milan, il a brillé lors la victoire 4-0 contre le Barça en finale de la Ligue des Champions 1994. À l'origine du 1er but, il signe ensuite une volée monumentale de 35 m. Savićević sera l'un des fers de lance de l'indépendance monténégrine. On lui attribue une grosse influence dans le référendum du 21 mai 2006 qui a mené à l'établissement d'un État monténégrin indépendant.

LA YOUGOSLAVIE BOYCOTTÉE

La rivalité entre la Serbie et la Croatie s'est manifestée dès la naissance de l'ancienne fédération. La sélection demi-finaliste de la première Coupe du Monde, en 1930, ne comptait que des Serbes. Les Croates avaient boycotté la phase finale pour protester contre l'établissement du nouveau siège de la fédération dans la capitale serbe, Belgrade.

⚽ BUTEURS

1	Savo Milošević	37
2	Predrag Mijatović	28
3	Nikola Žigić	20
4	Dejan Savićević	19
5	Mateja Kežman	17
6	Dejan Stanković	15
=	Dragan Stojković	15
8	Milan Jovanović	11
=	Danko Lazović	11
10	Darko Kovacević	10
=	Slavisa Jokanović	10
=	Marko Pantelić	10

⚽ UN RECORD UNIQUE

Dejan Stanković est le premier joueur à avoir joué pour trois pays en Coupe du Monde FIFA : la Yougoslavie en 1998, la Serbie-Monténégro en 2006 et la Serbie (dont il est capitaine) en 2010. Stanković est arrivé en Afrique du Sud alors qu'il venait de remporter trois trophées avec l'Inter de Milan : le Championnat italien, la Coupe d'Italie et la Ligue des Champions. Il est aussi célèbre pour deux buts inouïs, marqués en reprise de volée depuis le milieu du terrain (50 m), sur des renvois du goal adverse, contre Gênes en 2009, et contre Schalke 04 en Ligue des Champions en 2011, au bout de 25 secondes de jeu, sur un renvoi de la tête du goal allemand Manuel Neuer.

⚽ TURBULENCES EN TOUS GENRES

L'échec de la sélection serbe en éliminatoires de l'Euro 2012 a coûté leur poste à deux sélectionneurs : Radomir Antić, après seulement deux rencontres, puis Vladimir Petrović, quand le sort du onze serbe a été scellé. Pire, un match contre l'Italie, à Gênes en octobre 2010, a dû être arrêté après six minutes en raison de jets de projectiles et de fumigènes des supporters serbes. Les Italiens ont remporté le match 3-0 sur tapis vert et les Serbes ont écopé de deux matchs à huis clos. À l'été 2012, l'ancien international Sinisa Mihajlović, pilier de l'Étoile Rouge de Belgrade de 1991, championne d'Europe, a été nommé à la succession de Petrović. Sans Dejan Stanković et Nemanja Vidić, qui ont pris leur retraite internationale, il n'a pas réussi à qualifier la Serbie pour la Coupe du Monde 2014 et devrait quitter son poste en octobre 2013.

⚽ MIEUX VAUT TARD...

Branislav Ivanović, le capitaine serbe et défenseur polyvalent de Chelsea, a marqué des buts aussi tardifs qu'importants contre des équipes portugaises. En septembre 2007, il a ainsi égalisé pour son pays à la 88e minute lors d'une qualification pour l'Euro contre le Portugal. Il a aussi marqué de la tête lors des arrêts de jeu, pour Chelsea, battant ainsi le Benfica Lisbonne lors de la finale de la Ligue Europa 2013, un an après la suspension qui l'avait écarté de la victoire avec son club contre le Bayern Munich, en Ligue des Champions.

⚽ CAPITAINE ET SÉLECTIONNEUR

Milorad Arsenijević est le 1er joueur à avoir été capitaine puis sélectionneur en Coupe du Monde : capitaine de l'équipe yougoslave durant l'édition inaugurale du tournoi en Uruguay en 1930 et, en 1950, sélectionneur pour la Coupe du Monde au Brésil.

⚽ LA SERBIE SEULE EN JEU

La Serbie et le Monténégro formaient une équipe unique pour la Coupe du Monde 2006, mais la Serbie se présenta seule à l'édition 2010, le Monténégro étant devenu un État indépendant. En tête de son groupe de qualifications, la Serbie est éliminée en Afrique du Sud, malgré une courte victoire sur l'Allemagne (groupe D). Un Serbe est en partie responsable de cette élimination : Milovan Rajevač, sélectionneur du Ghana, qui a battu la Serbie 1-0. La Serbie a concédé deux penalties pour faute de main dans la surface, contre le Ghana et contre l'Allemagne. Dans ce dernier match, c'est le défenseur **Nemanja Vidic,** vainqueur de la Ligue des Champions de l'UEFA, l'un des piliers de l'équipe nationale, qui a commis la faute. Il a annoncé sa retraite internationale en octobre 2011.

SLOVAQUIE

La Slovaquie n'a désormais plus rien à envier à sa voisine, la République tchèque. Une équipe slovaque s'était certes illustrée en compétition durant la Seconde Guerre mondiale, mais il a fallu attendre la partition de la Tchécoslovaquie en 1993 pour que cela se reproduise. En 1996, la Slovaquie se qualifie pour le Championnat d'Europe des Nations et termine 3e de son groupe. Continuant sur sa lancée, elle décroche, en 2010, une première qualification pour la Coupe du Monde, et se paie même le luxe de battre l'Italie, championne du monde en titre, 3-2, et d'aller du même coup en huitième de finale.

JAMAIS DEUX SANS TROIS

Trois joueurs du nom de Vladimir Weiss, de la même famille, ont été internationaux de soccer. Le premier a glané l'argent olympique avec la Tchécoslovaquie en 1964. En 1990, son fils a défendu les couleurs du même pays lors du Mondial. Par la suite, celui-ci est devenu le sélectionneur de la Slovaquie, et l'a dirigée en 2010. Avec sous ses ordres son fils, ailier à Manchester City, auquel il fit disputer trois des quatre rencontres du pays. Le premier Vladimir a porté trois fois le maillot tchécoslovaque, notamment en finale du tournoi olympique, au cours de laquelle il marqua l'un des deux buts de la victoire 2-1 des siens contre la Hongrie. Le deuxième Vladimir comptabilise 19 capes pour la Tchécoslovaquie et 12 pour la Slovaquie. Le troisième en totalisait 12 à la fin du Mondial 2010, mais il n'avait que 20 ans. Le sélectionneur Vladimir décrivit leur victoire 3-2 contre les Italiens lors de ce tournoi comme le deuxième plus beau jour de sa vie – outre la naissance de son fils. Il a démissionné après l'échec de ses hommes en éliminatoires de l'Euro 2012.

UN JOUEUR DU CRU

Parmi les Slovaques d'origine jouant pour la Tchécoslovaquie unifiée, **Marián Masny** détient le record de sélections, avec 75 capes entre 1974 et 1982. Né à Rybany, il est aussi le 2e meilleur buteur slovaque de l'ère de l'unification tchèque. Avec 18 buts, il s'incline de peu face aux 22 buts en 36 matchs (entre 1958 et 1964) du natif de Vrutky, Adolf Scherer. Trois des buts de Scherer ont été marqués lors de la Coupe du Monde 1962, qui vit la Tchécoslovaquie terminer 2e. Scherer marqua un but gagnant contre la Hongrie en quart de finale, ainsi que le dernier but lors de la demi-finale victorieuse (3-1) de son équipe contre la Yougoslavie.

BUTEURS

1	Robert Vittek	23
2	Szilard Nemeth	22
3	Miroslav Karhan	14
=	Marek Mintal	14
5	Peter Dubovsky	12
6	Stanislav Sestak	11
7	Marek Hamsik	10
8	Tibor Jancula	9
=	Lubomir Reiter	9
10	Filip Holosko	7
=	Filip Sebo	7
=	Jaroslav Timko	7
=	Dusan Tittel	7

100 MALGRÉ TOUT

Le milieu de terrain défensif Miroslav Karhan a aidé son pays à se qualifier pour la Coupe du Monde FIFA 2010, totalisant du même coup 95 sélections en équipe nationale. Malgré une blessure au tendon d'Achille qui l'a contraint à déclarer forfait pour ladite Coupe, il est devenu le 1er Slovaque à passer les 100 sélections.

LE GRAND HUIT

Huit joueurs slovaques s'illustrèrent dans l'équipe de Tchécoslovaquie lors de la finale de l'Euro 1976 contre l'Allemagne de l'Ouest, dont le capitaine Anton Ondruš et les deux buteurs de ce match nul 2-2 : Ján Švehlík et Karol Dobiáš. Trois des tireurs des tirs au but victorieux (5-3) étaient d'origine slovaque : Marián Masn⊠, Ondruš et le remplaçant Ladislav Jurkemik. Les autres étaient Ján Pivarnik, Jozef Čapkovič et Jozef Móder. Le défenseur Koloman Gögh, quoique né dans l'actuelle République tchèque, avait lui aussi des origines slovaques. Après avoir débuté dans de petits clubs, il a joué surtout pour le SK Šlovan de Bratislava.

SÉLECTIONS

1	Miroslav Karhan	107
2	Robert Vittek	80
3	Marek Hamsik	64
4	Filip Holosko	62
5	Martin Skrtel	61
6	Szilard Nemeth	59
7	Jan Durica	57
=	Radoslav Zabavnik	57
9	Stanislav Varga	54
9	Robert Tomaschek	52
=	Marek Cech	52

SKRTEL, C'EST CERTAIN

Le capitaine et défenseur **Martin Skrtel** a reçu le titre de joueur slovaque de l'année plus souvent que tout autre joueur slovaque, depuis la création de cette distinction en 1993. Il a été récompensé en 2007, 2008, 2011 et 2012. Son collègue en équipe nationale Marek Hamsik a reçu ce prix en 2009 et 2010, époque où Skrtel souffrait de graves blessures reçues en jouant pour Liverpool. Le seul autre joueur nommé « joueur slovaque de l'année » trois fois d'affilée était le défenseur Dusan Tittel – en 1993, 1994 et 1995.

RÓBERT, CE HÉROS

Le Slovaque **Róbert Vittek** est devenu le 4e joueur seulement, issu d'un pays faisant ses débuts en Coupe du Monde, à marquer pas moins de 4 buts lors d'un unique tournoi, au Mondial 2010 en Afrique du Sud : 1 but contre la Nouvelle-Zélande, 2 contre l'Italie, championne en titre, et 1 penalty contre les Pays-Bas en huitième de finale. Les 3 autres joueurs à avoir égalé ce record sont le Portugais Eusébio en 1966, le Danois Preben Elkjær-Larsen en 1986, et le Croate Davor Suker en 1998. Avec son penalty de dernière minute contre les Pays-Bas, Vittek devint, avec 23 buts, le plus grand buteur slovaque de tous les temps, détrônant ainsi l'ancien attaquant du Sparta Prague, Szilárd Németh. Sa Coupe du Monde 2010 fut d'autant plus étonnante qu'il ne marqua pas un but de toutes les qualifications.

L'HAMSIK À FOND

Le meneur de jeu Marek Hamsik a quitté la Slovaquie à l'âge de 17 ans, après seulement 6 matchs pour le Slovan Bratislava. Il est parti en Italie en 2004, d'abord à Brescia puis, trois ans plus tard, à Naples. Après avoir remporté la Coupe d'Italie en 2012 avec ce club, il a tenu sa promesse de raser sa crête de Mohican. Hamsik a été capitaine de Slovaquie pour la Coupe du monde 2010, contribuant à éliminer l'Italie au 1er tour.

DOCTEUR ÈS Soccer

Les 10 entraîneurs des Slovaques, depuis le retour de la Slovaquie à la compétition internationale en tant que nation indépendante, étaient originaires du pays même – et ce, y compris pour les titulaires actuels du poste, Michal Hipp et Stanislav Griga, nommés en 2012. De 1983 à 1990, Griga a marqué 8 buts en 44 matchs pour la Tchécoslovaquie ; Hipp a été sélectionné 5 fois en équipe nationale en 1990 et 1991, puis encore 5 fois pour la Slovaquie, en 1994. Le premier fut le docteur **Josef Venglos**, qui entraîna l'équipe de 1993 à 1995. Il était l'adjoint du sélectionneur lors de la victoire tchécoslovaque à l'Euro 1976, avant de la diriger lorsqu'elle s'est classée 3e de l'édition suivante. En 1990, il devint le 1er entraîneur non britannique à prendre les rênes d'un club anglais de première division : Aston Villa.

SUÈDE

Avec 11 participations aux phases finales de la Coupe du Monde FIFA (finaliste de l'édition de 1958 qu'elle organise) et 3 médailles olympiques (dont l'or remporté à Londres en 1948), la Suède possède un palmarès riche. Dans un passé récent, les succès se sont faits rares, mais remarquables avec deux demi-finales disputées lors de l'Euro 1992 et de la Coupe du Monde FIFA 1994.

GRE-NO-LI, LES JO ET L'ITALIE

Après avoir mené la sélection suédoise à l'or aux Jeux olympiques de Londres 1948, Gunnar Gren, Gunnar Nordahl et **Nils Liedholm** ont été achetés par l'AC Milan. Le trident offensif «Gre-No-Li» conduira le club lombard au Scudetto en 1951. Nordahl, qui a terminé meilleur buteur de la Série A à cinq reprises entre 1950 et 1955, reste le meilleur réalisateur de l'histoire *rossonera* avec 221 réalisations en 268 matchs. Gren et Liedholm disputeront la Coupe du Monde 1958, où la sélection suédoise échouera en finale face au Brésil.

SÉLECTIONS

1	Thomas Ravelli	143
2	Anders Svensson	141
3	Olof Mellberg	117
4	Roland Nilsson	116
5	Bjorn Nordqvist	115
6	Niclas Alexandersson	109
7	Andreas Isaksson	106
=	Henrik Larsson	106
9	Kim Kallstrom	103
10	Patrik Andersson	96

ON REMET ÇA ?

Star du Celtic et du FC Barcelone, **Henrik Larsson** est l'un des joueurs de soccer suédois les plus célèbres, titrés et récompensés de l'ère moderne. Il a pris sa retraite internationale après le Mondial 2002... et de nouveau après Allemagne 2006. Il a fait un second *come-back* pour les éliminatoires d'Afrique du Sud 2010. Chaque fois, supporters et dirigeants ont réclamé le retour de l'attaquant aux 37 buts en 104 sélections (donc 5 au cours de ses 3 Mondiaux). La Suède ne s'étant pas qualifiée pour France 1998, Larsson a égalé l'intervalle record entre 2 buts inscrits dans l'épreuve suprême. Douze ans se sont écoulés entre son premier but, contre la Bulgarie lors d'États-Unis 1994, et son dernier : l'égalisation à 2-2 contre l'Angleterre lors d'Allemagne 2006. Retiré des terrains en 2009, il entraîne le club suédois de Landskrona BoIS.

UN GARDIEN EXCEPTIONNEL

Thomas Ravelli, gardien de la Suède, a été sélectionné 143 fois (un record !), concédant 143 buts. Il a sauvé deux tirs au but contre la Roumanie en quart de finale de la Coupe du Monde FIFA 1994. Son équipe a perdu en demi-finale contre le Brésil 1-0 et terminé 3e de ce tournoi dans lequel elle a décroché le titre de meilleure attaque avec 15 buts (4 de plus que les champions brésiliens), dont 5 par Kennet Andersson, 4 par Martin Dahlin et 3 par Tomas Brolin.

IBRA-CADABRA

Peu de joueurs actuels ont autant de succès – et d'ego – que l'attaquant suédois Zlatan Ibrahimovic. Il a notamment déclaré : « Il n'y a qu'un seul Zlatan », « Je suis comme Mohammed Ali » et, en réponse à des critiques du Norvégien John Carew : « Ce que Carew fait avec un ballon, je peux le faire avec une orange. » Pourtant, tous les clubs où il a joué (l'Ajax d'Amsterdam, la Juventus, l'Inter Milan, l'AC Milan, Barcelone et le PSG) ont bénéficié de sa présence : Ibrahimovic a remporté dix championnats depuis 2002. Il a baptisé le nouveau stade de Solna avec 4 buts, lorsque la Suède a battu l'Angleterre 4-2 en match amical – dont un incroyable retourné acrobatique de 30 mètres. Il est devenu ainsi le premier joueur – en 915 matchs – à avoir marqué à quatre reprises en un seul match contre l'Angleterre. Il s'est également distingué par une talonnade contre l'Italie lors de l'Euro 2004 et par une reprise de volée lointaine contre la France, à l'Euro 2012. Pouvant aussi jouer pour la Bosnie ou la Croatie grâce à ses liens familiaux, Ibrahimovic, né à Malmö, a choisi la Suède et fait ses débuts en janvier 2001, marquant 41 buts en 90 matchs.

DE COURTES APPARITIONS

Le Suédois Magnus Erlingmark détient le record de la plus courte apparition dans un match de Coupe du Monde FIFA : il a remplacé un coéquipier à la 89e minute de la rencontre Suède-Russie lors du 1er tour du tournoi 1994. Son seul rival pour ce record est le Bulgare Petar Mikhtarski, autre remplaçant à l'avant-dernière minute du temps réglementaire, au cours du match victorieux de 2e tour Bulgarie-Mexique.

BUTEURS

1	Sven Rydell	49
2	Gunnar Nordahl	43
3	Zlatan Ibrahimovic	41
4	Henrik Larsson	37
5	Gunnar Gren	32
6	Kennet Andersson	31
7	Marcus Allback	30
8	Martin Dahlin	29
9	Agne Simonsson	27
10	Tomas Brolin	26

MELLBERG A DE LA BOUTEILLE

Le défenseur central **Olof Mellberg** est devenu l'un des sept joueurs à avoir participé à quatre phases finales d'un Euro lorsqu'il a disputé l'édition 2012 avec la Suède. Il est le premier Suédois à réaliser cet exploit. Âgé de 34 ans, il est le 2e plus vieux buteur de son pays en Championnat d'Europe, depuis son but qui permit aux Suédois de mener 2-1 contre l'Angleterre, dans un match qu'ils finirent hélas par perdre 3-2. Mellberg avait inscrit ses 6 buts précédents en sélection durant les éliminatoires d'un Euro ou d'un Mondial.

PUISSANCE QUATRE

En octobre 2012, la Suède est devenue le 1er pays à remonter un score de 4 buts contre l'Allemagne, passant de 4-0 à 4-4 lors d'un match éliminatoire pour la Coupe du monde 2014 – grâce à des buts de 2e mi-temps marqués par Ibrahimovic, Lustig, Elmander et Elm.

IMPORT - EXPORT

Le sélectionneur ayant connu le plus de réussite avec la Suède est l'Anglais **George Raynor**. Il a mené l'équipe nationale à l'or olympique en 1948 à Londres, à la 3e place à la Coupe du Monde 1950 et à la finale de l'édition 1958. En 1959, Raynor a pris le meilleur sur son pays d'origine lorsque la Suède est devenue la deuxième sélection « étrangère » à s'imposer à Wembley (3-2). Dans le sens inverse, Sven-Goran Eriksson a quitté la Lazio de Rome en 2001 pour devenir le premier sélectionneur étranger des *Three Lions*. Il a mené son équipe à trois quarts de finale consécutifs : aux Coupes du Monde 2002 et 2006, et à l'Euro 2004. À ce poste, Eriksson n'a jamais battu la sélection suédoise. Il a enregistré trois nuls (1-1 en amical en 2001 ; 1-1 au 1er tour de la Coupe du Monde 2002 ; 2-2 au 1er tour de la Coupe du Monde 2006) et une défaite (0-1 en amical en 2004).

FRATELLI D'ITALIA

Les frères Nordahl – Bertil, Knut et Gunnar – ont décroché l'or olympique en 1948. Tous trois iront jouer en Italie : Bertil à l'Atalanta, Knut à la Roma et Gunnar à l'AC Milan, dont il deviendra une légende avant de signer lui aussi dans la capitale italienne. Les jumeaux Thomas et Andreas Ravelli ont perpétué la tradition en disputant respectivement 143 et 41 parties pour la Suède.

SUISSE

En 2006, la Suisse est devenue la première nation éliminée d'une Coupe du Monde sans prendre le moindre but. Ce «record» illustre l'histoire en soccer du pays : hormis lors des trois quarts de finale dans l'épreuve suprême (1934, 1938 et 1954 – à domicile), la nation helvète ne s'est jamais fait une place parmi les grandes puissances. Coorganisatrice de l'Euro 2008, elle accueille également le siège de la FIFA et de l'UEFA.

HERMÉTIQUE MAIS ÉLIMINÉE

Lors d'Allemagne 2006, la sélection suisse est entrée dans l'histoire en devenant la première – et pour l'instant la seule – équipe à quitter une Coupe du Monde sans avoir pris le moindre but. En huitième, après 120 minutes stériles face à l'Ukraine, elle s'est inclinée 3-0 aux tirs au but en manquant toutes ses tentatives. Bien que battu à trois reprises lors de l'épreuve de vérité, le gardien **Pascal Zuberbuhler** a établi le record de matchs consécutifs sans prendre de but dans une compétition.

PLUS VIF QUE L'ÉCLAIR

À 19 ans, l'attaquant **Eren Derdiyok** marqua son 1er but international dès sa 1re passe, 12 minutes après être rentré sur le terrain, dans un match amical contre l'Angleterre à Wembley, en février 2009. L'Angleterre, entraînée pour la 1re fois par Fabio Capello, l'emporta toutefois 2-1. Derdiyok a marqué trois des buts suisses lors d'une victoire palpitante (5-3) en match amical contre l'Allemagne, en mai 2012. Il est ainsi devenu le 1er joueur depuis 11 ans et l'Anglais Michael Owen à réussir un triplé contre l'Allemagne. Derdiyok, actuellement en Bundesliga à Hoffenheim, jouait au Bayer Leverkusen et ses 3 buts ont été marqués grâce à des passes d'un autre joueur du Bayer Leverkusen, Tranquillo Barnetta.

BUTEURS

1	Alexander Frei	42
2	Max Abegglen	34
=	Kubilay Turkyilmaz	34
4	André Abegglen	29
=	Jacques Fatton	29
6	Adrian Knup	26
7	Josef Hugi	23
8	Charles Antenen	22
9	Lauro Amado	21
=	Stéphane Chapuisat	21

LE LAMA FREI

Comparé à un lama par les journalistes suisses suite à son crachat sur Steven Gerrard à l'Euro 2004, **Alexander Frei** a voulu se faire pardonner. Le meilleur buteur suisse a adopté un spécimen de ce camélidé. Frei semblait avoir abandonné tout espoir d'augmenter son record de 42 buts suisses en 84 matchs quand il annonça sa retraite du soccer international en avril 2011, blâmant l'abus de critiques de ses propres fans lors des derniers matchs, notamment le match nul 0-0 contre Malte, où Frei et Gökhan Inler ratèrent les penalties. Frei a été rejoint dans sa décision par son coéquipier Marco Streller qui totalise 12 buts en 37 matchs.

CHAPPI CHAPEAU

Stéphane Chapuisat est le 1er joueur suisse à avoir remporté la Ligue des Champions de l'UEFA. Lors de la finale gagnée 3-1 par le Borussia Dortmund face à la Juventus, le principal fait d'armes de l'attaquant helvète a été de céder sa place à Lars Ricken, dont le but a mis le match hors de portée des Turinois. Le père de «Chappi», Pierre-Albert, a également connu les honneurs de la sélection puisqu'il a compilé 34 capes dans les années 1970 et 1980. Le fiston a pourtant dépassé le père lorsqu'il a ajouté la Coupe du Monde des Clubs et un Championnat de Suisse (avec les Grasshoppers) à son palmarès.

MESSIE PAR INTERMITTENCE

Un quotidien suisse a qualifié Ottmar Hitzfeld de «messie» quand celui-ci a été nommé à la tête de la sélection helvète en 2008. Le mandat de l'Allemand a pourtant débuté par une défaite contre le Luxembourg. Vainqueur de la Ligue des Champions avec le Borussia Dortmund et le Bayern Munich en tant qu'entraîneur, Hitzfeld a ensuite aidé ses hommes à se qualifier pour le Mondial 2010. Son aura a un peu pâli quand la Suisse a échoué en éliminatoires de l'Euro 2012. Joueur, Hitzfeld a effectué l'essentiel de sa carrière en Suisse, où il a également occupé ses premiers postes d'entraîneur : au SC Zug, au FC Aarau et aux Grasshoppers de Zurich.

LE PÉRIL JEUNES

Cristiano Ronaldo, Wayne Rooney, David Silva et Lukas Podolski comptaient parmi les joueurs les plus prometteurs de l'Euro des moins de 17 ans en 2002. Mais c'est la Suisse qui créa la surprise en remportant son premier trophée international, battant la France aux tirs au but après un match nul en finale (0-0). Les futurs internationaux Tranquillo Barnetta et Reto Ziegler faisaient partie des buteurs.

YAK ATTACK

Les frères Murat et **Hakan Yakin** sont nés à Bâle de parents turcs, et ont choisi de jouer pour leur pays de naissance. Le milieu de terrain Murat, presque trois ans plus âgé que son frère, a marqué 4 buts pour 49 sélections de 1994 à 2004. Hakan, lui, qui jouait un peu plus à l'avant, a effectué ses débuts internationaux en 2000, se retirant en 2011. Malgré le terrain détrempé et le ballon collant dans la boue, Hakan a marqué le but d'ouverture suisse lors de la défaite du premier tour 2-1 contre la Turquie, en ouverture de l'Euro 2008. Il a refusé de fêter cette performance. Il a terminé sa carrière internationale avec 20 buts en 87 matchs.

SÉLECTIONS

1	Heinz Hermann	117
2	Alain Geiger	112
3	Stephane Chapuisat	103
4	Johann Vogel	94
5	Hakan Yakin	87
6	Alexander Frei	86
7	Patrick Muller	81
8	Severino Minelli	80
9	Andy Egli	79
=	Ciriaco Sforza	79

LE VERROU SUISSE

Karl Rappan a tant fait pour le soccer suisse qu'on oublie souvent qu'il était autrichien. Après une carrière sans éclat de joueur puis de sélectionneur en Autriche, Rappan atteint la célébrité en devenant un dirigeant inventif en Suisse, menant l'équipe nationale à deux Coupes du Monde FIFA (1938 et 1954), ainsi que les clubs des Grasshoppers, FC Servette et FC Zurich à des victoires en Super League et en coupe. Il met au point une tactique souple qui permet aux joueurs de changer de poste en fonction des circonstances et d'accentuer ainsi la pression sur leurs adversaires. Cette idée révolutionnaire est connue sous le nom de «verrou suisse» et permet aux Suisses de battre l'Italie et d'arriver en quarts de finale de l'édition 1954, avant de s'incliner devant l'Autriche. Ayant prôné très tôt la mise en place d'une Ligue européenne, Rappan opte finalement pour un tournoi à élimination directe, la Coupe Intertoto, conçue et lancée en 1961. Avant d'être détrôné par Köbi Kuhn, Rappan détenait le record du sélectionneur ayant la plus longue et plus glorieuse carrière avec 29 victoires en 77 rencontres.

MERCI KOBI

Jakob Kuhn, ancien joueur international et sélectionneur suisse, a eu les larmes aux yeux lorsque ses joueurs ont déployé une banderole de remerciement à l'issue de son dernier match en tant que sélectionneur – qui a vu la victoire de la Suisse sur le Portugal dans l'Euro 2008. Quel retournement de situation pour Kuhn! À 22 ans, il a été renvoyé de la Coupe du Monde 1966 pour ne pas avoir respecté un couvre-feu, puis banni de l'équipe nationale pendant un an. La situation se renouvelle durant l'Euro 2004 mais, cette fois-ci, c'est Kuhn qui renvoie Alexander Frei après que le joueur a craché sur l'Anglais Steven Gerrard. Kuhn effectue l'essentiel de sa carrière de joueur au FC Zurich, qui remporte 6 titres en Super League et 5 Coupes de Suisse. Il joue à 63 reprises en équipe nationale, marquant 5 buts. Kuhn fait ensuite partie des instances dirigeantes suisses, dirigeant l'équipe des moins de 18 ans, puis celle des moins de 21 ans, terminant avec l'équipe première. Il a pris sa retraite à 64 ans, détenteur d'un record de 32 victoires, 18 matchs nuls et 23 défaites en 73 matchs en tant que sélectionneur national.

TURQUIE

La victoire aux tirs au but de Galatasaray contre Arsenal en finale de la Coupe de l'UEFA 2000 a marqué un tournant pour le soccer turc. Avant cette glorieuse soirée de Copenhague, la Turquie ne s'était qualifiée que pour deux Coupes du Monde (en 1950, avant de se retirer, et en 1954) et elle avait collectionné les déceptions sur la scène internationale. Depuis 2000, les supporters ottomans ont eu bien des raisons de se réjouir, avec notamment une 3e place à la Coupe du Monde 2002 et une demi-finale à l'Euro 2008.

COACHS COSMOPOLITES

Seuls 26 des 45 sélectionneurs du onze turc étaient eux-mêmes turcs. Le titulaire actuel du poste, Abdullah Avci, marque d'ailleurs le retour d'un national aux commandes, après l'échec du Néerlandais Guus Hidding en éliminatoires de l'Euro 2012. Avci dirigeait la sélection des moins de 17 ans championne du monde en 2005 (après un 1er titre en 1994). Le milieu de terrain **Nuri Sahin,** né en Allemagne, a été une star de l'équipe 2005 et joue maintenant en équipe première. En marquant un but lors de ses débuts internationaux, en octobre 2005 contre l'Allemagne, à 17 ans, il est devenu le plus jeune joueur à avoir marqué pour la Turquie. Le premier sélectionneur de la Turquie était turc : Ali Semi, en fonction seulement le temps d'un nul 2-2 contre la Roumanie. Parmi les sélectionneurs étrangers, l'Anglais Pat Molloy, l'Écossais Billy Hunter, l'Italien Sandro Puppo et l'Allemand Sepp Piontek.

LE DERNIER « BUT EN OR »

Le dernier « but en or » de la Coupe du Monde FIFA est l'œuvre du remplaçant turc Ilhan Mansiz à la 94e minute du quart de finale contre le Sénégal en 2002. Il a permis à son équipe de l'emporter 1-0 et de terminer 3e. La règle du « but en or » a été abandonnée avec la Coupe du Monde FIFA 2006 et remplacée par deux prolongations de 15 minutes en cas d'égalité à la fin du temps réglementaire.

AU COUP DE CANON

Hakan Sükür a marqué le but le plus rapide en Coupe du Monde. Il a frappé dès la 11e seconde de la petite finale de l'édition 2002 contre la Corée du Sud. La Turquie l'emporta 3-2 pour prendre la 3e place, son meilleur résultat dans l'épreuve. Avec 51 buts en 112 sélections, le « Taureau du Bosphore » affiche un total plus de deux fois supérieur à celui de son dauphin. Il a ouvert son compteur dès sa deuxième sortie, lors d'une victoire 2-1 face au Danemark le 8 avril 1992. Il a signé deux quadruplés : lors d'un succès 6-4 contre le Pays de Galles le 20 août 1997 et lors de la correction 5-0 de la Moldavie le 11 octobre 2006.

LE ROI DU *COME-BACK*

Le verbe « abandonner » ne figure pas dans le vocabulaire de **Rüstü Recber.** Moins d'un an après sa retraite internationale, au lendemain de l'Euro 2008, le recordman de sélections avec la Turquie a repris du service pour les qualifications de la Coupe du Monde 2010. Le portier avait déjà fait un *come-back* pour l'Euro 2008. Deuxième choix, il avait disputé le quart de finale contre la Croatie en raison de la suspension de Volkan Demirel suite à son expulsion lors du dernier match de groupe. Il avait été le héros de la séance de tirs au but en arrêtant la tentative de Mladen Petric pour envoyer la Turquie en demies, où elle s'est inclinée contre l'Allemagne. En 1993, Rüstü était revenu aux affaires après avoir été gravement blessé lors d'un accident qui avait coûté la vie à un ami. Cette tragédie fit capoter son transfert à Besiktas, mais il brillera avec Fenerbahce, où il remportera cinq Championnats de Turquie en 12 ans. Avec son catogan et ses grimages façon joueur américain, Rüstü a toujours été une figure à part dans le monde du ballon rond. Il a été au sommet de son art lors de la Coupe du Monde 2002, où la Turquie a pris la 3e place au terme d'un parcours de toute beauté. Le portier ottoman a du reste été retenu dans le onze type du tournoi et désigné Gardien de l'année par la FIFA.

LES JUMEAUX

Hamit Altintop (*à droite*) est né 10 minutes avant son jumeau **Halil** (*à gauche*),
dans la ville allemande de Gelsenkirchen, le 8 décembre 1982. Depuis, il n'a
cessé de le précéder dans leurs carrières parallèles de joueurs professionnels.
Ils débutèrent tous deux dans l'équipe amateur allemande de Wattenscheid
avant que Hamit le défenseur/milieu de terrain ne rejoigne Schalke 04 à l'été
2006, bientôt suivi par Halil l'attaquant. Hamit n'y restera qu'une saison avant
d'être enrôlé par le Bayern Munich. Les deux frères contribuèrent à l'accession
de la Turquie en demi-finale de l'Euro 2008
(défaite face à leur pays d'adoption, l'Allemagne), mais seul Hamit figura
parmi les 23 meilleurs joueurs du tournoi.

FATIH TERIM

Vainqueur de la Coupe de l'UEFA 2000
avec Galatasaray, **Fatih Terim** a effacé
son décevant séjour d'un an et demi
à la Fiorentina pour effectuer un
stupéfiant parcours jusqu'au dernier
carré de l'Euro 2008 aux commandes
de la sélection turque. Battus par
le Portugal lors de la première
journée, ses hommes ont signé deux
extraordinaires *come-backs* contre
la Suisse et la République tchèque,
se qualifiant ainsi pour les quarts.
À la 119ᵉ minute, les Croates croyaient
avoir éliminé les Ottomans mais
« l'Empereur » Fatih a enjoint ses
joueurs à se battre jusqu'à la fin.
L'improbable s'est alors produit avec
l'égalisation *in extremis* de Semih
Senturk, qui a envoyé le match aux
tirs au but. En demi-finale contre
l'Allemagne, les Turcs sont à nouveau
revenus du diable vauvert, mais
ils n'ont pas répondu au but de la
Mannschaft à la dernière minute.
« Cette équipe a quelque chose de
particulier », disait Fatih. Comment
le contredire...

BUTEURS

1	Hakan Sukur	51
2	Tuncay Sanli	22
3	Lefter Kucukandonyadis	21
4	Nihat Kahveci	19
=	Metin Oktay	19
=	Cemil Turan	19
7	Zeki Riza Sporel	15
8	Arda Turan	13
9	Arif Erdem	11
=	Ertugrul Saglam	11

SÉLECTIONS

1	Rustu Recber	120
2	Hakan Sukur	112
3	Bulent Korkmaz	102
4	Tugay Kerimoglu	94
5	Alpay Ozalan	90
6	Emre Belozoglu	90
7	Tuncay Sanli	80
8	Hamit Altintop	79
9	Ogun Temizkanoglu	76
10	Abdullah Ercan	71

LE CAP DES 500

La Turquie a disputé son 500ᵉ match international
le 14 novembre 2012, une confrontation amicale
1-1 contre le Danemark. Avant le match, qui se
déroulait au Turk Telekom Arena d'Istanbul, la star
de la pop Hadise s'est produite sur scène, avec
des figures de légendes du soccer turc. Le premier
match international de la Turquie, à Istanbul, s'était
aussi conclu sur un nul : 2-2 contre la Roumaine,
le 26 octobre 1923.

ARDENT ARDA

L'ailier magique **Arda Turan** est l'une des stars du soccer turc, et
l'un de ses meilleurs buteurs. Il détient aussi le record du joueur
le plus cher, lorsqu'il a quitté le Galatasaray de sa jeunesse pour
l'Atlético de Madrid, en 2011. Sa période espagnole lui a valu un titre
en Ligue Europa et une Super Coupe de l'UEFA. Lors de ses 64 premiers
matchs pour son pays, il a marqué deux fois à l'Euro 2008 : la première
fois pendant les arrêts de jeu, un but vainqueur contre la Suisse, pays
hôte ; la 2ᵉ fois, un but d'ouverture tardif qui a contribué à la victoire
turque 3-2 contre la République tchèque, lors d'un match de qualification
décisif. Turan a survécu à des problèmes cardiaques, à la grippe porcine
et à un accident de voiture.

UKRAINE

L'Ukraine est depuis des décennies une place forte du soccer d'Europe de l'Est. Avant l'indépendance, ses clubs au riche palmarès européen, tel le Dynamo Kiev, ont alimenté les sélections soviétiques en joueurs d'exception formés par leurs soins. Depuis le démantèlement de l'URSS en 1991, l'Ukraine est une nation de soccer à part entière. Lors de sa première participation à la Coupe du Monde, en 2006, elle a même atteint les quarts de finale.

GRANDES COMPÉTITIONS

COUPE DU MONDE FIFA : 1 participation – quart de finale (2006)
PREMIER MATCH INTERNATIONAL : Ukraine 1 Hongrie 3 (Uzhhorod, Ukraine, 29 avril 1992)
PLUS LARGE VICTOIRE : Ukraine 6 Azerbaïdjan 0 (Kiev, Ukraine, 15 août 2006)
Andorre 0 Ukraine 6 (Estadi Comunal, Andorre-la-Vieille, 14 octobre 2009)
PLUS LOURDE DÉFAITE : Croatie 4 Ukraine 0 (Zagreb, Croatie, 25 mars 1995) ;
Espagne 4 Ukraine 0 (Leipzig, Allemagne, 14 juin 2006)

EN ORBITE

À la lutte avec son coéquipier **Anatoliy Tymoshchuk**, Andriy Chevtchenko fut le 1er joueur ukrainien à atteindre les 100 sélections. Mais Tymoshchuk, milieu de terrain défensif, avec 128 matchs à son actif, est le détenteur du record ukrainien de sélections. Il eut aussi l'honneur de voir son nom dans l'espace : lors de sa mise en orbite en 2007, le cosmonaute ukrainien Yuri Malenchenko portait un maillot du Zénith Saint-Pétersbourg floqué « Tymoshchuk ». Après avoir quitté le Zénith en 2009 pour le Bayern Munich, Tymoschchuk a remporté la Ligue des Champions de l'UEFA 2013 avec ce club allemand, avant d'annoncer son retour au Zénith Saint-Pétersbourg.

UNE PREMIÈRE INTERNATIONALE

Grâce aux buts de Denys Harmash et Dmytro Korkishko, l'Ukraine remporta son premier grand titre international en battant l'Angleterre en finale de l'Euro 2009 des moins de 19 ans. Son entraîneur, Yuri Kalitvintsev, assista par la suite Oleg Blokhin avec l'équipe A.

INDÉPENDANCE DIFFICILE

Après son indépendance, l'Ukraine n'a pas pu intégrer la FIFA à temps pour les éliminatoires de la Coupe du Monde 1994. Les Andreï Kanchelskis, Viktor Onopko, Sergeï Youran et autres Oleg Salenko ont décidé de jouer sous la bannière de la Communauté des États Indépendants plutôt que pour l'équipe d'Ukraine. Cette sélection ne s'est pas qualifiée pour une grande compétition avant la **Coupe du Monde 2006**, où elle n'est tombée qu'en quarts de finale (3-0 contre les futurs vainqueurs italiens).

SUPER CHEVA

En 2004, **Andriy Chevtchenko** est le troisième Ukrainien à remporter le Ballon d'or. Le premier, en 1975, était Oleg Blokhin, son entraîneur à la Coupe du Monde 2006, et le deuxième Igor Belanov en 1986. Chevtchenko fut en revanche le premier à le décrocher depuis l'indépendance de l'Ukraine en 1991. Né en 1976, Chevtchenko a été boxeur avant de se tourner vers le soccer. Il a remporté des trophées dans tous les clubs où il a joué, dont 5 titres avec le Dynamo de Kiev, la Série A et la Ligue des Champions avec l'AC Milan et 2 Cups avec Chelsea. Second joueur le plus capé et meilleur buteur d'Ukraine (48 buts en 111 matchs), il a notamment marqué 2 buts lors du Mondial 2006, où il était le capitaine de la sélection pour son premier tournoi majeur. De retour en sélection pour l'Euro 2012 (coorganisé par son pays), il a inscrit un doublé lors du 1er match des siens, face à la Suède (2-1).

UN TEMPS D'AVANCE

Sélectionneur de l'Ukraine pour sa première participation à la Coupe du Monde, **Oleg Blokhin** a bâti sa réputation avec le Dynamo de Kiev. Né en 1952, Blokhin détient le record de buts (211) et de matchs (432) pour sa ville. Il est aussi le recordman de réalisations (42) et de capes (112) pour la sélection soviétique. Grand artisan des succès de Kiev dans les Coupes des Coupes 1975 et 1986, il a fait trembler les filets lors de chaque finale. Ses exploits ont été récompensés par un Ballon d'or *France Soccer* en 1975. Dans la même veine, Blokhin est devenu le premier entraîneur à envoyer l'Ukraine dans une compétition majeure, la Coupe du Monde 2006. En Allemagne, ses protégés ont perdu 3-0 en quart contre les Italiens après avoir sorti la Suisse aux tirs au but. Blokhin était réputé pour sa vitesse : quand le champion olympique du sprint Valeriy Borzov s'occupait de Kiev dans les années 1970, l'attaquant signa un temps de 11 secondes sur 100 mètres, à peine 0,46 seconde de plus que Borzov en finale des JO de Munich 1972.

UN GRAND BUTEUR

Serhiy Rebrov, qui a pris sa retraite en 2009, a formé un remarquable duo avec Andriy Chevtchenko au Dynamo de Kiev et dans l'équipe nationale. Ce duo de choc a œuvré au Dynamo à la fin des années 1990 avant de signer des contrats juteux en Europe de l'Ouest. Rebrov a eu du mal à s'adapter aux Totenham Hotspur et West Ham United. Revenu en Ukraine en 2005, il est rappelé dans l'équipe nationale et marque un but mémorable contre l'Arabie saoudite durant la Coupe du Monde FIFA 2006. Ayant retrouvé son poste de milieu offensif, il franchit la frontière et contribue au succès du Rubin Kazan qui remporte son premier titre dans le championnat russe en 2008. Rebrov détient le record de buts de l'histoire du soccer ukrainien avec 125 buts en 268 matchs en Ligue 1.

BUTEURS

1	Andriy Chevtchenko	48
2	Serhiy Rebrov	15
3	Oleh Husyev	13
4	Serhiy Nazarenko	12
5	Andriy Yarmolenko	11
6	Andriy Husin	9
=	Andriy Vorobey	9
8	Tymerlan Huseynov	8
=	Artem Milevskiy	8
=	Andriy Voronin	8

ON SE FIE À HUSYEV

En 2006, pour sa première apparition en Coupe du Monde, l'Ukraine est arrivée en quart de finale, qu'elle a perdu face aux futurs champions, l'Italie. L'Ukraine avait percé au 2e tour grâce à un penalty contre la Suisse, marqué par l'ailier droit polyvalent **Oleh Husyev**. Pilier de l'Ukraine lors de ce tournoi, il a aussi participé à l'Euro 2012. Il est à présent le 4e joueur le plus capé de son pays, avec 83 matchs et 13 buts. Husyev, qui a passé presque toute sa carrière au Dynamo de Kiev, talonne pour la 3e place le gardien Oleksandr Shovkoskiy, qui a arrêté deux tirs au but suisses en 2006, mais n'a pu participer à l'Euro 2012 en raison d'une blessure.

SÉLECTIONS

1	Anatoliy Tymoschchuk	128
2	Andriy Chevtchenko	111
3	Oleksandr Shovkovskiy	92
4	Oleh Husyev	83
5	Serhiy Rebrov	75
6	Andriy Voronin	74
7	Andriy Husin	71
8	Ruslan Rotan	68
=	Andriy Vorobey	68
10	Andriy Nesmachniy	67

PAYS DE GALLES

Dans un pays où le rugby a toujours été le sport roi, le soccer a eu du mal à s'imposer sur l'échiquier mondial. Même si elle a produit son lot d'immenses talents, cette nation n'a disputé qu'une seule phase finale de compétition majeure: la Coupe du Monde 1958 en Suède.

LE PLUS JEUNE CAPITAINE

Aaron Ramsey, milieu de terrain à Arsenal, fut nommé capitaine de l'équipe galloise en mars 2011 par le sélectionneur Gary Speed. Il devint ainsi le plus jeune capitaine gallois, à 20 ans et 90 jours, lors des éliminatoires de l'Euro 2012 au Millennium Stadium de Cardiff, qui se soldèrent par une victoire de l'Angleterre 2-0. Ce record était détenu auparavant par l'arrière central Mike England, 22 ans et 135 jours lorsqu'il devint capitaine contre l'Irlande du Nord en avril 1964. Ramsey se remettait juste d'une blessure à la jambe qui aurait pu compromettre sa carrière, survenue lors du match Arsenal-Stoke City en février 2010.

TROUVER LE SOLDAT RYAN

Ryan Giggs, l'un des plus grands joueurs à n'avoir jamais disputé la Coupe du Monde, a manqué 18 matchs amicaux consécutifs avec l'équipe nationale... Giggs a fait ses débuts à Manchester United en 1990 et joue encore en 2013, faisant sa 1000e apparition en compétition lors d'une défaite 2-1 contre le Real Madrid en Ligue des Champions de l'UEFA. Il avait alors joué 932 matchs en club, 64 pour le Pays de Galles et 4 pour la Grande-Bretagne, lors des JO 2012 de Londres.

CHAPEAU !

L'attaquant Robert Earnshaw a la particularité d'avoir signé des *hat-tricks* dans les quatre divisions du soccer anglais, en FA Cup et en Coupe de la Ligue. Il a également réussi un triplé contre l'Écosse, le 18 février 2004.

RECYCLAGE RÉUSSI

Recordman du nombre de sélections (92), **Neville Southall** a débuté lors de la victoire 3-2 contre l'Irlande du Nord, le 27 mai 1982. En 15 ans de carrière internationale, cet ancien manœuvre et éboueur a conservé sa cage inviolée à 34 reprises et a été élu Joueur de l'année par les journalistes anglais en 1985 – il jouait à Everton avec le capitaine gallois Kevin Ratcliffe. Pour sa dernière cape, le 20 août 1997, il a été remplacé à la pause d'un match perdu 6-4 contre la Turquie à Istanbul.

RUSH RAVAGEUR

Avec 28 buts en 73 capes, **Ian Rush** est le meilleur réalisateur de la sélection galloise. Il a inauguré son compteur en 1982 (3-0 contre l'Irlande du Nord) et l'a clôturé en 1994 (2-1 contre l'Estonie).

SÉLECTIONS

1	Neville Southall	92
2	Gary Speed	85
3	Dean Saunders	75
4	Craig Bellamy	73
=	Peter Nicholas	73
=	Ian Rush	73
6	Mark Hughes	72
=	Joey Jones	72
9	Ivor Allchurch	68
10	Brian Flynn	66

BUTEURS

1	Ian Rush	28
2	Ivor Allchurch	23
=	Trevor Ford	23
4	Dean Saunders	22
5	Craig Bellamy	19
6	Robert Earnshaw	16
=	Mark Hughes	16
=	Cliff Jones	16
9	John Charles	15
10	John Hartson	14

DANS LA BOÎTE

Pionniers du cinéma, Sagar Mitchell et James Kenyon ont été les premiers à filmer un match international: Pays de Galles–Irlande, en mars 1906.

LA DYNASTIE JONES

Cliff Jones fut ailier gauche dans l'équipe galloise de la Coupe du Monde 1958 et titulaire au Tottenham Hotspur, double vainqueur de la Ligue et de la Coupe en 1961. Il appartient à une dynastie galloise: son père, Ivor Jones, et son oncle, Bryn, ont joué dans cette équipe; Ken, son cousin, a été sélectionné en tant que gardien de but dans l'équipe de la Coupe du Monde 1958, même s'il n'a pas joué.

JEUNE DRAGON

Gareth Bale est l'un des plus brillants joueurs mondiaux, même si sa nationalité galloise l'a – pour l'instant – empêché de jouer sur les plus grandes scènes internationales, Coupe du Monde ou Euro. Il a commencé sa carrière comme défenseur à Southampton, puis est devenu ailier offensif pour le Tottenham Hotspur avant de devenir attaquant. Il a été nommé Joueur anglais de l'année en 2011 et 2013, élu par les joueurs de Premier League et les journalistes anglais, grâce à ses éblouissantes performances pour les Spurs et le Pays de Galles. Bale s'était d'abord fait remarquer par son triplé contre l'Inter Milan au Stadio Meazza, en octobre 2010. À cette époque, il était déjà le plus jeune international gallois, faisant ses débuts comme remplaçant contre Trinité-et-Tobago en mai 2006, à l'âge de 16 ans et 315 jours. Son rôle dans l'équipe, ses performances et ses clubs ont suscité des comparaisons avec un autre «ailier magicien» gallois, Cliff Jones, qui avait remporté le titre de Ligue anglaise et la Coupe d'Angleterre avec Tottenham en 1961, et marqué 16 buts en 59 matchs pour son pays. Jones a joué ses cinq matchs pour le Pays de Galles la seule fois où son équipe s'était qualifiée pour la Coupe du Monde, en 1958.

LA MORT D'UN GRAND PRO

C'est avec la plus grande stupeur que les amoureux du ballon rond ont appris le décès soudain du sélectionneur gallois **Gary Speed** en novembre 2011. Ancien milieu de terrain de Leeds, Everton, Newcastle et des Bolton Wanderers, second joueur le plus capé du Pays de Galles, Speed a été retrouvé mort à son domicile, dans le comté anglais du Cheshire. Âgé de 42 ans, il était en poste depuis 11 mois. Des performances encourageantes avaient fait passer ses hommes de la 116e à la 48e place au classement FIFA, et leur avaient valu le prix de la Meilleure progression en 2011. En février 2012, un match en son honneur opposa le Pays de Galles au Costa Rica (nation contre laquelle Speed avait honoré sa 1re cape en mai 1990). Le président de la FIFA évoqua sa mémoire en ces termes: «Un modèle de professionnalisme et un fantastique ambassadeur du jeu.» L'ancien international gallois Chris Coleman lui a succédé à la tête de la sélection.

EUROPE LES AUTRES ÉQUIPES

Pour les grandes puissances européennes, une campagne qualificative serait bien fade sans un déplacement délicat dans l'ancien bloc de l'Est ou une promenade de santé contre un Petit Poucet tel Saint-Marin ou le Luxembourg. Pour les joueurs de ces pays, la fierté de défendre les couleurs nationales compte bien davantage que les rêves d'hégémonie planétaire.

SELVA, L'EXCEPTION

Avec moins de 30 000 habitants, Saint-Marin est le plus petit pays membre de l'UEFA. L'attaquant **Andy Selva** est le meilleur buteur de Saint-Marin avec 8 buts, mais il est aussi resté longtemps le seul joueur de cette équipe à avoir marqué 2 fois – avant que le milieu de terrain Manuel Marani ne marque un but contre la République d'Irlande, en février 2007 et un autre contre Malte, en août 2012.

PIQÛRES DE MOUSTIQUE

En juin 2013, Malte a mis fin à 20 ans d'attente, en décrochant une victoire en match international à l'extérieur, surprenant l'Arménie 1-0 dans les éliminatoires de la Coupe du Monde 2014. Le but décisif a été marqué par l'attaquant vétéran **Michael Mifsud** – capitaine et meilleur buteur de son pays. Mifsud a effectué ses débuts internationaux en février 2000 et s'est fait un nom en Allemagne avec le Kaiserslautern et en Angleterre avec Coventry City. Surnommé «Moustique», cet international de 1,65 m a notamment marqué cinq buts lors d'une victoire écrasante 7-1 sur le Lichtenstein, en mars 2008, dont un triplé dans les 21 premières minutes. Avant l'Arménie, Malte avait remporté pour la dernière fois, en mai 1993, un match de qualification à l'extérieur pour la Coupe du Monde – 1-0 contre l'Estonie.

MODESTE, MAIS QUALIFIÉE

La Slovénie s'est qualifiée pour la Coupe du Monde 2010 en battant la Russie, grâce à un but marqué à l'extérieur. À l'aller, la Slovénie s'est inclinée 2-1 à Moscou, but marqué par le remplaçant Nejc Pečnik 2 minutes avant la fin du match. Zlatko Dedič marque l'unique but du match retour à Maribor, son pays. Avec 2 millions d'habitants et 429 joueurs professionnels, la Slovénie était la nation la plus modeste de l'édition 2010.

LE ROI LIT'

Rien de surprenant à ce que **Jari Litmanen** soit devenu une star du soccer: ses parents jouèrent pour le Reipas Lahti, et Olavi, son père, fut sélectionné cinq fois en équipe nationale. Mais les capacités et les résultats de Jari dépassent de loin ceux de ses parents, voire de tous les joueurs finlandais. Ce n'est donc qu'un juste retour des choses s'il est devenu le 1er joueur finlandais à s'emparer du trophée de la Ligue des Champions de l'UEFA, après la victoire de son équipe, l'Ajax Amsterdam, sur l'AC Milan en 1995. Litmanen avait quitté la Finlande à 21 ans pour se faire un nom au sein du légendaire club néerlandais de l'Ajax, héritant du poste d'attaquant et du maillot n° 10 du grand Dennis Bergkamp. Litmanen marqua lors de la finale de la Ligue des Champions de l'UEFA en 1996, même si l'Ajax finit par s'incliner face à la Juventus aux tirs au but. Il reste le meilleur buteur du club néerlandais en Coupe d'Europe, avec 24 buts en 44 matchs. Litmanen rejoignit Barcelone en 1999, puis Liverpool 2 ans plus tard. Une blessure au poignet l'empêcha de briller en Angleterre et il retrouva l'Ajax dès 2002. Malgré une série de blessures, il resta un pilier de l'équipe de Finlande et en fut capitaine de 1996 à 2008. En 2010, à 39 ans, il jouait encore pour son pays. Il détient le record finlandais de buts et de matchs internationaux, avec 32 buts en 137 matchs.

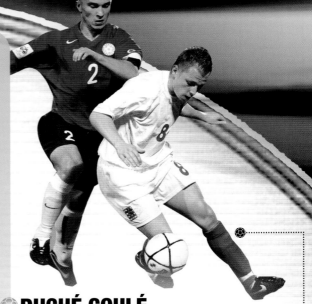

PAS LA PEINE

La Lituanie et l'Estonie ont renoncé à disputer le dernier match de groupe qui les opposait dans les éliminatoires de la Coupe du Monde 1934. Les Suédois s'étaient déjà assuré le seul billet disponible en battant les Lituaniens 2-0 et les Estoniens 6-2.

DERRIÈRE LE RIDEAU DE FER

Le démantèlement de l'URSS a créé 15 nouvelles nations de soccer, même si la Russie a disputé l'Euro 1992 en tant que CEI (qui excluait l'Estonie, la Lettonie et la Lituanie). L'UEFA et la FIFA approuveront la création de sélections pour la Russie, l'Arménie, l'Azerbaïdjan, la Biélorussie, l'Estonie, la Géorgie, le Kazakhstan, le Kirghizistan, la Lettonie, la Lituanie, la Moldavie, l'Ouzbékistan, le Tadjikistan, le Turkménistan et l'Ukraine. La guerre dans les Balkans au début des années 1990 fragmentera la Yougoslavie en plusieurs pays : la Croatie, la Serbie, la Bosnie-Herzégovine, la Macédoine, la Slovénie et le Monténégro. Quant à la Tchécoslovaquie, elle a été scindée entre la République tchèque et la Slovaquie.

ANNÉE D'AFFILIATION À LA FIFA	
Albanie	1932
Andorre	1996
Autriche	1905
Biélorussie	1992
Bosnie-Herzégovine	1996
Chypre	1948
Estonie	1923
Îles Féroé	1988
Finlande	1908
Géorgie	1992
Grèce	1927
Islande	1947
Israël	1929
Kazakhstan	1994
Lettonie	1922
Liechtenstein	1974
Luxembourg	1910
Macédoine	1994
Malte	1959
Moldavie	1994
Monténégro	2007
Saint-Marin	1988
Slovaquie	1994
Slovénie	1992

DUCHÉ COULÉ

Chaque jour sur le métier ton ouvrage tu remettras... Le courageux Luxembourg a échoué dans 19 éliminatoires de rang pour la Coupe du Monde. Le grand-duché n'a pas joué les qualifications de l'édition de 1930 car... il n'y en avait pas. La sélection luxembourgeoise n'a enregistré que trois victoires en éliminatoires mondialistes : 4-2 à domicile contre le Portugal (octobre 1961), 2-0 à domicile contre la Turquie (octobre 1972), 2-1 en Suisse (septembre 2008). Lors de ce dernier succès, c'est **Alphonse Leweck** qui a fait la différence en fin de match.

L'ESTONIE A FAIT LE TOUR

Au mois de juin 2012, privée de son meilleur buteur **Andres Oper**, l'Estonie s'est inclinée 4-0 face à la France en amical. Ce qui ne l'a pas empêchée de se distinguer ce soir-là en devenant la 1re nation à avoir affronté les équipes des 52 États membres de l'UEFA. Le 52e fut le Monténégro, intégré en 2007 après avoir disputé le Mondial 2006 conjointement avec la Serbie. Estonie et Monténégro ont loupé de peu la qualification pour l'Euro 2012, ne s'inclinant qu'en deux manches, respectivement contre l'Eire et la République tchèque.

SANS CONFÉDÉRATION FIXE

Israël a bien failli se qualifier pour la Coupe du Monde 1958 sans jouer, la Turquie, l'Indonésie et le Soudan ayant refusé de l'affronter. Mais la FIFA a programmé un double barrage contre une équipe européenne, qu'Israël a perdu 4-0 contre le Pays de Galles. Malgré son invincibilité dans les éliminatoires pour Allemagne 2006, il n'a pu accrocher la place de barragiste, terminant 3e derrière la France et la Suisse. L'entraîneur Avram Grant a ensuite pris les rênes de Chelsea. Avec les *Blues,* il a perdu la finale de la Ligue des Champions 2008 aux tirs au but contre Manchester United. Israël a organisé et remporté la Coupe d'Asie des Nations 1964, s'est qualifié pour la Coupe du Monde 1970 via les éliminatoires océaniennes, et fait aujourd'hui partie de l'UEFA.

CESAR SOUVERAIN

La Slovénie a infligé à l'Italie sa seule défaite dans sa conquête de la Coupe du Monde 2006 : 1-0 en éliminatoires, en octobre 2004 (but du défenseur Bostjan Cesar). Les Slovènes ne se sont pas pour autant qualifiés.

LE BUT DE LA COLÈRE

Temuri Ketsbaia marqua 16 buts pour la Géorgie. Seul Shota Arveladze fit mieux avec 26 buts. Ketsbaia fut aussi le 1er entraîneur à emmener une équipe chypriote (l'Anorthosis Famagusta) en Ligue des Champions de l'UEFA, avant de devenir l'entraîneur de la Géorgie en 2009. Pourtant, de nombreux supporters (essentiellement anglais) se souviendront surtout de son étrange réaction après son but de la victoire pour Newcastle United contre les Bolton Wanderers en janvier 1998 : au lieu d'éclater de joie, il jeta son maillot et lança des coups de pied furieux dans les panneaux publicitaires au bord du terrain. Lorsque le match reprit, il envoya le ballon dans les gradins.

LE MOZART INSOUMIS

La star autrichienne **Matthias Sindelar** refusa de jouer pour la sélection austro-allemande après l'annexion de son pays en 1938. Né dans l'actuelle Hongrie en 1903, Sindelar était le leader de la *Wunderteam* des années 1930. Il a inscrit 27 buts en 43 matchs pour cette équipe, invaincue d'avril 1931 à décembre 1932. La *Wunderteam* a remporté la Coupe d'Europe centrale 1932 et décroché l'argent aux JO 1936. Lors d'un Autriche-Allemagne disputé pour la réunification, à Vienne en avril 1938, le « Mozart du soccer » désobéit aux consignes et marqua un superbe but personnel. Le match se termina sur une victoire 2-0 de l'Autriche au lieu du diplomatique nul qui était prévu. En janvier 1939, Sindelar fut victime d'une étrange intoxication au monoxyde de carbone dans son appartement viennois.

GOLEADORS AUTRICHIENS

Meilleur buteur de l'histoire du soccer autrichien, Toni Polster est également musicien au sein du groupe Achtung Liebe. Sur les terrains de soccer, il est notamment connu pour sa propension à inscrire plusieurs buts par match. Parmi ses 44 réalisations, on compte 4 doublés et 2 *hat-tricks*, qui lui ont permis de dépasser le record de Hans Krankl. Les deux hommes ont remporté le Soulier d'or : Krankl en 1978 avec le Rapid de Vienne, Polster neuf ans plus tard avec le FK Austria.

TEL PÈRE, TEL FILS

En avril 1996, en Estonie, l'attaquant islandais **Eidur Gudjohnsen**, 17 ans, a marqué l'histoire du soccer en entrant en jeu à la place de son père, Arnór, 34 ans. Les deux Gudjohnsen ont toutefois regretté de n'avoir pu fouler le rectangle vert en même temps. La fédération islandaise pensait qu'ils en auraient l'occasion lors du match à domicile suivant, mais Eidur dut déclarer forfait à cause d'une blessure à la cheville. L'opportunité ne s'est plus jamais présentée.

UN PALMARÈS À RALLONGE

Avant d'être détenu par le Letton **Vitalijs Astafjevs**, le record européen de sélections internationales appartenait à un autre vétéran balte : le milieu de terrain défensif estonien Martin Reim, qui marqua pour son pays 14 buts en 157 matchs de juin 1992 à juin 2009. Sans une longue parenthèse (40 matchs) suite à un désaccord avec Jelle Goes, sélectionneur néerlandais de l'équipe de 2004 à 2007, il aurait même pu s'approcher des 200 sélections internationales. Il prit sa retraite internationale après avoir égalé le record de 150 sélections de l'Allemand Lothar Matthäus en février 2007, mais se laissa convaincre de revenir par Viggo Jensen, le nouvel entraîneur national. Son 157e et dernier match, contre la Guinée équatoriale le 6 juin 2009, fut organisé en son honneur et célébrait le centenaire du soccer en Estonie.

ASTAFJEVS, ESSENTIEL

Le milieu de terrain Vitalijs Astafjevs nous a fait découvrir la Lettonie en devenant, un certain temps, le joueur européen comptant le plus grand nombre de sélections en équipe nationale avec 167 participations, dont 3 pendant l'Euro 2004. Il a aussi marqué 16 buts pour son pays. Les débuts internationaux d'Astafjevs remontent à 1992, lorsque l'équipe nationale lettone émerge suite à l'effondrement de l'URSS. En novembre 2009, à 38 ans, il jouait toujours pour son pays : c'est lors d'un match amical contre le Honduras qu'il a battu le record du plus grand nombre de sélections en équipe nationale, détenu jusque-là par l'Estonien Martin Reim.

Albanie :	Altin Lala	79
Andorre :	Oscar Sonejee	92
Autriche :	Andreas Herzog	103
Biélorussie :	Alyaksandr Kulchy	102
Bosnie-Herz. :	Zvejzdan Misimovic	73
Chypre :	Ioannis Okkas	106
Estonie :	Martin Reim	157
Îles Féroé :	Oli Johannesen	83
Finlande :	Jari Litmanen	137
Géorgie :	Levan Kobiashvili	100
Islande :	Runar Kristinsson	104
Israël :	Arik Benado	94
Kazakhstan :	Ruslan Baltiev	73
Lettonie :	Vitalijs Astafjevs	167
Liechtenstein :	Mario Frick	109
Luxembourg :	Jeff Strasser	98
Macédoine :	Goce Sedloski	100
Malte :	David Carabott	121
Moldavie :	Radu Rebeja	74
Monténégro :	Simon Vukcevic	41
Saint-Marin :	Damiano Vannucci	68
Slovénie :	Zlatko Zahovic	80

DZEKO GRAND CŒUR

En septembre 2012, **Edin Dzeko** s'est affirmé comme le meilleur buteur de tous les temps pour la Bosnie-Herzégovine en réalisant un triplé en 2e mi-temps, lors d'une victoire 8-1 contre le Lichtenstein en éliminatoire de la Coupe du Monde 2014. En marquant ces buts, il a dépassé le record précédent d'Elvir Bolic, mais aussi celui de son coéquipier international Zvejdan Misimovic. Le milieu de terrain Misimovic a de nouveau égalé le record de Dzeko lors du match suivant, marquant à 2 reprises lors d'une victoire 4-1, avant que Dzeko ne reprenne l'avantage par un tir de dernière minute. Beau palmarès pour un attaquant vendu en 2005 par le club bosniaque de Zeljeznicar au FK Teplice de Tchéquie, au prix fort modique de 34 500 $. Six ans après, Manchester United payait Dzeko 44 millions (il évoluait alors à Wolfsburg). En dehors du terrain, Dzeko est ambassadeur de l'UNICEF, et a donné quelque 34 500 $ en 2012 pour un jeune Bosniaque atteint d'une maladie de la moelle osseuse.

SOULIER CONTROVERSÉ

L'attaquant macédonien **Darko Pancev** a dû attendre 15 ans pour recevoir son Soulier d'or européen pour ses 34 buts marqués avec l'Étoile Rouge de Belgrade lors de la saison 1990/1991 – celle du sacre continental belgradois. Ce concours avait été suspendu entre 1991 et 1996 en raison de désaccords sur des scores réalisés à Chypre, mais Pancev a reçu son trophée en août 2006. De 1992 à 1996, les *goleadors* oubliés ont été l'Écossais Ally McCoist (deux fois), le Gallois David Taylor, l'Arménien Arsen Avetisyan et le Géorgien Zviad Endeladze.

LA LETTONIE PERSISTE

À l'issue des qualifications, la Coupe du Monde 1938 s'est déroulée avec 15 équipes au lieu de 16, après l'annexion de l'Autriche par l'Allemagne – frustrant ainsi la Lettonie, qui avait atteint la finale dans le groupe des Autrichiens. La Lettonie, elle-même annexée par l'Union soviétique de 1940 à 1991, s'est qualifiée pour sa première compétition importante en battant la Turquie aux tirs au but, avant l'Euro 2004. Maris Verpakovskis, le meilleur buteur letton, figurait dans cette sélection. Il joue toujours pour l'équipe nationale en 2013, ainsi que Vitalijs Astafjevs, le joueur le plus capé.

TOUCHE–À–TOUT

Si **Rashad Sadygov**, capitaine de l'équipe d'Azerbaïdjan, offrit à son pays sa plus prestigieuse victoire en marquant l'unique but du match contre la Turquie en octobre 2010, aux éliminatoires pour l'UEFA Euro 2012, il porta aussi un coup dur à son pays d'adoption : après avoir joué pour le club turc Kayserispor, il passa à l'ennemi en intégrant l'Eskiehirspor. Sadygov ne réussit pas pour autant tous ses transferts : il dépassa la date limite pour son transfert au club azerbaïdjanais PFC Neftchi en 2006 et décida de jouer au basket une saison, pour être en forme à son retour sur un terrain de soccer.

BUTS EN COMPÉTITION INTERNATIONALE

Albanie :	Erjon Bogdani	19
Andorre :	Ildefons Lima	7
Autriche :	Toni Polster	44
Biélorussie :	Maksim Romashenko	20
Bosnie-Herz. :	Edin Dzeko	29
Chypre :	Michalis Konstantinou	32
Estonie :	Andres Oper	38
Îles Féroé :	Rogvi Jacobsen	10
Finlande :	Jari Litmanen	32
Géorgie :	Shota Arveladze	26
Islande :	Eidur Gudjohnsen	24
Israël :	Mordechai Spiegler	33
Kazakhstan :	Ruslan Baltiev	13
Lettonie :	Maris Verpakovskis	29
Liechtenstein :	Mario Frick	16
Luxembourg :	Leon Mart	16
Macédoine :	Goran Pandev	26
Malte :	Michael Mifsud	37
Moldavie :	Serghei Clescenco	11
Monténégro :	Mirko Vucinic	14
Saint-Marin :	Andy Selva	8
Slovénie :	Zlatko Zahovic	35

MASCOTTE PERCHÉE

La mascotte que la Finlande a adoptée est un grand-duc qui descend parfois sur le Stade olympique d'Helsinki pendant les matchs. Il a inauguré la tradition lors d'une victoire 2-0 face à la Belgique en juin 2007, en éliminatoires de l'Euro 2008. Le match a été arrêté pendant plusieurs minutes, l'oiseau survolant le terrain et se perchant sur les cages. Il sera élu «Résident de l'année» de la capitale finlandaise.

EXTRÊMES

Situé à une latitude 64° 09' nord, Reykjavik (Islande) est la ville la plus septentrionale à avoir accueilli un match de Coupe du Monde (en éliminatoires). En phase finale, le site le plus au nord a été Sandviken en Suède (60° 37' nord). Christchurch détient le record du point le plus méridional (43° 32' sud). En phase finale, ce record appartient à Mar del Plata (38° 01' sud). Le stade national islandais d'une capacité de 9 800 places, le Laugardalsvollur, a été ouvert en 1958, puis rénové 39 ans plus tard.

LA BOHÈME

L'attaquant **Josef «Pepi» Bican** est, pour ses fans autrichiens, le buteur le plus prolifique de tous les temps. Certains avancent le nombre de 805 buts inscrits lors de matchs officiels, soit plus que Romario, Pelé ou Gerd Müller. Bican a joué pour les clubs autrichiens du Rapid de Vienne et d'Admira dans les années 1930, mais c'est au club tchèque du Slavia Prague, entre 1937 et 1948, qu'il a réalisé ses plus beaux exploits. Il a également marqué 19 buts en 19 matchs pour l'Autriche entre 1933 et 1936, avant de changer de nationalité et d'inscrire 21 buts en 14 matchs pour la Tchécoslovaquie, entre 1938 et 1949. Avec l'équipe d'Autriche, il a atteint la demi-finale de la Coupe du Monde en 1934. En 1938, une erreur administrative a retardé son inscription et l'a empêché de participer à la compétition. En 1939, il a joué un match international dans la sélection de la Bohème-Moravie, au cours duquel il inscrivit un *hat-trick*.

À FOND LA FORME

Lorik Cana, capitaine albanais aux tacles dangereux, est né à Pristina, au Kosovo. Pour ses débuts en sélection nationale, après des performances impressionnantes au sein du Paris Saint-Germain, il avait le choix entre l'Albanie, la France ou la Suisse. Cana, qui joua par la suite pour Marseille, Sunderland et Galatasaray, choisit l'Albanie, sur les traces de son père, Agim, qui joua dans l'équipe d'Albanie dans les années 1980, en même temps qu'au FK Pristina, au Dinamo Zagreb ou au Lausanne-Sport.

Joueurs À TEMPS PARTIEL

Les internationaux à temps partiel des îles Féroé tirent leur originalité de la diversité de leurs emplois mais aussi de leur palmarès dans d'autres sports. Le gardien de but **Jens Martin Knudsen,** célèbre pour son bonnet à pompon, marqua les esprits lors de la victoire surprise des îles Féroé sur l'Autriche 1-0, en 1989 ; à la ville, il était conducteur de chariots élévateurs, ce qui ne l'empêcha pas de remporter un titre national en gymnastique et de pratiquer le handball. Parmi ses coéquipiers également amateurs de handball, le journaliste-musicien Uni Arge et John Petersen.

LE «PETIT» NOUVEAU

Le Kazakhstan a quitté la Fédération asiatique de soccer pour l'UEFA en 2002. Second pays par la superficie, derrière la Russie, il se classe 16e en termes de population.

HAMLET, DEUX FOIS

L'attaquant **Hamlet Mkhitaryan** a joué à deux reprises pour l'Arménie en 1994, mais est décédé deux ans plus tard d'une tumeur au cerveau, âgé de 33 ans à peine. Son fils Henrikh, âgé de 7 ans à la mort de son père, est devenu l'une des stars de son pays, dédiant souvent ses performances à son père. Le jeune Mkhitaryan est devenu le meilleur buteur *ex-æquo* d'Arménie, aux côtés d'Artur Petrossian, en marquant son 11e but lors d'une stupéfiante victoire 4-0 à l'extérieur contre le Danemark, dans un match éliminatoire de juin 2013 qui mit fin aux espoirs danois d'atteindre la phase finale de la Coupe du Monde 2014. Petrossian a marqué ses buts en 69 matchs, Mkhitaryan en 39. Sa victoire surprise à Copenhague a eu lieu 5 jours après la défaite embarassante de l'Arménie 1-0 à domicile contre la petite équipe maltaise. Henrikh Mkhitaryan a fait ses débuts internationaux en 2007 : sa carrière internationale s'est déroulée en parallèle de celle d'un autre joueur, sans lien de parenté, aussi appelé Hamlet Mkhitaryan, milieu de terrain sélectionné 56 fois entre 1994 et 2008.

VICTOIRES RECORDS

Albanie:	5-0	contre le Vietnam	(ext., décembre 2003)
	6-1	contre Chypre	(dom., août 2009)
Andorre:	2-0	contre la Biélorussie	(dom., avril 2000)
	2-0	contre l'Albanie	(dom., avril 2002)
Autriche:	9-0	contre Malte	(dom., avril 1977)
Biélorussie:	5-0	contre la Lituanie	(dom., juin 1998)
Bos.-Herz.:	7-0	contre l'Estonie	(dom., septembre 2008)
Chypre:	5-0	contre Andorre	(dom., novembre 2000)
Estonie:	6-0	contre la Lituanie	(dom., juillet 1928)
Îles Féroé:	3-0	contre Saint-Marin	(dom., mai 1995)
Finlande:	10-2	contre l'Estonie	(dom., août 1922)
Géorgie:	7-0	contre l'Arménie	(dom., mars 1997)
Islande:	9-0	contre les Îles Féroé	(dom., juillet 1985)
Israël:	9-0	contre Taïwan	(ext., mars 1988)
Kazakhstan:	7-0	contre le Pakistan	(dom., juin 1997)
Lettonie:	8-0	contre l'Estonie	(ext., août 1982)
Liechtenstein:	4-0	contre le Luxembourg	(ext., octobre 2004)
Luxembourg:	6-0	contre l'Afghanistan	(ext., juillet 1948)
Macédoine:	11-1	contre le Liechtenstein	(ext., novembre 1996)
Malte:	7-1	contre le Liechtenstein	(dom., mars 2008)
Moldavie:	5-0	contre le Pakistan	(ext., août 1992)
Monténégro:	3-0	contre le Kazakhstan	(dom., mai 2008)
Saint-Marin:	1-0	contre le Liechtenstein	(dom., avril 2004)
Slovénie:	7-0	contre Oman	(ext., février 1999)

DÉFAITES RECORDS

Albanie:	0-12	contre la Hongrie	(ext., septembre 1950)
Andorre:	1-8	contre la République tchèque	(ext., juin 2005)
	0-7	contre la Croatie	(ext., octobre 2006)
Autriche:	1-11	contre l'Angleterre	(dom., juin 1908)
Biélorussie:	0-5	contre l'Autriche	(ext., juin 2003)
Bos.-Herz.:	0-5	contre l'Argentine	(ext., mai 1998)
Chypre:	0-12	contre la RFA	(ext., mai 1969)
Estonie:	2-10	contre la Finlande	(ext., août 1922)
Îles Féroé:	0-7	contre la Yougoslavie	(ext., mai 1991)
	0-7	contre la Roumanie	(ext., mai 1992)
	0-7	contre la Norvège	(dom., août 1993)
	1-8	contre la Yougoslavie	(dom., octobre 1998)
Finlande:	0-13	contre l'Allemagne	(ext., septembre 1940)
Géorgie:	0-5	contre la Roumanie	(ext., avril 1996)
	1-6	contre le Danemark	(ext., septembre 2005)
Islande:	2-14	contre le Danemark	(ext., août 1967)
Israël*:	1-7	contre l'Égypte	(ext., mars 1934)
	1-7	contre l'Allemagne	(ext., février 2002)
Kazakhstan:	0-6	contre la Turquie	(ext., juin 2006)
	0-6	contre la Russie	(ext., mai 2008)
Lettonie:	0-12	contre la Suède	(ext., mai 1927)
Liechtenstein:	1-11	contre la Macédoine	(ext., novembre 1996)
Luxembourg:	0-9	contre l'Angleterre	(dom., octobre 1960)
	0-9	contre l'Angleterre	(ext., décembre 1982)
Macédoine:	0-5	contre la Belgique	(dom., juin 1995)
Malte:	1-12	contre l'Espagne	(ext., décembre 1983)
Moldavie:	0-6	contre la Suède	(ext., juin 2001)
Monténégro:	0-4	contre la Roumanie	(ext., mai 2008)
Saint-Marin:	0-13	contre l'Allemagne	(dom., septembre 2006)
Slovénie:	0-5	contre la France	(ext., octobre 2002)

Match joué lorsque la Palestine était sous mandat britannique.

KULCHY S'IMPOSE

Le milieu de terrain **Alyaksandr Kulchy** est devenu le premier Biélorusse à atteindre les 100 capes, à l'occasion d'un match amical contre la Lituanie en juin 2012. En 2009, il a été élu Meilleur joueur de l'année dans son pays, succédant aux quatre titres consécutifs d'Alexander Hleb (ex-Arsenal et Barcelone). Hleb avait déjà été sacré en 2002 et 2003, ne laissant échapper la récompense qu'en 2004, au profit du meilleur buteur de l'histoire du soccer biélorusse, Maksim Romashenko.

LA PRINCIPAUTÉ S'ENDORT

Depuis son premier match international le Jour de l'an 1996 – défaite 6-1 à domicile contre l'Estonie –, l'équipe d'Andorre n'a gagné que 3 matchs, dont 2 rencontres amicales. Son seul succès en compétition, 1-0 contre la Macédoine en octobre 2004 en éliminatoires mondialistes, a été obtenu grâce à un but de l'arrière gauche Marc Bernaus. Un tel bilan n'a rien de surprenant pour une principauté ne comptant même pas 72 000 habitants et disputant ses matchs de prestige, comme contre l'Angleterre, à Barcelone.

TOMBER LE SHORT

Lorsque le Monténégro marque, ses supporters peuvent parier leur chemise que **Mirko Vucinic,** capitaine et meilleur buteur du pays, y est pour quelque chose. Il célébra son but victorieux contre la Suisse, lors des éliminatoires de l'Euro 2012, en tombant non la chemise mais le short, dont il se fit un couvre-chef, excentricité qui lui valut un carton jaune. Vucinic avait déjà célébré un but pour son club italien, l'AS Roma, en retirant short et maillot, révélant en-dessous... un maillot identique.

LA FIERTÉ DE SAINT–MARIN

Massimo Bonini fut incapable d'obtenir ne serait-ce qu'un match nul lors de son mandat de sélectionneur de Saint-Marin de 1996 à 1998. Heureusement, sa carrière de joueur fut plus glorieuse, sur 7 ans, 192 matchs et 3 titres de Champion d'Italie avec la Juventus, dans les années 1980. Lors de la victoire de la Juventus 1-0 sur Liverpool en finale de la Coupe des Clubs champions 1985, Bonini devint le 1er joueur de Saint-Marin à brandir ce trophée... ou même à avoir participé à un tournoi de cette ampleur.

SARGIS, 20 ANS DE SERVICE

Le premier match international de l'Arménie s'est conclu sur un 0-0 à domicile contre la Moldavie, le 14 octobre 1992. Le défenseur Sargis Hovespian, détenteur d'un record de 132 sélections, faisait partie de l'équipe ce jour-là. Il s'est retiré de la scène internationale en novembre 2012, avant de devenir directeur technique de l'équipe nationale.

AMÉRIQUE DU SUD

L'Amérique du Sud a accueilli la première Coupe du Monde FIFA en 1930, organisée et remportée par l'Uruguay. Ce continent à la ferveur unique qui sait transformer les matchs en fêtes, a glané neuf trophées : 5 pour le Brésil, 2 pour l'Argentine, 2 pour l'Uruguay. En 2014, le Brésil organisera sa deuxième Coupe du Monde, et les finalistes du premier Mondial, Argentine et Uruguay, espèrent organiser ensemble l'édition du centenaire, en 2030.

Neymar, la nouvelle sensation brésilienne, a lancé la Coupe des Confédérations 2013 à domicile en marquant un but venu de loin dès le début du match contre le Japon.

ARGENTINE

Vainqueur de la Copa America à 14 reprises, sacrée en Coupe des Confédérations en 1992, médaille d'or aux Jeux olympiques 2004 et 2008, et championne du monde en 1978 et 1986, l'Argentine est l'une des nations les plus titrées à l'échelle mondiale. Riche d'un passé glorieux (le premier championnat a eu lieu en 1891), le pays est également le berceau de certains des plus grands joueurs de l'histoire.

ENTRAÎNEURS LES PLUS PÉRENNES

Guillermo Stabile	1939–1960
Cesar Luis Menotti	1974–1983
Carlos Bilardo	1983–1990
Alfio Basile	1990–1994 2006–2008
Marcelo Bielsa	1998–2004
Jose Maria Minella	1964–1968
Daniel Passarella	1994–1998
Manuel Seoane	1934–1937
Juan Jose Pizzuti	1969–1972

À UN CHEVEU PRÈS

Exigeant en tant que capitaine lors de la Coupe du Monde 1978, **Daniel Passarella** l'était tout autant 16 ans plus tard dans le rôle de sélectionneur. Il a déclaré qu'il ne retiendrait aucun joueur portant des cheveux longs et a demandé à Claudio Caniggia de se débarrasser de sa «coiffure de fillette».

1986, ANNÉE MAGIQUE

L'échec des Albiceleste en quart de finale de la Copa America 2011, qu'ils organisaient, a coûté sa place au sélectionneur Sergio Batista. En poste depuis 12 mois, celui-ci aura effectué le plus bref mandat depuis Vladislao Cap, titulaire pour la seule Coupe du Monde 1974. Batista avait auparavant conduit l'Argentine à l'or olympique en 2008. À la tête des A, il succéda à Diego Maradona après le Mondial 2010. Les deux hommes avaient remporté ensemble la Coupe du Monde 1986. Le successeur de Batista est **Alejandro Sabella,** milieu de terrain non retenu dans la sélection victorieuse au Mexique. En club, Sabella a signé en 1978 chez les Anglais de Sheffield United après que ceux-ci eurent échoué à enrôler... Maradona lui-même.

CAPRICES ARGENTINS

Avec Diego Maradona comme entraîneur de l'équipe d'Argentine, on pouvait s'attendre à son caractère imprévisible. Il a été suspendu pendant deux mois pour avoir injurié des journalistes, alors que son équipe avait décroché un ticket pour la Coupe du Monde 2010. Le risque d'être pris à partie par l'entraîneur n'a pas effrayé les journalistes, venus en masse assister à ses conférences de presse en Afrique du Sud, allant même jusqu'à réserver leur place! Fumer le cigare tout en donnant des instructions ou inviter ses joueurs à le viser dans le postérieur sont autant d'excentricités que s'est permises le sélectionneur pendant les entraînements de son équipe.

À VOIR

Le Monumental, qui accueille les rencontres de l'équipe nationale, a été inauguré en 1938, mais sa construction ne s'est véritablement achevée que 20 ans plus tard, grâce aux indemnités reçues par River Plate lors du transfert à la Juventus d'**Omar Sivori.** Cette enceinte attire de nombreux touristes à l'occasion du «Superclásico», le derby opposant River Plate et son rival séculaire de Boca Juniors.

ALPHABÉTIQUE

Lors des Coupes du Monde 1978 et 1982, les numéros des maillots de l'équipe d'Argentine ont été attribués selon l'ordre alphabétique des noms. Le n°1 revint au meneur de jeu Norberto Alonso en 1978 et au récupérateur Osvaldo Ardiles en 1982. Une dérogation est accordée en 1982 pour le numéro 10, attribué à un certain… Diego Maradona.

VOUS VENEZ ICI SOUVENT ?

L'Argentine et l'Uruguay se sont plus souvent rencontrées que n'importe quelles autres nations, depuis la victoire argentine 3-2 à Montevideo, en 1901 pour le tout premier match international en dehors du Royaume-Uni. Les deux équipes se sont depuis affrontées 183 fois, l'Argentine remportant 84 matchs, l'Uruguay 58 et les équipes se quittant 42 fois sur un match nul.

SANS PITIÉ

L'Argentine est l'auteur de la victoire la plus large dans l'histoire de la Copa America. En 1942, elle bat l'Équateur sur le score de 12-0 avec un quintuplé de José Manuel Moreno, qui remportera des titres en Argentine, au Mexique, au Chili et en Colombie.

CHAUD LA CHINE

Une fois n'est pas coutume, les deux finalistes du tournoi de soccer olympique 2008, l'Argentine et le Nigeria, ont bénéficié de deux arrêts de jeu pour se réhydrater. Le match s'est déroulé à Beijing, sous une chaleur écrasante, devant 89 102 spectateurs. Angel Di Maria a marqué le seul but argentin du match, permettant ainsi à son équipe de conserver son titre, remporté pour la première fois à Athènes en 2004.

LES ENFANTS VONT BIEN

En 2007 au Canada, l'Argentine a remporté pour la 6e fois la Coupe du Monde des moins de 20 ans, un record, en battant la République tchèque 2-1. **Sergio Aguero** a marqué pendant la finale, terminant le tournoi comme meilleur buteur avec 6 buts. Deux ans plus tard, Aguero a épousé Giannina Maradona, la plus jeune fille de Diego. En février 2009, Giannina a donné naissance à Benjamin, le premier petit-enfant de Diego Maradona. Sergio Aguero est connu sous le surnom de « Kun », d'après un personnage de dessin animé auquel il était censé ressembler, enfant.

LA CHANCE DU DÉBUTANT

Le sélectionneur le plus jeune de l'histoire de la Coupe du Monde est Juan José Tramutola, qui entame la Coupe du Monde 1930 par une victoire 1-0 sur la France, à l'âge de 27 ans et 267 jours. L'Argentine ira jusqu'en finale, battue par l'Uruguay. L'Argentin Guillermo Stabile fut le meilleur buteur de cette Coupe du monde avec 8 buts en 4 matchs – les seuls matchs internationaux qu'il ait disputés. Il a par la suite remporté 6 titres de la Copa America comme entraîneur, de 1939 à 1960.

LA DÉCHÉANCE

Malgré 2 médailles d'or olympiques en 2004 et 2008 (**Javier Mascherano** devint à cette occasion le 1er joueur depuis 1928 à remporter 2 médailles d'or), l'Argentine créa la surprise en ne se qualifiant pas pour les JO de 2012 à Londres. Les 2 places de l'Amérique du Sud allèrent au Brésil et à l'Uruguay, grâce à leurs performances au Championnat 2011 des moins de 20 ans de la CONMEBOL au Pérou. L'Argentine avait fini 3e…

COMPÉTITIONS MAJEURES

COUPE DU MONDE DE LA FIFA – 15 participations, 2 victoires : 1978 et 1986

COPA AMERICA – 39 participations, 14 victoires : 1921, 1925, 1927, 1929, 1937, 1941, 1941, 1946, 1947, 1955, 1957, 1959, 1991, 1993

COUPE DES CONFÉDÉRATIONS – 3 participations, 1 victoire : 1993

PREMIER MATCH INTERNATIONAL : Uruguay 2 Argentine 3 (Montevideo, Uruguay, 16 mai 1901)

VICTOIRE RECORD : Argentine 12 Équateur 0 (Montevideo, Uruguay, 22 janvier 1942)

DÉFAITE RECORD : Tchécoslovaquie 6 Argentine 1 (Helsingborg, Suède, 15 juin 1958) ; Bolivie 6 Argentine 1 (La Paz, Bolivie, 1er avril 2009)

ADIEUX EN JAUNE

Vingt ans avant que la France ait dû porter les tenues du club argentin local d'Atletico Kimberly, lors de la Coupe du Monde 1978, les Argentins avaient eux-mêmes connu cette situation gênante pour leur match contre l'Allemagne de l'Ouest, en Suède en 1958. Sans tenue différente, ils ont dû emprunter les maillots jaunes de l'équipe de réserve de l'IFK Malmö à cause de la confusion des couleurs. L'Argentine, qui avait marqué dès la 3e minute, a néanmoins perdu 3-1, quittant le championnat dernière du Groupe A.

LE CHOUCHOU DU PEUPLE

Lionel Messi est peut-être le meilleur joueur du monde – et l'un des plus grands de l'histoire – mais en Argentine, le héros national n'est autre que le triple lauréat du titre de Meilleur joueur sud-américain : **Carlos Tévez.** Durant la Copa America 2011, les speakers des stade qualifiaient Messi de « meilleur joueur du monde », et Tévez de « joueur du peuple ». Ce dernier a grandi dans la misère du quartier difficile de Fuerte Apache, à Buenos Aires. Il conserve encore au cou les cicatrices du jour où, enfant, on lui a jeté de l'eau bouillante à la figure. La Copa America 2011 se termina dans la douleur pour lui, puisqu'il rata le tir au but qui donna la victoire aux Uruguayens en quart de finale. Et sa saison 2011-2012 fut des plus turbulentes, puisque, refusant d'être remplaçant lors d'un match de son club Manchester City, il partit se réfugier cinq mois en Argentine, avant de revenir *in extremis* pour contribuer à la victoire des siens en championnat.

TROIS FOIS RATÉ

« Cent fois sur le métier, remets ton ouvrage » ; voilà une phrase pour Martín Palermo, auteur de 3 penalties ratés lors du match de Copa America 1999 contre la Colombie. Le premier a heurté la barre, le deuxième s'est envolé et le troisième a été arrêté. Résultat : 3-0 pour la Colombie.

MIEUX VAUT TARD…

Lors de la Coupe du Monde 1986, remplaçant Jorge Burruchaga, auteur du but victorieux, le milieu de terrain Marcelo Trobbiani n'a joué que les deux dernières minutes de la finale. Il a touché une fois la balle pour effectuer une talonnade. La star de Boca a cumulé 15 sélections, pour un seul but marqué.

BUTEURS

1	Gabriel Batistuta	56
2	Hernan Crespo	35
=	Lionel Messi	35
4	Diego Maradona	34
5	Luis Artime	24
6	Leopoldo Luque	22
=	Daniel Passarella	22
8	Herminio Masantonio	21
=	Jose Sanfilippo	21
10	Gonzalo Higuain	20
=	Mario Kempes	20

CHANGEMENT DE MAILLOT

Luisito Monti est le seul à avoir disputé la finale de la Coupe du Monde pour deux pays différents. Né à Buenos Aires le 15 mai 1901 de parents italiens, ce milieu de terrain joue un rôle essentiel dans le parcours argentin à la Coupe du Monde de 1930. Les *Albicelestes* s'inclinent 4-2 en finale face à l'Uruguay, alors que le joueur prétend avoir reçu des menaces de mort. Transféré à la Juventus l'année suivante, il est autorisé à jouer pour l'Italie, qui bat la Tchécoslovaquie en finale de la Coupe du Monde 1934. Toujours lors du Mondial 1934, Raimundo Orsi évolue lui aussi sous les couleurs Italiennes, alors qu'il avait joué pour l'Argentine jusqu'en 1929.

DIEGO ARMANDO

Pour nombre d'observateurs, **Diego Armando Maradona** est le meilleur joueur de l'histoire devant Pelé. Né à Lanús le 30 octobre 1960, il connaît ses premières heures de gloire dès son plus jeune âge, en jonglant à la mi-temps des matchs d'Argentinos Juniors. Non retenu pour Argentine 1978, il écope d'un carton rouge lors d'Espagne 1982 pour protestation. Capitaine de l'équipe championne du monde en 1986, Maradona signe en quart, face à l'Angleterre et à 5 minutes d'intervalle, 2 buts qui ont fait le tour du monde : le premier, avec la « main de Dieu », et le second au terme d'un fabuleux slalom individuel. Il emmène également l'Argentine jusqu'en finale d'Italie 1990, devant le public qui suit ses exploits quotidiens sous les couleurs napolitaines. Un contrôle antidopage positif lui vaut une exclusion de la Coupe du Monde 1994. Seize fois capitaine de l'Argentine en Coupe du Monde, Maradona est nommé sélectionneur en 2008, à la surprise générale. Il perd son poste après la Coupe de Monde 2010.

JAVIER, À LA RÉGULIÈRE

Javier Zanetti détient le record de sélections en équipe d'Argentine avec 145 matchs disputés. Pourtant, il a été écarté des Coupes du Monde 2006 et 2010. Zanetti, qui peut jouer arrière ou milieu de terrain, détient aussi le record de matchs de Série A italienne disputés par un joueur étranger. En 2010, il rate le Mondial, avec Esteban Cambiasso, Diego Maradona ne les ayant pas appelés malgré leur contribution au fabuleux triplé réalisé par l'Inter Milan (Championnat et Coupe d'Italie, plus Ligue des Champions) en 2009-2010. Il sera de nouveau convoqué par le successeur de Maradona, Sergio Batista, qui lui confiera le brassard de capitaine pour la Copa America 2011. En mars 2013, Zanetti a fait sa 600e apparition en série A italienne.

L'ANGE GABRIEL

Gabriel Batistuta, surnommé «Batigol», est à la fois le meilleur buteur de l'histoire de l'équipe d'Argentine et le seul joueur à avoir inscrit un triplé dans deux Coupes du Monde différentes, respectivement contre la Grèce en 1994 et face à la Jamaïque en 1998. Le Hongrois Sándor Kocsis, le Français Just Fontaine et l'Allemand Gerd Müller ont inscrit, pour leur part, 2 hat-tricks dans la même Coupe du Monde. Né à Reconquista le 1er février 1969, Batistuta a fait trembler les filets de la Série A pendant 11 journées consécutives en 1994-1995 avec la Fiorentina, signant ainsi un nouveau record.

SUPER MARIO

Mario Kempes, double buteur en finale de la Coupe du Monde 1978 et vainqueur du Soulier d'or, était le seul membre du groupe de César Menotti à ne pas évoluer en Argentine. Le pensionnaire de Valence dominait le classement des meilleurs buteurs espagnols depuis deux saisons.

SÉLECTIONS

1	Javier Zanetti	145
2	Roberto Ayala	115
3	Diego Simeone	106
4	Oscar Ruggeri	97
5	Javier Mascherano	92
6	Diego Maradona	91
7	Ariel Ortega	87
8	Lionel Messi	82
9	Gabriel Batistuta	78
10	Juan Pablo Sorin	76

LEO BRAVO

Le débat fait désormais rage: **Lionel Messi** est-il aussi bon – voire meilleur – que son prédécesseur argentin Maradona? La star de Barcelone n'a pas encore remporté de Coupe du Monde, contrairement à Maradona, mais Messi a désormais inscrit plus de buts que lui pour son pays – avec un triplé en juin 2013 contre le Guatemala, qui a offert à Messi un total de 35 buts en 82 matchs internationaux, contre les 34 de Maradona en 91 matchs. Sous l'égide de Maradona, Messi est devenu le plus jeune capitaine argentin (contre la Grèce, lors du dernier match de poule lors de la Coupe du Monde 2010). Maradona s'était plaint de Messi avant le tournoi: «Il est plus difficile à joindre que le président Obama.» Messi a marqué une série incroyable de 91 buts en 2012, 6 de plus que le record de l'Allemand Gerd Muller en 1971; en 2012-2013, Messi a marqué dans 19 matchs consécutifs de Liga espagnole, soit plus que tout autre club de ce championnat.

SAINT PALERMO

Martin Palermo, attaquant expérimenté, n'avait pas disputé de rencontre internationale depuis 1999. En 2009, Diego Maradona, son ex-coéquipier de Boca Juniors, l'intègre à la sélection nationale. Palermo justifiera cette sélection surprise en marquant le but de la victoire dans les arrêts de jeu face au Pérou lors du match éliminatoire pour la Coupe du Monde, célébré par Maradona par une longue glissade le long de la ligne de touche, sur une pelouse détrempée. Celui-ci parlera du «miracle de Saint Palermo». Palermo a 36 ans et 227 jours lorsqu'il entre comme remplaçant dans le dernier match du premier tour de la Coupe du Monde, contre la Grèce. En inscrivant le second but de la victoire (2-0), il devient le joueur le plus âgé à avoir inscrit un but pour l'Argentine, devançant Maradona qui avait marqué, avec un an et 358 jours de moins, contre le même pays 16 ans plus tôt en 1994.

BRÉSIL

Aucun pays n'incarne aussi bien l'essence de ce jeu que le Brésil. Vêtus de leurs maillots jaunes et de leurs shorts bleus, les artistes *canarinhos* ont envoûté des générations de passionnés et produit certains des plus grands moments du ballon rond. Une Coupe du Monde sans *Seleção* ne serait pas une vraie Coupe du Monde. D'ailleurs, le Brésil, berceau des Pelé, Garrincha, Zico, Ronaldo et autres Kaká, est le seul pays à avoir disputé toutes les éditions. Avec cinq étoiles, il est aussi le plus titré. En 2014, il organisera le tournoi pour la seconde fois.

CORIACES CARIOCAS

Le doyen des derbys brésiliens oppose deux clubs de Rio de Janeiro, Fluminense et Botafogo. Leur premier affrontement, le 22 octobre 1905, s'est soldé par une écrasante victoire 6-0 du *Flu*. Une polémique a opposé les deux rivaux pendant 89 ans. Elle concernait l'attribution du titre 1907, qu'ils ont finalement décidé de partager en 1996.

GRANDS CLASSIQUES

Le Brésil a disputé beaucoup de matchs d'anthologie. La défaite 3-2 contre l'Italie en 1982 est l'un des grands classiques de l'histoire de la Coupe du Monde. Paolo Rossi inscrivit les 3 buts transalpins, tandis que le sélectionneur Telê Santana fut critiqué pour avoir joué l'attaque à fond alors qu'un nul 2-2 suffisait. La *Seleçao* 1982 des **Sócrates**, Zico et autres **Falcão** est considérée comme l'une des meilleures équipes à n'avoir pas remporté l'épreuve suprême. En 1994, la victoire 3-2 en quart de finale contre les Pays-Bas a été tout aussi haletante, les 5 buts ayant été inscrits en seconde période. Socrates – docteur en médecine et frère aîné de Rai, vainqueur de la Coupe du Monde 1994 – est décédé en décembre 2011, à l'âge de 57 ans ; il a été pleuré partout dans le monde.

NEYMAR PREND SES MARQUES

La victoire du Brésil en Coupe des Confédérations 2013 – pour la 3e fois d'affilée, un record – a consolé le pays de son échec aux JO 2012. Les JO sont la seule compétition reconnue par la FIFA que le Brésil n'a pas encore remportée, même si le pays, qui accueillera les Jeux à Rio en 2016, estime avoir ses chances. Le Brésil a perdu la finale de Londres 2012 face au Mexique, même si **Neymar** a fini meilleur buteur, avec un score de 9 buts. Neymar a été nommé joueur sud-américain de l'année pour la 2e année consécutive, puis meilleur joueur officiel de la Coupe des Confédérations. Il s'agissait de son dernier match à domicile avant d'obtenir un transfert lucratif de Santos à Barcelone.

LE BILAN DU BRÉSIL

EN COUPE DU MONDE   **19 participations**
Matchs disputés: 97   V 67, N 15, D 15, BM 210, BE 88
Vainqueur: 5   1958, 1962, 1970, 1994, 2002
Finaliste: 2   1950, 1998
Troisième: 2   1938, 1978
Quatrième: 1   1974

COUPE AMERICA   **33 participations**
Vainqueur: 8   1919, 1922, 1949, 1989,
     1997, 1999, 2004, 2007

COUPES CONFÉDÉRATIONS   **7 participations**
Vainqueur: 4   1997, 2005, 2009, 2013

PREMIER MATCH INTERNATIONAL
   Argentine 3 Brésil 0
   (Buenos Aires,
   20 septembre 1914)

PLUS LARGE VICTOIRE   Brésil 10 Bolivie 1
   (Sao Paulo, 10 avril 1949)

PLUS LOURDE DÉFAITE   Uruguay 6 Brésil 0
   (Chili, 18 septembre 1920)

LE PAYS DU SOCCER

Aucun pays n'est aussi profondément identifié au soccer que le Brésil, qui a remporté cinq Coupes du Monde, en 1958, 1962, 1970, 1994 et 2002. La *Seleçao* est aussi la seule équipe à avoir disputé toutes les éditions de l'épreuve suprême et à figurer presque toujours parmi les favoris. Après son 3e sacre, au Mexique en 1970, le Brésil a gagné le droit de conserver définitivement le **trophée Jules-Rimet**, lequel a malheureusement disparu du siège de la fédération en 1983. Les Brésiliens disent vivre dans «*o país do futebol*» («le pays du soccer»), où le ballon rond est le passe-temps favori de tous les gamins. En outre, les élections présidentielles sont souvent programmées les années de Coupe du Monde, certains avançant que les partis politiques tentent de profiter de l'élan patriotique engendré par le soccer. C'est Charles Miller, fils d'un ingénieur écossais, qui aurait fait connaître le soccer au Brésil en 1894. Mais le sport n'est vraiment devenu brésilien que lorsque les noirs furent autorisés à jouer au plus haut niveau en 1933. D'abord réservé aux élites blanches urbaines en raison de ses origines européennes, le soccer s'est très vite répandu dans les quartiers pauvres. Les gens réalisèrent en effet qu'ils n'avaient besoin que d'un ballon, d'un paquet de chaussettes, d'une orange ou même d'un chiffon bourré de papier.

UN SÉLECTIONNEUR CONTESTÉ

Capitaine de l'équipe brésilienne qui remporta la Coupe du Monde FIFA en 1994, **Dunga** est devenu sélectionneur en 2006, alors qu'il n'avait aucune expérience en la matière. Sous son égide, l'équipe a remporté la Copa America en 2007 et la Coupe des Confédérations en 2009. Il fut cependant remercié après la défaite du Brésil en quart de finale contre les Pays-Bas, lors de la Coupe du Monde 2010. Dunga avait déjà subi de nombreuses critiques pour le manque d'esprit offensif de son équipe et son choix de ne pas sélectionner Ronaldinho, Adriano ou Pato pour l'Afrique du Sud.

LA COUPE AU CARRÉ

Seuls 4 joueurs de la sélection brésilienne de la Coupe du Monde FIFA 2010 furent confirmés à leur poste quand le nouvel entraîneur **Mano Menezes** choisit 23 hommes pour son 1er match contre les États-Unis en août 2010: Robinho (comme capitaine), Alves, Ramires et Silva. Le Brésil l'emporta 2-0.

MESSAGE À MANDELA

Avant la finale de la Coupe des Confédérations 2013 contre l'Espagne, le 30 juin 2013, un maillot brésilien dédicacé a été présenté au ministre du gouvernement sud-africain Tokyo Sexwale, pour qu'il le remette à Nelson Mandela, gravement malade.

PAN SUR L'ESPAGNE

Le Brésil a battu l'Espagne 3-0 en finale de la Coupe des Confédérations 2013 au Maracana de Rio. C'était la première rencontre en compétition des deux nations, depuis la victoire 6-1 du Brésil en phase finale de la Coupe du Monde 1950, également au stade Maracana. Ce match était la 102e rencontre internationale du Brésil.

MAUVAIS ŒIL

L'avant-centre Eduardo Gonçalves de Andrade, *alias* **Tostão**, fut l'une des stars de la légendaire équipe brésilienne qui remporta la Coupe du Monde FIFA 1970, bien qu'il jouât à peine le tournoi en raison d'un décollement de la rétine dû à un ballon reçu en plein visage l'année précédente. Après une nouvelle blessure à l'œil, Tostão prit sa retraite à l'âge de 26 ans en 1973, avant de s'installer comme médecin. Son coéquipier de 1970, Pelé, souffrit, lui aussi, de graves problèmes de vue.

LA JOIE DES GENS

Garrincha, l'une des plus grandes légendes du Brésil, est né Manuel Francisco dos Santos. Son surnom de «Petit oiseau» venait de ses jambes fines et un peu tordues. Malgré cette maladie d'enfance, Garrincha a été ailier droit et star du Botafo go de 1953 à 1965. Nouveaux venus en équipe nationale, Pelé et lui ont fait la différence lors la Coupe du Monde 1958. En 1962, Garrincha a été élu meilleur joueur de cette compétition. Il est mort en janvier 1983, âgé de seulement 49 ans. Son épitaphe reprend l'expression qui lui était souvent attribuée de son vivant: «La joie des gens».

SÉLECTIONS

1	Cafu	142
2	Roberto Carlos	125
3	Lucio	105
4	Claudio Taffarel	101
5	Djalma Santos	98
=	Ronaldo	98
=	Ronaldinho	98
7	Gilmar	94
9	Gilberto Silva	93
10	Pelé	92
=	Rivelino	92

BUTEURS

1	Pelé	77
2	Ronaldo	62
3	Romario	55
4	Zico	52
5	Bebeto	39
6	Rivaldo	34
7	Jairzinho	33
=	Ronaldinho	33
9	Ademir	32
=	Tostao	32

LE ROI

Pelé est souvent considéré comme le meilleur joueur de tous les temps, l'icône sportive par excellence, dont l'aura dépasse le rectangle vert. La star a ainsi dédié son 1000e but aux enfants pauvres du Brésil. Lancé avec Santos dès l'âge de 15 ans, il remporte sa première Coupe du Monde deux ans plus tard, en inscrivant un doublé en finale. Malgré les nombreuses offres formulées par les clubs européens, les conditions économiques et la réglementation du soccer brésilien de l'époque permettront à Santos de conserver sa pépite pendant presque 20 ans, jusqu'en 1974. Meilleur buteur de l'histoire de la *Seleção*, *O Rei* est le seul joueur à avoir fait partie de 3 sélections sacrées championnes du monde. Membre du groupe brésilien au début de l'édition 1962, il subit une blessure lors du 2e match qui l'empêche de poursuivre et de recevoir sa médaille. En novembre 2007, la FIFA lui a toutefois attribué sa récompense *a posteriori*. Après la désastreuse Coupe du Monde 1966, que le Brésil quitte dès le 1er tour, Pelé annonce ne plus vouloir disputer l'épreuve suprême. Il change finalement d'avis et jouera en 1970 un rôle majeur dans ce qui est considéré comme l'une des plus grandes équipes de tous les temps. À sa retraite, en 1977, il est devenu un ambassadeur mondial du soccer. Il a aussi prêté son image à différentes fictions et publicités.

ARTISTE FANTASQUE

Le capitaine du Brésil lors des matchs contre l'Argentine, le Costa Rica et le Mexique à l'automne 2011 était un revenant en sélection: Ronaldinho, ancien double lauréat du titre de Joueur FIFA de l'année. Après avoir ébloui le monde par ses buts et ses gestes techniques sous les couleurs du PSG, du Barça et de l'AC Milan, il est rentré au pays en 2011, en signant au Flamengo. D'aucuns l'accusaient alors de penser davantage à la fête qu'au soccer. Mais un regain de forme lui valut d'être rappelé par Mano Menezes. Le match contre le Mexique lui a permis d'inscrire son 33e but en sélection, soit autant que Jairzinho (vainqueur du Mondial 1970). La rencontre suivante, son 94 match international, lui a permis de se classer au même rang que le gardien de buts Gilmar (champion du monde 1958 et 1962). Vainqueur du Mondial 2002 à l'âge de 22 ans, il avait offert la victoire aux siens face aux Anglais d'un tir lointain en quart de finale – avant d'être expulsé sept minutes plus tard. Suspendu pour la demi-finale, il reviendra sur le terrain pour la finale.

LE MYSTÈRE RONALDO

Qu'est-il arrivé à **Ronaldo** quelques heures avant la finale de la Coupe du Monde 1998 ? La superstar brésilienne a engendré l'un des plus grands mystères de l'histoire de l'épreuve. Absent sur la feuille de match, son nom y réapparaît juste à temps pour le coup d'envoi. Après avoir évoqué une blessure de la cheville, le staff brésilien annonce des problèmes intestinaux. Finalement, le médecin de la *Seleçao,* Lidio Toledo, révélera que l'attaquant a été hospitalisé d'urgence pour une crise d'épilepsie. Diminué, Ronaldo sera éclipsé par Zinédine Zidane au cours d'un match à sens unique qui offrira à la France sa première étoile de championne. Le récit le plus saisissant vient de Roberto Carlos, son compagnon de chambre: «Ronaldo avait peur de ce qui l'attendait. Il était sous pression et n'arrêtait pas de pleurer. À environ 4 heures, il s'est senti mal. J'ai appelé le médecin de l'équipe.»

DOUBLE IDENTITÉ

Il est aujourd'hui interdit de jouer pour deux pays. Troisième meilleur buteur de l'histoire de la Série A, Jose Altafini avait la double nationalité. Celui qui était surnommé «Mazzola» au Brésil en raison de sa ressemblance avec l'ancien attaquant du Torino défendit donc les couleurs brésiliennes et italiennes. Il disputa la Coupe du Monde 1958 avec la *Seleçao,* sans toutefois aller au bout de l'aventure, avant d'intégrer la Squadra pour l'édition 1962. Les Italiens préféraient l'appeler par son vrai nom.

BRAVO PAPA

Lorsque Bebeto a marqué pour le Brésil face aux Pays-Bas en quart de finale du Mondial 1994, son partenaire d'attaque Romario et lui ont alors improvisé la «danse du berceau», qui devait ensuite être imitée par un nombre incalculable de joueurs. L'épouse du buteur venait de lui donner un fils, Matheus, qui a intégré l'équipe de jeunes de Flamengo en 2011, date à laquelle **Bebeto** (au milieu), **Romario** (à droite) et **Mazinho** (à gauche) étaient à nouveau réunis... dans la vie politique brésilienne.

BIEN VU FRED !

Fred a été le meilleur buteur *ex æquo* de la Coupe des Confédérations 2013, avec 5 buts, comme l'Espagnol Fernando Torres. Le Brésilien n'a pas obtenu le Soulier d'or, cependant, car Torres a marqué en moins de matchs. En revanche, Fred a remporté le titre majeur: son doublé contre l'Espagne a permis à son pays de l'emporter 3-0. Fred, de son vrai nom Frederico Chaves Guedes, a effectué ses débuts internationaux en 2005, mais n'a pas joué pour le Brésil de 2007 à 2011, avant d'être rappelé par le sélectionneur de l'époque, Mario Menezes. Fred a marqué 2 buts contre l'Uruguay lors de la demi-finale de la Coupe des Confédérations: son premier doublé pour le Brésil, huit ans après ses débuts.

PLUS JEUNES JOUEURS BRÉSILIENS

1 **Pelé, 16 ans et 257 jours**
(c. Argentine, 7 juillet 1958)
2 **Ronaldo, 17 ans et 182 jours**
(c. Argentine, 24 mars 1994)
3 **Adriano, 17 ans et 272 jours**
(c. Australie, 17 novembre 1999)
4 **Toninho, 17 ans et 343 jours**
(c. Uruguay, 28 avril 1976)
5 **Carvalho Leite, 18 ans et 26 jours**
(c. Bolivie, 22 juillet 1930)
6 **Diego, 18 ans et 60 jours**
(c. Mexique, 30 avril 2003)
7 **Marcelo, 18 ans et 115 jours**
(c. Pays de Galles, 5 septembre 2006)
8 **Philippe Coutinho, 18 ans et 116 jours**
(c. Iran, 7 octobre 2010)
9 **Doria, 18 ans et 149 jours**
(c. Bolivie, 6 avril 2013)
10 **Neymar, 18 ans et 186 jours**
(c. États-Unis, 10 août 2010)

RIVA ROULE

La star brésilienne **Rivaldo** jouait encore à 40 ans passés – dix ans après son
apogée, où il avait contribué à la victoire brésilienne à la Coupe du Monde 2002.
De 1993 à 2003, Rivaldo a marqué 34 buts en 74 matchs pour son pays, dont
trois lors de la Coupe du Monde 1998 et 5 de plus au Japon et en Corée, en 2002.
Sa performance de 2002 n'a été gâchée que par une comédie sur le terrain qui
a valu une sortie au Turc Hakan Unsal et une amende à Rivaldo. De son vrai nom
Rivaldo Vitor Borba Ferreira, il est devenu l'un des plus grands joueurs du monde
malgré les effets de la malnutrition vécue durant son enfance pauvre. Il a notamment
reçu le prix FIFA de l'international et du joueur européen de l'année en 1999, alors qu'il
jouait pour le Barça. Il a par la suite joué pour l'AC Milan, l'Olympiakos et l'AEK Athens, le
Bunyodkor d'Ouzbékistan, le Kabuscorp d'Angola et, en 2013 et à 40 ans, l'équipe B du
Sao Caetano.

DEUX SAINTS INTERNATIONAUX

L'arrière droit **Djalma Santos** («Saint» en
portugais) est l'un des deux seuls joueurs
à avoir été sélectionné trois fois de suite
dans une équipe «all-star» de la Coupe
du Monde. Il a été honoré pour ses
performances lors des compétitions de
1954, 1958 et 1962, même si en 1958,
il n'est apparu que lors de la finale.
L'Allemand Beckenbauer, lui, a été distingué
en 1966, 1970 et 1974. Avec Djalma Santos
jouait en 1954, 1958 et 1962 l'arrière gauche
Nilton Santos – sans lien de parenté — qui
a également fait partie de l'équipe du Brésil,
deuxième en 1950 à domicile.

FIÈVRE JAUNE

La tenue bleue et jaune mondialement célèbre n'a été adoptée qu'en
1954, en remplacement de l'ancien maillot blanc. Le journal *Correio
da Manha* avait organisé un concours pour la nouvelle
panoplie, remporté par Aldyr Garcia Schlee, âgé de
19 ans; le Brésil a étrenné ces nouvelles couleurs en
mars 1954 contre le Chili. Le jeune Schlee, originaire
de Pelotas à la frontière uruguayenne, soutenait
en fait l'Uruguay contre le Brésil...

PENTE GLISSANTE ?

En juillet 2012, le Brésil est sorti du top 10 de
la FIFA, tombant à la 11e place pour la première
fois depuis la création du classement, en 1993.
Cinq mois plus tard, le pays est descendu au
18e rang. L'une des explications est que le Brésil,
pays hôte de la Coupe du Monde 2014, n'a pas
joué beaucoup de matchs de haut niveau.

IMMENSE PARCOURS

Le 14 novembre 2012, le Brésil a joué son
1000e match – aux États-Unis, contre la
Colombie. Neymar a égalisé en 2e mi-temps,
assurant un match nul 1-1. On considère
généralement que le premier match du Brésil
a été sa victoire 2-0 contre le club anglais
d'Exeter City, le 21 juillet 1914 dans l'Estadio
das Laranjeiras de Rio, stade toujours utilisé
par le Fluminense FC. Le Brésil a gagné, bien
que son attaquant vedette Friedenreich ait
perdu deux dents lors d'une collision entre
joueurs. Le premier match international du
Brésil s'est soldé par une défaite 3-0 contre
l'Argentine, le 20 septembre 1914.

LES VIEUX RIVAUX: BRÉSIL–ARGENTINE

Matchs disputés: **95**

Victoires du Brésil: **35**

Victoires de l'Argentine: **36**

Égalité : **24**

Buts brésiliens: **145**

Buts argentins: **151**

Premier match: **Argentine 3 - Brésil 0** (20 septembre 1914)

Dernier match: **Argentine 2 - Brésil 1** (21 novembre 2012)

Plus grande victoire brésilienne: **Brésil 6 - Argentine 2** (20 déc. 1945)

Plus grande victoire argentine : **Argentine 6 - Brésil 1** (5 mars 1940)

HALL OF FAME BRÉSILIEN

En 2012, quelque 25 joueurs figuraient dans le *Hall of Fame* du Musée du soccer brésilien, inauguré en septembre 2008 dans l'ancien stade des Corinthians. Parmi les 25 élus figurent: Bebeto, Carlos Alberto, Didi, Djalma Santos, Falcao, Garrincha, Gerson, Gilmar, Jairzinho, Julinho, Nilton Santos, Pelé, Rivaldo, Rivelino, Roberto Carlos, Romario, Ronaldinho, Ronaldo, Socrates, Claudio Taffarel, Tostao, Vava, **Mario Zagallo**, Zico et Zizinho.

STADES DE LA COUPE DU MONDE 2014

1. Maracana, **Rio de Janeiro** (76 804)
2. Estadio Nacional Mane Garrincha, **Brasilia** (70 064)
3. Mineirao, **Belo Horizonte** (62 547, Atletico Mineiro et Cruzeiro)
4. Arena Corinthians, **Sao Paulo** (65 807)
5. Estadio Castelao, **Fortaleza** (64 846)
6. Estadio Beira-Rio, **Porto Alegre** (48 849)
7. Arena Fonte Neva, **Salvador** (48 747)
8. Arena Pernambuco, **Recife** (46 000)
9. Arena Pantanal, **Cuiaba** (42 968)
10. Arena da Amazonia, **Manaus** (42 374)
11. Arena das Dunas, **Natal** (42 086)
12. Arena da Baixaba, **Curitiba** (41 456)

FELIPÃO, LE RETOUR

Luiz Felipe Scolari, surnommé Felipão («Phil le grand»), est le dernier entraîneur brésilien vainqueur de la Coupe du Monde à revenir, en remplacement de Mano Menezes, poussé vers la sortie en novembre 2012. Luiz Scolari s'occupait du Brésil quand il est devenu champion du monde en 2002. L'ancien défenseur a également dirigé le Koweït et le Portugal au cours de sa carrière, conduisant ce dernier pays à la finale du Championnat d'Europe 2004 et à la 4e place de la Coupe du Monde 2006. Parmi d'autres parcours similaires, citons Carlos Alberto Parreira, qui a remporté la compétition de 1994, mais n'a atteint que les quarts de finale en 2006. Mario Zagallo, son assistant en 1994, a pris son poste les quatre années suivantes; il avait remporté la Coupe du Monde 1958 et 1962 en tant que joueur, puis comme sélectionneur en 1970.

L'ÉLÉGANT LUCIO

L'arrière central **Lucio** a établi un record lors de la Coupe du Monde 2006, jouant 386 minutes sans commettre de faute; cette période n'a pris fin qu'avec la défaite du Brésil en quart de finale, 1-0 contre la France. Surtout apprécié pour sa maîtrise du jeu, Lucio savait aussi marquer des buts – comme en fin de match contre les États-Unis, offrant un 3-2 au Brésil lors de la finale 2009 de la Coupe des Confédérations. L'année suivante, Lucio a contribué au triple succès du club de l'Inter Milan: championnat, coupe d'Italie et Ligue des Champions.

UN MATCH ÉLECTRIQUE… OU PAS…

Le «Superclasico de los Americas», un match annuel aller-retour entre l'Argentine et le Brésil, s'est ajouté au calendrier international. En 2011, le premier Superclasico a été remporté par le Brésil, 2-0 au match retour, après un match aller nul 0-0. Le Brésil a conservé sa couronne en 2012, après bien des déboires: il a remporté le match aller à domicile 2-1, mais le match retour au stade Centariou Resistencia de Chaco (Argentine) fut reporté en raison d'une coupure d'électricité – due peut-être à la collision de l'autocar des Brésiliens avec un générateur… Le nouveau match s'acheva sur un 2-1 pour l'Argentine (but brésilien de Fred), soit un résultat partagé sur les deux matchs. Le Brésil gagna 4-3 aux tirs aux buts, l'ultime coup de pied étant tiré par Neymar. Malgré tout, l'entraîneur brésilien, Mano Menezes, fut «remercié».

CHILI

Le Chili est l'un des quatre membres fondateurs de la CONMEBOL, la Fédération sud-américaine de soccer, qui a vu le jour en 1916. Il joua son 1er match dans un championnat sud-américain en 1910 – un match d'ouverture qui se solda par une défaite 3-0 contre l'Uruguay – et sa 1re Copa America officielle en 1916. Jamais vainqueurs, les Chiliens se classeront quatre fois 2e, en 1955, 1956, 1979 et 1987. Ils connaîtront leur heure de gloire en 1962, en organisant la Coupe du Monde, qu'ils finiront 3e.

BUTEURS

1	Marcelo Salas	37
2	Ivan Zamorano	34
3	Caros Caszely	29
4	Leonel Sanchez	23
5	Jorge Aravena	22
6	Humberto Suazo	21
7	Juan Carlos Letelier	18
8	Enrique Hormazabal	17
9	Alexis Sanchez	15
10	Matias Fernandez	14

BRAVO BEAUSEJOUR !

Le Chili a attendu 48 ans entre deux victoires en Coupe du Monde. C'est enfin **Jean Beausejour** qui a marqué le seul but de la rencontre lors d'un match de premier tour contre le Honduras, en 2010. Le capitaine chilien était ce jour-là Claudio Bravo, le 3e joueur le plus capé et capitaine depuis le départ en retraite de Marcelo Salas en 2007. Le 16 juin 2010, la victoire contre le Honduras a eu lieu 48 ans, jour pour jour, après la 1re victoire chilienne en Coupe du Monde (et à domicile), où le Chili avait remporté la 3e place contre la Yougoslavie. Le score avait également été de 1-0, grâce à un but d'Eladio Rojas. Par la suite, le Chili a connu sept défaites et six matchs nuls en Coupe du Monde.

UN TRIPLÉ POUR L'ARRIÈRE CENTRAL

Le 1er joueur désigné « Meilleur joueur sud-américain de l'année » trois fois de suite ne fut ni Pelé, ni Garrincha, ni Diego Maradona, mais l'arrière central chilien **Elias Figueroa**, qui remporta la palme en 1974, 1975 et 1976 avec le Sport Club Internacional brésilien. Les seuls joueurs à avoir réussi un tel tour de force furent le Brésilien Zico en 1977, 1981 et 1982, et l'Argentin Carlos Tévez, en 2003, 2004 et 2005. Deux autres Chiliens ont eu les honneurs du titre : Marcelo Salas en 1977 et Matias Fernández en 2006. Outre le Brésil et l'Argentine, les pays les plus récompensés sont le Chili et le Paraguay, avec 5 joueurs chacun. Bien qu'ayant commencé et terminé sa carrière au Chili, Figueroa a joué également dans des clubs brésiliens, uruguayens et nord-américains, tout en représentant son pays durant 16 ans, de 1966 à 1982 – avec 3 sélections en Coupe du Monde en 1966, 1974 et 1982.

SANCHEZ LE BENJAMIN

Le plus jeune international chilien de l'histoire est également leur plus récent espoir : le brillant ailier **Alexis Sanchez**. Il débuta en sélection à 17 ans et 4 mois à peine face à la Nouvelle-Zélande en avril 2006 – un mois avant de quitter l'Amérique du Sud pour l'Italie et l'Udinese. Il sera toutefois prêté à plusieurs clubs chiliens et argentins avant de réussir à percer en Série A. Ses performances lui ont alors permis d'être recruté par le FC Barcelone à l'été 2011, dont il devint le premier Chilien à défendre les couleurs. Sanchez fait déjà partie des dix meilleurs buteurs de son pays et il a contribué à qualifier les siens pour le Mondial 2010, tournoi dont ils passèrent le premier tour sous les ordres de l'Argentin Marcelo Bielsa. Certains équipiers de Sanchez avaient des surnoms comme « Pitbull » pour le défenseur Gary Medel ou « Guerrier » pour Arturo Vidal, mais Sanchez lui-même a montré un caractère plus doux, après avoir marqué le dernier but du Chili lors d'une victoire 4-0 en match amical contre l'Estonie. Il avait alors montré un T-shirt portant la photo de son père adoptif Jose Delaigue, mort quelques jours plus tôt.

SÉLECTIONS

1	Leonel Sánchez	84
2	Nelson Tapia	74
3	Claudio Bravo	71
4	Alberto Fouilloux	70
=	Marcelo Salas	70
6	Ivan Zamorano	69
=	Fabian Estay	69
8	Pablo Contreras	67
9	Javier Margas	63
10	Miguel Ramirez	62

L'ÈRE SALAS

Marcelo Salas, le plus grand buteur chilien de tous les temps, formait un duo redoutable avec Iván Zamorano à la fin des années 1990 et au début des années 2000. Salas marqua 4 buts pour le Chili lors de la Coupe du Monde 1998 en France, sans que son équipe ait remporté un seul match. L'attaquant originaire de Temuco se retira deux ans de la compétition internationale, de 2005 à 2007, mais revint jouer les éliminatoires de la Coupe du Monde 2010. Il marqua les 2 buts du match nul opposant le Chili à l'Uruguay le 18 novembre 2007, mais sa carrière internationale prit fin trois jours plus tard, avec une défaite 3-0 contre le Paraguay.

L'APPEL DU BALLON

Le soccer a contribué à remonter le moral des 33 mineurs chiliens pris au piège durant 69 jours, après un effondrement dans une mine du désert d'Atacama le 5 août 2010. D'abord donnés pour morts, la nouvelle de leur survie déclencha une importante vague de secours. Parmi le ravitaillement qu'on leur envoya se trouvaient un enregistrement du match amical du 7 septembre Chili-Ukraine, remporté 2-1 par les Chiliens. Lorsque *« los 33 »* remontèrent à la surface, certains jonglèrent avec des ballons. Deux semaines plus tard, ils disputaient un match amical organisé par le président du Chili, contre une équipe composée de sauveteurs, de ministres et du président en personne, et s'inclinaient 3-2. Des messages de soutien affluèrent de clubs du monde entier, et les mineurs furent invités à voir jouer Manchester United à Old Trafford et le Real Madrid à Santiago-Bernabéu.

« COUP » DE CHANCE

Avec 84 matchs (et 23 buts), l'ailier gauche **Leonel Sánchez** détient le record du nombre de sélections internationales. Pour l'une d'entre elles, il eut de la chance de rester sur le terrain ; il s'agit du tristement célèbre match Chili-Italie surnommé « la bataille de Santiago », durant la Coupe du Monde 1962, au cours duquel Sánchez donna un coup de poing à l'Italien Humberto Maschio. Ce jour-là, l'arbitre anglais Ken Aston n'expulsa « que » 2 joueurs. Sánchez fut au final l'un des 6 meilleurs buteurs du tournoi, aux côtés des Brésiliens Garrincha et Vavá, du Russe Valentin Ivanov, du Yougoslave Dražan Jerković et du Hongrois Flórián Albert.

URUGUAY

L'Uruguay fut le premier vainqueur de la Coupe du Monde et est resté le pays le plus modeste à l'avoir remportée, avec moins de 4 millions d'habitants. Sacré en 1930 et 1950, après avoir remporté l'or olympique en 1924 et 1928, l'Uruguay a levé le pied ensuite – jusqu'à sa 4ᵉ place au Mondial 2010 et sa 15ᵉ Copa America (nouveau record) l'année suivante.

BUTEURS

1	Luis Suárez	35
2	Diego Forlán	34
3	Hector Scarone	31
4	Angel Romano	28
5	Oscar Miguez	27
6	Sebastian Abreu	26
7	Pedro Petrone	24
8	Carlos Aguilera	22
=	Fernando Morena	22
10	Jose Piendibene	20

DE PÈRE EN FILS

Diego Forlán est la star uruguayenne de la Coupe du Monde FIFA 2010. Il a marqué 5 buts, dont 3 tirés en dehors de la surface de réparation – record détenu jusque-là par l'Allemand Lothar Matthaus (1990). Il a également écrasé un coup franc contre la barre transversale des Allemands en toute fin du match pour la 3ᵉ place (perdu 3-2). Forlán avait commencé la compétition en n'ayant marqué qu'un but pour l'Atlético Madrid contre Fulham en finale de la Ligue Europe. La 4ᵉ place décrochée par l'Uruguay en 2010 prouve que Diego Forlán a fait un meilleur parcours que son père, Pablo, qui participa à l'édition 1974 mais vit son équipe éliminée au 1ᵉʳ tour. Il devint le joueur uruguayen le plus capé lors de la Copa America 2011, et son but marqué en finale face au Paraguay lui a permis d'égaler le record détenu jusque-là par Hector Scarone. Performance qu'il améliora, contre ces mêmes Paraguayens en éliminatoires de la Coupe du Monde en octobre 2011.

UNE FINALE ET DEUX BALLONS

L'Uruguay fut le 1ᵉʳ pays organisateur et le 1ᵉʳ vainqueur de la Coupe du Monde FIFA en 1930, après avoir été médaille d'or aux JO de 1924 à Paris et de 1928 à Amsterdam. Parmi les joueurs qui prirent part aux 3 victoires, l'attaquant Hector Scarone reste le 2ᵉ meilleur buteur uruguayen de tous les temps avec 31 buts en 52 matchs internationaux. Lors de la finale de 1930, où l'Uruguay a battu l'Argentine, son ennemi juré, deux ballons furent utilisés : l'Argentine choisit le premier et mena alors 2-1 ; l'Uruguay choisit le second et l'emporta 4-2.

UN BEAU CINQUANTENAIRE

Une mini-Coupe du Monde (*Mundialito*) s'est déroulée en décembre 1980 et janvier 1981, pour célébrer le 50ᵉ anniversaire de la Coupe du Monde FIFA et, comme en 1930, l'Uruguay l'a emporté. Ce *Mundialito* devait accueillir six nations ayant remporté la Coupe du Monde, mais l'Angleterre, sacrée en 1966, déclina l'invitation et fut remplacée par les Pays-Bas, finalistes en 1978. L'Uruguay a battu le Brésil 2-1 en finale, une redite du match de la finale de la Coupe du Monde 1950. Le capitaine de l'équipe uruguayenne était alors le portier **Rodolfo Rodriguez.** Leur entraîneur, Roque Maspoli, avait participé en tant que joueur à la finale de 1950.

SÉLECTIONS

1	Diego Forlán	102
2	Diego Perez	86
3	Diego Lugano	85
4	Maxi Pereira	80
5	Rodolfo Rodriguez	78
6	Fabian Carini	74
7	Enzo Francescoli	73
8	Sebastian Abreu	70
9	Diego Godin	69
=	Alvaro Recoba	69
=	Angel Romano	69
=	Luis Suarez	69

LA FOI DE CAV'

Il n'a fallu que trois minutes à **Edinson Cavani** pour marquer son 1er but international, après être entré comme remplaçant contre la Colombie pour ses débuts en équipe nationale, en février 2008. Depuis, il a aidé son pays à obtenir la 4e place à la Coupe du Monde 2010 et sa 15e Copa America l'année suivante. Cavani s'est aussi fait remarquer comme l'un des meilleurs buteurs mondiaux au sein du club italien de Naples, qu'il a quitté pour le Paris-Saint-Germain à l'été 2013. Cavani, chrétien fervent, a reçu les louanges de l'archevêque de Naples Crescenzio Sepe : «C'est Dieu que Cavani sert en marquant des buts.» L'attaquant a effectué ses débuts en équipe uruguayenne sous la houlette d'Oscar Tabarez, un ancien instituteur surnommé «le maestro», qui a repris du service comme sélectionneur en 2006. Cavani n'avait que trois ans lorsque Tabarez avait conduit l'Uruguay à sa dernière Coupe du Monde avant 2010, parvenant au 2e tour en 1990.

SAUVETAGE À DEUX MAINS

L'attaquant **Luis Suárez** s'est distingué à deux reprises lors du Mondial 2010 puis de la Copa America 2011. Dans les ultimes secondes du quart de finale du Mondial, contre le Ghana, il a boxé un tir qui prenait la direction du but uruguayen – et qui aurait donné la victoire aux Africains. Expulsé sur-le-champ, il a ensuite dansé de joie en voyant Asamoah Gyan louper le penalty concédé par l'arbitre. Lors de la Copa America, Suárez s'est montré plus à son avantage, en inscrivant 4 buts, dont le premier des trois inscrits par les siens en finale face au Paraguay. Il fut d'ailleurs désigné Meilleur joueur du tournoi. Enfin, sous le maillot du FC Liverpool, il a de nouveau terni son image en écopant de huit matchs de suspension lors de la saison 2011-2012 du championnat d'Angleterre pour avoir proféré des insultes à caractère raciste envers le Mancunien Patrice Evra. Suarez a aussi été suspendu 10 matchs pour avoir inexplicablement mordu le bras d'Ivanović, de Chelsea. Suarez a connu de meilleurs moments sur la scène internationale, devenant le meilleur buteur uruguayen de tous les temps à la Coupe des Confédérations 2013.

BLEU ET BLANC

La défaite 3-2 à domicile de l'Uruguay contre l'Argentine à Montevideo, le 16 mai 1901, fut le 1er match international hors Royaume-Uni. Le 2e, le 20 juillet 1902, la pire défaite de la Céleste (6-0 contre l'Argentine). Les deux pays se sont rencontrés 176 fois. L'Uruguay a gagné 53 matchs, l'Argentine 80, et 43 nuls. Avant les tenues officielles définies en 1910, l'Uruguay portait un maillot rayé bleu clair et blanc, alors que celui de l'Argentine était bleu pâle uni.

OLÉ, FRANCESCOLI

Jusqu'à Diego Forlán en 2011, aucun joueur de champ n'avait représenté l'Uruguay plus souvent qu'**Enzo Francescoli** (73 sélections). Et bien peu avaient fait preuve d'autant d'élégance sur le terrain que l'ancien de River Plate, du Racing Club de Paris, de l'Olympique de Marseille, de Cagliari et du Torino. En 1995, au poste de milieu de terrain, il remporta la Copa America (son chant du cygne), marquant notamment un penalty décisif en finale contre le Brésil. Il fut l'idole du jeune Zinédine Zidane, qui prénomma plus tard son premier-né Enzo en son honneur.

REPRÉSAILLES

Bien qu'ayant remporté la Coupe du Monde FIFA en 1930, l'Uruguay ne défendit pas son titre en Italie quatre ans plus tard. Les instances uruguayennes manifestèrent ainsi leur mécontentement du fait que seuls quatre pays européens ont fait le déplacement en Uruguay quatre ans plus tôt.

LES AUTRES ÉQUIPES AMÉRIQUE DU SUD

CARACAS SE SURPASSE

Si le baseball et la boxe ont passionné les Vénézuéliens ces dernières décennies, le soccer aura été la discipline phare de ce début de XXIᵉ siècle, en particulier après que le pays a organisé sa première Copa America en 2007. Le Venezuela ne s'est pas contenté d'investir dans de nouveaux stades, il a aussi remporté sa 1ʳᵉ victoire depuis 1967 en phase éliminatoire de la Copa America. **Juan Arango,** l'une des valeurs sûres de la Liga espagnole, marqua un but pour le Venezuela lors de la défaite de la sélection contre l'Uruguay (4-1) en quart de finale. Le pays confirma cette relative percée en terminant 8ᵉ sur 10 des qualifications pour la Coupe du Monde FIFA 2010, devant la Bolivie et le Pérou.

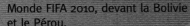

STADES NATIONAUX

Bolivie:
Estadio Hernando Siles,
La Paz (capacité: 45 000)

Chili:
Estadio Nacional,
Santiago (63 379)

Colombie:
Estadio El Campín,
Bogotá (48 600)

Équateur:
Estadio Olímpico Atahualpa,
Quito (40 948)

Paraguay:
Estadio Defensores del Chaco,
Asunción (36 000)

Pérou:
Estadio Nacional,
Lima (45 574)

Venezuela:
Estadio Polideportivo
de Pueblo Nuevo,
San Cristóbal (38 755)

LA BOLIVIE *IN EXTREMIS*

La Bolivie n'a gagné qu'une fois la Copa America, en accueillant la compétition en 1963, mais ce fut d'une manière spectaculaire et mémorable. La sélection fut la seule équipe à terminer la compétition invaincue en six matchs, tout en manquant passer à côté de son heure de gloire le dernier jour du tournoi, gaspillant par deux fois une avance de 2 buts contre le Brésil – un 2-0 se transformant en 2-2, puis un 4-2 en 4-4. Par chance pour les Boliviens, Maximo Alcocer marqua le but de la victoire dans les quatre dernières minutes.

TRISTES RECORDS

La Bolivie et le Salvador ont le record des matchs joués en Coupe du Monde sans décrocher une seule victoire (6). La Bolivie a fait match nul (0-0) face à la Corée du Sud en 1994, mais elle détient le record de cinq matchs consécutifs sans but marqué entre 1930 et 1994. Ce record fâcheux a été effacé par **Erwin Sánchez** qui a marqué un but dans le dernier match du 1ᵉʳ tour en 1994 (perdu 3-1 face à l'Espagne). En 2010, ce record est revenu au Honduras et à la Nouvelle-Zélande: en 1982, le Honduras a enchaîné deux nuls et une défaite, et en 2010 il a concédé un nul et deux défaites. La Nouvelle-Zélande, elle, a perdu ses trois matchs en 1982 et obtenu trois nuls en 2010.

LES BONS AMIS

Les deux joueurs colombiens les plus capés sont **Carlos Valderrama** (111 sélections) et Leonel Alvarez (101). Le premier prit la tête de la fronde lorsque son ancien coéquipier fut limogé du poste de sélectionneur après trois matchs, en 2011: victoire contre la Bolivie, nul face au Venezuela et défaite contre l'Argentine en éliminatoires du Mondial 2014. Il fut remplacé par l'Argentin Jose Pekerman. «On est dans la mouise», avait déclaré Valderrama. Alvarez et lui évoluaient ensemble dix ans plus tôt quand la Colombie remporta l'unique Copa America de son histoire.

VALENCIA LE VAUT BIEN

Luis Antonio Valencia a eu la lourde tâche de remplacer Cristiano Ronaldo à Manchester United quand celui-ci a signé au Real Madrid à l'été 2009. Douze mois plus tard, il devenait le 1er Équatorien à remporter le championnat d'Angleterre. Valencia a également œuvré à l'accession de sa sélection au 2e tour du Mondial 2006, tournoi pour lequel il fut en lice pour le titre de meilleur jeune, tout comme Cristiano Ronaldo – titre qui échut à Lukas Podolski. En éliminatoires, Valencia s'était déjà distingué en inscrivant 2 buts lors du match remporté 5-2 par les siens contre le Paraguay en mars 2005.

TOP DES VICTOIRES

Bolivie 7 Venezuela 0
(22 août 1993)

Argentine 0 Colombie 5
(5 septembre 1993)

Colombie 5 Uruguay 0
(6 juin 2004)

Colombie 5 Pérou 0
(4 juin 2006)

Équateur 6 Pérou 0
(22 juin 1975)

Paraguay 7 Bolivie 0
(30 avril 1949)

Hong Kong 0 Paraguay 7
(17 novembre 2010)

Pérou 9 Équateur 1
(11 août 1938)

Venezuela 6 Porto Rico 0
(26 décembre 1946)

TROIS PREMIÈRES FOIS

En 2010, pour sa 8e apparition en Coupe du Monde, le Paraguay est arrivé pour la 1re fois en tête de son groupe de 1er tour. En outre, il est allé plus loin que jamais, jusqu'en quart de finale, perdant 1-0 seulement face à l'Espagne. Le Paraguay avait battu le Japon au 2e tour aux tirs au but, grâce à un tir réussi par Oscar Cardozo. Ainsi, pour la 1re fois, quatre pays d'Amérique du Sud – soit plus que les trois Européens – sont entrés en quart de finale. Mais il n'y a pas eu de quart de finale en 1930, 1950, 1974, 1978 et 1982. Le Paraguay a complété cette performance en arrivant en finale de la Copa America l'année suivante, ne perdant que devant l'Uruguay (3-0).

INTERVALLE

À la Coupe du Monde 1982, le Pérou était dirigé par le Brésilien Tim, qui a dû attendre 44 ans (un record) pour retrouver l'épreuve suprême. Cet attaquant avait disputé l'édition 1938 avec la *Seleçao*.

MATCHS EN ALTITUDE

La Bolivie et l'Équateur jouent leurs matchs à domicile à des altitudes plus élevées que toutes les autres équipes de la planète. Dans la capitale bolivienne de La Paz, le stade Hernando Siles est à 3637 mètres au-dessus du niveau de la mer, tandis que, en Équateur, le stade Olimpico Atahualpa de Quito se trouve à 2800 mètres d'altitude. Les adversaires se plaignent de l'air raréfié qui rend la respiration difficile, sans parler du jeu. La FIFA a interdit les rencontres internationales à plus de 2500 mètres en mai 2007, mais un mois plus tard, l'altitude autorisée a été ajustée à 3000 mètres, et le stade Hernando Siles s'est vu octroyer une dérogation. L'interdiction a été complètement levée en mai 2008, à la suite des plaintes déposées par la Bolivie, l'Équateur, la Colombie, le Pérou, mais aussi par l'Argentin Diego Maradona. Il a peut-être regretté sa prise de position lorsque, en mars 2009, l'Argentine a été battue par la Bolivie 6-1, dans un match de qualification pour la Coupe du Monde 2010.

PARCOURS GAGNANT

Le capitaine péruvien **Claudio Pizarro** est le plus capé des étrangers évoluant en championnat allemand, au Werder de Brême et au Bayern Munich, pour un total de 164 buts en 347 matchs de Bundesliga, ainsi que la Ligue des Champions 2013 avec le Bayern. La carrière internationale de Pizarro a été moins marquante, à cause notamment d'une fracture du crâne subie lors d'un match contre le Venezuela pendant la Copa America 2004 et d'une interdiction de trois mois pour avoir participé à une fête dans un hôtel en 2007, alors qu'il était «de service» comme joueur international. Pourtant, Pizarro a marqué le but international le plus rapide de son pays, après 18 secondes, lors d'une victoire 3-1 en match amical contre le Mexique, en août 2003. Pizarro a également connu un certain succès sur les champs de course comme copropriétaire, avec le joueur anglais Joey Barton, d'un cheval nommé Crying Lightning.

PIRES DÉFAITES

Brésil 10 Bolivie 1
(10 avril 1949)

Brésil 9 Colombie 0
(24 mars 1997)

Argentine 12 Équateur 0
(22 janvier 1942)

Argentine 8 Paraguay 0
(20 octobre 1926)

Brésil 7 Pérou 0
(26 juin 1997)

Argentine 11 Venezuela 0
(10 août 1975)

L'ÈRE BOTERO

Si la Bolivie ne put se qualifier pour la Coupe du Monde FIFA 2010, elle n'en fit pas moins, contre l'Argentine jusqu'alors invaincue avec son entraîneur Diego Maradona, l'un des matchs les plus mémorables des éliminatoires (6-1). En ce 1er avril 2009, à La Paz, Maradona fut ridiculisé, tandis que l'attaquant **Joaquín Botero,** devenait une icône nationale grâce à un triplé. Botero annonça pourtant sa retraite un mois plus tard, fort de 48 sélections et d'un record bolivien de 20 buts.

SNIPERS

L'attaquant péruvien Teófilo Cubillas est devenu le 1er joueur à inscrire 5 buts dans deux Coupes du Monde, en 1970 et en 1978. Chaque fois pourtant, le Soulier d'or lui échappa. Miroslav Klose l'a imité en marquant cinq fois en 2002 et en 2006. Sur ses terres, l'attaquant allemand a décroché le Soulier d'or.

DUDAMEL DE SANG-FROID

Lors des qualifications pour la Coupe du monde 1998, le Venezuela a essuyé une série de graves revers : en 16 matchs, aucune victoire et 13 défaites, avec 13 buts marqués et 41 encaissés. Parmi ces échecs figurent un 4-1 contre le Pérou, un 6-1 contre la Bolivie et un 6-0 contre le Chili, dont cinq buts marqués par Ivan Zamorano. Pourtant, le goal vénézuélien Dudamel a connu un moment de grâce contre l'Argentine, en octobre 1996, marquant directement à l'issue d'un coup franc, 3 minutes avant la fin. Son équipe a tout de même perdu 5-2.

INARRÊTABLE FALCAO

Radamel Falcao Garcia porte le prénom du talentueux milieu brésilien des années 1980, l'un des préférés de son père Radamel Garcia, joueur professionnel en Colombie. Le jeune Falcao, lui, est devenu un héros colombien et l'un des buteurs les plus craints au monde. Parmi ses performances figurent ses 10 premières apparitions invaincues pour son pays, avec 11 buts marqués personnellement. Falcao a également porté chance à ses équipiers en Ligue Europa, marquant et gagnant aux deux finales de 2011 et 2012, pour le FC Porto puis pour l'Atlético Madrid. Falcao a également réussi un *hat-trick* contre les champions en titre de Chelsea, lors d'une finale de la Super Coupe de l'UEFA, remportée 4-1 par l'Atlético. En 2010-2011, Falcao a marqué 17 buts en Ligue Europa, soit 2 de plus que le record précédent de l'Allemand Jurgen Klinsmann. En 2011-2012, Falcao a marqué 13 buts. Le joueur a quitté l'Espagne pour la France à l'été 2013, ayant signé avec Monaco pour 60 millions d'euros.

ETCHEVERRY EN COUP DE VENT

Marco Etcheverry, dit «El Diablo», passa de saint à pécheur durant l'aventure bolivienne en Coupe du Monde FIFA 1994. Ses buts s'avérèrent cruciaux pour la 2e qualification seulement de son pays, après 44 ans, dans un Mondial de la FIFA – avec notamment une victoire 2-0 contre le Brésil et 3-1 contre l'Uruguay. Mais, remplaçant dès le début du tournoi lui-même en raison d'une blessure, il joua seulement 3 minutes durant le match d'ouverture contre l'Allemagne, avant d'être expulsé pour une faute sur Lothar Matthäus.

SÉLECTIONS INTERNATIONALES

Bolivie	Luis Cristaldo	93
	Marco Sandy	93
Colombie	Carlos Valderrama	111
Équateur	Ivan Hurtado	167
Paraguay	Carlos Gamarra	110
Pérou	Roberto Palacios	127
Venezuela	Jose Manuel Rey	110

PARAGUAY CINQ ÉTOILES

Le titre de joueur sud-américain de l'année remonte à 1971 ; il récompense majoritairement des joueurs du Brésil et de l'Argentine. Cependant, cinq Paraguayens ont remporté ce titre, tous depuis 1985, environ une fois tous les 5 ans. Le premier, en 1985, était le milieu offensif Romerito (Julio Cesar Romero), le seul Paraguyen figurant au classement Pelé 2004 des 125 meilleurs joueurs vivants. Cinq ans plus tard, Raul Vincente Amarilla lui a succédé ; bien que paraguayen, il n'a pas été sélectionné en équipe nationale (il l'avait été, à deux reprises, en équipe espagnole des moins de 21 ans, alors qu'il jouait en club dans ce pays). Le goal et buteur prolifique Jose Luis Chilavert a reçu le titre en 1996, suivi de deux attaquants : Jose Cardozo en 2002 et Salvado Cabanas en 2007.

IVAN L'INEXTINGUIBLE

Ivan Hurtado est le joueur sud-américain le plus capé, avec 167 sélections depuis 1992 (5 buts). Le défenseur équatorien a été l'un des Équatoriens les plus en vue lors de la première accession du pays à la Coupe du Monde, en 2002. En 2006, il portait le brassard lorsque les Tricolores sont arrivés en quarts.

ERREUR FATALE

Le défenseur colombien **Andrés Escobar**, alors âgé de 27 ans, a été tué d'un coup de feu dans un bar de Medellín 10 jours après avoir marqué contre son camp face aux États-Unis à la Coupe du Monde 1994. Vaincus 2-1, les *Cafeteros* – cités parmi les vainqueurs potentiels – avaient été éliminés au 1er tour.

SPENCER EN TÊTE

Le plus grand joueur équatorien de tous les temps est certainement l'attaquant **Alberto Spencer**, quoiqu'il ait surtout joué dans des clubs uruguayens. Spencer détient le record du nombre de buts marqués en Copa Libertadores – 54 entre 1960 et 1972 –, tout en ayant brandi le trophée 3 fois avec l'Atlético Peñarol uruguayen. Spencer est également l'auteur de 4 buts en 11 matchs pour l'Équateur, et aussi de 1 but en 4 matchs pour l'Uruguay. Surnommé Tête magique, il fut même considéré comme étant plus redoutable de la tête que Pelé, par Pelé lui-même.

BUTS EN MATCHS INTERNATIONAUX

Pays	Joueur	Buts
Bolivie	Joaquín Botero	20
Colombie	Adolfo Valencia	31
Équateur	Agustín Delgado	31
Paraguay	José Saturnino Cardozo	25
	Roque Santa Cruz	25
Pérou	Teófilo Cubillas	26
Venezuela	Giancarlo Maldonado	22

UN GARDIEN HORS PAIR

Grâce à **Óscar Córdoba**, la Colombie n'a encaissé aucun but durant la Copa America 2001. Córdoba est devenu le gardien de but le plus sélectionné de son pays (73 fois) entre 1993 et 2006.

LOLO AU-DESSUS DU LOT

Teodoro «Lolo» Fernández marqua 6 buts en 2 matchs pour le Pérou aux JO d'été de Berlin en 1936 (5 contre la Finlande battue 7-3, le 6e durant les prolongations contre l'Autriche battue 4-2). Le Pérou fut cependant scandalisé quand des fans autrichiens déchaînés envahirent le terrain, et encore plus outré quand les autorités olympiques ordonnèrent que le match soit rejoué. En signe de protestation, les Péruviens quittèrent la compétition, rejoints par la Colombie. L'Autriche, elle, décrocha finalement l'argent. Fernández et ses coéquipiers remportèrent toutefois la Copa America trois ans plus tard, Fernández terminant Meilleur buteur de la compétition, avec 7 buts. Avec 26 buts en 81 matchs, Teófilo Cubillas reste le seul joueur péruvien à surclasser «Lolo» et ses 24 buts en 32 matchs.

CANIZA ET LES AUTRES

Le capitaine Denis Caniza est devenu le premier Paraguayen à participer à 4 Coupes du Monde avec son apparition contre la Nouvelle-Zélande en 2010. Ce tournoi a également permis à son coéquipier Roque Santa Cruz, à l'occasion d'un but contre le Brésil, d'égaler le record de buts en sélection (25) détenu jusque-là par Jose Saturnino Cardozo. L'attaquant Salvador Cabañas avait dû déclarer forfait pour ce Mondial après avoir reçu une balle dans la tête cinq mois plus tôt. Il parviendra toutefois à reprendre sa carrière en 2012.

 AFRIQUE

Avant que le Cameroun, le Nigeria ou, plus récemment, le Sénégal et le Ghana n'atteignent les phases finales des Mondiaux de la FIFA, l'Afrique avait déjà donné au soccer quelques-uns de ses joueurs les plus talentueux. Ils s'illustrent désormais dans les plus grands championnats et les plus grandes compétitions du globe, alors que l'Afrique a organisé sa première Coupe du Monde FIFA en 2010, en Afrique du Sud. Après la Zambie en 2012, c'est la jeune équipe du Nigeria qui a remporté la Coupe d'Afrique des Nations en 2013, face au Burkina Faso.

Yaya Touré (19) a connu un grand succès dans les clubs européens, mais pas lors de la Coupe d'Afrique des Nations, comme en 2013, avec la défaite en quart de finale de la Côte d'Ivoire.

FAWZI PREMIER

Abdelrahman Fawzi devient le premier joueur africain à marquer en Coupe du Monde FIFA en inscrivant un but pour l'Égypte lors du match de 1er tour contre la Hongrie, en 1934. Il marque le but égalisateur 8 minutes plus tard, portant le score à 2-2. L'Égypte perdra la partie 4-2 et devra attendre 56 ans avant de revenir en Coupe du Monde.

BOYCOTT AFRICAIN

Lorsqu'il se qualifie pour la Coupe du Monde FIFA 1970, le Maroc fait son retour dans le tournoi après 36 ans d'absence. Aucun pays africain n'a participé à la Coupe de 1966, car les 16 équipes candidates ont boycotté la compétition après que la FIFA a décidé de ne former qu'un groupe réunissant l'Afrique et l'Asie pour les éliminatoires.

UN GARDIEN VÉTÉRAN

Le gardien tunisien **Ali Boumnijel** a participé aux 3 matchs disputés par son équipe pendant la Coupe du Monde FIFA 2006. Cet été-là, il est le joueur le plus âgé du tournoi et le 5e joueur de plus de 40 ans à participer à cette compétition. Boumnijel a concédé 6 buts en 3 matchs : 2 contre l'Arabie saoudite (match nul : 2-2), 3 contre l'Espagne (défaite : 3-1) et 1 contre l'Ukraine (défaite : 1-0).

DES CARTONS ROUGES À LA PELLE

Lorsque Antar Yahia est expulsé après un 2e carton jaune reçu à la 3e minute des arrêts de jeu – qui voient la défaite de l'Algérie face aux États-Unis (1-0) durant la Coupe du Monde FIFA 2010 –, il s'agit du carton rouge le plus tardif dans un match sans prolongations ainsi que le 8e donné en 8 jours de tournoi – un record dans une Coupe du Monde FIFA.

LA STAR ANTAR

L'Algérien **Antar Yahia** a inscrit le but qualifiant son pays à la Coupe du Monde FIFA 2010 contre l'Égypte, rivale de toujours. Né en France en 1982, Yahia a été sélectionné dans l'équipe de France des moins de 18 ans avant d'évoluer dans l'équipe d'Algérie en 2004 où, pour ses débuts, il a opéré dans l'équipe des moins de 23 ans.

UN MATCH D'APPUI EN TERRAIN NEUTRE

Comme si la rivalité entre l'Algérie et l'Égypte n'était pas suffisamment forte, les éliminatoires pour la Coupe du Monde FIFA 2010 les ont opposées à trois reprises. C'est d'abord une victoire de l'Algérie au match aller (à Blida), puis de l'Égypte au match retour (au Caire). Les deux équipes terminent à égalité parfaite (points, différence de buts). Un match d'appui se déroule en terrain neutre au Soudan et l'Algérien **Antar Yahia** (à droite) inscrit l'unique but de la partie, qualifiant ainsi son équipe pour la première fois en 24 ans. Le Soudan a été choisi après les incidents d'avant et d'après match au Caire, au cours desquels des bus algériens ont été caillassés par des supporters égyptiens et une vingtaine de personnes blessées.

UN RECORD MAROCAIN

Le Maroc est le seul pays d'Afrique du Nord à avoir atteint le 2e tour d'une Coupe du Monde FIFA, même s'il a été alors vaincu 1-0 par la RFA (finaliste) – le but de Lothar Matthäus qui a donné la victoire à la RFA n'est intervenu que 3 minutes avant la fin du match. C'était en 1986 au Mexique, et le Maroc fut la 1re équipe africaine à se classer en tête de son groupe devant l'Angleterre, la Pologne et le Portugal. Sa victoire contre le Portugal (3-1 – **Abderrazak Khairi** a marqué 2 buts) a été déterminante après des matchs nuls (0-0) concédés contre les deux autres équipes – dont l'Angleterre qui a perdu son capitaine Bryan Robson (blessé) et son vice-capitaine Ray Wilkins (après un carton rouge).

LES MEILLEURES PERFORMANCES DES PAYS D'AFRIQUE DU NORD

ALGÉRIE : 1er TOUR EN 1982, 1986, 2010
ÉGYPTE : 1er TOUR EN 1934, 1990
MAROC : 2e TOUR EN 2006
TUNISIE : 1er TOUR EN 1978, 1998, 2002, 2006

LES QUALIFICATIONS DES PAYS D'AFRIQUE DU NORD

ALGÉRIE : 3 (1982, 1986, 2010)
ÉGYPTE : 2 (1934, 1990)
MAROC : 4 (1970, 1986, 1994, 1998)
TUNISIE : 4 (1978, 1998, 2002, 2006)

LES MEILLEURS BUTEURS D'AFRIQUE DU NORD

SALAH ASSAD (ALGÉRIE) 2
SALAHEDDINE BASSIR (MAROC) 2
ABDELRAHMAN FAWZI (ÉGYPTE) 2
ABDELJALIL HADDA (MAROC) 2
ABDERRAZAK KHAIRI (MAROC) 2

FIN DES MATCHS SIMULTANÉS

En 1994, durant le 1er tour de la Coupe du Monde 1994, deux rencontres se déroulent simultanément les 25 et 29 juin. Le 25 juin, l'Arabie saoudite bat le Maroc (2-1), tandis que la Belgique bat les Pays-Bas. Le 29 juin, l'Arabie saoudite bat la Belgique (1-0) et les Pays-Bas font de même avec le Maroc (2-1). C'est la dernière fois qu'un tel cas de figure se produit en Coupe du Monde.

UNE BELLE FIDÉLITÉ

Parmi les 6 équipes africaines présentes à la Coupe du Monde FIFA 2010, l'Algérie est la seule dont le sélectionneur soit aussi un Africain. Il s'agit de **Rabah Saâdane**, ancien joueur devenu coach de l'équipe d'Algérie en 1981-1982, 1984-1986, 1999, 2003-2004 et 2010. En 2010, l'Algérie ne concède que 2 défaites en 3 matchs (contre la Slovaquie et les États-Unis sur le score de 1 à 0), et obtient un match nul surprise contre l'Angleterre (0-0). Elle est, avec le Honduras, la seule équipe à n'avoir marqué aucun but (une première pour l'Algérie dans une Coupe du Monde).

UN FESTIVAL DE BUTS

L'Égypte n'a eu que deux matchs à jouer pour se qualifier en Coupe du Monde FIFA 1934, devenant le 1er représentant africain de ce tournoi. Ces matchs aller-retour furent joués contre la Palestine (alors sous mandat britannique) et remportés par l'Égypte de belle manière (7-1 au Caire et 4-1 en Palestine). Mahmoud Mokhtar est l'auteur d'un *hat-trick* à l'aller et d'un doublé au retour. La Turquie devait participer à ces éliminatoires ; en se retirant, elle a ouvert la voie à l'Égypte.

VICTOIRE TUNISIENNE

En 1978, la Tunisie est devenue le 1er pays africain à remporter un match de Coupe du Monde en battant le Mexique (3-1) à Rosario (Argentine), grâce aux buts d'Ali Kaabi, Nejib Ghommidh et Mokhtar Dhouib. Si elle cumule, avec le Maroc, le record de participations d'un pays d'Afrique du Nord à une Coupe du Monde FIFA, elle est la seule à s'être qualifiée trois fois de suite (1998, 2002 et 2006). Parmi les joueurs ayant participé aux trois tournois figurent Riadh Bouazizi, Hatem Trabelsi et **Radhi Jaïdi**.

MERCI, PÁL

Le Hongrois Pál Titkos est le 1er entraîneur étranger à avoir remporté la Coupe d'Afrique des nations avec l'équipe égyptienne en 1959. Un Britannique, **Mike Smith,** ancien entraîneur du Pays de Galles, a lui aussi mené l'Égypte au titre en 1986.

ABOUD N'EST PAS À BOUT

Après les événements survenus en Libye en 2011, personne n'attendait d'exploits de la sélection nationale lors de la CAN 2012. Ils auront toutefois donné du plaisir à leurs supporters en se défaisant du Sénégal 2-1 au cours de leur premier match de poule – première victoire libyenne en phase finale de la CAN à l'extérieur. Les maillots des joueurs arboraient le drapeau du Conseil national de transition. On retiendra Ihaab al Boussefi, auteur d'un doublé face au Sénégal, et le portier et capitaine **Samir Aboud,** doyen du tournoi à 39 ans. En juin 2013, la Libye a joué son 1er match de compétition à domicile depuis 2010, à Tripoli, en accueillant la République Démocratique du Congo dans un match de qualification pour la Coupe du Monde 2014, avec un score de 0-0.

UN ARBITRAGE PRESTIGIEUX

En 1998, le Marocain **Saïd Belqola** fut le premier Africain à arbitrer une finale de Coupe du Monde FIFA. Ce match vit la victoire de la France sur le Brésil, 3-0. Son plus grand moment fut sans doute la 68e minute, où il expulsa le Français **Marcel Desailly**, brandissant un carton rouge – le 3e dans une finale de Coupe du Monde FIFA. Belqola est mort d'un cancer quatre ans plus tard, à l'âge de 44 ans.

LES PÈRES FONDATEURS

La Confédération africaine de soccer s'est officiellement établie au Grand Hôtel à Khartoum le 7 février 1957, trois jours avant le début de la première édition de la Coupe d'Afrique des nations dans la capitale soudanaise.
Des représentants du Soudan, de l'Afrique du Sud, de l'Éthiopie et de l'Égypte étaient présents à la première réunion présidée par l'Égyptien Abdelaziz Salem.

ET SOUDAIN, LE SOUDAN

Après deux 2e places et une 3e place, le Soudan est devenu, en 1970, la 3e et dernière nation fondatrice de la Coupe d'Afrique des Nations à remporter le trophée, face au Ghana, après une qualification en finale face à l'Égypte grâce à 2 buts d'El-Issed – le 2e marqué à la 12e minute des prolongations. Le même joueur inscrivit, à la 12e minute encore, l'unique but de la finale.

AFRIQUE DU NORD : MEILLEURS BUTEURS

ALGÉRIE : Abdelhafid Tasfaout		34
ÉGYPTE : Hossam Hassan		69
LIBYE : Tarik El-Taib		23
MAROC : Ahmed Faras		42
SOUDAN : Haytham Tambal		26
TUNISIE : Issam Jemaa		34

L'ENVOL DES BLACKS EAGLES

La Confédération africaine de soccer a accueilli son 54ᵉ État membre le 10 février 2012 : l'équipe et la fédération du Soudan du Sud (Sud-Soudan). Ces « Black Eagles » n'ont pas été autorisés à disputer les éliminatoires de la CAN 2013, mais ils espèrent participer à de futurs tournois – et intégrer également la FIFA. Le président de la fédération a d'ailleurs déclaré : « Nous sommes un pays qui sort tout juste d'une guerre. Nous n'avons ni ballons ni maillots. Certains de nos joueurs s'entraînent avec des chaussettes bourrées de tissu. Pour dire à quel point nous aimons le soccer. »

SALAH DOUÉ

La nouvelle étoile montante du soccer égyptien, **Mohamed Salah**, a marqué 14 buts en 22 apparitions depuis qu'il a intégré l'équipe en 2011, à l'âge de 18 ans – soit une moyenne de 1,57 par apparition. Cet ailier véloce, qui joue à Bâle, a marqué dans les trois premiers matchs aux Jeux olympiques de Londres, avant la défaite 3-0 contre le Japon, ce qui lui a valu le titre de Meilleur espoir africain. Il a réussi un triplé lors d'une victoire 4-2 contre le Zimbabwe, au cours d'un match de qualification pour la Coupe du Monde 2014, une semaine avant son 21ᵉ anniversaire.

UNE TERRIBLE COLLISION

La carrière internationale du grand buteur algérien **Abdelhafid Tasfaout** a pris fin avec la Coupe d'Afrique des nations 2002, mais ça aurait pu être pire. Lorsque Tasfaout est entré en collision avec le défenseur malien Boubacar Diarra, la violence du choc a été telle qu'il s'est évanoui et a avalé sa langue ; on a craint pour sa vie... mais il s'en est remis. Tasfaout, qui a joué 6 ans en France, a marqué 34 buts en 62 matchs joués dans l'équipe d'Algérie de 1990 à 2002.

MAUVAIS PERDANTS

La Libye peut prétendre au record de la victoire la plus écrasante en Afrique, après avoir battu Oman 21-0 lors de la Coupe arabe des Nations d'avril 1966 – mais les joueurs d'Oman sont sortis du terrain 10 minutes avant la fin, pour protester contre l'attribution d'un penalty à la Libye. Ils n'ont plus participé à la compétition.

AFRIQUE DU NORD : SÉLECTIONS

ALGÉRIE : Lakhdar Belloumi	101
ÉGYPTE : Ahmed Hassan	184
LIBYE : Tarik El-Taib	77
MAROC : Abdelmajid Dolmi	140
SOUDAN : Haitham Mustafa	124
TUNISIE : Sadok Sassi	110

BUTEURS RIVAUX

Un héros local revient au sommet : **Issam Jemaa** a dépassé Francileudo Santos, avec 34 buts en 73 matchs depuis ses débuts en 2005. Jemaa a débuté en club avec l'Espérance, avant d'évoluer en France (Lens et Auxerre) à partir de 2005. Né au Brésil, Santos, lui, a permis à son nouveau pays de remporter la CAN 2004, en inscrivant 4 buts, dont le 1ᵉʳ de la finale remportée face au Maroc. Santos n'a pu disputer que 11 minutes du Mondial 2006, avant de sortir sur blessure. Jemaa, lui, avait déclaré forfait avant le début du tournoi. Par la suite, il est revenu sur les terrains, et a inscrit notamment le but de la victoire des siens contre le Niger lors de la CAN 2012.

Outre le match Pays-Bas-Espagne en finale de la Coupe du Monde FIFA 2010, l'événement de ce 11 juillet 2010 fut la présence de **Nelson Mandela**, légendaire ancien président de l'Afrique du Sud. Ce frêle vieillard de 91 ans, connu sous son nom tribal de «Madiba», fut conduit sur le terrain avant le début du match, et reçut une impressionnante ovation de la foule réunie dans le stade. Ce fut sa seule apparition publique durant le tournoi. Mandela pensait assister à la cérémonie et au match d'ouverture, le 11 juin, mais il n'a pu le faire, car il a perdu son arrière-petite-fille de 13 ans, la veille, dans un accident de voiture. Mandela a joué un rôle crucial en 2004 lors du vote donnant à l'Afrique du Sud l'organisation de la Coupe du Monde 2010.

DOUBLE ROUGE

Deux joueurs ont été exclus lors de deux Coupes du Monde différentes : le Camerounais Rigobert Song, face au Brésil en 1994 et au Chili en 1998, et Zinédine Zidane, face à l'Arabie saoudite en 1998 puis contre l'Italie lors de la finale de 2006. L'expulsion de Song face à la *Seleção* lui vaut un autre record, celui du plus jeune joueur exclu en Coupe du Monde, à l'âge de 17 ans et 358 jours. Né à Nkanglikock le 1er juillet 1976, l'ancien Lensois est aujourd'hui, avec 125 sélections, le Camerounais le plus capé de tous les temps. Il a récemment été rejoint chez les Lions Indomptables par son neveu Alexandre Song.

LES «LIONS INDOMPTABLES» ÉLIMINÉS

Durant la Coupe du Monde FIFA 2010, le 3e et dernier match du Cameroun s'est conclu par une défaite 2-1 face aux Pays-Bas. Le Cameroun est devenu ainsi le 1er pays africain à avoir disputé 20 matchs de Coupe du Monde FIFA. Mais ce ne fut pas la fête pour les «Lions indomptables», dirigés par le Français Paul Le Guen, qui furent les premiers éliminés de l'édition 2010.

LES MEILLEURES PERFORMANCES DES PAYS D'AFRIQUE SUBSAHARIENNE

AFRIQUE DU SUD : 1er tour en 1998, 2002 et 2010
ANGOLA : 1er tour en 2006
CAMEROUN : Quart de finale en 1990
CÔTE D'IVOIRE : 1er tour en 2006 et 2010
GHANA : Quart de finale en 2010
NIGERIA : 2e tour en 1994 et 1998
R.D. CONGO (Zaïre) : 1er tour en 1974
SÉNÉGAL : Quart de finale en 2002
TOGO : 1er tour en 2006

INOUBLIABLE MILLA

L'attaquant camerounais **Roger Milla**, qui fêtait ses réalisations en dansant autour du poteau de corner, est devenu en 1994 le plus vieux buteur de l'histoire de la Coupe du Monde. À 42 ans et 39 jours, avec le nom «Milla» écrit à la main sur son maillot, il a surgi du banc pour marquer contre la Russie. Né à Yaoundé le 20 mai 1952, Milla avait quitté le soccer professionnel un an plus tôt, avant que le Président du Cameroun, Paul Biya, ne le persuade de rejoindre les Lions Indomptables pour la Coupe du Monde 1994. Cette performance lui a valu de remporter un deuxième titre de Joueur africain de l'année 14 ans après son premier sacre. Milla met un point final à sa carrière internationale après États-Unis 1994, avec 102 sélections et 28 buts à son actif.

LES QUALIFICATIONS DES PAYS D'AFRIQUE SUBSAHARIENNE

CAMEROUN : 6 (1982, 1990, 1994, 1998, 2002, 2010)
NIGERIA : 4 (1994, 1998, 2002, 2010)
AFRIQUE DU SUD : 3 (1998, 2002, 2010)
CÔTE D'IVOIRE : 2 (2006, 2010)
GHANA : 2 (2006, 2010)
ANGOLA : 1 (2006)
R.D. CONGO (Zaïre) : 1 (1974)
SÉNÉGAL : 1 (2002)
TOGO : 1 (2006)

FRÈRES ET ADVERSAIRES

Les frères Boateng sont présents sur le même terrain lorsque l'Allemagne affronte le Ghana durant la Coupe du Monde FIFA 2010, mais ils sont adversaires, et c'est une première en Coupe du Monde. Jérôme Boateng est défenseur dans l'équipe allemande, tandis que son demi-frère **Kevin-Prince** est milieu offensif pour le Ghana – il a changé de nationalité un mois avant le début du tournoi. Tous deux sont nés à Berlin de la même mère, allemande, mais de pères ghanéens différents. Un tacle sévère de Kevin-Prince Baoteng a eu de graves conséquences puisque le capitaine allemand Michael Ballack, blessé, a dû sortir durant la finale de la Coupe d'Angleterre en mai 2010 et déclarer forfait pour la Coupe du Monde FIFA.

LA CORNE DE L'AFRIQUE

Shakira, pop-star colombienne, a interprété la chanson officielle de la Coupe du Monde FIFA 2010 lors des cérémonies d'ouverture et de clôture. Mais le son caractéristique de cette édition fut assurément celui de la vuvuzela (une trompette en plastique qui a rythmé les matchs de soccer en Afrique du Sud depuis les années 1980, et fut indispensable pour de nombreux fans de la Coupe du Monde FIFA). Des joueurs, dont l'Argentin Lionel Messi et le Portugais Cristiano Ronaldo, ont affirmé que ces instruments les déconcentraient, mais d'autres, comme l'Anglais Jamie Carragher et le Néerlandais Wesley Sneijder, les ont défendues. La FIFA et les organisateurs de l'édition 2010 n'ont pas voulu interdire les vuvuzelas, mais certaines chaînes de télévision ont mis au point un dispositif permettant de baisser leur volume lors des retransmissions.

PAUVRES IVOIRIENS

En 2006, alors que la Côte d'Ivoire participe pour la 1re fois à une Coupe du Monde FIFA, elle joue de malchance car le tirage la place dans le groupe «de la mort» (Serbie, Argentine et Pays-Bas) et elle est éliminée au 1er tour. **Didier Drogba**, Didier Zokora, les frères Kolo, Yaya Touré sont entraînés par le Français Henri Michel, sélectionneur pour la 4e fois mais avec quatre équipes différentes. En 1986, Henri Michel a entraîné les Bleus, puis le Cameroun en 1994 et le Maroc en 1998. Seuls Bora Milutinović et Carlos Alberto Parreira ont battu ce record. En 2010, le groupe de la Côte d'Ivoire (Brésil, Portugal et Corée du Nord) a reçu le même surnom («de la mort») et les Ivoiriens ont fini 3e.

RATOMIR L'A FAIT

Durant les qualifications pour la Coupe du Monde FIFA 2006, le Ghana a eu quatre sélectionneurs; le Serbe Ratomir Dujković est finalement parvenu à le qualifier, et ce fut une première. L'équipe ghanéenne est restée invaincue en 2005 – la FIFA la récompense pour avoir eu la meilleure progression de l'année. Le Ghana est le seul pays d'Afrique à avoir franchi le 1er tour des éditions 2006 et 2010, bien qu'ayant la plus jeune équipe de l'histoire du tournoi. En 2010, le Ghana est dirigé par un autre Serbe, Milovan Rajevac.

LES MEILLEURS BUTEURS D'AFRIQUE SUBSAHARIENNE

Roger Milla (Cameroun) 5
Asamoah Gyan (Ghana) 4
Papa Bouba Diop (Sénégal) 3
Samuel Eto'o (Cameroun) 3
Daniel Amokachi (Nigeria) 2
Emmanuel Amuniké (Nigeria) 2
Shaun Bartlett (Afrique du Sud) 2
Henri Camara (Sénégal) 2
Aruna Dindane (Côte d'Ivoire) 2
Didier Drogba (Côte d'Ivoire) 2
Patrick Mboma (Cameroun) 2
Benni McCarthy (Afrique du Sud) 2
Sulley Muntari (Ghana) 2
François Omam-Biyik (Cameroun) 2

DES BAFANA BAFANA AUX BAGHANA BAGHANA

Malgré l'absence de son milieu offensif Michael Essien blessé, le Ghana est le seul pays africain à avoir franchi le 1er tour de la Coupe du Monde FIFA 2010, recevant l'exubérant soutien des fans d'Afrique du Sud en quart de finale. Les joueurs ghanéens, les «Stars noires», ont été rebaptisés les «Stars de l'Afrique» par certains ou «BaGhana BaGhana» en jouant sur le surnom des Sud-Africains, «Bafana Bafana»: «les garçons» en langue xhosa.

AFRIQUE SUBSAHARIENNE RECORDS NATIONAUX

DROGBADABOUM

Même si c'est en France qu'il a grandi, **Didier Drogba** est bien né en Côte d'Ivoire, et il demeure l'un des enfants chéris du pays, tant pour ses performances que pour ses actions en dehors du terrain. Capitaine des Éléphants, il a inscrit 54 buts en 84 sélections (un record). À côté de cela, il a appelé à un cessez-le-feu lorsque son pays était ravagé par une guerre civile. Il a également obtenu qu'un match qualificatif pour la CAN contre Madagascar soit joué non pas dans la capitale Abidjan mais dans le fief rebelle de Bouaké, pour favoriser la réconciliation nationale. Deux fois élu Joueur africain de l'année, Drogba a disputé les deux seuls Mondiaux pour lesquels la Côte d'Ivoire s'est qualifiée : 2006 et 2010.

AFRIQUE SUBSAHARIENNE : BUTEURS

AFRIQUE DU SUD : Benni McCarthy	32
ANGOLA : Akwa	36
BOTSWANA : Dipsy Selolwane	16
CAMEROUN : Samuel Eto'o	55
CÔTE D'IVOIRE : Didier Drogba	60
GHANA : Asamoah Gyan	35
NIGERIA : Rashidi Yekini	37
SÉNÉGAL : Henri Camara	29
TOGO : Emanuel Adebayor	27
ZAMBIE : Godfrey Chitalu	78
ZIMBABWE : Peter Ndlovu	38

DÉGAGEMENT DU POING

Modiri Marumo, gardien et capitaine du Botswana, s'est vu exclure au beau milieu d'une séance de tirs au but contre le Malawi, en mai 2003, pour avoir asséné un coup de poing à son homologue, Philip Nyasulu. Il a été remplacé par le défenseur Michael Mogaladi, qui n'a pu empêcher la victoire du Malawi.

LE BRONZE À QUINZE ANS

Samuel Kuffour est le plus jeune médaillé olympique en soccer. Il avait 15 ans et 338 jours lorsque le Ghana s'est adjugé le bronze à Barcelone 1992.

PREMIER SACRE

Le premier pays africain à remporter une compétition officielle de la FIFA est le Nigeria, victorieux 2-0 de l'Allemagne en 1985 en finale de la Coupe du Monde des moins de 17 ans.

SALUT PITSO

De 2004 à 2010, l'Afrique du Sud a connu quatre entraîneurs étrangers différents, avant que la fonction revienne au Sud-Africain Pitso Mosimane. Il avait précédemment été sélectionné comme joueur à quatre reprises, avant d'assister le Brésilien Carlos Alberto Parreira pour la Coupe du Monde 2010. Les neuf premiers matchs de Mosimane se sont soldés par 6 victoires, 2 nuls et 1 seule défaite, mais il a perdu son poste en 2012, après qu'une série de neuf matchs sans aucune victoire ait ôté toute chance à son pays de participer à la Coupe du Monde 2014. Il a été remplacé par Gordon Igesund.

MISTER GEORGE

Le Libérien George Weah est le premier Africain à avoir été nommé, en 1995, Joueur de l'année par la FIFA. Cette distinction récompense ses performances avec le Paris Saint-Germain et l'AC Milan. Cette même année, il est également désigné Ballon d'or et Joueur Africain de l'année. Plusieurs fois capitaine en équipe nationale, il n'hésite pas à en financer les déplacements. À ce jour, il reste le seul Joueur de l'année dont le pays n'a jamais disputé une Coupe du Monde. Il prend sa retraite en 2003, après 60 sélections et 22 buts, et échoue aux élections présidentielles de 2005.

SUPER FRED

Frédéric Kanouté est devenu le premier joueur non né en Afrique à être élu Joueur africain de l'année, en 2007. Né à Lyon, Kanouté a joué pour les moins de 21 ans français. Mais ce fils d'une Française et d'un Malien a finalement choisi de défendre les couleurs du Mali en 2004. Il a inscrit 23 buts en 37 sélections avant de prendre sa retraite internationale après la CAN 2010. En club, il reste le chouchou des fans du FC Séville, avec ses 143 buts inscrits et ses deux Coupes de l'UEFA remportées. Seuls trois joueurs ont marqué davantage pour ce club.

AFRIQUE SUBSAHARIENNE : SÉLECTIONS

AFRIQUE DU SUD : Aaron Mokoena		107
ANGOLA : Akwa		80
BOTSWANA : Dipsy Selolwane		42
CAMEROUN : Rigobert Song		137
CÔTE D'IVOIRE : Didier Zokora		113
GHANA : Richard Kingson		90
NIGERIA : Joseph Yobo		95
SÉNÉGAL : Henri Camara		99
TOGO : Dare Nibombe		71
ZAMBIE : David Chabala		108
ZIMBABWE : Peter Ndlovu		100

RETOURNEMENTS DE SITUATION

Le Ghana a encaissé 3 buts en 1 minute face aux champions du monde allemands lors d'un match amical disputé en avril 1993. Après avoir mené 1-0 jusqu'à 20 minutes du terme, il s'est finalement incliné... 6-1. À la Coupe du Monde FIFA des moins de 20 ans de 1989, le Nigeria, mené 4-0 à 25 minutes de la fin par l'Union soviétique, a égalisé avant de s'imposer 5-3 aux tirs au but.

KONATE DÉGAINE

L'attaquant sénégalais **Pape Moussa Konate** a marqué 5 buts en 4 matchs lors des JO 2012 de Londres, soit un but toutes les 76 minutes. Son équipe est parvenue en quart de finale.

Âgé de 19 ans, il est devenu le premier joueur à marquer dans ses quatre premiers matchs olympiques, depuis le Soviétique Fyodor Cherenkov à Moscou, en 1980.

ASIE ET OCÉANIE

En 2002, l'Asie s'est taillée une place dans l'histoire du soccer, quand la Corée du Sud et le Japon sont devenus les premiers coorganisateurs d'une Coupe du Monde. Les Sud-Coréens sont aussi devenus les premiers demi-finalistes asiatiques, perdant contre l'Allemagne, puis la Turquie pour la 3e place. Depuis, l'Asie a aligné de bons résultats grâce à la Corée du Sud et au Japon, mais aussi à la Corée du Nord et à l'Australie. Étonnamment, malgré leur population, l'Inde et la Chine n'ont pas encore trouvé leur place, et ne seront pas au Brésil en 2014.

En marquant ce but, Keisuke Honda a permis au Japon d'être le premier à se qualifier pour la Coupe du Monde 2014 (en dehors du Brésil, pays hôte), nourrissant les espoirs japonais et asiatiques en général.

AUSTRALIE

Système de qualification peut-être trop complexe, isolement géographique qui a pendant longtemps facilité le développement d'autres sports aux dépens du soccer, il a fallu de nombreuses années à l'Australie pour se positionner sur la mappemonde du ballon rond. Dans le sillage d'une nouvelle génération de joueurs, pour la plupart basés en Europe, les *Socceroos* se sont pour la première fois distingués dans l'épreuve suprême en 2006. Aujourd'hui, l'Australie est le numéro un incontesté de la zone Asie.

HÉROS DU PAYS

Harry Williams est le premier joueur australien aborigène à avoir représenté son pays au niveau international. Il fit ses débuts en 1970 et fit partie en 1974 de la 1re équipe australienne à disputer une phase finale de Coupe du Monde, en RFA.

LE BILAN DE L'AUSTRALIE

Palmarès : championne d'Océanie 1980, 1996, 2000, 2004
Plus large victoire : 31-0 contre les Samoa américaines, Sydney, Coffs Harbour, 11 avril 2001
Plus lourde défaite : 7-0 contre la Croatie, Zagreb, 6 juin 1998

MORI EST BON

Parmi les 29 buts de l'Australien Damian Mori en seulement 45 matchs internationaux, on recense des triplés contre les îles Fidji et Tahiti, des quadruplés contre les îles Cook et Tonga, et un quintuplé lors du 13-0 infligé aux îles Salomon en éliminatoires du Mondial 1998. En dix ans de carrière internationale (1992-2002), il n'aura jamais disputé la Coupe du Monde, car son pays ne s'est alors jamais qualifié. Il détient toutefois le record du but le plus rapide, marqué après 3,69 secondes de jeu lors d'un match entre son club d'Adelaide City et Sydney United en 1996.

NEILL À PILES

Le vétéran et grand tacleur australien **Lucas Neill** a dû attendre son 91e match international avant de marquer son 1er but pour son pays : le but final d'une victoire 4-0 contre la Jordanie, qui a amélioré les chances de l'Australie de se qualifier pour la Coupe du Monde 2014. L'Australie a décroché sa qualification au match suivant, grâce à l'unique but marqué par Josh Kennedy contre l'Irak ; l'Australie est ainsi devenue la 3e équipe, après le pays hôte et le Japon, à s'assurer une place en phase finale.
Neill, ancien défenseur des Blackburn Rovers, de West Ham et de Galatasaray, a effectué ses débuts australiens en octobre 1996, devenant le 3e plus jeune international du pays. Son palmarès, en revanche, reste inférieur à celui de son collègue défenseur Robbie Cornthwaite.

SÉLECTIONS

1	Mark Schwarzer	108
2	Brett Emerton	95
3	Lucas Neill	92
4	Alex Tobin	87
5	Paul Wade	84
6	Luke Wilkshire	78
7	Tony Vidmar	76
8	Mark Bresciano	69
9	Scott Chipperfield	68
10	Peter Wilson	64

UN 1er BUT HISTORIQUE

Le 12 juin 2006, à Kaiserslautern, **Tim Cahill** signe ···········
le 1er but australien marqué en Coupe du Monde en
égalisant contre le Japon à la 84e minute, puis un 2e
5 minutes après et John Aloisi marque le 3e lors des arrêts
de jeu, faisant gagner l'Australie 3-1 – sa seule victoire
en Coupe du Monde. Puis c'est une défaite face au Brésil
(2-0) et un match nul (2-2) contre la Croatie. Cahill a marqué
trois buts dans les qualifications pour la Coupe du Monde
2014, arrivant à un point seulement de Damien Mori sur
la liste des meilleurs buteurs australiens de tous les temps.

ÉPREUVE DE VÉRITÉ

L'Australie est le seul pays à s'être qualifié aux tirs au but
pour une Coupe du Monde. C'était lors du barrage de
novembre 2005. Après la défaite 1-0 en Uruguay, Mark
Bresciano remet les deux équipes à égalité 1-1 en Australie.
Après une prolongation infructueuse, **Mark Schwarzer**
réalise deux parades lors de la séance de tirs au but
remportée 4-2 par les *Aussies*, John Aloisi signant le
penalty victorieux. Schwarzer battra ensuite le record de
sélections d'Alex Tobin avec une 88e apparition en janvier
2011, en Coupe d'Asie. Tobin jouait comme défenseur
lors de la première sélection de Schwarzer en 1993.

BIENVENUE AU PAYS D'EN BAS

Après avoir disputé les quarts de finale de sa
1re Coupe d'Asie en 2007 et avoir terminé 2e face au
Japon 4 ans plus tard, l'Australie voudra certainement
faire encore mieux en 2015, d'autant plus que c'est
elle qui accueillera cette fois la compétition.

DES ARBITRES OUBLIEUX

Graham Poll, en 2006, ne fut pas le 1er arbitre de la
Coupe du Monde FIFA à infliger trois cartons jaunes au
même joueur. La chose s'était déjà produite lors d'un
match de l'Australie en Coupe du Monde 1974, quand
le milieu de terrain Ray Richards fut expulsé tardivement
face au Chili. C'est le juge de touche gallois Clive Thomas
qui informa l'arbitre iranien Jafar Namdar de son erreur
(trois cartons jaunes sans expulsion). Richards joua ainsi
indûment 4 minutes avant d'être éconduit pour de bon.

LE PRÉSIDENT KENNEDY

En juin 2013, les journaux australiens ont
acclamé un joueur surnommé «Jésus»
ou «le Sauveur». En marquant un but à
la 83e minute contre l'Irak, Josh Kennedy
a assuré à son pays une place en Coupe
du Monde 2014, soit une 3e participation
consécutive à la phase finale. L'élégant
attaquant Kennedy, qui doit son surnom
à son ancien style capillaire, était entré
sur le terrain 6 minutes auparavant, en
remplacement de Tim Cahill. C'était son
16e but – et le plus important – en
30 matchs pour l'Australie.

LE JEUNE BRETT

Le but marqué par Brett Holman contre le Ghana
(1-1) dans l'édition 2010 fait de lui le plus jeune
buteur australien d'une Coupe du Monde FIFA.
Il a 26 ans et 84 jours (105 jours de moins que
Tim Cahill qui avait marqué contre le Japon en
2006). Holman signe un nouveau but contre
la Serbie dans le match gagné par l'Australie
(2-1). Cahill marque aussi, mais la différence de
buts ne permet pas à son équipe de se qualifier
au 2nd tour.

BUTEURS

1	Damian Mori	29
2	Tim Cahill	28
=	Archie Thompson	28
4	John Aloisi	27
5	Attila Abonyi	25
=	John Kosmina	25
7	Brett Emerton	20
=	David Zdrilic	20
9	Graham Arnold	19
10	Ray Baartz	18

KEWELL LE MEILLEUR

Né le 22 septembre 1978, **Harry Kewell** est considéré ··········
comme le meilleur joueur australien de tous les temps.
Cet ailier gauche a signé 13 buts en 39 matchs
internationaux, dont celui de l'égalisation contre la Croatie
qui a mené l'Australie en huitième de finale en 2006.
Kewell a poursuivi une belle carrière dans les clubs
de Leeds United, Liverpool et Galatasaray. Il est le
seul joueur australien à avoir gagné la Ligue des
Champions avec Liverpool en 2005. Le succès n'a
pas été au rendez-vous en 2010: Kewell n'a joué
que 22 minutes avant de recevoir un carton rouge
pour une main dans le match contre le Ghana
– le 150e de l'histoire de la Coupe du Monde.

JAPON

Les deux dernières décennies ont vu une nette percée du soccer japonais. Jusqu'à la création de la Ligue japonaise de soccer professionnel en 1993, les clubs jouaient en amateur, le soccer étant éclipsé par les autres sports (baseball, arts martiaux, tennis de table ou golf). De plus, le Japon a accueilli, avec la Corée du Sud, la Coupe du Monde 2002 – l'équipe nippone se qualifiant pour la 1re fois au 2e tour. Enfin, les victoires du Japon en Coupe d'Asie des nations en 1992, 2000, 2004 et 2011 ont prouvé son talent.

BUTEURS

1	Kunishige Kamamoto	55
=	Kazuyoshi Miura	55
3	Hiromi Hara	37
4	Shinji Okazaki	35
5	Takuya Takagi	27
6	Kazushi Kimura	26
7	Shunsuke Nakamura	24
8	Naohiro Takahara	23
9	Masashi Nakayama	21
10	Teruki Miyamoto	18

NAKATA OUVRE LA VOIE

Hidetoshi Nakata est l'un des meilleurs joueurs asiatiques. En novembre 1997, le milieu de terrain marqua notamment les 3 buts du match de Coupe du Monde qui assurèrent la victoire 3-2 de son pays sur l'Iran. En 1998, en signant avec le club italien de Pérouse, il devint le 1er joueur japonais célèbre en Europe, puis remporta un championnat avec l'AS Roma en 2001. Il fut suivi par certains de ses coéquipiers: Shinji Ono aux Pays-Bas, le milieu de terrain Shunsuke Nakamura, au Reggina FC en Italie, au Celtic Glasgow écossais et à l'Espanyol de Barcelone. Nakata joua 3 Coupes du Monde, avec 10 apparitions et 1 but marqué – le 2e de la victoire 2-0 du Japon sur la Tunisie, qui qualifia son pays pour les huitièmes de finale en 2002. Il totalisa 77 sélections et 11 buts marqués, avant de prendre sa retraite, à 29 ans et à la surprise générale, après la Coupe du Monde 2006.

SOCCER ET POLITIQUE

Le Japon décrocha une médaille de bronze surprise aux JO de Mexico en 1968, et l'attaquant star **Kunishige Kamamoto** fut désigné Meilleur buteur de la compétition avec 7 buts. Il possède toujours le meilleur palmarès japonais, avec 76 buts en 75 matchs. Aujourd'hui à la retraite, il est devenu entraîneur, vice-président de la Fédération de soccer de son pays et... membre du parlement japonais.

HONDA INSPIRÉ

Après le Brésil, pays hôte, le Japon a été le premier pays à se qualifier pour la Coupe du Monde 2014, après que Keisuke Honda a obtenu un match nul 1-1 contre l'Australie, en juin 2013. Honda, attaquant du CSKA, avait auparavant remporté deux titres de Joueur du match lors de la Coupe du Monde 2010, et en 2011, lors de la victoire japonaise en Coupe d'Asie des nations. Depuis 2010, le Japon est entraîné par Alberto Zaccheroni. Ce vétéran italien a succédé à Takeshi Okada, qui a ainsi annoncé son désir de quitter le soccer pour devenir agriculteur: «Quand il pleuvra, je lirai un livre, et quand il fera beau, je travaillerai à la ferme.»

⚽ SÉLECTIONS

1	Yasuhito Endo	133
2	Masami Ihara	122
3	Yoshikatsu Kawaguchi	116
4	Yuji Nakazawa	110
5	Shunsuke Nakamura	98
6	Kazuyoshi Miura	89
7	Junichi Inamoto	82
=	Alessandro Santos	82
9	Satoshi Tsunami	78
10	Hidetoshi Nakata	77
=	Seigo Narazaki	77

COUP DE BARRE

Le Japon obtint sa 1re victoire à l'étranger en Coupe du Monde en Afrique du Sud en 2010. La séance de tirs au but nippone contre le Paraguay au 2e tour fut la 1re de l'histoire de la Coupe du Monde FIFA à ne pas inclure au moins un pays européen. Elle fut aussi la 1re du tournoi 2010 et la 21e au total. Le Paraguay l'emporta 5-3, après un nul au terme des prolongations. L'arrière japonais Yuichi Komano fut le seul tireur à rater son penalty, frappant la barre.

⚽ UN TRIPLÉ UNIQUE

La victoire 3–1 du Japon contre le Danemark à Bloemfontein, dans le groupe E, lors de la Coupe du Monde FIFA 2010, fit de la sélection nippone la 1re équipe asiatique à marquer trois fois dans un match de Mondial depuis la défaite 5-3 de la Corée du Nord contre le Portugal en quart de finale en 1966. Les buts japonais furent signés Keisuke Honda, Yasuhito Endo et Shinji Okazaki. Honda et Endo marquèrent sur deux coups francs directs, une première en Coupe du Monde depuis le triplé yougoslave contre le Zaïre, battu 9-0 en 1974. Endo est devenu le joueur le plus capé du Japon, dépassant Masami Ihara en jouant en octobre 2012, lors d'un match amical contre le Brésil.

⚽ MERCI SHINJI

Le meneur de jeu **Shinji Kagawa** est devenu le premier joueur japonais à remporter un championnat anglais, en décrochant le titre de la Premier League avec Manchester United, en 2012-2013, un an après avoir aidé son ancien club du Borussia Dortmund à remporter la Bundesliga en Allemagne. Kagawa a été nommé Joueur international AFC de l'année 2012. Pourtant, il a souffert lors de la campagne triomphante du Japon en Coupe de l'AFC 2011 : après avoir marqué 2 buts dans le quart de finale victorieux, il s'est cassé le pied lors du match suivant, manquant ainsi la finale.

⚽ LE BON MOMENT

Tadanari Lee n'avait jamais joué pour le Japon avant de participer à la Coupe d'Asie 2011... et d'inscrire en prolongation le but qui offrit le trophée à son équipe. L'attaquant honora en effet sa 1re cape au 1er tour de la compétition, face à la Jordanie, et ouvrit donc son compteur de buts à 11 minutes de la fin de la prolongation, en finale contre l'Australie. Son coéquipier, le milieu de terrain Keisuke Honda, fut élu Meilleur joueur du tournoi, tandis que l'attaquant Shinji Okazaki, auteur d'un *hat-trick* contre l'Arabie saoudite au 1er tour, fut retenu dans le 11 type de la compétition.

⚽ DES BUTS EN PAGAILLE

Aucune équipe n'a marqué plus de buts que le Japon, au cours d'une unique Coupe d'Asie des nations, avec 21 buts en 6 matchs, avant d'emporter finalement le titre pour la 2e fois, au Liban, en 2000 – bien que la finale contre l'Arabie saoudite se fut soldée par un seul but de Shigeyoshi Mochizuki. Neuf joueurs marquèrent pour le Japon durant le tournoi – dont Akinori Nishizawa et Naohiro Takahara (5 buts chacun), tandis que leur coéquipier Ryuzo Morioka marquait une fois contre son camp. La victoire la plus remarquée du Japon fut un 8-1 au 1er tour contre l'Ouzbékistan, avec deux triplés de Nishizawa et Takahara.

CORÉE DU SUD

«Be the Reds!» (Soyez rouges!) fut le cri de ralliement des supporters sud-coréens lorsque le pays «coorganisa» la Coupe du Monde 2002, durant laquelle il devint la 1re nation asiatique à atteindre les demi-finales, se classant finalement 4e. La Corée du Sud remporta aussi les deux premières éditions de la Coupe d'Asie des nations, ce qui fit d'elle la meilleure nation du continent en matière de soccer, même si elle ne put réitérer l'exploit. La «K-League» est cependant en progrès constant et les équipes sud-coréennes ont remporté au total 10 fois la Coupe d'Asie des clubs champions, plus qu'aucun autre pays.

HWANG EST NOTRE HOMME

Parmi les vétérans présents aux côtés des jeunes joueurs sud-coréens durant la Coupe du Monde FIFA 2002, **Hwang Sun-Hong**, 33 ans, était le seul, avec Cha Bum-Kun, à avoir marqué 50 buts pour son pays, le 50e lors de la victoire 2-0 des Sud-Coréens sur les Polonais au 2e tour. Hwang joua également les Coupes du Monde 1990 et 1994, mais manqua celle de 1998 à cause d'une blessure. Il a marqué 8 buts en un seul match, écrasant le Népal 11-0 en octobre 1994. C'est encore contre le malheureux Népal que la Corée du Sud a remporté sa victoire record en septembre 2003, par 16 à 0, dont 5 de Park Jin-Sub, 3 de Woo Sung-Yong et 3 de Kim Do-Hoon.

HIDDINK, LE HÉROS SUD-CORÉEN

Le Néerlandais **Guus Hiddink** est l'entraîneur le plus célèbre d'Asie. Ancien coach du PSV Eindhoven et des Pays-Bas, il prend en main l'équipe de Corée du Sud en 2000. Il change la tactique et enchaîne les matchs amicaux jusqu'à la qualification automatique pour la Coupe du Monde 2002 – la Corée du Sud étant coorganisatrice. Fans sud-coréens et médias attendent que l'équipe se qualifie pour le 2e tour pour la 1re fois. Elle fera mieux, en terminant 1re de son groupe, en éliminant l'Italie au 2e tour et en allant en demi-finale grâce à une victoire contre l'Espagne. L'équipe perdra ensuite 1-0 contre l'Allemagne, puis 3-2 contre la Turquie, mais terminera 4e, le meilleur résultat d'une équipe asiatique. En récompense, Hiddink deviendra le 1er étranger citoyen d'honneur de Corée du Sud et l'on donnera son nom au stade de Gwangju.

CHASSEUR D'ARAIGNÉES

Le gardien de but **Lee Woon-Jae**, appelé «mains d'araignée», devint un héros national en arrêtant le tir au but de l'Espagnol Joaquín Sánchez Rodríguez, envoyant ainsi son équipe en demi-finale de la Coupe du Monde 2002. Lee, qui a joué durant la Coupe du Monde 1994, et qui participa également aux éditions 2006 et 2010, a sauvé d'autres tirs au but – 3 notamment durant la Coupe d'Asie des nations 2007, qui a vu son pays prendre la 3e place. Le remplaçant de Lee, Kim Byung-Ji, n'a joué que 62 matchs internationaux. Mais en juin 2012, à l'âge de 42 ans, Kim a finalement réussi à établir un nouveau record sud-coréen de 200 matchs sans but encaissé.

MONSIEUR PARK

Infatigable milieu de terrain, **Park Ji-Sung** possède le plus beau palmarès du soccer asiatique. Il fut ainsi le premier joueur de son continent à gagner la Ligue des Champions, quand son club de Manchester United battit Chelsea en 2008, même si lui-même ne disputa pas la finale. Il devint également le premier joueur asiatique à marquer lors de trois Coupes du Monde consécutives. Une 1re fois en match de poule du Mondial 2002, face au Portugal, ce qui permit aux siens de sortir des poules pour la 1re fois de leur histoire. Son coéquipier Ah Jung-Hwan et le Saoudien Sami Al-Jaber sont les deux seuls autres joueurs asiatiques à avoir marqué trois fois en Coupe du Monde. Park est devenu le 8e Sud-Coréen à atteindre les 100 sélections, lors d'une défaite en demi-finale de la Coupe d'Asie 2011 contre le Japon. Match après lequel il prit sa retraite internationale afin de laisser la place à une nouvelle génération.

SÉLECTIONS

1	Hong Myung-Bo	136
2	Lee Woon-Jae	132
3	Lee Young-Pyo	127
4	Yoo Sang-Chul	122
5	Cha Bum-Kun	121
6	Kim Tae-Young	105
7	Hwang Sun-Hong	103
8	Park Ji-Sung	100
9	Kim Nam-Il	97
=	Lee Dong-Gook	97

BUTEURS

1	Cha Bum-Kun	55
2	Hwang Sun-Hong	50
3	Park Lee-Chun	36
4	Kim Jae-Han	33
5	Lee Dong-Gook	30
=	Kim Do-Hoon	30
=	Choi Soon-Ho	30
8	Huh Jung-Moo	29
9	Choi Yong-Soo	27
10	Park Chu-Young	23

MYUNG-BO, CAPITAINE RECORDMAN

Le défenseur sud-coréen **Hong Myung-Bo** a été le 1er joueur asiatique à participer quatre fois à un tournoi de Coupe du Monde. Il perdit avec son pays contre la Belgique, l'Espagne et l'Uruguay en 1990, marqua deux fois en trois matchs joués en 1994 – permettant notamment à son équipe menée 2-0 de faire match nul 2-2 contre l'Espagne – et fut éliminé avec sa sélection durant la phase de groupes en 1998. quatre ans plus tard, à domicile, capitaine de son équipe, il mena la Corée du Sud à la 4e place, la meilleure performance réalisée par une équipe asiatique. Il obtient le Ballon de bronze de cette Coupe du Monde et battit le record du plus grand nombre de matchs joués (16) en Coupe du Monde pour un joueur asiatique. Hong a entraîné l'équipe des moins de 23 ans qui a décroché le bronze aux JO 2012, battant le Japon 2-0 pour la 3e place. Les 2 buts contre le Japon ont été marqués par Park Chu-Young (Arsenal) et Koo Ja-Cheol (Wolfsburg), mais le milieu Park Jong-Woo s'est vu interdire l'accès à la cérémonie après avoir exhibé une pancarte politique à l'issue du match; il n'a reçu sa médaille de bronze qu'en février 2013.

AVEC CHA BUM, ÇA FAIT BOOM !

Avant même que la Corée du Sud ne se fasse une réputation en Coupe du Monde sous l'égide de Guus Hiddink, le pays avait déjà son héros en pleine gloire, le fougueux attaquant **Cha Bum-Kun**, connu pour ses frappes canon et surnommé «Cha Boom». Il permit à d'autres joueurs asiatiques de se faire un nom en Europe, en signant notamment avec l'Eintracht de Francfort en 1979, et en jouant plus tard pour le Bayer Leverkusen. Au nombre de ses exploits allemands, on compte 2 victoires en Coupe de l'UEFA – avec Francfort en 1980, et son rival en Bundesliga, le Bayer Leverkusen, huit ans plus tard. Il deviendra l'idole de futurs internationaux allemands comme Jürgen Klinsmann et Michael Ballack. Il détient le record de 55 buts en équipe nationale pour 121 sélections, dont un triplé contre la Malaisie (score final: 4-1) durant la Park Cup 1977. De janvier 1997 à juin 1998, Cha Boom deviendra sélectionneur, gagnant 22 matchs avec l'équipe nationale, qui en perdra 11 et fera 8 matchs nuls durant la même période. La défaite 5-0 de la Corée du Sud contre les Pays-Bas lors de la Coupe du Monde 1998 mettra un terme à sa carrière d'entraîneur.

ASIE LES AUTRES ÉQUIPES

Les sélections asiatiques et océaniennes mineures représentent un réservoir peu exploité pour le soccer mondial. Si tous ces pays ne sont pas encore animés d'une passion obsessionnelle pour le ballon rond, cela n'enlève rien à l'intensité des rivalités entre sélections et au niveau de performance atteint. Ces zones comptent de nombreux recordmen (de buts ou de sélections), dont certains n'auront jamais de successeur.

LES SAOUDIENS DÉBUTENT FORT

Pour sa première participation à la Coupe du Monde, en 1994, l'Arabie saoudite atteint les huitièmes. Le but victorieux de **Saeed Owairan** contre la Belgique lui permet de terminer à égalité avec les Pays-Bas en tête du Groupe F. Après la défaite 2-1 face aux *Oranje* lors du 1er match, les Fils du Désert s'imposent 2-1 contre le Maroc. Ils s'inclineront 3-1 en huitième contre la Suède. Le remplaçant Fahad Al-Ghesheyan réduira le score à 2-1 à la 85e minute mais Kennet Andersson pliera le match 3 minutes plus tard. Les Saoudiens ne dépasseront pas le 1er tour lors de leurs trois participations suivantes.

BUTEURS : IRAN

1	Ali Daei	109
2	Karim Bagheri	50
3	Ali Karimi	38
4	Javad Nekounam	36
5	Gholam Hossein Mazloomi	19
=	Farshad Pious	19
7	Ali Asghar Modir Roosta	18
8	Vahid Hashemian	15
9	Alireza Vahedi Nikbakht	14
10	Mehdi Mahdavikia	13
=	Ali Parvin	13
=	Hassan Rowshan	13

NEK PLUS ULTRA

L'actuel capitaine iranien Javad Nekounam a grimpé à la 2e place, non seulement sur la liste des joueurs les plus capés, mais aussi des capitaines les plus expérimentés. Depuis 2000, le talentueux milieu de terrain a joué 132 matchs dont 39 comme capitaine, soit un de plus qu'Ahmad Reza Abedzadeh de 1988 à 1998, mais loin des 80 d'Ali Daei en 149 sélections.

L'IRAN AU TOP

L'Iran a remporté les 13 matchs de son triplé victorieux en Coupe d'Asie des Nations en 1968, 1972 et 1976 – dont une victoire mémorable 8-0 contre le Yémen du Sud en 1976. Parmi les joueurs qui se sont illustrés, Homayoun Behzadi marqua dans les 4 matchs disputés en 1968 et se retrouva à nouveau du côté des vainqueurs en 1972. En 1976, l'entraîneur de l'Iran, Heshmat Mohajerani, conduisit son équipe jusqu'en quart de finale aux JO de Montréal. Il permit aussi à l'Iran de disputer sa 1re Coupe du Monde en 1978. Le capitaine de l'Iran lors de ladite Coupe du Monde était le milieu de terrain Ali Parvin, l'auteur de l'unique but contre le Koweït, en finale de la Coupe d'Asie de 1976.

LES EXTRÊMES

La Corée du Nord est passée à côté de la victoire face au Brésil, durant la Coupe du Monde 2010 (1-2). **Ji Yun-Nam** a signé un but tardif pour son équipe. Ce match opposait deux équipes aux deux extrémités du classement FIFA: le Brésil était à la 1re place et la Corée du Nord à la 105e.

SÉLECTIONS : IRAN

1	Ali Daei	149
2	Javad Nekounam	132
3	Ali Karimi	127
4	Mehdi Mahdavikia	111
5	Hossein Kaebi	89
6	Karim Bagheri	87
7	Mohammad Nosrati	83
8	Hamid Reza Estili	82
9	Javad Zarincheh	80
10	Ahmad Reza Abedzadeh	79
=	Jalal Hosseini	79

SÉLECTIONS EN COUPE DU MONDE FIFA

Arabie saoudite	4	(1994, 1998, 2002, 2006)
Iran	3	(1978, 1998, 2006)
Nouvelle-Zélande	2	(1982*, 2010*)
Corée du Nord	2	(1966, 2010)
Chine	1	(2002)
Indonésie**	1	(1938)
Irak	1	(1986)
Israël	1	(1970)
Koweït	1	(1982)
Émirats arabes unis	1	(1990)

* Qualifiée en tant que membre de la Confédération Océanie
** À l'époque: Indes orientales néerlandaises

UN CHEIKH AGITÉ

Si le Koweït ne s'est qualifié qu'une fois pour une Coupe du Monde de la FIFA, en 1982, on ne l'oubliera pas de sitôt. En effet, le président de la fédération du Koweït, le **cheikh Fahid Al-Ahmad,** descendit sur la pelouse pour faire annuler un but du français Alain Giresse, qui aurait porté le score à 4-1 pour les Bleus. Il affirma qu'un coup de sifflet venu des tribunes avait perturbé ses joueurs et menaça de quitter le terrain. Il eut gain de cause auprès de l'arbitre Miroslav Stupar. La France l'emporta néanmoins 4-1 et le Koweït fut éliminé au 1er tour.

DÉROUILLÉE À L'IRANIENNE

Le plus gros carton jamais réalisé en éliminatoires de la zone asiatique est à mettre au crédit de l'Iran. Le 24 novembre 2000, il a écrasé Guam 19-0 à Tabriz, Karim Bagheri inscrivant 6 buts et Ali Karimi 4. Le futur sélectionneur Ali Daei et Farhad Majidi y sont également allés de leur doublé. La *Melli* a battu de 2 unités son record : 17-0 contre les Maldives le 2 juin 1997, avec un septuplé de Bagheri. Deux jours après ce 19-0, Guam a subi un 16-0 contre le Tadjikistan.

PIONNIERS PALESTINIENS

La Palestine, alors sous mandat britannique, a été le 1er pays asiatique à jouer les éliminatoires de la Coupe du Monde. Le 16 mars 1934, elle a perdu 7-1 en Égypte, puis 4-1 au retour, le 6 avril. Quatre ans plus tard, elle a été sortie par la Grèce 3-1 à Tel-Aviv puis 1-0 à domicile.

LE GÉANT ENDORMI

Pays le plus peuplé de la planète, la Chine n'a participé qu'à une Coupe du Monde, en 2002. Premiers de leur groupe avec 8 points d'avance sur les Émirats arabes unis, les hommes de Bora Milutinovic n'ont pas marqué un seul but en phase finale (défaites 2-0 contre le Costa Rica, 4-0 contre le Brésil et 3-0 contre la Turquie). Leur équipe de 2002 comprenait Zi Feng, le plus capé avec 114 matchs, et le meilleur buteur **Hao Haidong** (37 buts).

LE COMBAT DES MAL-CLASSÉS

Le jour, le 30 juin 2002, où le Brésil et l'Allemagne se disputaient la finale de la Coupe du Monde FIFA, les deux pays les plus mal classés selon la FIFA, le Bhoutan et Montserrat, s'affrontaient à Thimbu, la capitale bhoutanaise. Le Bhoutan l'emporta 4-0, avec un triplé de son capitaine, Wangay Dorji.

L'IRAK RELÈVE LA TÊTE

L'une des plus grandes et belles surprises du soccer international fut la victoire irakienne lors de la Coupe d'Asie 2007, un an à peine après la fin de la guerre qui avait ravagé le pays, et obligé la sélection à disputer ses rencontres à domicile à l'étranger. Les Irakiens ont éliminé le Vietnam et la Corée du Sud pour se hisser en finale, lors de laquelle le capitaine **Younis Mahmoud** a inscrit le but décisif face à l'Arabie saoudite. Quatre ans plus tard, ils ne purent conserver leur bien, s'inclinant en quart de finale contre l'Australie. Mahmoud a pris sa retraite du soccer international en juin 2013, après 47 buts en 116 matchs pour son pays. Il est le 2e joueur irakien le plus capé et 2e meilleur buteur, derrière Hussein Saeed, qui a marqué 61 buts en 126 matchs de 1977 à 1990.

LA LONGÉVITÉ D'AL-DEAYEA

Gamin, le gardien saoudien Mohamed Al-Deayea a hésité entre le soccer et le handball. C'est son frère aîné Abdoullah qui lui a conseillé le soccer. Il a connu la première de ses 181 sélections contre le Bangladesh en 1990 et la dernière contre le Belgique en mai 2006. Il a disputé les Coupes du Monde 1994, 1998 et 2002. Il a joué son dernier match dans l'épreuve suprême lors de la défaite 3-0 contre la République d'Irlande le 11 juin 2002. Rappelé dans le groupe pour l'édition allemande 2006, il n'a pas joué.

DAEI : LE MEILLEUR D'ENTRE TOUS

Le 17 novembre 2004, sur une victoire iranienne 7-0 contre le Laos, l'attaquant iranien **Ali Daei,** auteur de 4 buts ce jour-là, devint l'unique joueur de tous les temps à avoir marqué plus de 100 buts en sélections. Il termina sa carrière avec 109 buts en 148 sélections, entre 1993 et 2006 – cela sans avoir marqué durant les Coupes du Monde FIFA 1998 et 2006. Il est aussi, avec 14 buts marqués, le meilleur buteur de la Coupe d'Asie des nations, qu'il n'a pourtant jamais remportée. Devenu sélectionneur, de mars 2008 à mars 2009, il a été remercié après la défaite à domicile de l'Iran contre les Saoudiens.

L'AS DU BARÇA

Le 1er Asiatique à avoir joué pour un club européen est aussi le plus prolifique buteur du FC Barcelone. Paulino Alcántara, originaire des Philippines, marqua 369 buts en 357 matchs pour le Barça entre 1912 et 1927 ; il avait commencé sa carrière à 15 ans, un autre record du club. Né aux Philippines, mais de père espagnol, il disputa des matchs internationaux pour la Catalogne et pour les Philippines, avec qui il joua le match qui fut aussi la plus cuisante défaite du Japon (15-2). Retiré de la compétition à 31 ans, il reprit ses études de médecine et exerça, tout en étant brièvement sélectionneur pour l'Espagne en 1951.

LES CADORS

Lors des qualifications asiatiques pour la Coupe du Monde 2014, le meilleur buteur a été le Japonais Shinji Okazaki avec 8 buts, suivi par des joueurs n'appartenant pas aux grandes puissances de la Confédération asiatique. L'Irakien Younis Mahmoud, les Jordaniens Ahmad Hayel et Hassan Abdel-Fattah ont tous trois marqué 7 buts, ainsi que  le Vietnamien **Le Cong Vinh,** qui a battu le record national avec 31 buts marqués. La Jordanie n'avait jamais atteint le 4e et dernier tour des qualifications AFC auparavant. Cette fois-ci, elle y est parvenue sous la houlette d'Adnan Hamad, qui avait déjà entraîné l'équipe irakienne à cinq reprises.

L'HEURE DE GLOIRE DU KOWEÏT

L'unique triomphe du Koweït en Coupe d'Asie des Nations eut lieu en 1980, lorsque l'émirat, accueillant le tournoi, battit la Corée du Sud 3-0 en finale – après avoir perdu sur le même score, contre les mêmes adversaires, durant le 1er tour. Le héros koweïtien de la rencontre fut Faisal Al-Dakhil, qui marqua 2 des 3 buts, ses 4e et 5e dans le tournoi. Il fut également l'auteur du but gagnant de la victoire 2-1 en demi-finale contre l'Iran.

LE CHOIX DE LA CORÉE DU NORD

Jong Tae-Se, le buteur vedette de la Corée du Nord durant la Coupe du Monde 2010, a pleuré en entendant l'hymne nord-coréen avant le premier match contre le Brésil. Pourtant il n'a jamais visité le pays pour lequel il joue. Né au Japon et œuvrant au Kawasaki Frontale, Jong a des parents sud-coréens mais possède de la famille en Corée du Nord et a fait le choix de la citoyenneté nord-coréenne.

MEILLEURS BUTEURS DE LA COUPE D'ASIE DES NATIONS

1	**Ali Daei** (Iran)	14
2	**Lee Dong-Gook** (Corée du Sud)	10
3	**Naohiro Takahara** (Japon)	9
4	**Jassem Al-Houwaidi** (Koweït)	8
5	**Behtash Fariba** (Iran)	7
=	**Hossein Kalani** (Iran)	7
=	**Choi Soon-Ho** (Corée du Sud)	7
=	**Faisal Al-Dakhil** (Koweït)	7
9	**Yasser Al-Qahtani** (Arabie saoudite)	6
=	**Alexander Geynrikh** (Ouzbékistan)	6

PAK ÉCRIT L'HISTOIRE

Le Nord-Coréen **Pak Doo-Ik** est entré dans la légende en marquant le but fatal à l'Italie lors de la Coupe du Monde 1966. L'onde de choc a été analogue à la victoire 1-0 des États-Unis contre l'Angleterre en 1950. Pak a inscrit l'unique but du match à la 42e minute à Middlesbrough, le 19 juillet 1966. La Corée du Nord est devenue le premier pays asiatique à atteindre les quarts de la Coupe du Monde. Caporal dans l'armée, Pak a été promu au rang de sergent et il est devenu entraîneur de gymnastique.

JOUEUR ASIATIQUE DE L'ANNÉE

1988	Ahmed Radhi	Irak
1989	Kim Joo-Sung	Corée du Sud
1990	Kim Joo-Sung	Corée du Sud
1991	Kim Joo-Sung	Corée du Sud
1992	Titre non décerné	
1993	Kazuyoshi Miura	Japon
1994	Saeed Owarain	Arabie saoudite
1995	Masami Ihara	Japon
1996	Khodadad Azizi	Iran
1997	Hidetoshi Nakata	Japon
1998	Hidetoshi Nakata	Japon
1999	Ali Daei	Iran
2000	Nawaf Al Temyat	Arabie saoudite
2001	Fan Zhiyi	Chine
2002	Shinji Ono	Japon
2003	Mehdi Mahdavikia	Iran
2004	Ali Karimi	Iran
2005	Hamad Al-Montashari	Arabie saoudite
2006	Khalfan Ibrahim	Qatar
2007	Yasser Al-Qahtani	Arabie saoudite
2008	Server Djeparov	Ouzbékistan
2009	Yasuhito Endo	Japon
2010	Sasa Ognenovski	Australie
2011	Server Djeparov	Ouzbékistan
2012	Lee Keun-Ho	Corée du Sud

SI PRÈS DU BUT

En septembre 2013, l'Ouzbékistan et la Jordanie, deux équipes qui n'étaient encore jamais arrivées en phase finale d'une compétition FIFA, se sont affrontées dans un match de barrage pour savoir laquelle jouerait contre une équipe sud-américaine pour une place au Brésil 2014. Les Ouzbeks avaient le même nombre de points que la Corée du Sud, directement qualifiée, mais ils avaient marqué un but de moins – malgré leur victoire finale de 5-1 contre le Qatar, dont une égalisation de Basodir Nasimov 18 secondes après son entrée sur le terrain comme remplaçant.

COUPE D'ASIE : ENTRAÎNEURS LAURÉATS

1956	**Lee Yoo-Hyung** (Corée du Sud)	
1960	**Wi Hye-Deok** (Corée du Sud)	
1964	**Gyula Mandi** (Israël)	
1968	**Mahmoud Bayati** (Iran)	
1972	**Mohammad Ranjbar** (Iran)	
1976	**Heshmat Mohajerani** (Iran)	
1980	**Carlos Alberto Parreira** (Koweït)	
1984	**Khalil Al-Zayani** (Arabie saoudite)	
1988	**Carlos Alberto Parreira** (Arabie saoudite)	
1992	**Hans Ooft** (Japon)	
1996	**Nelo Vingada** (Arabie saoudite)	
2000	**Philippe Troussier** (Japon)	
2004	**Zico** (Japon)	
2007	**Jorvan Vieira** (Irak)	
2011	**Alberto Zaccheroni** (Japon)	

AL-JABER PUISSANCE QUATRE

Lors de sa titularisation le 14 juin 2006 contre la Tunisie à Munich, **Sami Al-Jaber** (né le 11 décembre 1972 à Riyad) est devenu le 2e joueur asiatique à avoir disputé quatre Coupes du Monde. Il a marqué un but lors du nul 2-2, son 3e en 9 matchs dans l'épreuve suprême. Al-Jaber n'a disputé qu'un match lors de l'édition 2002, avant d'être hospitalisé pour une crise d'appendicite. Avec 44 buts en 163 matchs, il est le meilleur buteur de la sélection saoudienne.

UN SI LONG VOYAGE POUR UNE DÉFAITE

L'Indonésie (à l'époque les Indes orientales néerlandaises) fut le 1er pays asiatique à participer à une Coupe du Monde FIFA en France en 1938. C'était un tournoi par élimination directe et, le 5 juin à Reims, la Hongrie la battit 6-0 avec des buts de György Sárosi, Gyula Zsengellér, Vilmos Kohut et Géza Toldi.

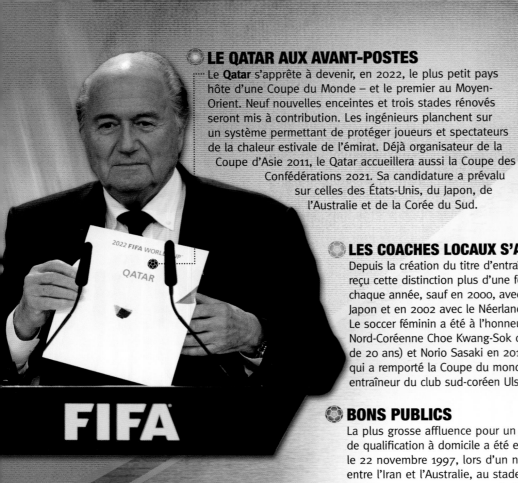

LE QATAR AUX AVANT-POSTES

Le **Qatar** s'apprête à devenir, en 2022, le plus petit pays hôte d'une Coupe du Monde – et le premier au Moyen-Orient. Neuf nouvelles enceintes et trois stades rénovés seront mis à contribution. Les ingénieurs planchent sur un système permettant de protéger joueurs et spectateurs de la chaleur estivale de l'émirat. Déjà organisateur de la Coupe d'Asie 2011, le Qatar accueillera aussi la Coupe des Confédérations 2021. Sa candidature a prévalu sur celles des États-Unis, du Japon, de l'Australie et de la Corée du Sud.

AGENT DOUBLE ÉTRANGER

Le Brésilien Carlos Alberto Parreira est le seul entraîneur à avoir gagné deux fois la Coupe d'Asie des nations de l'AFC, et cela avec deux pays différents : le Koweït d'abord, en 1980, puis l'Arabie saoudite, huit ans plus tard.

LES COACHES LOCAUX S'AFFIRMENT

Depuis la création du titre d'entraîneur AFC de l'année, en 1994, nul n'a reçu cette distinction plus d'une fois ; les Asiatiques ont obtenu ce prix chaque année, sauf en 2000, avec le Français Philippe Troussier pour le Japon et en 2002 avec le Néerlandais Guus Hiddink pour la Corée du Sud. Le soccer féminin a été à l'honneur avec la Chinoise Ma Yuanan en 1996, la Nord-Coréenne Choe Kwang-Sok dix ans plus tard (équipe des moins de 20 ans) et Norio Sasaki en 2011, entraîneuse de l'équipe japonaise qui a remporté la Coupe du monde féminine. En 2012, Kim Ho-Gon, entraîneur du club sud-coréen Ulsan Hyundai, a reçu cette distinction.

BONS PUBLICS

La plus grosse affluence pour un match de qualification à domicile a été enregistrée le 22 novembre 1997, lors d'un nul 1-1 entre l'Iran et l'Australie, au stade Azadi de Téhéran : 130 000 personnes. Il s'agissait du barrage aller pour l'édition 1998. Après sa victoire 2-2 au retour à Melbourne, l'Iran s'est qualifié grâce aux buts inscrits à l'extérieur. La plus faible assistance ? Vingt courageux venus voir le Turkménistan battre Taïwan 1-0 à Amman, en Jordanie, le 7 mai 2001.

LES FANS CHINOIS CRÈVENT L'ÉCRAN

L'équipe de Chine possède un immense réservoir de supporters, comme elle l'a prouvé lorsqu'elle a atteint sa première Coupe du Monde, en 2002. Entre leur qualification le 19 octobre 2001 et leur 1er match, contre le Costa Rica le 4 juin 2002, environ 170 millions de téléviseurs ont été vendus en Chine ! Les audiences lors des 3 matchs de la sélection ont régulièrement atteint les 300 millions, même si la Chine a perdu ses 3 matchs sans marquer.

LES AUTRES CHINE

Quatre équipes sont liées à la Chine. La sélection chinoise est la plus connue, mais Hong Kong (ancienne colonie britannique) et Macau (ancienne colonie portugaise) conservent un statut autonome en matière de soccer. De même, l'État indépendant de Taiwan dispute les compétitions de la FIFA et les autres épreuves sous l'appellation : *Chinese Taipei*.

SERVER EST SERVI

Les 4 internationaux ouzbeks les plus capés sont en activité : les milieux de terrain Timur Kapadze (107 matchs) et **Server Djeparov** (94 matchs, élu 2 fois joueur de l'année), l'attaquant Alexander Geynrikh (83 matchs) et le gardien Ignatiy Nesterov (82 matchs). L'attaquant Maksim Shatskikh est en tête des buteurs ouzbeks, avec 34 buts en 60 matchs, et a connu le succès en Ukraine dans plusieurs équipes, dont le Dynamo de Kiev – avec lequel il est devenu le 2e Ouzbek, après Mirjalol Qosimov, à marquer dans des compétitions de l'UEFA. Qosimov, qui a marqué 31 buts pour son pays, est désormais sélectionneur de l'Ouzbékistan.

TRAVAIL DE FOURMI

Le grand joueur brésilien Mário Zagallo, dit «Petite Fourmi», qui gagna la Coupe du Monde comme joueur et comme entraîneur, dirigeait l'équipe des Émirats arabes unis quand ils se qualifièrent pour leur unique phase finale de Coupe du Monde, en 1990 en Italie. Mais malgré cette réussite aux éliminatoires, il fut remplacé, à la veille du tournoi, par le Polonais Bernard Blaut, qui perdit avec son équipe les trois matchs d'Italie 1990. D'autres grands noms ont dirigé la sélection des Émirats, dont le Brésilien Carlos Alberto Parreira, les Anglais Don Revie et Roy Hodgson, l'Ukrainien Valery Lobanovsky et le Portugais Carlos Queiroz.

UNE FÉDÉRATION EN EXPANSION

La dissolution de l'URSS a grossi les rangs de la fédération d'Asie au début des années 1990. Le Kazakhstan, le Kirghizstan, le Tadjikistan, le Turkménistan et l'**Ouzbékistan** y sont entrés en 1994. C'est l'Ouzbékistan qui a le mieux tiré son épingle du jeu en atteignant les quarts de finale de la Coupe d'Asie en 2004 et 2007, et terminant 4e en 2011. L'Australie est le 46e et dernier pays à être entré dans la fédération d'Asie le 1er janvier 2006, précédé, quelques mois plus tôt, par le Timor-Oriental.

GARDIEN DE RIEN

Bien que le Nord-Coréen Kim Myong-Won occupe un poste d'attaquant, il fait partie des trois gardiens de but sélectionnés pour la Coupe du Monde FIFA 2010. Si cette sélection lui permettait d'occuper uniquement le poste de gardien pendant le tournoi, il n'a en fait participé à aucun des trois matchs de son équipe dans le groupe G.

LE DOSSIER ISRAÉLIEN

Géographiquement parlant, **Israël** est un pays asiatique. Il a organisé et remporté la Coupe d'Asie 1964, mais de nombreuses nations ayant rejoint l'AFC par la suite ont refusé de jouer contre lui pour des raisons politiques. Le pays a ainsi disputé les éliminatoires océaniennes, atteignant la Coupe du Monde 1970 grâce à un barrage remporté contre l'Australie. En 1989, Israël a terminé en tête du groupe océanien, mais a perdu son barrage contre la Colombie pour l'édition 1990. En 1992, les Israéliens ont intégré les éliminatoires européens. Ils sont membres de l'UEFA depuis 1994.

VAINQUEURS DE LA COUPE D'ASIE

La Coupe d'Asie est le Championnat continental de l'AFC

1956	Corée du Sud
1960	Corée du Sud
1964	Israël
1968	Iran
1972	Iran
1976	Iran
1980	Koweït
1984	Arabie saoudite
1988	Arabie saoudite
1992	Japon
1996	Arabie saoudite
2000	Japon
2004	Japon
2007	Irak
2011	Japon

FROID EXTRÊME

La Mongolie ne joua pas un seul match international durant 38 ans, de 1960 à 1998, et organisa encore moins une compétition, internationale ou non, en raison du froid qui règne sur le pays d'octobre à juin.

OCÉANIE

Le soccer océanien détient quelques records saisissants, mais aucun dont il pourrait se vanter – c'est le cas du nombre de buts encaissés qui évoque plutôt des scores de cricket... Le départ de l'Australie, qui fait désormais partie de la fédération d'Asie, a été un coup dur dont a cependant bénéficié la Nouvelle-Zélande. En effet, pour la première fois lors de la Coupe du monde FIFA 2010, elle était présente dans le tournoi en même temps que l'Australie.

SÉLECTIONS : NOUVELLE-ZÉLANDE

1	Ivan Vicelich	86
2	Simon Elliott	69
3	Vaughan Coveny	64
4	Ricki Herbert	61
5	Chris Jackson	60
6	Brian Turner	59
7	Duncan Cole	58
=	Steve Sumner	58
9	Chris Zorich	57
10	Ceri Evans	56

L'ÉTOILE DE KAREMBEU

Né en Nouvelle-Calédonie, **Christian Karembeu** est le seul champion du monde originaire d'Océanie. Il était titulaire lors de la finale qui a vu la France s'imposer 3-0 contre le Brésil le 12 juillet 1998. Le milieu défensif a joué contre le Danemark (groupe), l'Italie (quart) et la Croatie (demie). Sélectionné à 53 reprises avec les Bleus (1 but), le Kanak a remporté deux Ligues des Champions avec le Real Madrid (1998 et 2000).

LA SŒUR DE RYAN

Après le terrible séisme de magnitude 6,3 en février 2011, le capitaine de la Nouvelle-Zélande **Ryan Nelsen** quitta Blackburn, en Angleterre, pour rejoindre sa ville natale de Christchurch, dévastée. Inquiet pour sa famille, en particulier pour sa sœur enceinte, il la trouva saine et sauve. Elle a mis au monde un garçon en parfaite santé. Sous le coup d'un carton rouge et d'une suspension de 3 matchs en Ligue 1 d'Angleterre, Nelsen prit le temps du retour.

LE CARTON ET L'ÉCHEC

L'Australie et la Nouvelle-Zélande sont les deux seuls pays d'Océanie à s'être qualifiés pour le tournoi olympique masculin de soccer. Les îles Fidji sont passées près de l'exploit pour l'édition 2012, en s'inclinant contre les Néo-Zélandais en finale des qualifications. Les îles Salomon possédaient une différence de buts de +12 qui devait beaucoup au 16-1 infligé aux Samoa américaines (dont 7 buts pour le seul Ian Paia). Hélas, leurs défaites face aux Fidji et au Vanuatu leur ont valu la 3e place de leur groupe de quatre.

BUTEURS : NOUVELLE-ZÉLANDE

1	Vaughan Coveny	28
2	Shane Smeltz	23
3	Steve Sumner	22
4	Brian Turner	21
5	Jock Newall	17
6	Keith Nelson	16
7	Grant Turner	15
8	Darren McClennan	12
=	Michael McGarry	12
=	Wynton Rufer	12

UN BEAU DOUBLÉ

Ricki Herbert est le seul joueur néo-zélandais à avoir participé à deux Coupes du Monde FIFA. Défenseur dans l'édition 1982, il revient en tant que sélectionneur en 2010. La Nouvelle-Zélande s'est qualifiée pour la Coupe du Monde 2010 à l'issue d'un match de barrage contre le Bahreïn (représentant de la fédération d'Asie) – les responsables néo-zélandais avaient un moment envisagé d'emboîter le pas de l'Australie et de rallier la fédération d'Asie. En 2010, Ricki Herbert réussit à qualifier l'équipe nationale pour la Coupe du Monde, tout en entraînant le club néo-zélandais des Wellington Phoenix qui évolue en Ligue A australienne.

LA TACTIQUE TEHAU À TAHITI

Les *outsiders* tahitiens ont finalement desserré l'étau australien et néo-zélandais sur la Coupe des Nations océaniques et remporté la 9e édition du championnat en 2012, après 4 victoires de l'Australie et 4 de la Nouvelle-Zélande. Tahiti a marqué 20 buts en 5 matchs pendant le tournoi aux îles Salomon, dont 15 furent l'œuvre de la famille Tehau: les frères Lorenzo (5), Alvin (4), Jonathan Tehau (4) et leur cousin Teaonui (2). Steevy Chong Hue a marqué le seul but de la finale contre la Nouvelle-Calédonie. Le trophée offrit à l'équipe d'Eddy Etaeta une place pour la Coupe des Confédérations 2013, au Brésil, où l'équipe rencontra l'Espagne, l'Uruguay et le Nigeria (un but tahitien).

UN EXCELLENT DÉBUT

Le 1er but inscrit pendant les qualifications de la Coupe du Monde FIFA 2010 a été marqué par le Néo-Calédonien Pierre Wajoka – unique but de la rencontre d'août 2007 contre Tahiti.

DES NULS INSUFFISANTS

Bien qu'il ne s'agisse que de sa 2e participation en Coupe du Monde FIFA – et la 1re depuis 1982 –, la Nouvelle-Zélande n'a pas perdu un seul match en 2010. Au 1er tour, elle a concédé 3 nuls face à la Slovaquie, l'Italie et le Paraguay. Mais les 3 points accumulés n'ont pas suffi à placer l'équipe parmi les deux premiers du groupe F. Elle a terminé cependant 3e devant l'Italie, tenante du titre. Trois autres équipes ont été éliminées sans avoir perdu un seul match: l'Écosse en 1974, le Cameroun en 1982 et la Belgique en 1998.

DE LA BANQUE À LA COUPE DU MONDE

L'équipe néo-zélandaise engagée dans l'édition 2010 compte 4 joueurs non professionnels parmi les 23 sélectionnés. Le milieu offensif **Andy Barron**, conseiller en investissements, a ainsi pu jouer grâce à un remplacement effectué pendant les arrêts de jeu du match contre l'Italie.

SALAPU DÉBORDÉ

Nicky Salapu, gardien malheureux, a concédé 31 buts – un record international – lorsque son équipe des Samoa américaines s'est inclinée 31-0 face à l'Australie en avril 2001. Deux jours plus tôt, l'Australie avait écrasé les Tonga 22-0. Des problèmes administratifs ont empêché quelques-uns des meilleurs joueurs des Samoa américaines d'être présents pour cette rencontre avec trois joueurs de 15 ans et une moyenne d'âge de 18 ans. Malgré tout, l'équipe résiste parfaitement pendant les dix premières minutes. Au cours de ses huit matchs internationaux, Nicky Salapu a encaissé 91 buts, contre 1 seul marqué par son équipe, lors de la défaite 9-1 contre le Vanuatu en mai 2004. Le but du milieu de terrain Natia fut le premier des Samoa américaines lors des qualifications pour la Coupe du Monde. Leur longue attente a enfin débouché sur une victoire 2-1 en novembre 2011 contre les Tonga en qualification pour la Coupe du Monde 2014, buts de Ramin Ott et Shamin Luani. Cette victoire est survenue après 30 défaites consécutives, et a été suivie d'un nul 1-1 contre les îles Cook. Luani a de nouveau marqué au cours de ce match, devenant meilleur buteur de son pays avec Ott: 2 buts chacun.

TOUT DE BLANC VÊTUS

L'équipe nationale néo-zélandaise est appelée les «All Whites», pas seulement pour la couleur de son maillot, mais aussi pour sa volonté de constituer le contrepoint en soccer de la réputée équipe de rugby du pays: les «All Blacks».

CONCACAF

Le Mexique lui apporte la couleur et les olas, l'Amérique son énergie et les Caraïbes leurs vibrations! La CONCACAF, qui regroupe l'Amérique du Nord, centrale et les Caraïbes, témoigne d'un engouement toujours plus fort pour le soccer. Les Mexicains, depuis la finale de 1930, comptent au nombre des plus fervents supporters des Coupes du Monde FIFA. Le Mexique est en outre la 1re nation à avoir accueilli la finale deux fois (en 1970 et 1986). Jusqu'où ira une équipe de la CONCACAF en 2014?

Le combatif milieu de terrain Gerardo Torrado, membre encore junior de l'équipe du Mexique lors de sa victoire en Coupe des Confédérations 1999, ici durant l'édition 2013 face au Brésil.

MEXIQUE

Le Mexique a beau être un ogre de la Concacaf, il a beau n'avoir échoué qu'à trois reprises en éliminatoires (1934, 1974 et 1982), il a toujours eu du mal à imposer sa marque sur la scène internationale. Ses meilleures performances restent ses accessions aux quarts de finale, lors des éditions 1970 et 1986, qu'il organisait. Un bilan insuffisant pour un pays entièrement dévoué au ballon rond.

BUTEURS

1	Jared Borgetti	46
2	Cuauhtemoc Blanco	39
3	Carlos Hermilloso	35
=	Javier Hernández	35
=	Luis Hernández	35
6	Enrique Borja	31
7	Luis Roberto Alves	30
8	Luis Flores	29
=	Benjamin Galindo	29
=	Luis Garcia	29
=	Hugo Sánchez	29

« HUGOAL »

Si Jared Borgetti reste le meilleur buteur mexicain de tous les temps, l'attaquant le plus mythique de la sélection mexicaine est sans doute **Hugo Sánchez,** célèbre notamment pour ses saltos acrobatiques victorieux. Sánchez joua pour le Mexique les Coupes du Monde FIFA 1978, 1986 et 1994 et aurait certainement participé à celles de 1982 et 1990 si son pays n'avait pas échoué en éliminatoires. Lors de son passage espagnol à l'Atlético et au Real Madrid, il fut désigné cinq fois Meilleur buteur de la Liga, entre 1985 et 1990. Mais, nommé sélectionneur du Mexique de 2006 à 2008, il déçut en terminant au mieux 3e de la Copa America en 2007.

LE RECORD DE MÁRQUEZ

Rafael Márquez établit le record de participations mexicaines à la Coupe du Monde FIFA en jouant, en 2010, le match (perdu) de 2e tour contre l'Argentine. C'est sa 12e participation, une de plus que trois autres joueurs de son équipe : Antonio Carbajal, Cuauhtémoc Blanco et Gerardo Torrado.

PEREZ LE PRÉCOCE

Le plus jeune international mexicain reste le milieu de terrain **Luis Ernesto Perez,** qui a obtenu la première de ses 69 sélections à l'âge de 17 ans et 308 jours, contre le Salvador le 17 novembre 1998. En revanche, il a reçu un carton rouge lors du 3e match de 1er tour contre le Portugal lors de la Coupe du Monde 2006. À 39 ans et 251 jours, Hugo Sánchez était le joueur mexicain le plus âgé lors de son dernier match international face au Paraguay, le 19 mars 1998, match d'adieu pour Sánchez, quatre ans après sa précédente apparition avec le Mexique. Il fut remplacé dès la 1re minute par Luis Garcia.

SÉLECTIONS

1	Claudio Suarez	178
2	Pavel Pardo	148
3	Gerardo Torrado	144
4	Jorge Campos	130
5	Cuauhtemoc Blanco	121
=	Ramon Ramirez	121
7	Carlos Salcido	116
8	Rafael Marquez	111
9	Alberto Garcia-Aspe	109
10	Oswaldo Sánchez	99

ÉLOIGNEMENT DE FRATRIE

L'attaquant **Giovani dos Santos** fut  désemparé quand les 30 joueurs de la première sélection du Mexique furent réduits à 23 pour la Coupe du Monde FIFA 2010. En fait, Il joua les 4 matchs du Mexique, mais son frère Jonathan dos Santos fut écarté par l'entraîneur Javier Aguirre.

LE BILAN DU MEXIQUE

Premier match international : Victoire 3-2 contre le Guatemala, Guatemala Ciudad, 1er janvier 1923
Plus large victoire : 13-0 contre les Bahamas, Toluca, 28 avril 1987
Plus lourde défaite : 8-0 contre l'Angleterre, Wembley, 10 mai 1961
Champions de la CONCACAF : 1965, 1971, 1977, 1993, 1996, 1998, 2003, 2009, 2011
Vainqueur de la Coupe des Confédérations : 1999

ROSAS SANCTIONNE

Le Mexicain Manuel Rosas a inscrit le premier penalty sifflé en Coupe du Monde, à la 42e minute du match contre l'Argentine en 1930 en Uruguay. Rosas a signé un 2e but à la 65e minute mais il était déjà trop tard pour les Mexicains, écrasés 6-3 par les *Albicelestes*.

TROIS GÉNÉRATIONS

Lorsque Javier Hernández marque durant la rencontre opposant le Mexique à la France à Polokwane le 17 juin 2010, il représente la 3e génération de Hernández participant à une Coupe du Monde FIFA. Surnommé Chicharito («petit pois»), il est le fils de Javier Hernández Gutiérrez dont l'équipe est allée en quarts de finale en 1986 et le petit-fils de Tomás Balcázar, qui a fait partie de l'équipe de 1954 – il a marqué aussi contre la France et au même âge que son petit-fils (22 ans). Hernández a marqué les trois seuls buts du Mexique lors de la Coupe des Confédérations 2013 : défaite 2-1 contre l'Italie, et victoire 2-1 contre le Japon. Il est ainsi devenu troisième buteur *ex-æquo* de son pays, aux côtés de Carlos Hermosillo et Luis Hernández. Chicharito est arrivé à ce score en 53 matchs, contre 90 pour Hermosillo et 85 pour Hernandez.

PLUS FORT QUE LE SÉISME

Le Mexique a déposé sa candidature à l'organisation de la Coupe du Monde 1986 après le retrait de la Colombie, premier pays choisi, en novembre 1982. La FIFA a justifié son choix par la présence des stades et infrastructures de l'édition 1970, écartant les candidatures du Canada et des États-Unis. Les Aztèques ont dû mettre les bouchées doubles après le tremblement de terre du 19 septembre 1985, qui a fait environ 10 000 victimes et détruit de nombreux bâtiments dans la capitale.

L'EMPEREUR SUAREZ

Seuls l'Égyptien Ahmed Hassan et le Saoudien Mohammed Al-Deayea ont fait mieux que les 178 capes du défenseur mexicain **Claudio Suarez.** Surnommé *El Emperador,* celui-ci a disputé les quatre rencontres des siens aux Mondiaux 1994 et 1998. Une jambe cassée l'a privé de l'édition 2002. Enfin, il faisait partie du groupe retenu pour la Coupe du Monde 2006, mais n'est pas entré en jeu.

VIVA MEXICO

La Gold Cup, le championnat continental de la CONCACAF, a vu s'opposer les deux mêmes nations lors de ses trois dernières éditions. Les États-Unis ont battu le Mexique 2-1 en 2007, après quoi les Aztèques les ont atomisés 5-0 en 2009, puis ont remonté un 2-0 pour l'emporter 4-2 en 2011 – avec notamment des performances éblouissantes de Giovanni dos Santos et de **Javier Hernández** (meilleur marqueur du tournoi  avec 7 buts). Le Mexique a remporté la Gold Cup à 6 reprises, suivi par les États-Unis 4 fois et le Canada une seule. Avant la création de cette compétition, le championnat local avait consacré le Mexique 3 fois, le Costa Rica 3 fois, le Guatemala, Haïti, le Honduras et le Canada 1 fois.

ÉTATS-UNIS

De Pelé à David Beckham et Thierry Henry, les grands joueurs qui ont évolué dans le Championnat américain au fil des années sont nombreux. Les États-Unis font également partie des 15 pays à avoir eu l'honneur d'organiser la Coupe du Monde. Pourtant, le soccer reste encore un sport mineur (et plus connu comme sport féminin) dans la plus grande puissance économique mondiale. Cela dit, cette situation pourrait bien évoluer, dans le sillage des performances alignées par les *Stars and Stripes* des deux sexes.

SÉLECTIONS

1	Cobi Jones	164
2	Landon Donovan	144
3	Jeff Agoos	134
4	Marcelo Balboa	128
5	Claudio Reyna	112
6	Carlos Bocanegra	110
=	Paul Caligiuri	110
8	Eric Wynalda	106
9	DaMarcus Beasley	103
10	Kasey Keller	102

ALTIDORE OUVRE LES VANNES

Jozy Altidore est devenu le plus jeune Américain à réaliser un triplé en match international, lors d'une victoire 3-0 contre Trinité et Tobago le 1er avril 2009, à l'âge de 19 ans et 164 jours. Altidore a toutefois subi une traversée du désert en équipe nationale de novembre 2011 à juin 2013 – date à laquelle il a marqué le but d'ouverture lors d'une victoire spectaculaire 4-3 contre l'Allemagne, en match amical à Washington. Altidore a aussi marqué au cours des matchs suivants contre la Jamaïque, Panama et le Honduras, égalisant un record national de buts marqués en quatre matchs d'affilée, précédemment détenu par William Lubb, Eric Wynalda, Eddie Johnson, **Brian McBride** et Landon Donovan. Altidore a poursuivi sur sa lancée lors de la saison 2012-2013, décrochant un nouveau record des États-Unis de buts en ligue des clubs européens, avec 31 buts pour les Néerlandais de l'AZ Alkmaar.

CALIGIURI CHANGE L'HISTOIRE

La victoire face à Trinité-et-Tobago le 19 novembre 1989 est considérée comme un tournant dans l'histoire du soccer. La sélection des États-Unis ne comptait qu'un seul professionnel à plein temps : Paul Caligiuri, du club de D2 ouest-allemande de Meppen. À la 31e minute, il inscrit le seul but de la rencontre d'une frappe enroulée et qualifie son pays pour sa première Coupe du Monde depuis 40 ans. Ce succès a agi comme une révélation pour l'équipe, même si elle quitta les phases finales d'Italie 1990 dès le 1er tour, encourageant la professionnalisation de l'encadrement de l'équipe nationale. « Notre victoire la plus importante », a déclaré Caligiuri.

DONOVAN, LE BUTEUR

Landon Donovan, meilleur buteur américain, a été le joueur vedette de l'édition 2010. Il a inscrit 3 buts en 4 matchs, dont un coup franc direct qui a permis à son équipe de l'emporter contre l'Algérie et de terminer en tête du groupe C. Il a participé à 13 rencontres de Coupe du Monde pour les États-Unis, 2 de plus que ses compatriotes Earnie Stewart et Cobi Jones. Le but marqué dans le match perdu face au Ghana en huitième de finale fait de lui le meilleur buteur américain de la compétition avec 5 buts (un de plus que Bert Patenaude, auteur d'un *hat-trick* en 1930). Donovan reste le seul joueur à avoir réussi plus d'un *hat-trick* pour les États-Unis, ayant marqué 4 buts contre Cuba en juillet 2013, puis 3 contre l'Équateur en mars 2007 et l'Écosse en mai 2012. Neuf autres joueurs ont réussi des triplés.

KLINSMANN À LA GAGNE

Après que les Américains Steve Sampson, Bruce Arena et Bob Bradley eurent succédé au Serbe Bora Milutinovic, les États-Unis ont engagé, en juillet 2011, leur premier sélectionneur étranger depuis 16 ans : **Jürgen Klinsmann,** ancien attaquant vedette allemand. Celui-ci a permis à ses hommes de battre l'Italie, en février 2012 (1-0, but de Clint Dempsey, à Gênes). Les États-Unis n'avaient jamais battu l'Italie en 10 rencontres depuis 1934.

LE DOUBLÉ DE DEMPSEY

Clint Dempsey est devenu le 2e international américain à marquer dans 2 Coupes du Monde FIFA après son tir qui aboutit dans les filets du gardien anglais Robert Green lors du match disputé à Rustenburg (Afrique du Sud) qui s'est achevé sur un nul (1-1). Dempsey avait déjà marqué le but américain contre le Ghana (défaite 2-1) en Allemagne, 4 ans plus tôt. Brian McBride fut le 1er à réaliser cet exploit en marquant contre l'Iran en 1998, puis contre le Portugal et le Mexique en 2002. Sur les traces de Dempsey, Landon Donovan a marqué contre la Pologne et le Mexique en 2002, puis contre la Slovénie, l'Algérie et le Ghana en 2010.

GAETJENS SURPREND L'ANGLETERRE

La victoire 1-0 contre l'Angleterre le 29 juin 1950 fait partie des immenses surprises de la Coupe du Monde. Avec les Brésiliens, les Anglais faisaient figure de favoris. Les Américains, eux, avaient perdu leurs 7 derniers matchs en ne marquant que 2 buts. Pourtant, à la 37e minute, Joe Gaetjens reprend d'une tête plongeante le centre de Walter Bahr et bat Bert Williams. Face à la domination anglaise, le portier Frank Borghi multiplie les prouesses. Les Américains seront éliminés à la suite des défaites contre le Chili et l'Espagne, mais ce succès reste le plus grand exploit de leur histoire.

BOB AU TOP

L'équipe américaine entraînée par Bob Bradley termina, à la surprise générale, 1re du groupe C de la Coupe du Monde 2010, devant l'Angleterre, place jamais atteinte depuis... 1930. Bradley sélectionna son fils Michael et le milieu de terrain mérita la confiance de son père en égalisant à 2-2 dans le dernier match du groupe, contre la Slovénie. Ils furent battus en huitième de finale par le Ghana. Le meilleur résultat américain en Coupe du Monde reste le quart de finale de 2002 perdu contre l'Allemagne, vainqueur final, sous la direction du prédécesseur de Bob Bradley, Bruce Arena.

BUTEURS

1	Landon Donovan	49
2	Clint Dempsey	35
3	Eric Wynalda	34
4	Brian McBride	30
5	Joe-Max Moore	24
6	Bruce Murray	21
7	Jozy Altidore	17
=	DaMarcus Beasley	17
=	Earnie Stewart	17
10	Eddie Johnson	15
=	Cobi Jones	15

PATIENT COMME HAHNEMANN

Le 29 mars 2011, à l'âge de 38 ans et 286 jours, le gardien Marcus Hahnemann est devenu le plus ancien international des États-Unis contre le Paraguay. C'était la dernière de ses neuf sélections, ce qui témoigne de la fiabilité récente des gardiens américains – Kasey Keller (102 sélections), Tim Howard (90) et Brad Freidel (82) pour les plus capés. Hahnemann a fait ses débuts en 1994, avec deux autres matchs cette année-là, mais il a ensuite dû attendre 10 ans pour jouer à nouveau un match international.

L'AILIER AUX DREADLOCKS

Certes, ses dreadlocks ont attiré l'attention, mais ce fut surtout son remarquable travail d'ailier qui fit de **Cobi Jones** l'un des meilleurs joueurs de la Coupe du Monde FIFA 1994. Détenteur du record de sélections dans l'équipe des États-Unis, avec 164 apparitions internationales entre 1992 et 2004, Jones prit définitivement sa retraite en 2007. On remisa son maillot n° 13 Galaxy de Los Angeles, un honneur inédit pour un joueur de la Major League Soccer. Jones jouait avec le Galaxy depuis sa création en 1996. Il continuera d'officier auprès du nouvel entraîneur Bruce Arena.

CONCACAF LES AUTRES ÉQUIPES

Le Mexique et les États-Unis, qui comptabilisent à eux deux 23 participations à une Coupe du Monde FIFA, sont assurément les nations dominantes de la CONCACAF. Parmi les autres équipes d'Amérique du Nord, d'Amérique centrale et des Caraïbes, seules celles du Costa Rica (en 1990, 2002 et 2006), du Salvador (1970 et 1982) et du Honduras (1982 et 2010) sont parvenues à se qualifier plus d'une fois à une Coupe du Monde FIFA.

CENT UNE SÉLECTIONS

L'attaquant **Carlos Pavon**, avec 101 sélections, est l'un des trois Honduriens à avoir atteint 100 capes, avec le gardien Noel Valladares (111) et le milieu de terrain Amado Guevara (138), capitaine lors de la Coupe du Monde 2010 avant de prendre sa retraite. Pavon a marqué 7 buts lors des qualifications.
C'était la première Coupe du Monde pour le Honduras depuis 1982. Le vétéran, âgé de 36 ans, n'a joué que 60 minutes en phases finales. Pavon, surnommé « l'Ombre » a évolué en club dans sept pays différents : Honduras, Mexique, Espagne, Italie, Colombie, Guatemala et États-Unis, aux côtés de Beckham au sein du Galaxy de Los Angeles.

COSTAUDS TICOS

En Amérique centrale, le Costa Rica, avec **Paulo Wanchope**, affiche le meilleur bilan en Coupe du Monde. Qualifié en 1990, 2002 et 2006, il a atteint les huitièmes en Italie grâce à des victoires 1-0 contre l'Écosse et 2-1 contre la Suède.
Les *Ticos* ont été éliminés par la Tchéco-slovaquie (4-1). En 2002, ils ont battu la Chine 2-0 et fait match nul 1-1 avec la Turquie, mais leur défaite 5-2 contre le Brésil leur a été fatale. En 2006, ils ont perdu leurs trois matchs au 1er tour. Présent en 1970 et 1982, le Salvador a perdu ses six rencontres, avec notamment un terrible 10-1 contre la Hongrie en 1982. Le Honduras ne s'est qualifié que pour Espagne 1982. Après des nuls 1-1 avec l'Espagne et l'Irlande du Nord, il est rentré au pays suite à une défaite 1-0 contre la Yougoslavie. Ils n'ont pas marqué un but en 2010, perdant face au Chili et à l'Espagne avant de faire match nul avec la Suisse.

TOUT VIENT À POINT

Pour nombre de petites nations d'Amérique centrale, la patience est le maître mot en soccer. Les matchs internationaux sont ainsi rares sur l'île caribéenne de Montserrat, en raison d'un risque d'activité volcanique élevé. L'équipe n'en a disputé que 15 depuis le début du XXIe siècle, et aucun entre novembre 2004 et mars 2008. Plus positivement, Porto Rico a mis fin à 14 années de disette en battant les Bermudes en janvier 2008 2-0, avant de se qualifier pour le 2e tour des éliminatoires de la Coupe du Monde 2010, zone CONCACAF. Les îles Vierges britanniques ont été éliminées de la course à l'Afrique du Sud, quoique n'ayant pas perdu un seul match – leur double opposition contre les Bahamas s'est soldée par un 5-5 qui a qualifié les Bahamas au bénéfice des buts à l'extérieur.

MATCH FANTÔME

La plus faible affluence des éliminatoires mondialistes de la CONCACAF a été enregistrée le 26 mars 2005, lors d'un Costa Rica – Panama. La FIFA avait ordonné un huis clos au stade Saprissa de San José en raison de projectiles envoyés par les supporters sur les joueurs mexicains et les arbitres lors de la victoire aztèque 2-1 le 9 février. Ce «match fantôme» s'est soldé par une victoire 2-1 des locaux grâce à un but de **Roy Myrie** dans le temps additionnel.

LES ÉQUIPES DE LA CONCACAF EN COUPE DU MONDE

Participations à la Coupe du Monde FIFA

1	Mexique	14
2	États-Unis	9
3	Costa Rica	3
4	Salvador	2
=	Honduras	2
6	Canada	1
=	Cuba	1
=	Haïti	1
=	Jamaïque	1
=	Trinité-et-Tobago	1

OMNIPRÉSENCE

La CONCACAF peut s'enorgueillir d'avoir eu au moins un représentant dans toutes les éditions de la Coupe du Monde FIFA. Le Mexique et les États-Unis participent à la première édition en 1930 – les États-Unis sont éliminés par l'Argentine en demi-finale. Depuis lors, ces deux pays ont dominé les épreuves de qualification. Le Mexique a joué en Coupe du Monde 14 fois, les États-Unis 9 fois. Mais d'autres pays contestent leur hégémonie. En 2006, le Costa Rica s'est qualifié pour la 3e fois et Trinité-et-Tobago pour la 1re fois, la CONCACAF alignant alors 4 représentants dans la compétition. En 2010, le Honduras signa sa 2e participation.

DANS LE TEMPO

En 1998, la Jamaïque est devenue le premier pays caribéen anglophone à se qualifier pour la Coupe du Monde. Les *Reggae Boyz* comptaient dans leurs rangs plusieurs joueurs basés en Angleterre. Malgré leur victoire 2-1 contre le Japon, avec un doublé de **Theodore Whitmore**, ils ont été éliminés dès le 1er tour. Ils avaient perdu 3-1 contre la Croatie et 5-0 contre l'Argentine.

TROIS SUR ONZE

En 2010, le Honduras est le premier pays à avoir trois frères dans son équipe lors d'une Coupe du Monde FIFA : le défenseur Johnny Palacios, le milieu offensif Wilson et l'attaquant Jerry. Jerry a été intégré au dernier moment, à la place de Julio César de León, blessé. Wilson, milieu défensif des Spurs de Tottenham, est le joueur le plus connu à jouer pour le Honduras, absent en Coupe du Monde depuis 28 ans. Pourtant, tout comme en 1982, les hommes de Reinaldo Rueda ont disputé trois matchs sans décrocher une victoire ni marquer un but. Milton Palacios, un frère plus âgé, a occupé 14 fois un poste de défenseur pour le Honduras entre 2003 et 2006, mais il n'a pas été sélectionné en 2010.

CUBA MONTRE LA VOIE

En 1938, Cuba est devenu le premier pays de la CONCACAF à jouer les quarts de la Coupe du Monde. Au 1er tour, les Cubains firent match nul 3-3 avec les Roumains après prolongation puis ils gagnèrent le match d'appui 2-1 grâce à Hector Socorro et Carlos Oliveira. En quart, ils furent désintégrés 8-0 par la Suède. Haïti est la deuxième nation caribéenne à avoir disputé l'épreuve suprême, en 1974. Les îliens perdirent contre l'Italie (3-1), la Pologne (7-0) et l'Argentine (4-1).

RUIZ SUR SA CIBLE

Le meilleur buteur guatémaltèque de tous les temps, **Carlos Ruiz**, a eu une double  raison de se féliciter du match nul 3-3 contre le Paraguay, en août 2012 : 100 matchs internationaux et 50 buts. Le joueur, surnommé «Pescado (le poisson)», a annoncé sa retraite du soccer international 2 mois plus tard, terminant sur un record de 104 matchs et 55 buts.

PIRATES DES CARAÏBES

Trinité-et-Tobago a atteint sa 1re Coupe du Monde au terme d'un marathon qualificatif clôturé par une victoire 1-0 à Bahreïn dans le barrage final. Les *Soca Warriors* ont tenu la Suède en échec 0-0 lors de leur 1er match avant de s'incliner 2-0 face à l'Angleterre et au Paraguay.

PROLIFIQUE STERN

Seuls six internationaux ont fait mieux que les 70 buts en 114 matchs du Trinidadien **Stern John** entre 1995 et 2011. Ancien joueur de Columbus Crew, Nottingham Forest et Sunderland, il fut le meilleur buteur, et 2e joueur le plus capé de son pays après le milieu de terrain Angus Eve. John fut sélectionné pour le Mondial 2006, contrairement à Eve, qui en profita pour mettre un terme à une carrière internationale forte de 117 capes.

PARTIE 2 : LA COUPE DU MONDE FIFA

Après avoir remporté la dernière édition de la Coupe du Monde FIFA, l'Espagne ne se classe qu'à la 8ᵉ place, loin derrière le Brésil et ses 5 victoires, rendues possibles par des génies du ballon rond tels Pelé, Garrincha, Ronaldo ou Ronaldinho. L'Argentine et l'Uruguay sont les autres vainqueurs d'Amérique du Sud, présents avec des champions européens (Angleterre, France, Allemagne et Italie).

LES ÉLIMINATOIRES

LES AVENTURES DE L'OCÉANIE

Après avoir disputé les éliminatoires pour la Coupe du Monde FIFA 2010, la **Nouvelle-Zélande** a dû attendre 11 mois avant d'affronter le Bahreïn – classé 5e dans le groupe de l'Asie – dans un barrage aller-retour de qualification. Les *All Whites* l'ont emporté 1-0 au total en novembre 2009, mais c'est une autre équipe de l'Océanie qui détient le record de buts par match de toutes les nations ayant participé à ces éliminatoires. De fait, les îles Salomon ont marqué 3,8 buts par match, record renforcé par un 12-1 contre les Samoa-Américaines. L'Angleterre se classe en 2e position avec 3,4 buts par match et, contrairement aux îles Salomon, se qualifie pour la phase finale.

LE MARATHON DE TRINITÉ-ET-TOBAGO

Trinité-et-Tobago détient le record de matchs disputés pour une qualification en Coupe du Monde FIFA: 20 pour accéder à la Coupe 2006, en débutant par deux victoires sur la République Dominicaine (2-0 à l'extérieur et 4-0 à domicile). Les Caribéens ont terminé 2es derrière le Mexique dans ce groupe de quatre et atteint le dernier groupe de six. Ayant terminé 4es, ils ont disputé un match de barrage contre le Bahreïn, remporté 2-1. L'Uruguay a eu un parcours similaire en 2010, avec 18 matchs dans le groupe de l'Amérique du Sud et un match de barrage aller-retour.

PETIT BRAS

Les **Émirats arabes unis** ont atteint l'édition 1990 avec 4 nuls, une victoire 2-1 contre la Chine et 4 buts marqués, au dernier tour des éliminatoires. Suffisant pour prendre la 2e place de leur groupe derrière la Corée du Sud.

LA FIFA OUVRE SA COUPE DU MONDE

La FIFA a élargi le format de la Coupe du Monde à deux reprises depuis 1978 pour tenir compte de la progression des sélections africaines et asiatiques. La popularité croissante de l'épreuve se reflète dans le nombre de pays engagés dans les éliminatoires: 205 pour l'édition 2010. Président de la FIFA de 1974 à 1998, le Brésilien **João Havelange** a élargi l'épreuve afin de profiter d'occasions commerciales et de donner leur chance aux «petits». Le nombre de participants à la phase finale a été porté de 16 à 24 pour l'édition espagnole de 1982: l'Afrique et l'Asie se voient octroyer une place supplémentaire et l'Océanie a accès à un barrage. Le nombre d'équipes passe à 32 pour France 1998. Cette décision donne cinq places aux sélections africaines, quatre à l'Asie/Océanie et trois à la zone Amérique du Nord, centrale et Caraïbes. La formule retenue pour l'édition sud-africaine de 2010 octroie 13 places à l'Europe, 4 à l'Amérique du Sud, 5 à l'Afrique (plus celle du pays organisateur) et 4 à l'Asie. Un ticket est remis au vainqueur d'un barrage Asie-Océanie, qui a vu la victoire de la Nouvelle-Zélande sur le Bahreïn. La CONCACAF dispose de trois places. Le dernier ticket revient au vainqueur d'un barrage opposant le 5e de la zone Amérique du Sud au 4e de la zone CONCACAF, et c'est l'Uruguay qui se qualifia aux dépens du Costa Rica. La formule est la même pour Brésil 2014.

AU TOTAL

La Coupe du Monde 2014 connaîtra son apogée lors de la finale au stade Maracana de Rio. Quelque 203 nations ont annoncé leur participation aux éliminatoires – soit 2 de moins que le record de 205 pour l'Afrique du Sud 2010. Les Bahamas et Maurice se sont retirés par la suite. Six pays membres de la FIFA manquent, dont les hôtes brésiliens, déjà qualifiés, le Sud-Soudan, récemment indépendant et qui a intégré la FIFA trop tard et quatre autres pays, qui ont décidé de ne pas participer cette fois-ci: le Bhoutan, Brunei, Guam et la Mauritanie.

NATIONS QUALIFIÉES PAR CONTINENT

1	Europe	218
2	Amérique du Sud	74
3	Amérique du Nord, centrale et Caraïbes	35
4	Afrique	34
5	Asie	28
6	Océanie	4

PREMIERS TIRS AU BUT

La première séance de tirs au but de l'histoire des éliminatoires a eu lieu le 9 janvier 1977, la Tunisie battant le Maroc 4-2 après un nul 1-1 à Tunis. Le match à Casablanca avait aussi accouché d'un nul 1-1. La Tunisie ira en Argentine.

L'INVINCIBILITÉ ESPAGNOLE

Plusieurs nations se sont déjà qualifiées pour une Coupe du Monde FIFA sans perdre de match ni même faire match nul, mais l'Espagne est le seul pays qui – durant les qualifications pour la Coupe du Monde 2010 – a réussi un tel exploit en disputant 10 matchs. Pour ce même tournoi, les Pays-Bas ont remporté 8 victoires en 8 rencontres. Durant la Coupe du Monde 1982 se déroulant en Espagne, la RFA avait disputé 8 matchs sans perdre un point. Au cours des éliminatoires pour l'édition de 1970, le Brésil avait fait un sans-faute (6 victoires en 6 rencontres) et l'équipe de Mário Zagallo a renouvelé l'exploit en phase finale, remportant 6 matchs jusqu'à sa victoire finale.

RÉPARTITION

Après les éditions 1954 et 1958 organisées en Europe, la FIFA a décidé de procéder à une alternance entre l'Amérique du Sud et l'Europe. Ce système a prévalu jusqu'à l'octroi de l'édition 1994 aux États-Unis. Depuis, les choses ont changé. En 2002, le Japon et la Corée du Sud sont devenus les premiers organisateurs asiatiques. L'édition 2010 fut la première à avoir lieu sur le sol africain.

PARTICIPATION AUX ÉLIMINATOIRES

Ce tableau présente les Nations participant aux éliminatoires de la Coupe du Monde FIFA. Certaines ont déclaré forfait avant le début de la compétition.

Coupe du Monde	Nombre d'équipes participantes
Uruguay 1930	–
Italie 1934	32
France 1938	37
Brésil 1950	34
Suisse 1954	45
Suède 1958	55
Chili 1962	56
Angleterre 1966	74
Mexique 1970	75
RFA 1974	99
Argentine 1978	107
Espagne 1982	109
Mexique 1986	121
Italie 1990	116
États-Unis 1994	147
France 1998	174
Japon/Corée du Sud 2002	199
Allemagne 2006	198
Afrique du Sud 2010	205
Brésil 2014	203

DEON EST BON

En juin 2011, l'attaquant du Bélize **Deon McCauley** a marqué le 1ᵉʳ but des éliminatoires de la Coupe du monde 2014 lors de sa victoire 5-2 sur Montserrat. Il en a marqué deux autres ce jour-là, réussissant aussi le premier triplé des qualifications. Le Bélize a remporté les deux matchs sur le score cumulé de 8-3, mais a été éliminé au 2ᵉ tour de la CONCACAF.

BONJOUR, AU REVOIR

Le changement le plus rapide de l'histoire des éliminatoires de la Coupe du Monde FIFA a été effectué le 30 décembre 1980, le Nord-Coréen Chon Byong Ju cédant sa place dès la 1ʳᵉ minute contre le Japon.

KOSTADINOV POIGNARDE LES BLEUS

Le 17 novembre 1993, lors du dernier match du Groupe 6, le Bulgare Emil Kostadinov inscrit l'un des buts les plus dramatiques de l'histoire des Bleus, qu'il prive de la Coupe du Monde 1994. À 1-1 dans le temps additionnel, la France semble aller tout droit aux États-Unis, mais Kostadinov les crucifie sur un ballon perdu par David Ginola. En Amérique, les Bulgares iront jusqu'en demie (défaite 2-1 contre l'Italie).

LE COUP DU SIFFLET

Le 2ᵉ but de Carl Erik Palmer lors du succès 3-1 de la Suède contre la République d'Irlande en novembre 1949 est l'un des plus cocasses de l'histoire des éliminatoires. Ayant entendu un sifflet, les défenseurs irlandais s'arrêtent, mais Palmer poursuit son action et marque. But accordé : le coup de sifflet venait du public. L'attaquant (19 ans) signera un *hat-trick* ce jour-là.

LES BEAUX RESTES DE BWALYA

Le Zambien **Kalusha Bwalya** est le joueur le plus âgé à avoir inscrit un but victorieux en éliminatoires. Entré en cours de jeu le 4 septembre 2004, il a inscrit à 41 ans le seul but de la victoire contre le Liberia. Il avait marqué lors de sa première sortie en éliminatoires, 20 ans plus tôt (3-0 contre l'Ouganda).

L'ORGIE AUSTRALIENNE

En 2001, **l'Australie** a établi un record en Coupe du Monde qui n'est pas près d'être battu en inscrivant 53 buts en l'espace de 2 jours. Voici les détails :

9 avril 2001, Sydney : Australie 22, Tonga 0
Buteurs australiens : Scott Chipperfield 3ᵉ, 83ᵉ min ; Damian Mori 13ᵉ, 23ᵉ, 40ᵉ ; John Aloisi 14ᵉ, 24ᵉ, 37ᵉ, 45ᵉ, 52ᵉ, 63ᵉ ; Kevin Muscat 18ᵉ, 30ᵉ, 54ᵉ, 58ᵉ, 82ᵉ ; Tony Popovic 67ᵉ ; Tony Vidmar 74ᵉ ; David Zdrilic 78ᵉ, 90ᵉ ; Archie Thompson 80ᵉ ; Con Boutsiania 87ᵉ

**11 avril 2001, Sydney :
Australie 31, Samoa américaines 0**
Buteurs australiens : Con Boutsiania 10ᵉ, 50ᵉ, 84ᵉ min ; Archie Thompson 12ᵉ, 23ᵉ, 27ᵉ, 29ᵉ, 32ᵉ, 37ᵉ, 42ᵉ, 45ᵉ, 56ᵉ, 60ᵉ, 65ᵉ, 68ᵉ, 88ᵉ ; David Zdrilic 13ᵉ, 21ᵉ, 25ᵉ, 33ᵉ, 58ᵉ, 66ᵉ, 78ᵉ, 89ᵉ ; Tony Vidmar 14ᵉ, 80ᵉ ; Tony Popovic 17ᵉ, 19ᵉ ; Simon Colosimo 51ᵉ, 81ᵉ ; Fausto De Amicis 55ᵉ

ARCHIE DOMINATEUR

En enfilant 13 buts lors de la déroute infligée aux Samoa américaines le 11 avril 2001, l'Australien **Archie Thompson** a explosé le record de Bagheri (7). David Zdrilic a aussi dépassé Bagheri avec ses huit réalisations. Deux jours auparavant, les *Aussies* avaient battu le record de buts de la *Melli* (Iran) en s'imposant 22-0 contre les îles Tonga.

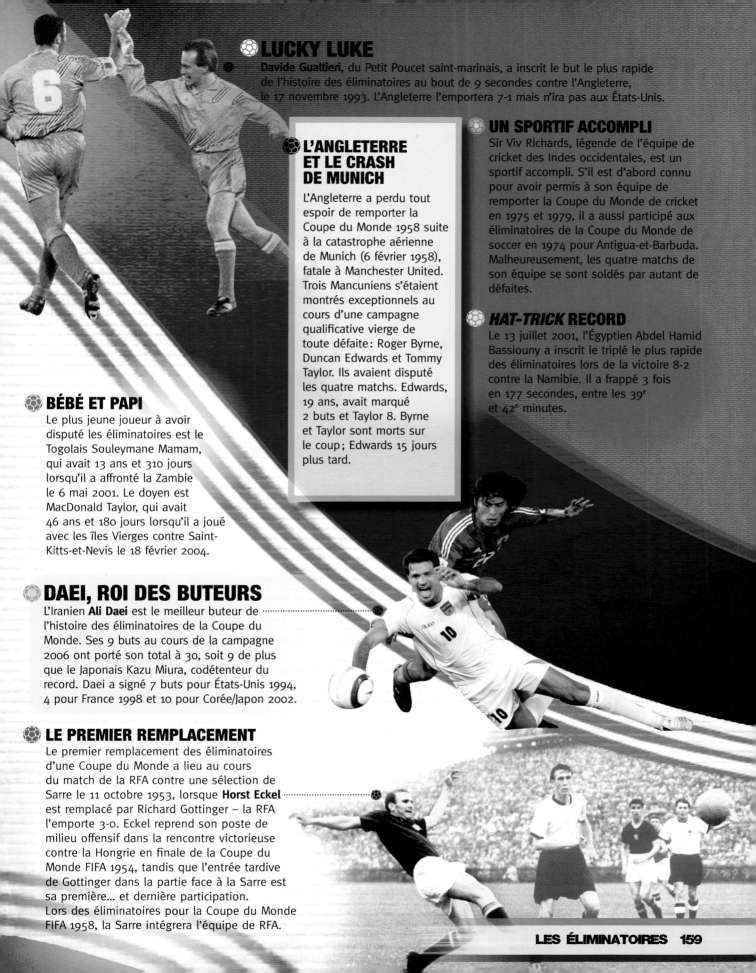

LUCKY LUKE

Davide Gualtieri, du Petit Poucet saint-marinais, a inscrit le but le plus rapide de l'histoire des éliminatoires au bout de 9 secondes contre l'Angleterre, le 17 novembre 1993. L'Angleterre l'emportera 7-1 mais n'ira pas aux États-Unis.

L'ANGLETERRE ET LE CRASH DE MUNICH

L'Angleterre a perdu tout espoir de remporter la Coupe du Monde 1958 suite à la catastrophe aérienne de Munich (6 février 1958), fatale à Manchester United. Trois Mancuniens s'étaient montrés exceptionnels au cours d'une campagne qualificative vierge de toute défaite : Roger Byrne, Duncan Edwards et Tommy Taylor. Ils avaient disputé les quatre matchs. Edwards, 19 ans, avait marqué 2 buts et Taylor 8. Byrne et Taylor sont morts sur le coup ; Edwards 15 jours plus tard.

UN SPORTIF ACCOMPLI

Sir Viv Richards, légende de l'équipe de cricket des Indes occidentales, est un sportif accompli. S'il est d'abord connu pour avoir permis à son équipe de remporter la Coupe du Monde de cricket en 1975 et 1979, il a aussi participé aux éliminatoires de la Coupe du Monde de soccer en 1974 pour Antigua-et-Barbuda. Malheureusement, les quatre matchs de son équipe se sont soldés par autant de défaites.

HAT-TRICK RECORD

Le 13 juillet 2001, l'Égyptien Abdel Hamid Bassiouny a inscrit le triplé le plus rapide des éliminatoires lors de la victoire 8-2 contre la Namibie. Il a frappé 3 fois en 177 secondes, entre les 39e et 42e minutes.

BÉBÉ ET PAPI

Le plus jeune joueur à avoir disputé les éliminatoires est le Togolais Souleymane Mamam, qui avait 13 ans et 310 jours lorsqu'il a affronté la Zambie le 6 mai 2001. Le doyen est MacDonald Taylor, qui avait 46 ans et 180 jours lorsqu'il a joué avec les îles Vierges contre Saint-Kitts-et-Nevis le 18 février 2004.

DAEI, ROI DES BUTEURS

L'Iranien **Ali Daei** est le meilleur buteur de l'histoire des éliminatoires de la Coupe du Monde. Ses 9 buts au cours de la campagne 2006 ont porté son total à 30, soit 9 de plus que le Japonais Kazu Miura, codétenteur du record. Daei a signé 7 buts pour États-Unis 1994, 4 pour France 1998 et 10 pour Corée/Japon 2002.

LE PREMIER REMPLACEMENT

Le premier remplacement des éliminatoires d'une Coupe du Monde a lieu au cours du match de la RFA contre une sélection de Sarre le 11 octobre 1953, lorsque **Horst Eckel** est remplacé par Richard Gottinger – la RFA l'emporte 3-0. Eckel reprend son poste de milieu offensif dans la rencontre victorieuse contre la Hongrie en finale de la Coupe du Monde FIFA 1954, tandis que l'entrée tardive de Gottinger dans la partie face à la Sarre est sa première... et dernière participation.
Lors des éliminatoires pour la Coupe du Monde FIFA 1958, la Sarre intégrera l'équipe de RFA.

IN EXTREMIS

Le barrage qualificatif le plus tardif a eu lieu à Rome le 24 mai 1934, lorsque les États-Unis ont battu le Mexique 4-2 pour décrocher leur billet. Trois jours plus tard, les Américains étaient éliminés au 1er tour par les Italiens, vainqueurs 7-1 chez eux.

PAS DE PASSE-DROIT

L'Italie est le seul pays hôte à avoir dû passer par les éliminatoires : une victoire 4-0 contre la Grèce lui a été nécessaire pour accéder à sa Coupe du Monde 1934. Pour l'édition 1938, la FIFA a décidé de qualifier automatiquement le tenant du titre et le pays organisateur. Depuis 2006, seul le pays hôte est exempt d'éliminatoires. Pourtant, l'Afrique du Sud a joué au 2e tour des éliminatoires de 2010, car les points comptaient pour la Coupe d'Afrique des Nations.

LA TURQUIE GAGNE AU TIRAGE

La Turquie a été le 1er pays à se qualifier pour la Coupe du Monde à la faveur d'un tirage au sort. Le 17 mars 1954, à Rome, son barrage contre l'Espagne, grande favorite, se termine sur un nul 2-2. La main innocente de Luigi Franco Gemma, un jeune Romain de 14 ans, tira le nom de l'*outsider* turc.

PALMARÈS DES QUALIFICATIONS

Italie	13
Allemagne (+ RFA)	12
Mexique	12
Espagne	12
Argentine	12
Brésil	11
Angleterre	11
Belgique	10
Suède	10
Serbie (+ Yougoslavie)	10
République tchèque (+ Tchécoslovaquie)	9
Hongrie	9

GUERRE ET SOCCER

Le 26 juin 1969, le Salvador s'impose 3-2 face au Honduras dans un barrage qualificatif pour l'édition 1950. Alors qu'une tension extrême règne entre les deux pays en raison d'un conflit frontalier, la rencontre est suivie d'émeutes. Le 14 juin, l'armée salvadorienne envahit le Honduras.

FIERTÉ ÉCOSSAISE

L'Angleterre, emmenée par **Billy Wright**, a accédé à sa première Coupe du Monde en 1950 en terminant première d'un groupe 100 % britannique devant l'Écosse. Qualifiée, cette dernière refusa d'aller au Brésil, car elle n'avait pas remporté son groupe. Les Écossais se qualifieront ensuite huit fois consécutives, sans jamais dépasser le 1er tour. Ils n'ont pas accédé aux phases finales depuis 1998.

UN BUT CONTROVERSÉ

La France doit sa qualification pour la Coupe du Monde FIFA 2010 à l'un des buts les plus controversés de l'histoire du soccer international. Le 18 novembre 2009, son match retour contre l'Irlande compte déjà 13 minutes de temps additionnel lorsque **Thierry Henry** contrôle nettement le ballon de la main avant de centrer sur William Gallas qui marque un but décisif permettant à la France de mener 2 à 1. L'arbitre suédois Martin Hansson a validé le but et la Fédération irlandaise a demandé, d'abord que le match soit rejoué, puis à devenir le 33e pays participant, mais aucune suite n'a été donnée à ses requêtes.

JAMAIS TROP TARD

En mars 2013, le but le plus tardif des éliminatoires de la Coupe du Monde 2014, marqué par le Sud-Coréen **Son Heung-Min** six minutes après le début des arrêts de jeu, a permis à son pays de battre le Qatar 2-1, et de se qualifier pour la phase finale au Brésil.

RECORD POUR L'ITALIE

L'Italie détient le record de qualifications pour la Coupe du Monde. Elle a été présente 13 fois : en 1934, 1954, 1962, 1966, 1970, 1974, 1978, 1982, 1994, 1998, 2002, 2006 et 2010. Elle a été exemptée des qualifications pour 1938, 1950 et 1986 en tant que tenante du titre. En 1990, elle accueillait l'épreuve. Elle n'a échoué qu'une fois, quand elle fut privée de l'édition 1958 par l'Irlande du Nord.

PAR LA PETITE PORTE

Les Britanniques n'ont fait carton plein que pour l'édition 1958 de la Coupe du Monde. L'Angleterre, l'Écosse et l'Irlande du Nord ont terminé en tête de leur groupe, mais le **Pays de Galles**, initialement éliminé, a emprunté un chemin de traverse : Israël s'étant qualifié sans jouer — pour des raisons politiques — dans la zone asiatique, la FIFA décida qu'il devait disputer un barrage contre un Européen classé deuxième. Tirée au sort, la Belgique refusa d'aller en Israël. Le hasard désigna alors les Gallois, doubles vainqueurs 2-0.

LE LONG BOYCOTT ARGENTIN

L'**Argentine** a boycotté la Coupe du Monde pendant presque 20 ans. Victorieuse de la Copa America de 1937, elle refusa de se rendre en France, vexée de ne pas avoir obtenu l'organisation et mécontente de devoir affronter le Brésil en qualification. Les *Albicelestes* ont également boudé les éditions 1950 et 1954, suite au choix du Brésil pour l'organisation de la Coupe du Monde 1950. Il faudra attendre les éliminatoires de l'édition 1958, qui se tenait en Suède, pour assister au retour de l'Argentine.

LA COUPE DU MONDE FIFA
LES RECORDS COLLECTIFS

UN NOUVEAU VAINQUEUR

Après la victoire de l'**Espagne** sur les Pays-Bas lors de la finale la Coupe du Monde FIFA qui a eu lieu au Soccer City le 11 juillet 2010, un nouveau nom est gravé sur le trophée pour la première fois depuis 1998. Cette finale est la première, depuis 32 ans, à opposer deux équipes n'ayant jamais remporté cette compétition. Ce cas de figure ne s'est produit que quatre fois: l'Argentine a battu les Pays-Bas en 1978, le Brésil a battu la Suède en 1958, la RFA a battu la Hongrie en 1954 et l'Italie a battu la Tchécoslovaquie en 1934; sans compter la victoire de l'Uruguay sur l'Argentine lors de la 1re édition en 1930.

ON PARTAGE ?

La France en 1982 et l'Italie en 2006 ont fourni le plus grand nombre de buteurs dans une Coupe du Monde. Gérard Soler, Bernard Genghini, Michel Platini, Didier Six, Maxime Bossis, Alain Giresse, Dominique Rocheteau, Marius Trésor, René Girard et Alain Couriol ont marqué pour les Bleus. Alessandro Del Piero, Alberto Gilardino, Fabio Grosso, Vincenzo Iaquinta, Luca Toni, Pippo Inzaghi, Marco Materazzi, Andrea Pirlo, Francesco Totti et Gianluca Zambrotta ont trouvé les filets pour les champions du monde italiens.

LE BRÉSIL CHANGE DE COULEUR

Les maillots jaunes du Brésil sont célèbres dans le monde entier. Pourtant, la *Seleçao* était **vêtue de blanc** lors des quatre premières éditions de la Coupe du Monde. La défaite 2-1 contre l'Uruguay qui a coûté le titre au Brésil en 1950 a été un tel traumatisme pour la population que la fédération a décidé de changer les couleurs de l'équipe afin d'effacer ce douloureux épisode.

DU ROUGE AU BLEU

L'Espagne a remporté la Coupe du Monde FIFA 2010, durant laquelle **Xavi** s'est illustré, vêtue d'un bleu inhabituel. C'est la 1re équipe (depuis l'Angleterre en 1966) à disputer la finale avec sa tenue extérieure.

À DOUBLE TOUR

L'Italie a réalisé la plus longue série sans prendre de but en Coupe du Monde. Lors de l'édition 1990, elle a gardé ses cages inviolées à partir de son succès 1-0 contre l'Autriche en groupe. Le gardien transalpin Walter Zenga est resté invaincu jusqu'à l'égalisation de Claudio Caniggia pour l'Argentine en demie. Cette herméticité n'a pas été synonyme de gloire puisque les *Albicelestes* sont allés en finale après une victoire 4-3 aux tirs au but.

CHAMPION À DOUBLE TITRE

Vicente del Bosque, l'entraîneur espagnol, est le second entraîneur à avoir gagné la Coupe du Monde FIFA et la Ligue des champions UEFA (ex-Coupe des clubs champions européens). Le premier fut Marcello Lippi, entraîneur de la Juventus quand elle remporta en 1996 la Ligue des Champions et de l'équipe d'Italie championne du monde en 2006. De plus, del Bosque a gagné deux fois la Ligue des Champions avec le Real Madrid (2000 et 2002), mais a été remercié à l'été 2003 pour n'avoir remporté «que» la Liga.

RECORD DE RENCONTRES

L'Allemagne (ex-RFA) et la Serbie (ex-Yougoslavie) détiennent le record de rencontres (7) lors d'une Coupe du Monde FIFA. En 2010, le but de **Milan Jovanovic** (en rouge) a donné la victoire (1-0) à la Serbie à Port Elizabeth. L'Allemagne l'a emporté en 1954, 1958, 1974 et 1990 ; la Yougoslavie en 1962 et elles ont fait match nul en 1998. Le Brésil et la Suède se sont aussi rencontrés sept fois, mais la Suède attend encore sa 1re victoire. Le Brésil a gagné en 1938, 1950, 1958, 1990, 2 fois en 1994, mais a fait match nul en 1978.

PARTICIPATIONS À LA FINALE DE LA COUPE DU MONDE FIFA

1	Brésil	7
=	Allemagne/RFA	7
3	Italie	6
4	Argentine	4
5	Pays-Bas	3
6	Tchécoslovaquie	2
=	France	2
=	Hongrie	2
=	Uruguay	2
10	Angleterre	1
=	Espagne	1
=	Suède	1

UNE CONVICTION BIEN ARRIMÉE

Président de la FIFA de 1921 à 1954, **Jules Rimet** a été le grand promoteur de la 1re Coupe du Monde, en 1930. La compétition uruguayenne ne ressemblait en rien à l'événement planétaire actuel puisqu'elle ne comptait que 13 participants, la plupart des équipes européennes ayant été refroidies par la longue traversée de l'Atlantique. Seuls quatre représentants du Vieux Continent – Belgique, France, Roumanie et Yougoslavie – avaient fait le voyage. Quoi qu'il en soit, le rêve du Français avait pris forme et la Coupe du Monde n'allait cesser de grandir. Le Brésil est le pays comptant le plus de titres mondiaux : 5. Il détient aussi le record de victoires dans l'épreuve (64) et partage avec l'Allemagne/ la RFA le record de matchs joués (92). L'Italie s'est imposée quatre fois et la RFA trois. Premiers finalistes, l'Uruguay et l'Argentine ont triomphé à deux reprises. L'Angleterre (1966) et la France (1998) complètent le palmarès.

BANDE À PART

Berceaux du soccer, l'Angleterre et l'Écosse ont attendu les éliminatoires de l'édition 1950 pour prendre part à la Coupe du Monde. Les fédérations britanniques – Angleterre, Écosse, Pays de Galles et Irlande du Nord – avaient quitté la FIFA dans les années 1920 suite à un conflit sur le dédommagement des joueurs amateurs. Elles ne sont revenues qu'en 1946.

APPARITION ÉCLAIR

Les Indes orientales néerlandaises (actuelle Indonésie) ont participé à une seule édition, à l'époque où la Coupe du Monde se jouait sur des matchs à élimination directe. Le 5 juin 1938, elles se sont inclinées 6-0 contre la Hongrie au 1er tour. On ne les a plus revues.

PARTICIPATIONS À LA COUPE DU MONDE FIFA

1	Brésil	19
2	Allemagne/RFA	17
=	Italie	17
4	Argentine	15
5	Mexique	14

ATTAQUE-DÉFENSE

Avec la France (1998) et l'Italie (2006), l'Espagne (2010) détient le record du plus petit nombre de buts encaissés jusqu'à la victoire (2). Elle possède désormais aussi le record du vainqueur de Coupe du Monde FIFA ayant marqué le moins de buts (8), ce qui la place juste derrière l'Italie (1938), l'Angleterre (1966) et le Brésil (1994).

COURTES VICTOIRES

Avec leur victoire 3-2 contre l'Uruguay, **Arjen Robben** et les Pays-Bas sont les premiers à remporter cinq matchs consécutifs avec une différence d'un seul but au cours d'une Coupe du Monde FIFA. Jusqu'alors, l'Italie détenait ce record avec quatre victoires et une différence d'un but (1934 et 1938). En 2010, lorsque l'Espagne l'emporte 1-0 sur les Pays-Bas, c'est aussi son 5e match consécutif gagné avec un but de différence et le 4e dans les épreuves à élimination directe.

L'ÉVÉNEMENT SPORTIF PLANÉTAIRE

La Coupe du Monde FIFA est le plus grand événement sportif de la planète. En 1930, pour la première édition, la télévision n'en était qu'à ses balbutiements. Depuis, ce tournoi constitue la retransmission sportive la plus populaire. En 2006, l'audience cumulée s'élevait à 26,3 milliards de téléspectateurs – soit 100 millions de moins que pour l'édition 2002. En 2010, en plus des 700 millions de fans qui ont regardé la finale Espagne-Pays-Bas devant leur télévision, des centaines de milliers de personnes ont suivi la rencontre grâce à des écrans géants disposés dans des lieux publics.

LA RFA RÉGALE

La RFA a encaissé 14 buts au cours de l'édition 1954, plus que tout autre champion du monde. Elle en a aussi marqué 25, soit le 2e meilleur total de l'histoire derrière celui de sa victime en finale, la Hongrie (27).

DES PROFITS EXCEPTIONNELS

La Coupe du Monde FIFA 2010 a été la plus lucrative de l'histoire de la compétition puisque la FIFA a touché 3,2 millions de dollars de bénéfices. Plus de 700 millions de téléspectateurs (un nouveau record) ont suivi la finale Espagne-Pays-Bas.

PLUS FAIBLE NOMBRE DE BUTS MARQUÉS SUR UNE PHASE FINALE :
Suisse : 0, 2006

DU ROUGE TOUJOURS

La seule et unique victoire de l'Angleterre en 1966 en Coupe du Monde FIFA est aussi la première et la dernière fois (à ce jour) que le trophée a été brandi par des joueurs en rouge. Les Espagnols auraient peut-être souhaité faire de même en 2010, mais ils ont dû jouer en bleu pour éviter le choc chromatique avec l'orange vif des Hollandais. Cependant, ils étaient en rouge pour recevoir le trophée des mains de **Sepp Blatter**, le président de la FIFA.

RECORD DE BUTS MARQUÉS DANS UNE ÉDITION
Hongrie : 27, 1954

RECORD DE VICTOIRES DANS UNE ÉDITION
Brésil : 7, 2002

RECORD DE BUTS MARQUÉS PAR UN JOUEUR DANS UNE ÉDITION
Just Fontaine (France) : 13, 1958

MATCHS CONSÉCUTIFS AVEC BUT MARQUÉ EN COUPE DU MONDE

18	Brésil	1930-1958
18	Allemagne/RFA	1934-1958
		1986-1998
17	Hongrie	1934-1962
16	Uruguay	1930-1962
15	Brésil	1978-1990
15	France	1978-1986

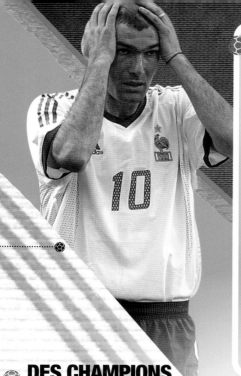

PERFORMANCES DES PAYS ORGANISATEURS DE LA COUPE DU MONDE FIFA

1930	Uruguay	Champion
1934	Italie	Championne
1938	France	Quart de finaliste
1950	Brésil	Deuxième
1954	Suisse	Quart de finaliste
1958	Suède	Deuxième
1962	Chili	Troisième
1966	Angleterre	Championne
1970	Mexique	Quart de finaliste
1974	RFA	Championne
1978	Argentine	Championne
1982	Espagne	Deuxième tour
1986	Mexique	Quart de finaliste
1990	Italie	Troisième
1994	États-Unis	Huitième de finaliste
1998	France	Championne
2002	Corée du Sud	Quatrième
	Japon	Huitième de finaliste
2006	Allemagne	Troisième
2010	Afrique du Sud	Premier tour

EFFORT COLLECTIF

Finale du Mondial 1974: les Néerlandais donnent le coup d'envoi, monopolisent la balle... et provoquent une faute de la défense ouest-allemande. L'arbitre siffle penalty. Neeskens le transforme. Les Pays-Bas mènent 1-0. Le cuir est rendu à la RFA... qui va enfin pouvoir le toucher ! À noter que lors d'Allemagne 2006, les Argentins ont marqué contre la Serbie-et-Monténégro au terme d'une séquence de 55 touches de balle en 58 secondes, Esteban Cambiasso se chargeant de conclure l'action.

DES CHAMPIONS DÉFAILLANTS

En 2002, au Japon et en Corée du Sud, la **France** a offert la plus mauvaise prestation d'un champion sortant dans l'histoire de la Coupe du Monde. Elle a perdu son match d'ouverture (1-0) devant le Sénégal, concédé un match nul (0-0) face à l'Uruguay et a été éliminée après avoir perdu face au Danemark (1-0). En 2010, comme l'Italie, la France a été éliminée au premier tour, sans avoir gagné un seul match ni jamais mené au score. L'Italie, elle, a débuté avec un match nul (1-1) contre le Paraguay, obtenu difficilement un autre match nul contre la modeste Nouvelle-Zélande (1-1) et quitté le tournoi après avoir perdu contre la Slovaquie (3-2).

TROIS POUR RIEN

En 2010, les Pays-Bas, entraînés par **Bert van Marwijk**, sont le seul pays à avoir accédé à trois reprises à la finale de la Coupe du Monde FIFA sans jamais avoir gagné le trophée. Les six victoires successives jusqu'à la finale sans la remporter constituent un autre record détenu par cette équipe.

7 SUR 7 POUR LE BRÉSIL

Avec sept succès lors de l'édition 2002, le Brésil a battu le record de victoires dans une phase finale. Il a d'abord battu la Turquie 2-1 en poule avant de triompher de l'Allemagne 2-0 en finale. En Extrême-Orient, la sélection a marqué 18 buts et n'en a encaissé que 4.

MAL CHEZ SOI

En accueillant la Coupe du Monde FIFA 2010, l'**Afrique du Sud** est aussi devenue la 1re nation hôte à ne pas se qualifier pour le 2e tour de la compétition – bien que son palmarès de 1 victoire, 1 nul et 1 défaite au 1er tour ne soit inférieur qu'en nombre de buts aux matchs d'ouverture d'autres nations ayant accueilli le tournoi, comme l'Espagne en 1982 et les États-Unis en 1994. La défaite 3-0 de l'Afrique du Sud face à l'Uruguay à Pretoria le 16 juin 2010 n'est pas plus sévère en termes de score que celle de la Suède face au Brésil (5-2) en 1958, ou du Mexique face à l'Italie (4-1) en 1970.

LA COUPE DU MONDE FIFA
LES BUTS

UN BON HÔTE

Le but de **Siphiwe Tshabalala**, au Soccer City de Johannesburg, permet à
l'Afrique du Sud de mener devant le Mexique et constitue un nouveau
record: c'est la 5e fois qu'un pays organisateur marque le 1er but d'une
Coupe du Monde FIFA: en 1950, le Brésilien Ademir a marqué contre
le Mexique (match gagné 4-0); en 1958, le Suédois Agne Simonsson
l'a fait contre le Mexique (victoire: 3-0); en 1974, Paul Breitner a
inscrit le but vainqueur pour la RFA contre le Chili (c'était en fait
le 2e match, mais le Brésil et la Yougoslavie avaient fait match
nul) et, en 2006, l'Allemand Philipp Lahm marque contre le
Costa Rica (victoire: 4-2). C'est la 4e fois que le Mexique
concède le 1er but de la Coupe du Monde FIFA;
avant Ademir et Simonsson, il avait encaissé le 1er
but de la 1re Coupe (1930), marqué par Lucien
Laurent (France).

LES PLUS GROS SCORES

Le plus gros score en Coupe du
Monde a été enregistré en quart
de l'édition 1954 entre l'Autriche et
la Suisse, le 26 juin. Menés 3-0 à
la 19e minute, les Autrichiens l'ont
emporté 7-5, l'avant-centre **Theodor
Wagner** signant un *hat-trick*.
Trois matchs ont engendré 11 buts:
la victoire 6-5 du Brésil contre
la Pologne au 1er tour de l'édition
1938, le succès 8-3 de la Hongrie
contre la RFA en match de groupes
de l'édition 1954 et le 10-1 des
Magyars contre les Salvadoriens
en poule d'Espagne 82.

UN DÉFICIT DE BUTS

L'Espagne a remporté la Coupe du Monde FIFA 2010 en marquant
seulement 8 buts en 7 matchs – un score inférieur aux 11 buts
totalisés par l'Italie en 1934, l'Angleterre en 1966 et le Brésil en
1994. L'équipe espagnole de Vicente del Bosque est aussi la
1re à gagner 1-0 dans ses matchs à élimination directe,
David Villa inscrivant le but décisif dans deux de ces rencontres.

GÉNÉREUX ADVERSAIRES

L'Allemagne fut la 1re à bénéficier de l'erreur
d'un adversaire marquant contre son camp
en Coupe du Monde FIFA: le Suisse Ernst
Loertscher, en 1938, mit la balle dans ses
filets et l'Allemagne l'emporta 4-2. La RFA
marqua pour sa part 4 buts du même
genre, comme l'Italie. Le Mexique, la
Bulgarie, les Pays-Bas, la Yougoslavie,
le Portugal et la Corée du Sud ont tous
marqué deux fois contre leur camp en
Coupe du Monde FIFA – le but le plus
récent étant dû à Park Chu-Young lors
de la défaite 4-1 des Sud-Coréens face
aux Argentins en 2010, 3 jours après
que le Danois Daniel Agger eut donné
l'avantage aux Pays-Bas en match
de 1er tour.

SCORES VIERGES

Lors du 2e tour de la Coupe du Monde FIFA 2010, le Paraguay et le Japon font match nul (0-0) – le Paraguay **gagnera aux tirs au but**. Cette nation totalise sept matchs nuls (0-0), égalisant le record de 1982, puis 2006. Le but de l'Espagnol Iniesta contre les Pays-Bas en finale, en 2010, laisse le record de 1994 intact : la finale Italie-Brésil est la seule qui s'est soldée par un 0-0.

LE BUT LE PLUS RAPIDE

Hakan Sükür a inscrit le but le plus rapide de l'histoire de la Coupe du Monde. Le Turc a frappé après 11 secondes contre la Corée du Sud dans la petite finale de l'édition 2002, les Ottomans s'imposant 3-2. Le record était détenu par le Tchécoslovaque Vaclav Masek, buteur dès la 15e seconde contre le Mexique en 1962.

LES PLUS LARGES VICTOIRES EN COUPE DU MONDE

Hongrie 10, Salvador 1 (15 juin 1982)
Hongrie 9, Corée du Sud 0
(17 juin 1954)
Yougoslavie 9, Zaïre 0 (18 juin 1974)
Suède 8, Cuba 0 (12 juin 1938)
Uruguay 8, Bolivie 0 (2 juillet 1950)
Allemagne 8, Arabie saoudite 0
(1er juin 2002)

BUTS DANS UNE COUPE DU MONDE

Buts	Pays	Année
27	Hongrie	(1954)
25	RFA	(1954)
23	France	(1958)
22	Brésil	(1950)
19	Brésil	(1970)

RECORDS DE BUTS EN COUPE DU MONDE FIFA (+ DE 100)

1	Brésil	210
2	Allemagne/RFA	206
3	Italie	126
4	Argentine	123

MAXI ET MINI

France 1998 a établi le record de buts inscrits dans une Coupe du Monde : 171. Il s'agissait de la première édition depuis l'instauration du format à 32 équipes s'affrontant au cours de 64 matchs. La plus grosse moyenne de buts par match a été atteinte lors de l'édition 1954, avec 140 unités en seulement 26 matchs, soit 5,38 buts par rencontre. La plus faible moyenne revient à Italie 1990, avec 115 buts sur 52 matchs, soit 2,21 de moyenne. L'édition 2010 a vu 145 buts, soit 2,26 de moyenne.

DOYEN ET JEUNOT

Pelé est devenu le plus jeune buteur en Coupe du Monde lorsqu'il a marqué le but de la victoire contre les Gallois en quart de l'édition 1958, à 17 ans et 239 jours. Le Camerounais **Roger Milla** est le doyen : il avait 42 ans et 39 jours lorsqu'il a mis l'unique but africain de la défaite 6-1 contre la Russie en 1994.

UN SEUL SOULIER D'OR

Quatre joueurs pouvaient prétendre au titre de meilleur buteur de la Coupe du Monde FIFA 2010, mais pour la 1re fois le Soulier d'or (décerné selon le nombre de buts et de passes effectués) n'en a récompensé qu'un seul. L'Uruguayen Diego Forlán, l'Espagnol David Villa et le Néerlandais Wesley Sneijder ont vu cette récompense leur échapper au profit du jeune **Thomas Müller.** Tout comme eux, il a marqué 5 buts, mais il a aussi effectué 3 passes décisives – comparées à l'unique passe de Villa, Sneijder et Forlán. Villa a reçu le Soulier d'argent pour le plus grand nombre de buts en un minimum de temps (634'), le Soulier de bronze revenant à Sneijder (652').

RETOUR GAGNANT

Sept joueurs ont marqué dans des Coupes du Monde FIFA à 12 ans d'écart. Le dernier est le Mexicain Cuauhtémoc Blanco. Son penalty contre la France à Polokwane en 2010 arrive 12 ans après son 1er but de Coupe du Monde contre la Belgique en 1998. Mais Blanco n'est pas le seul. On trouve aussi le Brésilien Pelé (1958 et 1970), l'Allemand de l'Ouest Uwe Seeler (1958 et 1970), l'Argentin Diego Maradona (1982 et 1994), le Danois Michael Laudrup (1986 et 2008), le Suédois Henrik Larsson (1994 et 2006) et le Saoudien Sami Al-Jaber (1994 et 2006).

2208 BUTS

Le superbe coup de tête d'Arjen Robben contre l'Uruguay a permis aux Pays-Bas de mener 3-1 en demi-finale de la Coupe du Monde FIFA 2010 (avant de l'emporter 3-2). Ce but est le 2200e de l'histoire de cette compétition. Le but gagnant de l'Espagnol **Andrés Iniesta** en finale est le 2208e.

ÇA SENTAIT LE ROSSI

Paolo Rossi est passé du statut d'indésirable à celui de héros à la Coupe du Monde 1982. Enzo Bearzot l'avait convoqué même s'il sortait d'une suspension de deux ans pour une affaire de matchs truqués. Critiqué pour son manque de condition physique en début de tournoi, Rossi signera un triplé contre le Brésil, un doublé contre la Pologne en demie et l'ouverture du score lors de la finale remportée contre la RFA.

EUSEBIO, LE PHÉNOMÈNE

Eusebio a été l'attaquant vedette de la Coupe du Monde 1966. Ironie du sort, il ne pourrait pas jouer pour le Portugal aujourd'hui puisqu'il est né au Mozambique, ancienne colonie lusitanienne devenue indépendante. En Angleterre, il a marqué 9 buts, dont 2 lors de l'élimination du Brésil et 4 lors de la victoire 5-3 en demi-finale – alors que les Asiatiques menaient 3-0.

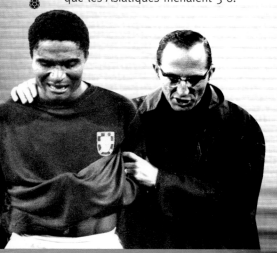

MEILLEURS BUTEURS DES COUPES DU MONDE (1930-1978)

16 participants au maximum

Année	Pays	Meilleur buteur	pays	Buts
1930	Uruguay	**Guillermo Stabile**	Argentine	8
1934	Italie	**Oldrich Nejedly**	Tchécoslovaquie	5
1938	France	**Leonidas**	Brésil	7
1950	Brésil	**Ademir**	Brésil	9
1954	Suisse	**Sándor Kocsis**	Hongrie	11
1958	Suède	**Just Fontaine**	France	13
1962	Chili	**Garrincha**	Brésil	4
		Vavá	Brésil	
		Leonel Sánchez	Chili	
		Florian Albert	Hongrie	
		Valentin Ivanov	Union soviétique	
		Dražan Jerković	Yougoslavie	
1966	Angleterre	**Eusébio**	Portugal	9
1970	Mexique	**Gerd Müller**	RFA	10
1974	RFA	**Grzegorz Lato**	Pologne	7
1978	Argentine	**Mario Kempes**	Argentine	6

SANS MOUSTACHE

Lors de l'édition argentine de 1978, Mario Kempes était le seul *Albiceleste* à évoluer à l'étranger. Deux fois meilleur buteur du championnat espagnol, le Valencien a été décisif dans le triomphe des locaux. Muet en phase de groupes, il se rasa la moustache sur les conseils de son entraîneur César Luis Menotti. Il inscrivit 2 buts contre le Pérou, 2 contre la Pologne et 2 en finale contre les Pays-Bas.

LE SOULIER D'OR: PAS UNE GARANTIE

Être le meilleur buteur est un grand honneur pour les joueurs, mais rares sont ceux qui ont combiné le sacre mondial et cette distinction personnelle. Cette malheureuse tendance débuta dès 1930 avec l'Argentin Guillermo Stabile qui, bien que meilleur réalisateur, s'inclina en finale. La liste des meilleurs buteurs ayant joué dans l'équipe victorieuse est courte: Garrincha et Vava (*ex-æquo* en 1962), Mario Kempes (1978), Paolo Rossi (1982) et Ronaldo (2002). Meilleur buteur en 1970, Gerd Müller n'a brandi le trophée de la victoire de la RFA que quatre ans plus tard. D'autres, tels Sándor Kocsis (1954), Just Fontaine (1958) et Gary Lineker (1986) ont déçu dans la dernière ligne droite. Kocsis est le seul à avoir été en finale, qui a vu la défaite de la Hongrie. Quatre joueurs ont marqué 5 buts durant l'édition 2010 et l'un d'eux, David Villa, faisait partie de l'équipe gagnante, mais le Soulier d'or adidas est revenu à l'Allemand Thomas Müller.

STABILE BOSS

Meilleur buteur de la Coupe du Monde de 1930, **Guillermo Stabile** n'avait jamais joué pour l'Argentine avant cette compétition. Il a fait ses débuts à 25 ans contre le Mexique en raison d'une crise de panique du titulaire à son poste, Roberto Cherro. Il réussit un triplé contre les Aztèques puis des doublés contre le Chili et les États-Unis. Lors de la défaite 4-2 en finale contre l'Uruguay, il signa un but.

BUTS DE CAPITAINES

Dans la demi-finale qui a vu la victoire des Pays-Bas sur l'Uruguay au Cap, les deux capitaines, **Giovanni van Bronckhorst** et Diego Forlán, ont marqué. Cela n'a eu lieu que quatre fois en Coupe du Monde FIFA.

HURST DANS L'HISTOIRE

L'Anglais **Geoff Hurst** reste le seul joueur à avoir signé un triplé en finale de la Coupe du Monde, lui qui a frappé à trois reprises lors de la victoire 4-2 des Anglais face à la RFA en 1966. Après avoir rétabli la parité, il inscrivit un 3e but capital: le ballon percuta la transversale et rebondit juste derrière la ligne... selon le juge de ligne soviétique. Hurst signa son 3e but à la dernière minute. Les mots du commentateur télé britannique Kenneth Wolstenholme sont restés célèbres outre-Manche: «Il y a des gens sur le terrain. Ils pensent que c'est fini. C'est fini!»

SOULIERS D'OR N° 10

Seuls deux joueurs portant le n° 10 ont remporté le Soulier d'or lors d'une Coupe du Monde FIFA: l'Argentin Mario Kempes en 1978 et, huit ans après, l'Anglais Gary Lineker. Le Hollandais Wesley Sneijder, lui aussi n° 10, était dans la course pour le décrocher en 2010, mais il a terminé 2e derrière l'Allemand Thomas Müller (n° 13).

ANDRÉS, LE GÉANT

Le héros espagnol de la finale de la Coupe du Monde FIFA 2010 fut **Andrés Iniesta** (à d.), dont le but à la 116e minute fut le but de la victoire le plus tardif de l'histoire du tournoi – les tirs au but exceptés.

MEILLEURS BUTEURS DE FINALES DE COUPES DU MONDE FIFA

	Nom (Pays)	Tournoi	Nbre de buts
1	Ronaldo (Brésil)	1998, 2002, 2006	15
2	Gerd Müller (RFA)	1970, 1974	14
=	**Miroslav Klose** (Allemagne)	2002, 2006, 2010	14
3	Just Fontaine (France)	1958	13
4	Pelé (Brésil)	1958, 1962, 1966, 1970	12
5	Sándor Kocsis (Hongrie)	1954	11
=	Jürgen Klinsmann (RFA/Allemagne)	1990, 1994, 1998	11
7	Gabriel Batistuta (Argentine)	1994, 1998, 2002	10
=	Teofilo Cubillas (Pérou)	1970, 1978	10
=	Gregorz Lato (Pologne)	1974, 1978, 1982	10
=	Gary Lineker (Angleterre)	1986, 1990	10
=	Helmut Rahn (RFA)	1954, 1958	10

LE DUO BRADLEY

L'égalisation tardive de Michael Bradley dans le match du groupe C opposant les États-Unis à la Slovénie en juin 2010 et qui s'est soldé par un match nul (2-2), a fait de ce joueur le 1er à marquer un but pour l'équipe entraînée par son père (Bob Bradley).

CHAPEAU, GONZALO !

L'attaquant argentin **Gonzalo Higuain** a mis fin à une attente de huit ans en réalisant le *hat-trick* de la Coupe du Monde FIFA 2010 : il a marqué 3 des 4 buts de son équipe contre la Corée du Sud au 1er tour. L'édition 2006 est la seule sans *hat-trick*. Ainsi, le triplé de Higuain est le premier en 8 ans et 7 jours, depuis que Pauleta avait marqué 3 des 4 buts du Portugal contre la Pologne (4-0) en 2002.

LA POISSE DE PELÉ

Sans blessure, Pelé aurait sûrement été le meilleur buteur de l'histoire de la Coupe du Monde. *O Rei* a été écarté au début des éditions 1962 et 1966. Il a inscrit 6 buts lors du sacre de 1958, dont un doublé en finale contre la Suède (5-2). Il a également signé le 100e but brésilien en Coupe du Monde lors de la victoire 4-1 en 1970.

PILONNAGE CHIRURGICAL

L'Allemand de l'Ouest **Gerd Müller** était le spécialiste des buts décisifs. Lors de l'édition 1970, il donne la victoire à la RFA contre l'Angleterre en quart et signe un doublé en prolongation de la demie perdue contre l'Italie. Quatre ans plus tard à domicile, « *Der Bomber* » marque l'unique but de la demie contre la Pologne avant de faire la décision contre les Pays-Bas en finale. Il s'est aussi vu refuser un but pour hors-jeu – le ralenti montrant qu'il était valable.

UN PHÉNOMÈNE RÉGULIER

Ronaldo a été un buteur prolifique dans chacune des quatre Coupes du Monde qu'il a jouées. Il a marqué 4 buts lors de France 1998, 8 lors de l'édition 2002 remportée par la *Seleçao* et 3 autres en 2006. Il est devenu le meilleur réalisateur de l'histoire de la Coupe du Monde en ouvrant le score lors de la victoire 3-0 contre le Ghana, en huitièmes à Dortmund, le 27 juin 2006. À 17 ans, il faisait partie de la *Seleçao* sacrée championne du monde aux États-Unis en 1994, mais il n'était pas entré en jeu.

KLINSMANNSCHAFT

Jürgen Klinsmann a brillé en Coupe du Monde dans les rôles de joueur et d'entraîneur. Il a signé 3 buts au cours de la campagne victorieuse de la RFA lors d'Italie 1990 puis 5 en 1994 et 3 en 1998 avec l'Allemagne réunifiée. Sélectionneur, il a envoyé la *Mannschaft* en demie de l'édition 2006.

À QUI LE PREMIER *HAT-TRICK*?

Pendant longtemps, Guillermo Stabile a été considéré comme le premier auteur d'un *hat-trick* en Coupe du Monde. L'Argentin a frappé trois fois lors de la victoire 6-3 face au Mexique le 19 juillet 1930. En novembre 2006, la FIFA a révisé ses statistiques et attribué ce titre honorifique à l'Américain Bert Patenaude, auteur d'un triplé deux jours plus tôt lors du succès 3-0 des États-Unis contre le Paraguay.

LA 73e MINUTE

Les deux buts décisifs de la demi-finale de la Coupe du Monde FIFA 2010 ont été marqués à la 73e minute. Arjen Robben marque de la tête et donne la victoire aux Pays-Bas contre l'Uruguay (3-2). **Carles Puyol** fait de même pour l'Espagne contre l'Allemagne le lendemain – et c'est le seul but de la partie.

LA COUPE DU MONDE FIFA
LES PARTICIPATIONS

Le Mexicain Antonio Carbajal et l'Allemand Lothar Matthaüs ont participé à cinq Coupes du Monde, un record, mais beaucoup de joueurs rêvent de goûter ne serait-ce qu'une fois à l'épreuve suprême. Les pages suivantes sont consacrées aux joueurs ayant établi des records individuels en termes de participation : plus longue série, plus courte apparition, intervalle entre deux Coupes du Monde disputées...

LE PLUS JEUNE ET LE PLUS VIEUX

L'attaquant nord-irlandais Norman Whiteside est devenu le plus jeune joueur à apparaître en Coupe du Monde lorsqu'il a été titularisé contre la Yougoslavie en 1982, à 17 ans et 41 jours. Le doyen est l'attaquant camerounais Roger Milla, qui avait 42 ans et 39 jours contre la Russie, lors de l'édition 1994.

DOMINATION ANGLAISE

La Premier League anglaise (avec Chelsea et **Frank Lampard**) était la mieux représentée dans la Coupe du Monde FIFA 2010 : elle a fourni 117 des 736 joueurs des 32 équipes qualifiées. La Bundesliga était à la 2ᵉ place avec 84 joueurs, puis la Série A italienne (80), la Liga espagnole (59), la Ligue 1 française (45), l'Eredivisie néerlandaise (34) et la J-League japonaise (25).

MATCHS DISPUTÉS EN COUPE DU MONDE FIFA

25 Lothar Matthaüs (RFA/Allemagne)
23 Paolo Maldini (Italie)
21 Diego Maradona (Argentine)
   Uwe Seeler (RFA)
   Wladyslaw Zmuda (Pologne)

DOUBLES VAINQUEURS

Joueurs ayant joué avec l'équipe victorieuse dans deux Coupes du Monde :

Giovanni Ferrari (Italie), 1934, 1938
Giuseppe Meazza (Italie), 1934, 1938
Pelé (Brésil), 1958, 1970
Didi (Brésil), 1958, 1962
Djalma Santos (Brésil), 1958, 1962
Garrincha (Brésil), 1958, 1962
Gilmar (Brésil), 1958, 1962
Nilton Santos (Brésil), 1958, 1962
Vavá (Brésil), 1958, 1962
Zagallo (Brésil), 1958, 1962
Zito (Brésil), 1958, 1962
Cafú (Brésil), 1994, 2002

DOUBLES CHAMPIONS

Franz Beckenbauer et Mário Zagallo sont les seuls hommes à avoir remporté la Coupe du Monde en tant qu'entraîneurs et en tant que joueurs. Le libéro allemand était en outre le capitaine de la RFA lors de son sacre à domicile en 1974. En tant que sélectionneur, il a emmené la *Mannschaft* en finale de Mexique 1986 (défaite contre l'Argentine) et au titre à Italie 1990 (revanche contre les *Albicelestes*). Son style et ses victoires lui ont valu le surnom de «*Kaiser*» («l'Empereur»). Zagallo a décroché deux étoiles sur le terrain. Ailier gauche lors du sacre suédois de 1958, le Brésilien évoluait plus en retrait lors du titre de 1962. Il a pris les rênes de la *Seleçao* à la place du controversé Joao Saldanha trois mois avant l'édition 1970. Ses protégés ont remporté leurs 6 matchs, inscrivant 19 buts et punissant l'Italie 4-1 en finale. Zagallo occupait le poste de directeur technique lors du quatrième titre *Auriverde*, en 1994.

PARTICIPATIONS À LA COUPE DU MONDE FIFA

Tous ces joueurs ont disputé au moins quatre Coupes du Monde

5   **Antonio Carbajal** (Mexique) 1950, 1954, 1958, 1962, 1966

    Lothar Matthäus (RFA/Allemagne) 1982, 1986, 1990, 1994, 1998

4   **Djalma Santos** (Brésil) 1954, 1958, 1962, 1966
    Pelé (Brésil) 1958, 1962, 1966, 1970
    Uwe Seeler (RFA) 1958, 1962, 1966, 1970
    Karl-Heinz Schnellinger (RFA) 1958, 1962, 1966, 1970
    Gianni Rivera (Italie) 1962, 1966, 1970, 1974
    Pedro Rocha (Uruguay) 1962, 1966, 1970, 1974
    Wladyslaw Zmuda (Pologne) 1974, 1978, 1982, 1986
    Giuseppe Bergomi (Italie) 1982, 1986, 1990, 1998
    Diego Maradona (Argentine) 1982, 1986, 1990, 1994
    Enzo Scifo (Belgique) 1986, 1990, 1994, 1998
    Franky Van der Elst (Belgique) 1986, 1990, 1994, 1998
    Andoni Zubizarreta (Espagne) 1986, 1990, 1994, 1998
    Paolo Maldini (Italie) 1990, 1994, 1998, 2002
    Hong Myung-Bo (Corée du Sud) 1990, 1994, 1998, 2002
    Cafú (Brésil) 1994, 1998, 2002, 2006
    Sami Al-Jaber (Arabie saoudite) 1994, 1998, 2002, 2006
    Denis Caniza (Paraguay) 1998, 2002, 2006, 2010
    Fabio Cannavaro (Italie) 1998, 2002, 2006, 2010
    Thierry Henry (France) 1998, 2002, 2006, 2010
    Rigobert Song (Cameroun) 1994, 1998, 2002, 2010

4 COUPES DU MONDE

Le défenseur **Rigobert Song**, vétéran de l'équipe du Cameroun, n'a joué que 17 minutes durant la Coupe du Monde FIFA 2010, mais cette courte apparition a fait de lui le 1er Africain à jouer dans 4 éditions du tournoi – 9 matchs en 16 ans et 9 jours. Il était présent en 1994, 1998, 2002 et 2010 (le Cameroun ne s'est pas qualifié en 2006). Seuls 3 joueurs ont eu une plus longue carrière en Coupe du Monde : les Mexicains Antonio Carbajal (16 ans et 25 jours) et Hugo Sanchez (16 ans et 17 jours), ainsi que l'Allemand Lothar Matthäus (16 ans et 14 jours). L'édition 2010 a accueilli des joueurs dont c'était la 4e participation : l'Italien Fabio Cannavaro (18 matchs), le Français Thierry Henry (14) et le Paraguayen Denis Caniza (10).

RECORD DE MATCHS DISPUTÉS EN COUPE DU MONDE FIFA (PAR POSTE)

Gardiens : Claudio Taffarel (Brésil, 18 matchs).
Défenseurs : Cafú (Brésil, 20) ; Wladyslaw Zmuda (Pologne, 21) ; Fabio Cannavaro (Italie, 18) ; Paolo Maldini (Italie, 23).
Milieux : Grzegorz Lato (Pologne, 20) ; Lothar Matthäus (RFA/Allemagne, 25) ; Wolfgang Overath (RFA, 19) ; Enzo Scifo (Belgique, 17).
Attaquants : Diego Maradona (Argentine, 21) ; Uwe Seeler (RFA, 21).

LA CATALOGNE EN FORCE

Le **FC Barcelone**, est le club qui détient le record du nombre de joueurs ayant participé à la Coupe du Monde FIFA 2010 : 14 dont 8 titulaires, avec le nouvel arrivant David Villa – seul le gardien remplaçant, Victor Valdés, n'a participé à aucun match. Chelsea et Liverpool ont 12 représentants chacun, suivis par le Bayern (11).

DOUBLE DÉCEPTION

Le succès a fui Arjen Robben et Mark Van Bommel durant la saison 2009-2010 : leur club, le Bayern Munich, a été battu en finale de la Ligue des Champions UEFA par l'Inter de Milan et leur équipe nationale a perdu en Coupe du Monde FIFA contre l'Espagne. En 2002, c'étaient Oliver Neuville, Bernd Schneider et Carsten Ramelow du Bayer Leverkusen qui avaient perdu face au Real Madrid tandis que l'Allemagne était battue par le Brésil et en 2006, c'est Thierry Henry qui a perdu avec Arsenal contre Barcelone et avec l'équipe de France contre l'Italie.

LE RECORD DE PROSINECKI

Robert Prosinecki est le seul joueur à avoir marqué pour deux pays différents en Coupe du Monde. Il a marqué pour la Yougoslavie lors de sa victoire 4-1 contre les Émirats arabes unis lors d'Italie 90. Huit ans plus tard, avec la jeune Croatie, il a fait trembler les filets lors d'un succès 3-0 au 1er tour face à la Jamaïque, avant d'ouvrir le score lors de la victoire 2-1 en petite finale contre les Pays-Bas.

REMPLACEMENTS ÉCLAIRS

Les trois remplacements les plus rapides en Coupe du Monde sont tous intervenus à la 4e minute et sur une blessure grave ayant entraîné un forfait pour le reste de la compétition. Steve Hodge est entré en remplacement de Bryan Robson lors du nul 0-0 entre l'Angleterre et le Maroc en 1986 ; Giuseppe Bergomi pour Alessandro Nesta lors de la victoire 2-1 de l'Italie sur l'Autriche en 1998 ; Peter Crouch pour Michael Owen lors du nul 2-2 entre l'Angleterre et la Suède en 2006.

UN DOUBLE POINT FINAL

Durant le match crucial de la Coupe du Monde 2010, qui était aussi sa deuxième phase finale consécutive, un joueur a disputé son dernier match international qui était aussi le dernier de sa carrière. Il s'agit de **Giovanni Van Bronckhorst** qui, tout comme Zinédine Zidane en 2006, n'a pas joué le match en entier, même s'il n'a pas été expulsé mais remplacé à la 105e minute. Le capitaine néerlandais Van Bronckhorst a marqué un but spectaculaire en demi-finale contre l'Uruguay, mais son équipe a dû s'incliner en finale contre l'Espagne.

ENCORE UN PETIT JAUNE?

Le Croate Josip Šimunić détient (avec l'Australien Ray Richards en 1974) le record du nombre de cartons jaunes dans un match de Coupe du Monde. En 2006, contre l'Australie, il en récolta 3, qui lui valurent l'exclusion par l'arbitre Graham Poll: en sortant son 2e jaune, l'arbitre anglais avait juste oublié qu'il en avait déjà mis un...

RECORDS DE CAPITANAT

Ils sont trois à avoir porté le brassard de capitaine dans deux finales de Coupe du Monde: Diego Maradona (Argentine), Dunga (Brésil) et Karl-Heinz Rummenigge (RFA). Maradona s'est imposé en 1986, mais a perdu quatre ans plus tard. Le «*Pibe de Oro*» («le gamin en or») détient aussi le record de matchs de Coupe du Monde joués avec le brassard: 16 de 1986 à 1994. Vainqueur en 1994, Dunga s'est incliné contre les Bleus en 1998. Rummenigge a connu deux défaites, en 1982 et 1986.

LES CARTONS ROUGES LES PLUS RAPIDES EN COUPE DU MONDE

1re min José Batista (Uruguay) / Écosse, 1986
8e min Giorgio Ferrini (Italie) / Chili, 1962
14e min Zeze Procopio (Brésil) / Tchécoslovaquie, 1938
19e min Mohammed Al Khlaiwi (Arabie saoudite) / France, 1998, Miguel Bossio (Uruguay) / Danemark, 1986
21e min Gianluca Pagliuca (Italie) / République d'Irlande, 1994

LES CARTONS JAUNES LES PLUS RAPIDES

1re min Sergei Gorlukovich (Russie) / Suède, 1994, Giampiero Marini (Italie) / Pologne, 1982
2e min Jesus Arellano (Mexique) / Italie, 2002, Henri Camara (Sénégal) / Uruguay, 2002, Michael Emenalo (Nigeria) / Italie, 1994, Humberto Suazo (Chili) / Suisse, 2010, Mark van Bommel (Pays-Bas) / Portugal, 2006

DENILSON, ÉTERNEL JOKER

Denilson est le recordman des entrées en cours de jeu en Coupe du Monde: 11. L'ailier a participé à 12 matchs du Brésil lors des éditions 1998 et 2002, mais il n'a été titulaire que contre la Norvège à France 1998. En finale de ce tournoi, il avait remplacé Leonardo à la pause; lors de la finale 2002, il était entré à la place de Ronaldo dans les arrêts de jeu (sa dernière apparition dans l'épreuve suprême).

NUMÉROTATION PAR POSTE

Alors que la numérotation de saison est de rigueur, le **Brésil** a dû faire plaisir aux traditionalistes en optant pour une numérotation par poste durant ses deux premiers matchs de la Coupe du Monde FIFA 2010 contre la Corée du Nord et la Côte d'Ivoire. Entraînée par Dunga, l'équipe se composait comme suit: 1 Júlio César, 2 Maicon, 3 Lúcio, 4 Juan, 5 Felipe Melo, 6 Michel Bastos, 7 Elano, 8 Gilberto Silva, 9 Luís Fabiano, 10 Kaká, 11 Robinho. Les **Pays-Bas** firent le même choix non seulement au 2e tour contre la Slovaquie, mais en finale contre l'Espagne, alignant: 1 Maarten Stekelenburg, 2 Gregory van der Wiel, 3 John Heitinga, 4 Joris Mathijsen, 5 Giovanni Van Bronckhorst, 6 Mark Van Bommel, 7 Dirk Kuijt, 8 Nigel de Jong, 9 Robin Van Persie, 10 Wesley Sneidjer, 11 Arjen Robben. La même chose s'est passée durant le match Brésil-Pays-Bas en quart de finale, mais cette fois-ci deux numéros 13 étaient présents sur le terrain: Dani Alves (Brésil) remplaçait Elano et André Ooijer (Pays-Bas) s'était substitué à Joris Mathijsen.

SAY NO T

PLUS JEUNES JOUEURS EN FINALE DE COUPE DU MONDE

Pelé (Brésil) – 17 ans, 249 jours, en 1958
Giuseppe Bergomi (Italie) – 18 ans, 201 jours, en 1982
Ruben Moran (Uruguay) – 19 ans, 344 jours, en 1950

JOUEURS LES PLUS ÂGÉS EN FINALE DE COUPE DU MONDE

Dino Zoff (Italie) – 40 ans, 133 jours, en 1982
Gunnar Gren (Suède) – 37 ans, 241 jours, en 1958
Jan Jongbloed (Pays-Bas) – 37 ans, 212 jours, en 1974
Nilton Santos (Brésil) – 37 ans, 32 jours, en 1962

PREMIER REMPLAÇANT

Le 1er joueur entré en cours de jeu en Coupe du Monde a été le Soviétique Anatoli Puzach. Il a remplacé Viktor Serebrianikov à la mi-temps lors du match nul 0-0 avec le Mexique le 31 mai 1970. L'édition 1970 a été la première où les remplacements ont été autorisés, au nombre de deux. La FIFA est passée à trois pour l'édition française de 1998.

À 9 CONTRE 9

Le record d'expulsions sur un match de Coupe du Monde a été établi lors d'un huitième d'Allemagne 2006. L'arbitre russe Valentin Ivanov a sorti 4 joueurs : Costinha et Deco côté portugais, Khalid Boulahrouz et Gio Van Bronckhorst côté néerlandais.

DU BANC À LA DOUCHE

En 2002 contre la Suède, **Claudio Caniggia** a été le 1er joueur expulsé en étant resté sur le banc. L'Argentin a été exclu dans le temps additionnel de la première période par l'arbitre émirien Ali Bujsaim. Malgré l'avertissement verbal de ce dernier, Caniggia continuait de contester une décision, ce qui lui valut finalement un carton rouge.

TEMPS DE JEU RECORD

Lothar Matthäus (RFA/Allemagne) détient le record de titularisations en Coupe du Monde : 25. En revanche, c'est **Paolo Maldini** (Italie) qui a passé le plus de temps sur le terrain, malgré deux matchs en moins. Le défenseur transalpin a joué 2220 minutes, contre 2052 pour l'Allemand. Le quatuor de tête est complété par Uwe Seeler (RFA), avec 1980 minutes, et Diego Maradona (Argentine), avec 1938 minutes.

HÉROS DES TIRS AU BUT

Les gardiens Harald Schumacher (RFA) et Sergio Goycochea (Argentine) détiennent le record de tirs au but arrêtés en Coupe du Monde : 4 chacun. Schumacher a réalisé ses parades sur deux éditions, 1982 et 1986. L'une d'entre elles a notamment donné la victoire aux siens en demi-finale d'Espagne 1982 contre la France. Goycochea les a toutes effectuées en 1990 : en quart contre la Yougoslavie puis en demie contre l'Italie. Ses quatre arrêts sur un même tournoi constituent un record. Le record de tirs au but arrêtés sur un match est à mettre au crédit du Portugais Ricardo, qui a sorti trois tentatives anglaises en quart de l'édition allemande de 2006.

GARDIENS DE BUT INVAINCUS EN COUPE DU MONDE FIFA*

Walter Zenga (Italie)	517 min sans prendre de but, 1990
Peter Shilton (Angleterre)	502 min, 1986-1990
Sepp Maier (RFA)	475 min, 1974-1978
Gianluigi Buffon (Italie)	460 min, 2006
Émerson Leão (Brésil)	458 min, 1978
Gordon Banks (Angleterre)	442 min, 1966

* Pascal Zuberbühler (Suisse) n'a concédé aucun but durant 390 minutes de jeu, lors de la Coupe du Monde FIFA 2006. Iker Casillas (Espagne) a joué 433 minutes sans prendre un but en 2010.

LA COUPE DU MONDE FIFA
LES GARDIENS

LES DEUX SAUVETAGES DE CASILLAS

L'Espagnol **Iker Casillas** est le 3ᵉ gardien à empêcher la transformation de penalties (hormis les tirs au but) et le 1ᵉʳ à le faire dans plusieurs compétitions. Il a d'abord repoussé un tir d'Ian Harte au 2ᵉ tour de la Coupe du Monde 2002 contre la République d'Irlande et, plus impressionnant, il a stoppé la tentative de l'avant paraguayen Oscar Cardozo en quart de finale en 2010. L'Espagne a gagné ces deux matchs. Les deux seuls gardiens à avoir été ainsi doublement percutants sont le Polonais Jan Tomaszewski (1974) et l'Américain Brad Friedel (2002).

HORS ZONE

L'Italien Gianluca Pagliuca est devenu le 1ᵉʳ gardien expulsé en Coupe du Monde après une main à la 21ᵉ minute d'un match de groupe contre la Norvège en 1994. Le sélectionneur Arrigo Sacchi avait étonné en sortant sa star Roberto Baggio pour faire entrer le gardien remplaçant Luca Marchegiani.

LE DOYEN

En Espagne en 1982, **Dino Zoff** est devenu, à 40 ans et 133 jours, le joueur et le capitaine le plus âgé à brandir le trophée suprême. Parmi ses coéquipiers, on recensait le défenseur Giuseppe Bergomi, âgé de 18 ans et 201 jours, soit une différence de 21 ans et 297 jours.

CARBAJAL CINQ FOIS

Le portier mexicain Antonio Carbajal est l'un des deux seuls hommes à avoir disputé cinq Coupes du Monde. L'autre recordman est l'Allemand Lothar Matthäus. Carbajal, qui a joué les éditions 1950, 1954, 1958, 1962 et 1966, a encaissé un record de 25 buts en 11 matchs. Le Saoudien Mohamed Al-Deayea en a concédé autant, mais en 10 sorties réparties sur les éditions 1994, 1998 et 2002. Membre de l'effectif en 2006, Al-Deayea n'avait pas joué.

ON N'ARRÊTE PAS LE PROGRÈS

En 1978, le Wigan Athletic F.C. britannique jouait encore en 4ᵉ division. En 2010, non seulement le club caracolait en tête de la Premier League, mais il avait de surcroît deux de ses joueurs en compétition dans la Coupe du Monde FIFA 2010 en Afrique du Sud. Plus inhabituel, après avoir joué les remplaçants de Chris Kirkland pour Wigan au cours de la saison, le Ghanéen **Richard Kingson** et le Serbe **Vladimir Stojković** se retrouvèrent tous deux gardiens de but de leur sélection durant la compétition. Le Ghana sortit vainqueur 1-0 de son match contre la Serbie. Kingson n'encaissa aucun but.

LE NUMÉRO UN DES NUMÉROS UN

Le Trophée Lev-Yachine est remis depuis 1994 au joueur élu meilleur gardien de la Coupe du Monde. Cela dit, un portier était retenu dans le onze type depuis la 1re édition en 1930. Cette sélection est passée de 11 à 23 éléments en 1998, laissant une place supplémentaire à un gardien. Voici les joueurs ayant été retenus dans le onze type sans pour autant recevoir le Trophée Lev-Yachine : le Paraguayen José Luis Chilavert (1998), le Turc Rüstü Reçber (2002), l'Allemand Jens Lehmann et le Portugais Ricardo (2006). Le 1er lauréat du Trophée Lev-Yachine a été le Belge Michel Preud'homme, même s'il a encaissé 4 buts en autant de matchs en 1994 – les Diables Rouges avaient été sortis en huitième par l'Allemagne. Le légendaire Soviétique Lev-Yachine a disputé les Coupes du Monde 1958, 1962 et 1966. En 1970, il faisait partie de l'effectif en tant que 3e gardien et qu'entraîneur-assistant. Bien que brillant, il n'a jamais été retenu dans l'équipe type d'une Coupe du Monde. Surnommé « l'Araignée Noire » en raison de sa tenue immuablement noire, il a concédé le seul corner direct inscrit en Coupe du Monde, œuvre du Colombien Marcos Coll lors d'un nul 4-4 en 1962.

YES, HE KAHN

Lors de l'édition 2002, l'Allemand **Oliver Kahn** est devenu le seul gardien à avoir été élu Ballon d'or d'une Coupe du Monde, et ce, même si sa responsabilité a été engagée sur les buts brésiliens en finale.

RICARDO DU BON CÔTÉ

L'Espagnol Ricardo Zamora est le 1er gardien à avoir arrêté un penalty en Coupe du Monde. En 1934, il s'est interposé devant la tentative du Brésilien Valdemar de Brito, l'Espagne s'imposant 3-1.

DEUX SUR TROIS

Les frères Viktor et Vyacheslav Chanov étaient deux des trois gardiens de l'effectif soviétique pour la Coupe du Monde 1982. Pourtant, Rinat Dasaev était le 1er choix devant les deux frères. De huit ans le cadet de Vyacheslav, Viktor a disputé un match lors de l'édition 1986 ; il a fini sa carrière avec 21 capes. Son aîné a dû attendre 1984 pour enregistrer sa première et unique sélection.

COMMANDEMENT ARRIÈRE

Iker Casillas fut le 3e gardien nommé capitaine à conduire son pays vers la gloire, quand l'Espagne devint championne en Afrique du Sud en 2010 – après les Italiens Gianpiero Combi (1934) et Dino Zoff (1982). Casillas est aussi le 1er à avoir brandi le trophée, après que son pays eut perdu son match d'ouverture dans le tournoi.

CARRIÈRE BRISÉE

Le gardien tchécoslovaque František Plánička se cassa le bras contre le Brésil au 2e tour de l'édition 1938. Il continua pourtant à jouer, même si le match s'est poursuivi en prolongation pour s'achever sur un nul 1-1. Bien entendu, Planika manqua le match d'appui deux jours plus tard, son équipe s'inclinant 2-1. Son compteur resta bloqué à 73 sélections.

MEILLEURS GARDIENS DES DIFFÉRENTES COUPES DU MONDE

1930	Enrique Ballestero (Uruguay)		1978	Ubaldo Fillol (Argentine)
1934	Ricardo Zamora (Espagne)		1982	Dino Zoff (Italie)
1938	František Plánička (Tchécoslovaquie)		1986	Harald Schumacher (RFA)
1950	Roque Maspoli (Uruguay)		1990	Sergio Goycoechea (Argentine)
1954	Gyula Grosics (Hongrie)		1994	Michel Preud'homme (Belgique)
1958	Harry Gregg (Irlande du Nord)		1998	Fabien Barthez (France)
1962	Viliam Schrojf (Tchécoslovaquie)		2002	Oliver Kahn (Allemagne)
1966	Gordon Banks (Angleterre)		2006	Gianluigi Buffon (Italie)
1970	Ladislao Mazurkiewicz (Uruguay)		2010	Iker Casillas (Espagne)
1974	Jan Tomaszewski (Pologne)			

EXPÉRIENCE PERSONNELLE

Parmi les entraîneurs des équipes participant à la Coupe du Monde FIFA 2010, huit ont déjà participé en tant que joueurs : le Mexicain Javier Aguirre, le Brésilien **Dunga**, le Néo-Zélandais Ricki Herbert, le Danois Morten Olsen, le Sud-Coréen Huh Jung-Moo, l'Argentin **Diego Maradona**, l'ancien international tchécoslovaque Vladimir Weiss et l'entraîneur italien de l'équipe d'Angleterre, Fabio Capello. Si Maradona et Dunga ont remporté le trophée à double titre (joueur et capitaine), Maradona et Aguirre ont reçu un carton rouge : Maradona en 1982 contre le Brésil et Aguirre en 1986 contre la RFA.

JEUNE MENTOR

L'Argentin Juan José Tramutola reste le plus jeune sélectionneur en Coupe du Monde. Il avait 27 ans et 267 jours lors de l'édition 1930. À la tête du Paraguay en 2002, l'Italien Cesare Maldini est devenu le doyen de la catégorie, à 70 ans et 131 jours.

ONZE DE RÊVE

**Luiz Felipe Scolari** détient le record de victoires consécutives en Coupe du Monde : 11, réparties sur les éditions 2002 – avec le Brésil – et 2006 – avec le Portugal. Ce record peut être porté à 12 en comptant la victoire portugaise contre l'Angleterre en quart de l'édition 2006 – aux tirs au but après un nul 0-0.

COIN FUMEUR

Les entraîneurs des deux équipes finalistes de la Coupe du Monde 1978, l'Argentin César Luis Menotti et le Néerlandais Ernst Happel, étaient de tellement gros fumeurs qu'un immense cendrier avait été placé au bord du terrain.

6 PHASES FINALES

À ce jour, un seul homme a participé à six Coupes du Monde comme sélectionneur : le Brésilien **Carlos Alberto Parreira**, dont le sommet de la carrière fut l'édition 1994, où il mena la *Seleçao* à son 4e sacre. Son 2e mandat *Auriverde* fut moins fructueux puisque le Brésil échoua en quart d'Allemagne 2006. Parreira a aussi dirigé le Koweït (1982), les Émirats arabes unis (1990), l'Arabie saoudite (1998) et l'Afrique du Sud (2010). Mais alors qu'il devait mener l'Afrique du Sud chez elle, il a quitté son poste en avril 2008 pour raisons familiales avant de reprendre les rênes fin 2009. Il a aussi été limogé lors de l'édition 1998 après les deux défaites initiales de la sélection saoudienne contre le Danemark et la France.

OTTO LE VÉTÉRAN

Otto Rehhagel fut non seulement le plus âgé des sélectionneurs de la Coupe du Monde 2010, mais aussi de l'histoire de la compétition. L'Allemand avait 71 ans et 317 jours quand la Grèce livra son 3e et dernier match, où elle s'inclina 2-0 face à l'Argentine.

BORA L'EXPLORATEUR

Avec un seul tournoi de retard sur Carlos Alberto Parreira, **Bora Milutinović** a participé à 5 Coupes du Monde avec 5 sélections différentes. Après le Mexique en 1986 et les États-Unis en 1994, tous deux organisateurs, il a entraîné le Costa Rica (1990), le Nigeria (1998) et la Chine (2002). Chaque fois, il a atteint la phase à élimination directe, sauf en 2002, où la Chine n'a pas marqué un but.

CRÈVE-CŒUR

Aucune nation n'a remporté la Coupe du Monde avec à sa tête un entraîneur étranger. Cependant, ils sont nombreux les techniciens à avoir affronté leur pays en Coupe du Monde. Vainqueur de l'édition 1958, le meneur brésilien Didi a perdu 4-2 contre la *Seleçao* à la tête du Pérou. Sven-Goran Eriksson dirigeait l'Angleterre lors du nul 1-1 contre sa Suède natale en 2002. La même année, le Français Bruno Metsu a mené le Sénégal à une victoire 1-0 en ouverture contre les Bleus. L'ancien gardien yougoslave Blagoje Vidinic a vécu une expérience plus difficile. Il a qualifié le Zaïre pour sa toute première Coupe du Monde, en 1974, où ses protégés ont perdu 9-0 contre la Yougoslavie.

SÉLECTIONNEURS CHAMPIONS DE LA COUPE DU MONDE FIFA

1930	Alberto Suppici
1934	Vittorio Pozzo
1938	Vittorio Pozzo
1950	Juan Lopez
1954	Sepp Herberger
1958	Vicente Feola
1962	Aymore Moreira
1966	Alf Ramsey
1970	Mário Zagallo
1974	Helmut Schön
1978	César Luis Menotti
1982	Enzo Bearzot
1986	Carlos Bilardo
1990	Franz Beckenbauer
1994	Carlos Alberto Parreira
1998	Aimé Jacquet
2002	Luiz Felipe Scolari
2006	Marcello Lippi
2010	Vicente del Bosque

SCHÖN ENCHAÎNE

L'Allemand de l'Ouest **Helmut Schön** détient le record de matchs dirigés en Coupe du Monde : 25 au fil des éditions 1966, 1970, 1974 et 1978. Il détient aussi le record de victoires dans l'épreuve : 16, dont la finale de 1974 contre les Pays-Bas. Sa troisième participation, en 1974, a été la bonne. Il avait mené la RFA à la 2e place en 1966 et à la 3e en 1970. Avant d'être désigné sélectionneur, Schön avait officié en tant qu'assistant de Sepp Herberger, victorieux lors de l'édition 1954. Parallèlement, il dirigeait la sélection de la Sarre (alors indépendante). Né à Dresde le 15 septembre 1915, ce passionné de chiens a inscrit 17 buts en 16 sélections pour l'Allemagne entre 1937 et 1941. Successeur de Herberger en 1964, il a passé 14 ans à la tête de la *Mannschaft*. Il est le seul entraîneur à avoir gagné la Coupe du Monde (1974) et le Championnat d'Europe (1972).

LA COUPE DU MONDE FIFA
LA DISCIPLINE

PAR ICI LA PORTE

Deux joueurs ont été avertis dès la 1re minute de jeu:
l'Italien Giampiero Marini, contre la Pologne en 1982,
et le Russe Sergueï Gorlukovich, contre la Suède en 1994.
Mais ce n'est rien à côté de l'Uruguayen José Batista, exclu
dès la 56e seconde du match de poule contre l'Écosse en 1986,
pour une vilaine faute sur Gordon Strachan. Courageux, ses
coéquipiers ont tenu le 0-0 jusqu'au coup de sifflet final.

MAUVAIS EXEMPLE

C'est le Péruvien Plácido Galindo qui a inauguré
la liste des exclusions en Coupe du Monde.
C'était en 1930, lors de la défaite des
siens 3-1 contre la Roumanie, suite à
une bagarre.

RÉCIDIVISTES

Tous deux vainqueurs de la Coupe du Monde, **Zinédine
Zidane** et **Cafú** détiennent le record du plus grand nombre
de cartons récoltés (6) en Coupe du Monde. Si le Brésilien ne
compte que des jaunes, Zizou a été exclu deux fois, notamment lors
du tristement célèbre coup de boule sur Marco Materazzi en prolongations de
la finale 2006 de Berlin, point final de sa carrière. Zidane avait déjà été expulsé
en 1998, lors d'un match de poule contre l'Arabie saoudite, mais était revenu à
temps pour signer un formidable doublé en finale, offrant à la France son 1er titre
mondial. Le Camerounais Rigobert Song, seul autre joueur exclu lors de deux
Coupes du Monde différentes (contre le Brésil en 1994 et face au Chili en 1998),
est également le plus jeune joueur à avoir écopé d'un carton rouge, à 17 ans
et 358 jours.

QUE D'EXPULSIONS!

Parmi les joueurs expulsés au cours de la Coupe du
Monde 2010, l'attaquant algérien Abdelkader Ghezzal
a pris un premier carton 1 minute après son entrée
sur le terrain dans le match contre la Slovaquie et
a été expulsé 15 minutes plus tard. Le jeune joueur
uruguayen **Nicolas Lodeiro** a subi le même sort 16
minutes après avoir remplacé un joueur contre la
France et a été le 1er joueur expulsé de la compétition
– il a reçu un 1er carton jaune pour avoir frappé le
ballon dans le vide et un 2e pour un tacle sur Bacary
Sagna. Mais c'est la superstar brésilienne Kaká qui
détient un triste record puisqu'il a reçu son 2e carton
jaune seulement 3 minutes après le 1er, sifflé à la
85e minute du match de 1er tour contre la Côte
d'Ivoire.

SOMMET DE L'INDISCIPLINE

Dans l'histoire de la
Coupe du Monde, une
seule poule est allée à
son terme sans enregistrer
de cartons jaunes:
le Groupe 4 en 1970,
comprenant la RFA, le
Pérou, la Bulgarie
et le Maroc. En revanche,
la Coupe du Monde 2006
totalise 28 cartons rouges
et 345 avertissements en
64 matchs.

CARTONS ROUGES EN COUPE DU MONDE PAR ÉDITION

Année	Cartons
1930	1
1934	1
1938	4
1950	0
1954	3
1958	3
1962	6
1966	5
1970	0
1974	5
1978	3
1982	5
1986	8
1990	16
1994	15
1998	22
2002	17
2006	28
2010	17

DÉCOMPTE FINAL

Avant les 14 cartons jaunes distribués en finale de la Coupe du Monde 2010, les 18 finales précédentes avaient totalisé 40 avertissements, soit une moyenne de 2,2 par match. Les 15 cartons brandis en 2010 par Howard Webb (14 jaunes et 1 rouge) battent le record précédent établi par Romualdo Arppi Filho, qui avait distribué 4 avertissements à l'Argentine et 2 à la RFA lors de la finale de 1986.

À CONTRE-PIED

L'Inde a déclaré forfait de l'édition 1950 de la Coupe du Monde parce que certains de ses joueurs voulaient jouer pieds nus, contrairement au règlement de la FIFA. L'Inde ne s'est plus jamais qualifiée pour le rendez-vous mondial.

PUNI POUR AVOIR FAIT LE MUR

À la Coupe du Monde 1974, le défenseur zaïrois Mwepu Ilunga a été averti pour avoir quitté le mur et tapé dans le ballon alors que le Brésil s'apprêtait à frapper un coup franc. L'arbitre roumain Nicolae Rainea a ignoré les protestations du Léopard.

FRÈRES D'ARMES

Le Camerounais André Kana-Biyik a été suspendu deux fois à la Coupe du Monde 1990. La première suspension faisait suite au carton rouge enregistré lors du match inaugural contre l'Argentine, six minutes avant que son frère François Omam-Biyik n'inscrive le seul but du match.

MELO DANS LE ROUGE

Le rouge infligé à **Felipe Melo** pour avoir essuyé ses crampons sur Arjen Robben en quart de la Coupe du Monde FIFA 2010, qui a vu la défaite du Brésil face aux Pays-Bas, a valu aux Brésiliens d'être en tête du classement des exclusions de l'histoire de la compétition (une de plus que l'Argentine). Melo était le 11e exclu du Brésil, après Kaká lors du match gagné face à la Côte d'Ivoire. Melo est aussi le 1er joueur à avoir marqué contre son camp et a été exclu du même match, même si le 1er but hollandais fut ensuite attribué à Wesley Sneijder.

UN MEILLEUR ÉTAT D'ESPRIT

Les organisateurs de la Coupe du Monde FIFA ont salué une nette amélioration du fair-play entre les éditions 2006 (Allemagne) et 2010 (Afrique du Sud). Non seulement le nombre de cartons rouges est passé de 28 à 17, mais les blessures consécutives à des fautes n'ont été que de 16 % (contre 40 % en 2006). Les joueurs ont écopé de 260 cartons jaunes, mais seuls 8 d'entre eux sanctionnaient deux fois le même joueur. 3 de ces 8 joueurs (le Serbe Aleksandar Luković, le Brésilien **Kaká**, le Néerlandais Johnny Heitinga) ont reçu leurs cartons dans deux matchs distincts.

JOUER DES COUDES

Le défenseur italien Mauro Tassotti a écopé de 8 matchs de suspension, un record, pour avoir adressé un coup de coude à l'Espagnol Luis Enrique en 1994, une agression non relevée par Sandor Puhl. Battue 2-1, l'Espagne a mal pris la désignation de l'officiel hongrois pour la finale de l'épreuve.

LA COUPE DU MONDE FIFA
LES AFFLUENCES

CAPACITÉ D'ACCUEIL

Si les plans sont respectés et si chaque place est occupée, l'affluence des trois prochaines finales de Coupe du Monde FIFA sera de 85 000 spectateurs au stade **Maracanã de Rio de Janeiro** en 2014, de 89 318 au stade Loujniki de Moscou en 2018 et de 86 250 au **Lusail Iconic Stadium de Lusail,** au Qatar, en 2022. Les enceintes les plus modestes de ces éditions seront l'Arena da Baixada (41 375 places), le stade de Rostov-sur-le-Don (43 702 places) et le Qatar University Stadium de Doha (43 520 places). Le règlement de la FIFA fixe à 40 000 places la capacité minimum d'un stade de Coupe du Monde.

PUBLIC CLAIRSEMÉ

Les 300 personnes qui auraient assisté à la victoire 3-1 de la Roumanie sur le Pérou en 1930, dans le stade Pocitos de Montevideo, constituent la plus petite affluence d'un match de Coupe du Monde. La veille, ce sont quelque 3000 spectateurs qui auraient applaudi le succès français 4-1 sur le Mexique.

SUCCÈS SUD-AFRICAIN

La Coupe du Monde 2010 en Afrique du Sud a été regardée par 3 178 856 spectateurs, tout au long de 64 matchs répartis dans 10 stades, soit le 3e record d'affluence dans l'histoire du tournoi, après les États-Unis en 1994 et l'Allemagne en 2006. La moyenne de spectateurs par rencontre est de 49 670, et bien qu'on ait pu observer de nombreuses places vacantes dans certains matchs, les organisateurs s'estiment satisfaits, avec un taux de remplissage moyen de 92,9 %.

VAISSEAU AMIRAL

La capacité du vaisseau amiral de la Coupe du Monde FIFA Afrique du Sud 2010, le **Soccer City** de Johannesburg, est passée de 78 000 à 94 700 spectateurs. Le design de cette enceinte récemment rénovée évoque une poterie traditionnelle africaine, d'où son surnom de calebasse. Le stade a accueilli le match d'ouverture et la finale, 4 matchs du 1er tour, un huitième et un quart.

ÉGALITÉ DES GENRES

Seuls deux stades ont hébergé des finales des Coupes du Monde masculine et féminine. Le Råsunda Stadion de Stockholm a ouvert la voie en recevant les garçons en 1958 et les filles en 1995. Quant au Rose Bowl de Pasadena (Californie), il a accueilli les hommes en 1994 (victoire du Brésil sur l'Italie) et les femmes en 1999 (succès des Américaines sur les Chinoises), devant 90 185 spectateurs. Le public en avait eu pour son argent, les 2 matchs ayant requis prolongations et tirs au but.

AFFLUENCES DES FINALES DE COUPE DU MONDE FIFA

Année	Affluence	Stade	Ville
1930	93 000	Estadio Centenario	Montevideo
1934	45 000	Stadio Nazionale del PNF	Rome
1938	60 000	Stade olympique de Colombes	Paris
1950	174 000	Estádio do Maracanã	Rio de Janeiro
1954	60 000	Wankdorfstadion	Berne
1958	51 800	Råsunda Fotbollstadion	Solna
1962	68 679	Estadio Nacional	Santiago
1966	98 000	Wembley Stadium	Londres
1970	107 412	Estadio Azteca	Mexico
1974	75 200	Olympiastadion	Munich
1978	71 483	Estadio Monumental	Buenos Aires
1982	90 000	Estadio Santiago Bernabéu	Madrid
1986	114 600	Estadio Azteca	Mexico
1990	73 603	Stadio Olimpico	Rome
1994	94 194	Rose Bowl	Pasadena
1998	80 000	Stade de France	Paris
2002	69 029	International Stadium	Yokohama
2006	69 000	Olympiastadion	Berlin
2010	84 490	Soccer City	Johannesburg

AFFLUENCES GLOBALES DU TOURNOI

Année	Total	Moyenne
1930	434 500	24 139
1934	358 000	21 059
1938	376 000	20 889
1950	1 043 500	47 432
1954	889 500	34 212
1958	919 580	26 274
1962	899 074	28 096
1966	1 635 000	51 094
1970	1 603 975	50 124
1974	1 768 152	46 530
1978	1 546 151	40 688
1982	2 109 723	40 572
1986	2 393 331	46 026
1990	2 516 348	48 391
1994	3 587 538	68 991
1998	2 785 100	43 517
2002	2 705 197	42 269
2006	3 359 439	52 491
2010	3 178 856	49 670
TOTAL	34 108 964	44 182

LE SUCCÈS DES FAN FESTS

Après le succès des **fan fests** de centre-ville lors de la Coupe du Monde FIFA 2006 en Allemagne, avec écrans géants et stands de restauration à emporter, l'expérience a été renouvelée en 2010. Pas seulement dans les villes d'Afrique du Sud (comme à **Durban**), mais partout dans le monde, à Rio, Rome, Paris, Sydney... 6 151 823 personnes ont participé à des fan fests, tout au long des 64 matchs du tournoi, dont 2 634 018 en Afrique du Sud et 3 517 805 dans le reste du monde. C'est Berlin, en Allemagne, qui a attiré le plus de monde, avec pas moins de 350 000 personnes venues assister à la défaite de l'Allemagne en demi-finale, contre l'Espagne.

HONGROIS ABSENTS

Seuls 2823 spectateurs ont assisté au match à rejouer du 1er tour de la Coupe du Monde 1958 entre le Pays de Galles et la Hongrie. La première rencontre entre les 2 pays avait attiré plus de 15 000 personnes, mais l'exécution d'Imre Nagy, leader de l'insurrection hongroise, avait entraîné un boycott.

MORBIDE MARACANÃ

C'est la finale de l'édition 1950 qui a attiré le public le plus nombreux de l'histoire de la Coupe du Monde. D'après les chiffres officiels, ils sont 173 830 à s'être rassemblés au Maracanã de Rio de Janeiro pour la finale Brésil-Uruguay, mais on parle officieusement de 210 000 spectateurs. La tension était telle au coup de sifflet final que le capitaine uruguayen Obdulio Varela s'est vu remettre le trophée subrepticement. Évoquant l'attitude du public, Jules Rimet, le président de la FIFA, a parlé plus tard d'un silence «morbide, quasiment insupportable». Les nouveaux champions du monde se sont barricadés pendant plusieurs heures dans leur vestiaire avant de juger que les conditions de sécurité étaient réunies. À noter que ce fut la dernière apparition du Brésil dans sa tenue blanche de l'époque, considérée comme maudite. Elle fut ensuite abandonnée au profit de la tenue bleue et jaune actuelle, sélectionnée par le biais d'un concours.

LA COUPE DU MONDE FIFA
LES STADES ET LES VILLES HÔTES

DROIT OBUS

Lors de la Coupe du Monde Allemagne 1974, Berlin, future capitale de l'Allemagne réunifiée, a accueilli seulement 3 matchs de poule. La défaite surprise des organisateurs face à la RDA a eu lieu à Hambourg. En 2002, des ouvriers travaillant sur le chantier de la Coupe du Monde 2006 ont découvert un obus datant de la Seconde Guerre mondiale sous les travées du stade olympique. L'Allemagne et le Brésil s'étaient portés candidats à l'organisation de l'édition 1942, contrainte à l'annulation par la guerre.

NOM PRÉMONITOIRE

Les tribunes du stade qui a accueilli le match d'ouverture de la Coupe du Monde de 1930 portaient les noms des grandes victoires uruguayennes : Colombes, pour le succès aux Jeux olympiques de 1924 à Paris ; Amsterdam, ville où la Céleste a conservé son titre en 1928 ; et Montevideo, même si le premier sacre mondial n'arriverait que 15 jours plus tard.

MARIOCANÃ

La plupart des Brésiliens connaissent le plus grand stade du pays sous le nom de Maracanã, du nom d'un quartier de Rio et d'une rivière avoisinante. Mais depuis les années 1960, l'enceinte s'appelle officiellement Estadio Jornalista Mario Filho, en hommage à un journaliste brésilien qui avait contribué à sa construction.

LE CLUB DES CINQ

Cinq stades ont eu le privilège d'accueillir une finale de la Coupe du Monde et les épreuves olympiques d'athlétisme : l'Olympiastadion de Berlin (JO 1936 et CM 2006) ; le stade Wembley de Londres (JO 1948 et CM 1966) ; le Stadio Olimpico de Rome (JO 1960 et CM 1990) ; le stade Azteca de Mexico (JO de 1968, CM 1970 et 1986) ; l'Olympiastadion de Munich (JO 1972 et CM 1974). Le Rose Bowl de Pasadena (Californie) a hébergé les finales de la Coupe du Monde 1994 et du Tournoi olympique de soccer 1984, mais pas l'athlétisme.

VERS DE NOUVEAUX TERRITOIRES

L'histoire du soccer prit deux tours nouveaux quand la **FIFA** désigna en décembre 2010 les pays organisateurs des Coupes du Monde 2018 et 2022. 2018 revint à la Russie, devant les tandems Espagne/Portugal, Belgique/Pays-Bas et l'Angleterre ; autrement dit, une 1re pour l'Europe de l'Est. L'édition 2022 fut attribuée, pour la 1re fois, à un pays du Moyen-Orient, le Qatar, devant les États-Unis, le Japon, la Corée du Sud et l'Australie.

LE MEXIQUE À LA RESCOUSSE

Désignée pour l'organisation de la Coupe du Monde 1986, la Colombie a abdiqué en 1982 pour des raisons financières. Le Mexique l'a remplacée au pied levé malgré le tremblement de terre de septembre 1985, qui a tué quelque 10 000 personnes mais épargné les stades. La FIFA a renouvelé sa confiance au pays aztèque, ainsi devenu le premier à organiser deux Coupes du Monde. Quant au **stade Azteca,** officiellement nommé «Estadio Guillermo Canedo» en hommage à un dirigeant mexicain et construit en 1960 avec 100 000 tonnes de béton (quatre fois plus que l'ancien Wembley), il est devenu la 1re enceinte à accueillir deux finales de Coupe du Monde.

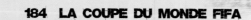

LA PRÉROGATIVE DE L'ARCHITECTE

Des éléments créatifs et distinctifs furent ajoutés aux stades construits pour la Coupe du Monde 2010 en Afrique du Sud, parmi lesquels les tours en forme de girafe du **stade Mbombela de Nelspruit**, l'arche de 350 mètres de long avec téléphérique au-dessus du **principal terrain de Durban** et les «pétales» blancs autour du stade Nelson Mandela Bay, à Port Elizabeth.

MARACANÃ À LA FOLIE

À la question de savoir quel stade allait accueillir la finale de la Coupe du Monde FIFA 2014, le **stade Maracanã de Rio de Janeiro** s'est imposé comme une évidence. Cathédrale du foot mondial, ce stade sera le second à accueillir une 2e fois l'événement, après le stade Azteca de Mexico. On estime que près de 200 000 spectateurs s'étaient massés dans le Maracanã pour la finale de l'édition 1950 opposant le Brésil à l'Uruguay. Une fois rénové, sa capacité sera limitée à 85 000 places, toutes assises, lorsqu'il rouvrira ses portes en 2013. Menacé de démolition, il est protégé depuis 1998, bien que soumis à un vaste programme de rénovation. Sept autres enceintes seront construites pour la Coupe du Monde 2014, à Brasilia, Cuiaba, Manaus, Natal, Recife, Salvador et São Paulo. São Paulo qui assistera en outre au match d'ouverture. Les quatre autres stades prévus – à Belo Horizonte, Curitiba, Fortaleza et Porto Alegre – auront subi un lifting pour l'occasion. Les candidatures de cinq autres villes avaient été rejetées en 2009.

CANDIDATURES NON RETENUES

1930	Hongrie, Italie, Pays-Bas, Espagne, Suède
1934	Suède
1938	Argentine, Allemagne
1950	aucune
1954	aucune
1958	aucune
1962	Argentine, RFA
1966	Espagne, RFA
1970	Argentine
1974	Espagne
1978	Mexique
1982	RFA
1986	Colombie*, Canada, États-Unis
1990	Angleterre, Grèce, URSS
1994	Brésil, Maroc
1998	Maroc, Suisse
2002	Mexique
2006	Brésil, Angleterre, Maroc, Afrique du Sud
2010	Égypte, Libye/Tunisie, Maroc
2014	aucune
2018	Angleterre, Pays-Bas/Belgique, Espagne/Portugal
2022	Australie, Japon, Corée du Sud, États-Unis

* La Colombie avait été retenue en 1986, mais elle a dû abandonner.

DES RÈGLES ADAPTÉES

En 2010, tous les stades n'étaient pas nouveaux. Plusieurs stades de rugby ont juste subi un léger lifting pour satisfaire aux exigences liées au soccer. Parmi eux, l'Ellis Park (Johannesburg) et le **Loftus Versfeld** (Pretoria). Le stade de Pretoria est le stade habituel de l'équipe de rugby des Blue Bulls, bien qu'ils aient joué au Soccer City de Johannesburg avant la Coupe du Monde. Le Soccer City a aussi accueilli en août 2010 une rencontre internationale de rugby opposant les Springboks d'Afrique du Sud aux All Blacks de Nouvelle-Zélande.

LE SENS DE L'ACCUEIL

Aucun autre pays n'a réparti la compétition sur autant de villes hôtes (14) que l'Espagne en 1982. Certes, il y en avait 20 en 2002, mais 10 se trouvaient au Japon et 10 autres en Corée du Sud.

LA COUPE DU MONDE FIFA
LES TIRS AU BUT

SÉANCES DE TIRS AU BUT EN COUPE DU MONDE FIFA

Année	Tour	Score après 120 minutes	Victoire	Score final
1982	Demi-finale	RFA 3 France 3	RFA	5-4
1986	Quart de finale	RFA 0 Mexique 0	RFA	4-1
1986	Quart de finale	France 1 Brésil 1	France	4-3
1986	Quart de finale	Belgique 1 Espagne 1	Belgique	5-4
1990	Huitième de finale	République d'Irlande 0 Roumanie 0	République d'Irlande	5-4
1990	Quart de finale	Argentine 0 Yougoslavie 0	Argentine	3-2
1990	Demi-finale	Argentine 1 Italie 1	Argentine	4-3
1990	Demi-finale	RFA 1 Angleterre 1	RFA	4-3
1994	Huitième de finale	Bulgarie 1 Mexique 1	Bulgarie	3-1
1994	Quart de finale	Suède 2 Roumanie 2	Suède	5-4
1994	Finale	Brésil 0 Italie 0	Brésil	3-2
1998	Huitième de finale	Argentine 2 Angleterre 2	Argentine	4-3
1998	Quart de finale	France 0 Italie 0	France	4-3
1998	Demi-finale	Brésil 1 Pays-Bas 1	Brésil	4-2
2002	Huitième de finale	Espagne 1 République d'Irlande 1	Espagne	3-2
2002	Quart de finale	Corée du Sud 0 Espagne 0	Corée du Sud	5-3
2006	Huitième de finale	Ukraine 0 Suisse 0	Ukraine	3-0
2006	Quart de finale	Allemagne 1 Argentine 1	Allemagne	4-2
2006	Quart de finale	Portugal 0 Angleterre 0	Portugal	3-1
2006	Finale	Italie 1 France 1	Italie	5-3
2010	Huitième de finale	Paraguay 0 Japon 0	Paraguay	5-3
2010	Quart de finale	Uruguay 1 Ghana 1	Uruguay	4-2

LA PREUVE PAR 5

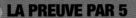

La victoire 5-3 du Paraguay sur le Japon aux tirs au but, après un nul 0-0 lors de leur match de 2e tour, fit des Paraguayens la 7e équipe à marquer 5 buts dans une séance de tirs au but de Coupe du Monde FIFA – après l'Allemagne de l'Ouest contre la France en 1982, la Belgique contre l'Espagne en 1986, l'Irlande contre la Roumanie en 1990, la Suède contre la Roumanie en 1994, la Corée du Sud contre l'Espagne en 2002 et l'Italie contre la France en 2006.

OUVRIR LE TIR

La défaite du Japon sur le Paraguay et la victoire de **Diego Forlán** et de l'Uruguay sur le Ghana en 2010 révèlent que 7 séances de tirs au but ont été gagnées par ceux qui ont commencé la séance. Les derniers qui ont tiré en second et gagné sont les Espagnols en 2002.

MALHEUREUX GYAN

Asamoah Gyan, le buteur ghanéen, est le seul joueur à avoir raté deux penalties dans l'histoire de la Coupe du Monde FIFA. En 2006, son tir avait heurté le poteau durant un match opposant le Ghana à la République tchèque. quatre ans plus tard, dans la même compétition, il heurtait la barre transversale lors d'un tir effectué à la fin de la 2e prolongation du quart de finale contre l'Uruguay. Si le tir était rentré, Gyan aurait donné la victoire à son pays (2-1) et une 1re participation pour l'Afrique à une demi-finale de Coupe du Monde FIFA. Malgré cet échec traumatisant, durant la séance de tirs au but, Gyan est le 1er à tirer, en hauteur à nouveau, et le ballon pénètre dans la cage. Pourtant, le Ghana perd 4 tirs au but à 2.

ÉCHEC SUPRÊME

La première séance de tirs au but en Coupe du Monde a eu lieu lors de la demi-finale de Séville entre la France et la RFA, en 1982. Chez les Bleus, Didier Six et **Maxime Bossis** ont eu 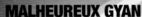 la malchance d'échouer. Les deux pays se sont retrouvés en demi-finale en 1986, les Allemands de l'Ouest s'imposant 2-0 dans le temps réglementaire. Les éditions 1990 et 2006 détiennent le record de séances de tirs au but : quatre chacune. Les demies d'Italie 1990 se sont jouées depuis le point de penalty. La finale de 2006 a été la 2e à passer par l'épreuve de vérité, l'Italie battant la France 5-3 suite à l'échec de David Trezeguet.

SAUVETAGES IN EXTREMIS

Seulement 2 minutes et 3 secondes ont séparé les 3 tirs au but accordés par l'arbitre Carlos Batres (Guatemala) durant le quart de finale Paraguay-Espagne en 2010, un record en Coupe du Monde. Non seulement les penalties ont été accordés aux deux équipes, mais les deux ont été arrêtés. Le gardien espagnol Iker Casillas a d'abord bloqué la tentative d'Oscar Cardozo, après une faute de Gerard Piqué. Puis, après une faute sur David Villa, mis à terre par Antolin Alcaraz, **Justo Villar** a dévié le tir de Xabi Alonso. Le tir d'Alonso était à l'origine réussi, mais Batres a ordonné un nouveau tir, des joueurs espagnols ayant anticipé sa frappe. L'Espagne a marqué tous ses penalties durant la Coupe du Monde 2010 (excepté les tirs au but), mais l'échec d'Alonso est survenu seulement 12 jours après un penalty manqué de David Villa contre le Honduras.

TROIS EN UNE

Le gardien remplaçant de l'Argentine Sergio Goycochea a atteint un record en repoussant quatre tirs au but lors d'Italie 1990 – l'Allemand de l'Ouest Harald Schumacher en avait fait autant lors des éditions 1982 et 1986. Le Portugais Ricardo est le seul à avoir stoppé 3 tentatives dans une même séance, devenant ainsi un héros, lors de la victoire de son équipe en quart de finale contre l'Angleterre en 2006.

LES JOUEURS AYANT ÉCHOUÉ AUX TIRS AU BUT

Allemagne/RFA: Uli Stielike (1982)
Angleterre: Stuart Pearce (1990), Chris Waddle (1990), Paul Ince (1998), David Batty (1998), Frank Lampard (2006), Steven Gerrard (2006), Jamie Carragher (2006)
Argentine: Diego Maradona (1990), Pedro Troglio (1990), Hernan Crespo (1998), Roberto Ayala (2006), Esteban Cambiasso (2006)
Brésil: Socrates (1986), Julio Cesar (1986), Marcio Santos (1994)
Bulgarie: Krassimir Balakov (1994)
Espagne: Eloy (1986), Juanfran (2002), Juan Carlos Valeron (2002), Joaquin (2002)
France: Didier Six (1982), Maxime Bossis (1982), Michel Platini (1986), Bixente Lizarazu (1998), David Trezeguet (2006)
Ghana: John Mensah (2010), Dominic Adiyiah (2010)
Italie: Roberto Donadoni (1990), Aldo Serena (1990), Franco Baresi (1994), Daniele Massaro (1994), Roberto Baggio (1994), Demetrio Albertini (1998), Luigi Di Biagio (1998)
Japon: Yuichi Komano (2010)
Mexique: Fernando Quirarte (1986), Raul Servin (1986), Alberto Garcia Aspe (1994), Marcelino Bernal (1994), Jorge Rodriguez (1994)
Pays-Bas: Phillip Cocu (1998), Ronald de Boer (1998)
Portugal: Hugo Viana (2006), Petit (2006)
République d'Irlande: Matt Holland (2002), David Connolly (2002), Kevin Kilbane (2002)
Roumanie: Daniel Timofte (1990), Dan Petrescu (1994), Miodrag Belodedici (1994)
Suède: Hakan Mild (1994)
Suisse: Marco Streller (2006), Tranquillo Barnetta (2006), Ricardo Cabanas (2006)
Ukraine: Andriy Chevchenko (2006)
Uruguay: Maximiliano Pereira (2010)
Yougoslavie: Dragan Stojković (1990), Dragoljub Brnović (1990), Faruk Hadzibegić (1990)

SÉANCES DE TIRS AU BUT PAR PAYS

4 Allemagne/RFA (4 victoires)	**2** Roumanie (2 défaites)
4 Argentine (3 victoires, 1 défaite)	**1** Belgique (1 victoire)
4 France (2 victoires, 2 défaites)	**1** Bulgarie (1 victoire)
4 Italie (1 victoire, 3 défaites)	**1** Paraguay (1 victoire)
3 Brésil (2 victoires, 1 défaite)	**1** Portugal (1 victoire)
3 Espagne (1 victoire, 2 défaites)	**1** Corée du Sud (1 victoire)
3 Angleterre (3 défaites)	**1** Suède (1 victoire)
2 République d'Irlande (1 victoire, 1 défaite)	**1** Ukraine (1 victoire)
2 Mexique (2 défaites)	**1** Uruguay (1 victoire)
	1 Yougoslavie (1 victoire)
	1 Ghana (1 défaite)
	1 Pays-Bas (1 défaite)
	1 Japon (1 défaite)
	1 Suisse (1 défaite)

L'EFFICACITÉ ALLEMANDE

L'Allemagne/RFA a remporté les quatre séances de tirs au but qu'elle a disputées en Coupe du Monde; aucune équipe n'a fait mieux jusqu'ici. Sa série a commencé par une victoire contre la France en demi-finale de l'édition 1982. Le gardien Harald Schumacher s'est montré décisif, alors que son agression sur Patrick Battiston aurait mérité une expulsion. La RFA a également accédé à la finale d'Italie 1990 grâce à son sang-froid dans l'épreuve de vérité, contre l'Angleterre cette fois (comme en demi-finale de l'Euro 1996). L'Allemagne a pris le meilleur sur l'Argentine en quart de finale d'Allemagne 2006. Pour la petite histoire, le portier allemand **Jens Lehmann** avait consulté un récapitulatif des préférences des tireurs dans l'exercice des penalties. Ces tuyaux avaient été griffonnés sur un bloc-notes de l'hôtel par Urs Siegenthaler, membre du staff technique chargé de l'observation des adversaires. La seule défaite allemande aux tirs au but remonte à l'Euro 1976. L'exercice leur était alors inconnu, mais force est de constater qu'ils ont bien retenu la leçon.

PARTIE 3 : LE CHAMPIONNAT D'EUROPE DE L'UEFA

LE CHAMPIONNAT D'EUROPE DE L'UEFA est passé d'une épreuve de curiosité presque confidentielle, dédaignée par les grandes nations, à ce qui est probablement le 3e plus grand événement sportif du monde, après la Coupe du Monde et les JO d'été. L'UEFA (L'Union européenne de soccer association) fut fondée durant la Coupe du Monde 1954 en Suisse, avec l'ambition de créer un championnat opposant les équipes nationales. La plupart des grandes nations d'Europe (l'Italie, l'Allemagne de l'Ouest, l'Angleterre...) refusèrent de prendre part au 1er Championnat de 1958, redoutant un encombrement de leurs équipements sportifs. Seules 17 nations participèrent à la 1re édition, qui s'acheva en France et vit la victoire de l'Union soviétique face à la Yougoslavie au 1er Parc des Princes.

Aujourd'hui, la carte de l'Europe a changé au point que les pays membres de l'UEFA ont plus que doublé, et que l'Union soviétique et la Yougoslavie n'existent plus. Les Soviétiques atteignirent aussi la phase finale en 1964, mais cédèrent leur couronne à l'Espagne au stade Santiago-Bernabéu de Madrid. L'Espagnol Luis Suárez, de l'Inter de Milan, devint ainsi le 1er joueur à remporter le Championnat d'Europe et la Coupe d'Europe la même saison.

Dans les premières années, les éliminatoires étaient basées sur un système de matchs aller-retour, avant de passer à un système de répartition par groupes. En 1980, la phase finale accueillit pour la 1re fois 8 nations. Cette année-là, la RFA l'emporta pour la 2e fois, son précédent triomphe datant de 1972. En 1996, l'Allemagne réunifiée décrocha un 3e titre contre la République tchèque grâce à un but en or d'Oliver Bierhoff, à Wembley. La compétition venait d'être élargie à 16 équipes.

L'Euro 2000 fut le premier à être co-organisé par deux pays, la Belgique et les Pays-Bas En 2008, c'est l'Autriche et la Suisse qui firent cause commune. L'Espagne remporta cette année-là le trophée, qu'elle conserva 4 ans plus tard lors de l'édition co-organisée par la Pologne et l'Ukraine. En 2016, c'est la France qui accueillera le tournoi. 24 pays y participeront – encore une première !

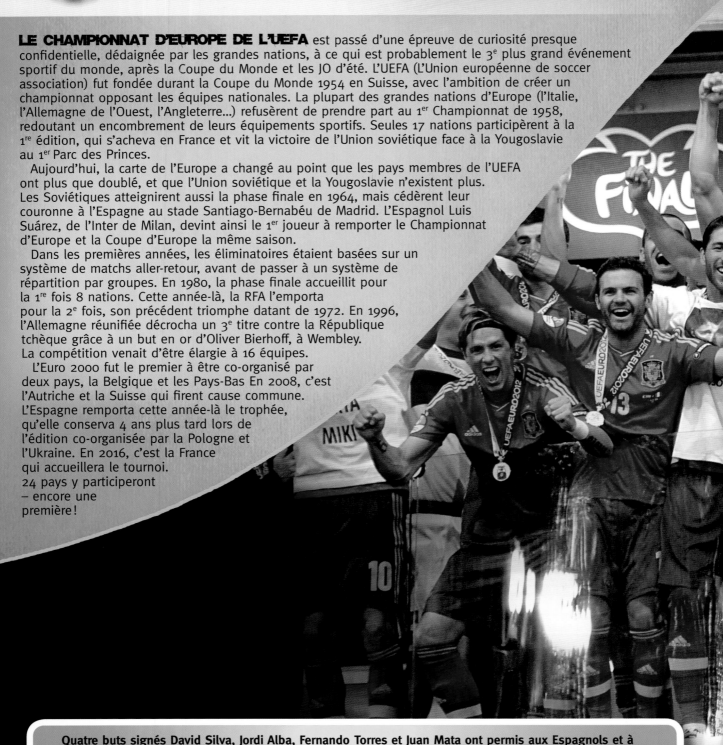

Quatre buts signés David Silva, Jordi Alba, Fernando Torres et Juan Mata ont permis aux Espagnols et à leur capitaine Iker Casillas de soulever le trophée Henri-Delaunay après leur victoire lors de l'Euro 2012.

LES ÉLIMINATOIRES
DU CHAMPIONNAT D'EUROPE DE L'UEFA

Les éliminatoires du Championnat d'Europe (l'Euro) de l'UEFA sont devenus une compétition à part entière. Pour l'Euro austro-suisse de 2008, pas moins de 50 pays briguaient un ticket qualificatif. Les choses ont bien changé. L'édition 1960 n'avait occasionné que 2 matchs de qualification, afin de réduire le plateau de 17 à 16 équipes. Il n'y avait pas d'éliminatoires pour l'édition 1964, le 1er tour s'étant disputé en matchs aller-retour. C'est pour l'édition 1968 que la 1re grande compétition qualificative a été mise en place, avec huit groupes de quatre et un groupe de trois. L'épreuve a encore grandi durant les années 1990, suite à l'intégration de nouvelles fédérations issues de l'Union soviétique et de la Yougoslavie.

ROTATION RAPIDE

Joachim Low (Allemagne) et **Slaven Bilić** (Croatie) étaient les seuls sélectionneurs, parmi les huit quart-de-finalistes de l'Euro 2008, à être encore aux commandes quand les éliminatoires de l'Euro 2012 ont commencé. Luis Aragonés (Espagne), Marco van Basten (Pays-Bas), Luiz Felipe Scolari (Portugal) et Roberto Donadoni (Italie), ont tous quitté leur poste après l'Euro 2008. Pour la Turquie, Guus Hiddink a remplacé Fatih Terim en octobre 2009.

INUTILE EXPLOIT IRLANDAIS

En s'inclinant 1-0 contre l'Irlande du Nord à Hambourg le 11 novembre 1983, la RFA a concédé sa 1re défaite à domicile en qualifications. Quatre jours plus tard, sa victoire 2-1 contre l'Albanie à Sarrebruck lui a permis de doubler les Nord-Irlandais à la différence de buts pour l'Euro 1984.

FONTAINE ENTRE DANS L'HISTOIRE

Le Français Just Fontaine a marqué le 1er triplé de l'histoire de l'Euro lors de sa 1re édition, en 1958-1960. Fontaine, meilleur buteur de la Coupe du Monde 1958, a marqué trois buts pendant le match victorieux de la France contre l'Autriche (5-2), le 13 décembre 1959 à Paris. La France a aussi remporté le match retour 4-2, et a accueilli la phase finale de l'Euro, où elle a terminé 4e.

CLINS D'ŒIL DU DESTIN ET COUPS DU SORT

Les matchs de barrage devaient permettre à deux derniers pays de se qualifier pour la phase finale de l'Euro 2012. Estoniens et Monténégrins devront encore attendre avant de disputer un tournoi majeur, car les premiers ont perdu 5-1 (score cumulé) face aux Irlandais, tandis que les seconds se sont incliné 3-0 (toujours en score cumulé) face aux Tchèques. Les Croates, vainqueurs 3-0 des Turcs, ont quant à eux pris leur revanche sur les Ottomans qui les avaient éliminé aux tirs au but en quart de finale de l'Euro 2008. Enfin, la Bosnie-Herzégovine a coulé 6-2 (score cumulé) contre le Portugal, dans la redite d'un barrage pour le Mondial 2010. Il y aura 24 nations qui pourront se qualifier pour l'Euro 2016 en France (contre 16 en 2012), mais le format des éliminatoires n'a pas encore été décidé.

TREIZE EFFICACES

La victoire 13-0 de l'Allemagne à Saint-Marin le 6 septembre 2006 est la plus large de l'histoire des éliminatoires. Les buteurs? **Lukas Podolski** (4), Miroslav Klose (2), Bastian Schweinsteiger (2), Thomas Hitzlsperger (2), Michael Ballack, Manuel Friedrich et Bernd Schneider. Le record était détenu par l'Espagne: 12-1 contre Malte en 1983.

L'ALLEMAGNE COMME CHEZ ELLE

Le 29 avril 1972, la sélection ouest-allemande a annoncé son futur sacre en s'imposant 3-1 contre l'Angleterre à Wembley en quart aller du Championnat d'Europe de l'UEFA, grâce à Uli Hoeness, Günter Netzer et Gerd Müller. La RFA s'imposera 3-0 en finale contre l'Union soviétique. Voici la composition de l'équipe de Wembley : Sepp Maier ; Horst Hottges, Georg Schwarzenbeck, Franz Beckenbauer, Paul Breitner ; Jurgen Grabowski, Herbert Wimmer, Günter Netzer, Uli Hoeness ; Sigi Held, Gerd Müller. Huit de ces joueurs ont remporté la finale de la Coupe du Monde 1974 contre les Pays-Bas.

HEALY VA FORT

L'attaquant nord-irlandais **David Healy** a établi un record en marquant 13 buts dans les éliminatoires de l'Euro 2008. Il a notamment signé des *hat-tricks* contre l'Espagne et le Liechtenstein. Healy a ainsi dépassé le Croate Davor Suker, auteur de 12 buts dans la course à l'Euro 1996. Le Danois Ole Madsen avait marqué à 11 reprises en éliminatoires de l'édition 1964, mais 2 ans avant l'introduction des groupes qualificatifs. Enfin, c'est le Néerlandais **Klaas-Jan Huntelaar** qui a fini meilleur buteur des qualifications de l'Euro 2012 avec 12 buts (3 de plus que son dauphin, l'Allemand Miroslav Klose). Le onze batave fut d'ailleurs le plus prolifique des éliminatoires (37 buts inscrits), mais aussi le plus perméable des qualifiés, avec 8 buts encaissés.

HOOLIGANS SERBES

Le match de qualification pour l'Euro 2012 Italie-Serbie, deux rivaux du groupe C, le 12 octobre 2010, à Gênes, dut être arrêté au bout de 6 minutes, après des lancers de fumigènes de supporters serbes. L'UEFA accorda la victoire 3-0 à l'Italie.

PARTICIPATIONS AUX PHASES FINALES

11	RFA/Allemagne
10	URSS/CEI/Russie
9	Pays-Bas
	Espagne
8	Tchécoslovaquie/ République tchèque
	Danemark
	Angleterre
	France
	Italie
6	Portugal
5	Suède
	Yougoslavie
4	Belgique
	Croatie
	Grèce
	Roumanie
3	Suisse
	Turquie
2	Bulgarie
	Hongrie
	Pologne
	République d'Irlande
	Écosse
1	Autriche
	Lettonie
	Norvège
	Slovénie
	Ukraine

Y compris en tant que pays organisateur

PANCEV PRIVÉ DE DESSERT

Darko Pancev (né à Skopje le 7 septembre 1965) a été le meilleur buteur des qualifications pour l'Euro 1992 avec 10 unités pour la Yougoslavie, qui a terminé en tête du Groupe 4. La sélection yougoslave ayant été suspendue en raison de la guerre en Bosnie, Pancev n'a pu briller en phase finale. Après le démantèlement de la fédération yougoslave, il est devenu la star de l'équipe de Macédoine.

ANDORRE ET SAINT-MARIN SOUFFRENT

Les Petits Poucets ont souvent la vie dure en éliminatoires. Andorre a perdu ses 30 rencontres avec 88 buts encaissés pour 6 marqués. Saint-Marin s'est incliné lors de ses 46 rendez-vous qualificatifs, avec 200 buts encaissés pour 6 marqués.

PASSÉS À L'ORANGE

Le premier match de barrage de la phase de groupe a été disputé le 13 décembre 1995 au stade Anfield de Liverpool. Victorieux 2-0, les Pays-Bas ont décroché la dernière place pour l'Euro 1996 aux dépens de la République d'Irlande, grâce à un doublé de Patrick Kluivert.

LE CHAMPIONNAT D'EUROPE DE L'UEFA
LES RECORDS COLLECTIFS

COMME ON SE RETROUVE

L'Espagne et l'Italie se sont retrouvées en finale de l'Euro 2012 : c'était la 4e fois que les deux pays se rencontraient deux fois dans la même compétition – toujours après un match de 1er tour. Les Pays-Bas avaient perdu contre l'Union soviétique, avant de la vaincre en finale, en 1988 ; l'Allemagne avait battu la République tchèque à deux reprises à l'Euro 1996, y compris en finale ; et la Grèce avait fait de même avec le Portugal, en 2004. L'Espagne et l'Italie figuraient dans le groupe C de l'Euro 2012, Cesc Fabregas répliquant au but d'ouverture marqué par Di Natale pour l'Italie. Le 2e match fut nettement moins équilibré (4-0).

INDISCIPLINE

La victoire 3-1 de la Tchécoslovaquie en demie contre les Pays-Bas le 16 juin 1976 a établi un record de cartons rouges dans l'épreuve : trois. Le Tchèque Jaroslav Pollak a été exclu pour un deuxième jaune – faute sur Johan Neeskens – à l'heure de jeu. Neeskens a été sorti à la 76e minute pour un coup sur Zdenek Nehoda. Wim van Hanegem a reçu un rouge pour protestation après que le Tchèque Nehoda eut signé le 2e but à 6 minutes de la fin.

SURPRISE DANOISE

Le Danemark a créé la surprise en gagnant l'UEFA Euro 92. Deuxième de son groupe qualificatif, il n'était même pas censé participer, mais il avait été invité à compléter le tableau de 8 équipes après la suspension de la Yougoslavie pour cause de guerre. Le gardien **Peter Schmeichel** a été le héros de cette épopée, grâce à ses exploits lors de la séance de tirs au but contre les Pays-Bas en demi-finale et lors de la finale contre l'Allemagne, remportée 2-0 avec des buts de John Jensen et de Kim Vilfort.

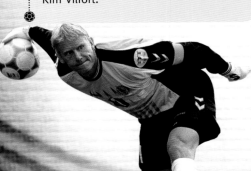

L'ALLEMAGNE, ÇA VOUS GAGNE

En 52 ans d'existence, le Championnat d'Europe est devenu le plus important tournoi de la planète soccer après la Coupe du Monde. Pourtant, 17 pays seulement ont disputé la 1re édition, remportée par l'URSS en 1960, contre 51 dans les éliminatoires de l'Euro 2012. L'Allemagne (si on lui compte les succès de la RFA) et l'Espagne ont remporté chacune 3 titres – les Allemands ont toutefois disputé et remporté davantage de matchs que n'importe quel autre pays (43 et 23). Ils ont aussi inscrit et concédé davantage de buts (63 et 45). Le défenseur Berti Vogts est le seul homme à avoir soulevé le trophée en tant que joueur puis en tant que sélectionneur – la 1re fois avec la RFA (1972), la 2e sous les couleurs de l'Allemagne réunifiée (1996). Enfin, certains ténors n'ont pas un palmarès continental à la hauteur de leur prestige. L'Italie n'a ainsi remporté l'épreuve qu'une seule fois, en 1968, tandis que l'Angleterre n'en a même jamais disputé la finale, terminant 3e en 1968 et échouant en demi-finale en 1996.

DÉMONIAQUE ANGELO

Le but le plus controversé des finales de l'Euro a été marqué le 8 juin 1968. Chez elle, l'Italie était menée 1-0 par la Yougoslavie à 10 minutes de la fin. Alors que les visiteurs plaçaient encore leur mur, Angelo Domenghini trompa Ilja Pantelic d'une frappe enroulée. Malgré les protestations, le but fut accordé. Deux jours plus tard, la *Squadra* remporta la seule finale d'appui de l'histoire 2-0 (buts de Gigi Riva et de Pietro Anastasi).

LA FRANCE FAIT CARTON PLEIN

La France de 1984 est la seule équipe à avoir remporté tous ses matchs dans un Euro depuis que la compétition concerne plus de 4 équipes. Les Bleus ont battu le Danemark 1-0, la Belgique 5-0 et la Yougoslavie 3-2 en groupe. En demie, ils ont éliminé le Portugal 3-2 (après prolongation) avant de dominer l'Espagne 2-0 en finale.

PLUS C'EST LONG…

La petite finale de l'édition 1980 entre les organisateurs italiens et les visiteurs tchécoslovaques a occasionné la plus longue séance de tirs au but de l'Euro. Après un nul 1-1, les visiteurs se sont imposés 9-8. Après huit tentatives réussies de chaque côté, **Jaroslav Netolicka** a arrêté celle de Fulvio Collovati.

PLATINI ET LES AUTRES

La France détient toujours le record de buts inscrits dans un Euro : 14 en 1984. Pourtant, une seule de ces réalisations est l'œuvre d'un pur attaquant, Bruno Bellone, qui a marqué le 2e but de la victoire 2-0 en finale contre l'Espagne. Le capitaine des Bleus Michel Platini a été le plus gros pourvoyeur avec pas moins de 9 unités en 5 rencontres. «Platoche» a inscrit deux triplés contre la Belgique et le Danemark, avant d'arracher la victoire en demie contre le Portugal. Les milieux Alain Giresse et Luis Fernandez ont frappé lors du 5-0 contre la Belgique. Le défenseur Jean-François Domergue a donné l'avantage aux Français en demie avant d'égaliser à 2-2 en prolongation après le but de Jordão.

MEILLEURES ATTAQUES

		buts
1960	Yougoslavie	6
1964	Espagne, URSS, Hongrie	4
1968	Italie	4
1972	RFA	5
1976	RFA	6
1980	RFA	6
1984	France	14
1988	Pays-Bas	8
1992	Allemagne	7
1996	Allemagne	10
2000	France, Pays-Bas	13
2004	République tchèque	9
2008	Espagne	12
2012	Espagne	12

FRANCO DIT « NIET »

Le quart de finale de l'édition 1960 entre l'Espagne et l'Union soviétique n'a pas eu lieu en raison de tensions politiques. Le général Franco avait refusé que la sélection ibérique se rende en terre communiste et interdit l'entrée de Soviétiques dans son pays. L'URSS fut qualifiée après ce qui fut enregistré comme un forfait de la part des Espagnols. Quatre ans plus tard, Franco autorisa les Soviétiques à disputer la compétition en Espagne. Il s'épargna tout de même le supplice de remettre le trophée à l'URSS, battue 2-1 par les locaux en finale.

LES VAINQUEURS DE L'EURO

- **3** RFA/Allemagne (1972, 1980, 1996)
- **=** Espagne (1964, 2008, 2012)
- **2** France (1984, 2000)
- **1** URSS (1960)
- **=** Tchécoslovaquie (1976)
- **=** Italie (1968)
- **=** Pays-Bas (1998)
- **=** Danemark (1992)
- **=** Grèce (2004)

TOUJOURS L'ESPAGNE

Non contente d'avoir obtenu sans peine la plus large victoire de toutes les finales en Championnat d'Europe, en écrasant l'Italie 4-0 à l'Euro 2012, l'Espagne est devenue le 1er pays à avoir défendu son titre avec succès. David Silva, **Jordi Alba** – avec son premier but international – et les remplaçants Fernando Torres et Juan Mata ont marqué au stade olympique de Kiev, le 1er juillet. L'Espagne remportait ainsi son 3e grand titre d'affilée, après l'Euro 2008 et la Coupe du Monde 2010.

LES PLUS LARGES VICTOIRES DE L'EURO

Pays-Bas 6 - Yougoslavie 1, 2000
France 5 - Belgique 0, 1984
Danemark 5 - Yougoslavie 0, 1984
Suède 5 - Bulgarie 0, 2004

L'ITALIE À PILE OU FACE

Chez elle, l'Italie a atteint la finale de l'édition 1968 sur un jet de pièce – le seul de l'histoire de l'Euro. Le score était toujours de 0-0 entre l'Italie et l'Union soviétique à Naples, le 5 juin 1968. Le capitaine soviétique Albert Chesternev a demandé la mauvaise face et l'Italie a atteint la finale, où elle a battu la Yougoslavie.

DELLAS, SON UNIVERS IMPITOYABLE

En demie de l'Euro 2004, la Grèce a remporté la seule victoire par «but en argent» de l'histoire de l'Euro. De la tête, Traianos Dellas a donné la victoire aux siens à 2 secondes de la fin de la première mi-temps de la prolongation contre la République tchèque, à Porto le 1er juillet. Les buts en or et en argent ont été abandonnés à l'Euro 2008 et les matchs par élimination directe se décident désormais par deux prolongations de 15 minutes, éventuellement suivies de tirs au but.

SHEARER : UN ANGLAIS AU TOP

Alan Shearer est le seul joueur anglais à dominer les grilles de scores de l'Euro, terminant meilleur buteur de l'édition 1996 avec 5 buts en 5 matchs, contre la Suisse, l'Écosse et les Pays-Bas (2 buts) dans le groupe A, puis contre l'Espagne aux tirs au but en quart de finale, et l'Allemagne en demi-finale à Wembley. Il ajoutera encore 2 buts durant l'Euro 2000, se plaçant 2e meilleur buteur de tous les temps derrière Michel Platini.

ILYIN DANS L'HISTOIRE

Le Soviétique Anatoly Ilyin était le 1er buteur de la phase finale du Championnat d'Europe de l'UEFA lorsqu'il a marqué à la 4e minute contre la Hongrie, le 29 septembre 1958. En 1960, toujours contre la Hongrie, il a ouvert le score dès la 4e minute. Ils étaient 100572 au stade Lénine pour assister à la victoire 3-1 de l'URSS, qui remporta cette 1re édition.

FRAPPE D'OR

Le buteur espagnol **Fernando Torres** a reçu le Soulier d'or en 2012, bien qu'il ait marqué le même nombre de buts (3) que l'Italien Mario Balotelli, le Russe Alan Dzagoev, l'Allemand Mario Gomez, le Croate Mario Mandzukic et le Portugais Cristiano Ronaldo. La décision s'est basée sur le nombre de passes décisives – Torres et Gomez étant *ex æquo* – puis sur le temps joué. Avec 92 minutes passées sur le terrain par Torres, ce dernier a reçu le titre, devant Gomez.

VONLANTHEN, MIEUX QUE ROONEY

Le plus jeune buteur des phases finales de l'Euro est le milieu de terrain suisse **Johan Vonlanthen.** Il avait 18 ans et 141 jours, le 21 juin 2004, lorsqu'il inscrivit le seul but des siens, défaits 3-1 par la France. Il battit le record établi par Wayne Rooney quatre jours plus tôt : l'Anglais avait 18 ans et 229 jours quand il marqua le 1er but du 3-0 contre la Suisse. Vonlanthen a dû se retirer des terrains à l'âge de 26 ans, en mai 2012, suite à une blessure au genou.

KIRICHENKO PRESTO

Le but le plus rapide de l'histoire de l'Euro a été inscrit par **Dimitri Kirichenko.** L'attaquant russe a frappé dès la 67e seconde contre la Grèce, le 20 juin 2004. Son équipe s'imposera 2-1, mais les Grecs iront tout de même jusqu'au bout. Le buteur le plus rapide en finale est l'Espagnol Jesús Pereda, en action dès la 6e minute lors de la victoire 2-1 de l'Espagne face à l'Union soviétique en 1964.

DOUBLE SUCCÈS

L'Espagnol Andres Iniesta, qui a marqué le but vainqueur lors de la Coupe du Monde 2010, a enchaîné les succès en étant sacré meilleur joueur de l'Euro 2012 – bien qu'il n'ait marqué aucun but lors des six matchs de son équipe. Six jours après la finale contre l'Italie, Iniesta est rentré chez lui, en Espagne, où l'attendait une autre fête : son mariage, avec la participation de ses coéquipiers internationaux Cesc Fabregas et Sergio Busquets.

MEILLEURS BUTEURS DE L'HISTOIRE DE L'EURO

1	Michel Platini (France)	9
2	Alan Shearer (Angleterre)	7
3	Nuno Gomes (Portugal)	6
=	Thierry Henry (France)	
=	Patrick Kluivert (Pays-Bas)	
=	Zlatan Ibrahimovic (Suède)	
=	Cristiano Ronaldo (Portugal)	
=	Ruud van Nistelrooy (Pays-Bas)	
9	Milan Baros (République tchèque)	5
=	Jürgen Klinsmann (RFA/Allemagne)	
=	Savo Milosevic (Yougoslavie)	
=	Wayne Rooney (Angleterre)	
=	Fernando Torres (Espagne)	
=	Marco van Basten (Pays-Bas)	
=	Zinédine Zidane (France)	

OLIVER ÉTONNE

L'Allemand **Oliver Bierhoff** a inscrit le 1er but  en or de l'histoire de la compétition en finale de l'Euro 1996 contre la République tchèque, à Wembley, le 30 juin (avec cette règle, la pemière équipe marquant en prolongation gagnait le match). Bierhoff a marqué à la 5e minute de la prolongation. Déviée par le défenseur Michal Hornak, sa frappe de 20 mètres échappa au gardien Petr Kouba.

ÇA VA COMME UN LUNDI

Le 10 juillet 1960, lors du 1er Euro, l'attaquant soviétique Viktor Ponedelnik donna la victoire (2-1) à son pays contre la Yougoslavie. Mais il fit les gros titres de la presse russe, car le coup d'envoi du match ayant été donné à Paris le dimanche à 22 heures, heure de Moscou, lorsque Ponedelnik marqua (à la 113e minute), on était lundi matin en Russie. Ponedelnik («lundi» en russe) expliqua: «Quand j'ai marqué, les journalistes ont titré: «*Ponedelnik zabivayet v Ponedelnik.*» (Lundi marque un lundi.)

PAR ICI LA SORTIE

Un seul joueur a été exclu en finale d'un Euro: le défenseur français Yvon Le Roux a en effet reçu un second carton jaune à cinq minutes du coup de sifflet final en 1984 (victoire des Bleus 2-0 contre l'Espagne). L'édition 2000 fut la plus prolifique en cartons rouges, avec 10 expulsions sifflées. Parmi les joueurs sanctionnés: le Roumain Gheorghe Hagi, le Portugais **Nuno Gomes**, l'Italien Gianluca Zambrotta et le Tchèque Radoslav Latal. Ce dernier était un récidiviste, puisqu'il avait écopé de la même peine lors de l'Euro 1996.

VASTIC L'ANCIEN

Le buteur le plus âgé des phases finales de l'Euro est l'Autrichien Ivica Vastić, 38 ans et 257 jours quand il égalisa 1-1 contre la Pologne durant l'Euro 2008 de l'UEFA.

MEILLEURS BUTEURS PAR EURO

1960:	2	Francois Heutte (France)
		Milan Galic (Yougoslavie)
		Valentin Ivanov (Union soviétique)
		Drazan Jerkovic (Yougoslavie)
		Slava Metreveli (Union soviétique)
		Viktor Ponedelnik (Union soviétique)
1964:	2	Ferenc Bene (Hongrie)
		Dezso Novak (Hongrie)
		Jesus Pereda (Espagne)
1968:	2	Dragan Dzajic (Yougoslavie)
1972:	4	Gerd Müller (RFA)
1976:	4	Dieter Müller (RFA)
1980:	3	Klaus Allofs (RFA)
1984:	9	Michel Platini (France)
1988:	5	Marco Van Basten (Pays-Bas)
1992:	3	Dennis Bergkamp (Pays-Bas)
		Tomas Brolin (Suède)
		Henrik Larsen (Danemark)
		Karlheinz Riedle (Allemagne)
1996:	5	Alan Shearer (Angleterre)
2000:	5	Patrick Kluivert (Pays-Bas)
		Savo Milosevic (Yougoslavie)
2004:	5	Milan Baros (République tchèque)
2008:	4	David Villa (Espagne)
2012:	3	Mario Balotelli (Italie)
		Alan Dzagoev (Russie)
		Mario Gomez (Allemagne)
		Mario Mandzukic (Croatie)
		Cristiano Ronaldo (Portugal)
		Fernando Torres (Espagne)

MATTHÄUS AU RYTHME DE L'EURO

La carrière de Lothar Matthäus a suivi le cours du Championnat d'Europe. Présent lors de quatre éditions entre 1980 et 2000, il a raté l'Euro 1992 sur blessure et manqué la qualification pour l'Euro 1996 en compagnie du sélectionneur Berti Vogts et du capitaine Jürgen Klinsmann. C'est à 19 ans qu'il a connu son baptême du feu, en remplaçant Bernd Dietz lors du succès 3-2 de la RFA sur les Pays-Bas à Naples le 14 juin 1980. C'était la première édition opposant huit équipes divisées en deux groupes, les épreuves précédentes démarrant au stade des demi-finales. Matthäus a 39 ans lorsqu'il participe pour la dernière fois à l'Euro 2000: il évolue alors sous les couleurs d'une Allemagne réunifiée qui s'incline 3-0 devant le Portugal. Aujourd'hui, le tournoi inclut 16 nations réparties en 4 groupes. Convoqué pour 4 éditions, Matthäus n'a disputé que 11 rencontres. Il a découvert l'Euro au début de sa phase de développement et l'a quitté une fois qu'il a été établi en tant que 2e compétition la plus prestigieuse derrière la Coupe du Monde.

FRÈRES D'ARMES

Quatre équipes de l'Euro 2000 comptaient des frères dans leurs rangs. L'Angleterre (Gary et Phil Neville), les Pays-Bas (Frank et Ronald De Boer), la Suède (Daniel et Patrik Andersson) et la Belgique (Émile et Mbo Mpenza).

BECKENBAUER : LA 100e SUR UNE DÉFAITE

La légende du soccer ouest-allemand Franz Beckenbauer gagna sa 100e cape en finale de l'Euro 1976 contre la Tchécoslovaquie qui l'emporta aux tirs au but, il joua encore trois matchs pour son pays, avant de se retirer du soccer international.

PORTUGAIS PAS GAIS

Ce sont trois Portugais qui ont écopé des plus longues suspensions de l'histoire de l'Euro. En demi-finale de l'édition 2000, le but en or de Zinédine Zidane sur penalty a rendu fous **Abel Xavier**, Nuno Gomes et Paulo Bento, qui ont encerclé l'arbitre, M. Gunter Benko, et son assistant, M. Igor Sramka, avant de les intimider physiquement et verbalement. Verdict : 9 mois sans soccer européen pour Xavier, 8 pour Gomes et 6 pour Bento.

INFRANCHISSABLE CASILLAS

L'Espagne n'a concédé qu'un but lors de l'Euro 2012, performance déjà réalisée par l'Italie en 1980 et la Norvège en 2000, sans toutefois que ces nations parviennent à enlever l'épreuve, contrairement à la Roja. Le gardien ibérique Iker Casillas en a profité pour porter à 9 (sur 14) le nombre de rencontres au cours desquelles il a maintenu sa cage inviolée. Il a ainsi égalé le record du Néerlandais Edwin van der Sar : 9 copies parfaites en 16 matchs.

RECORDS DE PHASES FINALES JOUÉES

Huit joueurs ont participé à quatre phases finales :

Lothar Matthaus	(RFA/Allemagne)	1980, 1984, 1988, 2000
Peter Schmeichel	(Danemark)	1988, 1992, 1996, 2000
Aron Winter	(Pays-Bas)	1988, 1992, 1996, 2000
Alessandro del Piero	(Italie)	1996, 2000, 2004, 2008
Edwin van der Sar	(Pays-Bas)	1996, 2000, 2004, 2008
Lilian Thuram	(France)	1996, 2000, 2004, 2008
Olof Mellberg	(Suède)	2000, 2004, 2008, 2012
Iker Casillas	(Espagne)	2000, 2004, 2008, 2012

MULLERY, LE 1er À SORTIR

Alan Mullery fut le 1er joueur anglais à être exclu pendant la compétition, à la 89e minute de la demi-finale perdue 1-0 contre la Yougoslavie, à Florence, le 5 juin 1968. Il avait commis une faute sur Dobrivoje Trivić, 3 minutes après que Dragan Džajić eut marqué le but gagnant. Son exclusion survient au cours du 424e match international officiel de l'Angleterre.

HAGI DANS LE ROUGE

Le plus grand joueur roumain, Gheorghe Hagi, décrocha sa 125e sélection durant l'Euro 2000, lors d'un quart de finale perdu 2-0 contre l'Italie, le 24 juin. Mais une expulsion à la 59e minute mit un terme à sa carrière internationale. Hagi avait déjà été sanctionné contre l'Allemagne et le Portugal et, suspendu, n'avait pu profiter de la victoire 3-2 contre l'Angleterre.

RECORDS DE MATCHS EN PHASE FINALE

16	Edwin van der Sar (Pays-Bas)
	Lilian Thuram (France)
14	Iker Casillas (Espagne)
	Luis Figo (Portugal)
	Nuno Gomes (Portugal)
	Philipp Lahm (Allemagne)
	Karel Poborsky (République tchèque)
	Cristiano Ronaldo (Portugal)
	Zinédine Zidane (France)

LES 5 PATHÉTIQUES

Glen Johnson est devenu le 5e joueur (seulement) à marquer un but contre son camp lors d'un Euro. C'était au 1er tour, lors du match Angleterre-Suède. Ses pauvres prédécesseurs furent le Tchécoslovaque Anton Ondrus (1976), le Bulgare Dimitar Penev (1996), le Yougoslave Dejan Govedarica (2000) et le Portugais Jorge Andrade (2004).

VIEUX SINGE

Luis Aragones est le doyen des entraîneurs champions d'Europe. Né à Madrid le 28 juillet 1938, il avait 69 ans et 336 jours lorsque l'Espagne a battu l'Allemagne 1-0 lors de la finale 2008. C'était son dernier match à un poste qu'il occupait depuis la fin de l'Euro 2004.

LA DYNASTIE KADLEC

Miroslav et Michal Kadlec sont les seuls père et fils à avoir participé à un Euro. Miroslav, né le 22 juin 1964 à Uherske Hradiste, portait le brassard de capitaine de la Tchéquie finaliste de l'Euro 1996 et avait inscrit le tir au but décisif en demie, contre la France. Michal, né le 13 décembre 1984 à Vyskov, a connu sa 1re cape le 15 juin 2008 contre la Turquie à Genève, en remplaçant Jaroslav Plasil à la 80e minute.

SUAREZ DOUBLE LA MISE

L'Espagnol **Luis Suárez** est le 1er à avoir remporté le Championnat d'Europe et la Coupe d'Europe dans la même saison. Le 21 juin 1964, il participe à la victoire sur l'Union soviétique 2-1. Précédemment, l'Inter de Milan, où il évolue, a battu le Real Madrid 3-1 en finale de la Coupe d'Europe. Quatre joueurs du PSV Eindhoven, vainqueur de la Coupe d'Europe 1988 contre Benfica, font partie de l'équipe nationale néerlandaise qui bat l'Union soviétique en finale de l'Euro 1988. Le Real Madrid remporte la Ligue des Champions en 2000 avec Nicolas Anelka, titulaire de l'équipe de France, vainqueur de l'Euro 2000, même s'il n'a pas participé à la finale.

KARAGOUNIS A LA JAUNISSE

Le carton jaune reçu par Giorgos Karagounis lors du dernier match de poule des Grecs à l'Euro 2012 ne l'a pas seulement privé du quart de finale contre l'Allemagne, ce fut aussi son 8e avertissement en Championnat d'Europe – un record. En 2004, il avait disputé la finale bien qu'ayant été averti à deux reprises durant le tournoi.

LE RECORD DE MATTHÄUS

L'Allemand Lothar Matthäus est le joueur le plus vieux à avoir joué dans un Championnat d'Europe de l'UEFA. C'était lors du match perdu 3-0 contre le Portugal, le 20 juin 2000; il avait 39 ans et 91 jours.

LE CHAMPIONNAT D'EUROPE DE L'UEFA
LES AUTRES RECORDS

LÖW, L'ENDURANT

Le sélectionneur allemand Joachim Löw a décroché le record du plus grand nombre de victoires à l'Euro (8 en 10 matchs, à cheval sur les éditions 2008 et 2012) lors de la victoire de ses hommes face à la Grèce. La demi-finale contre l'Italie lui a, elle, permis d'égaler le record de Berti Vogts, du nombre de matchs disputés à la tête d'une sélection.

VOTRE NOM, S'IL VOUS PLAÎT?

C'est à l'Euro 1992 que les noms des joueurs ont été floqués pour la première fois sur les maillots. Auparavant, seuls les numéros permettaient d'identifier les joueurs.

PROENCA, PROENCA

En 2012, l'arbitre portugais Pedro Proenca a eu l'honneur de diriger la finale de la Ligue des Champions entre Chelsea et le Bayern Munich et celle de l'Euro entre l'Espagne et l'Italie. Il est aussi devenu le 3e homme à arbitrer quatre matchs d'un même Euro, après le Suédois Anders Frisk (2004) et l'Italien Roberto Rosetti (2008). Avec huit parties dirigées en tout, Frisk détient le record en la matière.

FORFAIT GREC CONTRE L'ALBANIE

Lorsque le tirage au sort a placé l'Albanie sur son chemin pour le 1er tour de l'édition 1964, la Grèce a immédiatement déclaré forfait, les deux pays étant en guerre depuis 1940. Le gouvernement hellène n'a levé l'état de guerre qu'en 1987, mais les relations diplomatiques avaient été rétablies en 1971.

ILS ATTENDENT QUOI?

Entre le penalty transformé par **Xabi Alonso** dans le temps additionnel du quart de finale Espagne-France (2-0) et le but de Mario Balotelli à la 20e minute de la demi-finale Italie-Allemagne (2-1) 260 minutes se sont écoulées sans que tremblent les filets. Record de la compétition.

L'ITALIE, PREMIÈRE À BISSER

L'Italie a été le 1er pays à organiser deux Euros: en 1968 et en 1980. L'édition de 1968 lui a été attribuée en commémoration du 60e anniversaire de la fédération italienne. La Belgique a également reçu deux tournois: le 1er, en 1972, toute seule, et le 2e, en 2000, avec les Pays-Bas.

ELLIS, ARBITRE PIONNIER

L'arbitre anglais **Arthur Ellis** a officié lors de la 1re finale du Championnat d'Europe, opposant l'URSS à la Yougoslavie en 1960. Il avait également joué du sifflet quatre ans plus tôt, lors de la première finale de Coupe d'Europe, entre le Real Madrid et le Stade de Reims. Plus tard, il est devenu l'arbitre de la version anglaise d'*Intervilles*.

ORGANISATEURS DE L'EURO

1960	France
1964	Espagne
1968	Italie
1972	Belgique
1976	Yougoslavie
1980	Italie
1984	France
1988	RFA
1992	Suède
1996	Angleterre
2000	Pays-Bas et Belgique
2004	Portugal
2008	Autriche et Suisse
2012	Pologne et Ukraine

À DEUX, C'EST MIEUX !

En 2000, la Belgique et les Pays-Bas ont lancé la mode de la coorganisation, ce qui était alors une première. Le match d'ouverture, disputé à Bruxelles le 10 juin, s'est soldé par la victoire 2-1 des locaux sur la Suède. La finale a eu lieu à Rotterdam le 2 juillet. L'Autriche et la Suisse ont fait équipe pour l'Euro 2008. Le match d'ouverture a vu les Helvètes s'imposer 1-0 contre la République tchèque le 7 juin à Bâle, tandis que la finale s'est disputée à Vienne le 29 juin. La Pologne et l'Ukraine se sont associées pour 2012, Varsovie accueillant le match d'ouverture et Kiev la finale.

SINGING IN UKRAINE

La Pologne et l'Ukraine ont accueilli l'Euro 2012 dans huit stades – quatre par pays – soit autant que la Belgique et les Pays-Bas en 2000, et l'Autriche et la Suisse huit ans plus tard. Seul le Portugal, en 2004, avait davantage de sites (10). Le Stade national de Varsovie, d'une capacité de 56 070 sièges, a reçu le match d'ouverture Pologne-Grèce, et le stade Olympique de Kiev (64 640 sièges), la finale. La France organisera l'Euro 2016, et en 2020, pour la première fois, la phase finale sera disputée dans 13 villes de 13 pays différents.

MIEUX QUE LA FINALE

La plus forte affluence de l'Euro 2012 a été enregistrée à l'occasion d'un match du groupe D. Plus de 64 640 personnes ont assisté à la victoire 3-2 des Anglais sur les Suédois grâce à une talonnade de **Danny Welbeck** en fin de rencontre.

ARBITRES DES FINALES DE L'EURO

1960 Arthur Ellis (Angleterre)
1964 Arthur Holland (Angleterre)
1968 Gottfried Dienst (Suisse)
Replay : Jose Maria Ortiz de Mendibil (Espagne)
1972 Ferdinand Marschall (Autriche)
1976 Sergio Gonella (Italie)
1980 Nicolae Rainea (Roumanie)
1984 Vojtech Christov (Tchécoslovaquie)
1988 Michel Vautrot (France)
1992 Bruno Galler (Suisse)
1996 Pierluigi Pairetto (Italie)
2000 Anders Frisk (Suède)
2004 Markus Merk (Allemagne)
2008 Roberto Rosetti (Italie)
2012 Pedro Proenca (Portugal)

L'OR SE BARRE

L'édition italienne de 1968 a servi de toile de fond au film anglais *L'Or se barre*, où Michael Caine campe un malfrat qui profite de l'épreuve pour tenter un casse impossible à Turin. L'œuvre a été présentée en Angleterre le 2 juin 1969.

JOUER N'EST PAS MARQUER

Salué pour la qualité du soccer offensif proposé, l'Euro 2012 affiche pourtant la plus faible moyenne de buts par match depuis l'édition 1996 en Angleterre. 76 réalisations en 31 rencontres (2,45 buts en moyenne), c'est une unité de moins qu'en 2004 et 2008. Par ailleurs, le 1er 0-0 n'a été enregistré qu'à l'occasion du dernier quart de finale (Angleterre-Italie), mais l'opération s'est répétée dès le match suivant, lors de la 1re demi-finale, opposant l'Espagne au Portugal.

UN JEU PROPRE

Seuls trois cartons rouges ont été distribués à l'Euro 2012 : au Grec Sokratis Papastathopoulos et au Polonais **Wojciech Szczesny** lors du match d'ouverture, et à l'Irlandais Keith Andrews contre l'Italie. Ce total est le même que celui de l'Euro 2008, mais deux fois inférieur à celui de l'Euro 2004.

PARTIE 4 :
LA COPA AMERICA

PLUS ANCIENNE compétition internationale, la Copa America a vu sa 1re édition remportée par l'Uruguay en 1916. De même que... sa dernière en 2011. Avec 15 titres au total, les Uruguayens sont d'ailleurs les recordmen de l'épreuve.

Aux premiers temps de la Copa America, le transport aérien n'étant pas ce qu'il est devenu depuis, l'idée d'une compétition continentale paraissait plus réaliste qu'une compétition mondiale. C'est également la raison pour laquelle les membres fondateurs de la FIFA étaient tous exclusivement européens, en 1904. Des nations sud-américaines tels le Brésil, l'Argentine et l'Uruguay se rallièrent très vite à l'organisation, mais les occasions étaient rares pour leurs sélections de se mesurer à leurs homologues européens. Ces rencontres nécessitaient en effet une longue traversée océanique.

C'est donc ainsi que les Sud-Américains ont décidé de mettre sur pied leurs propres compétitions internationales, avec pour conclusion la création en 1916 du Championnat d'Amérique du Sud – l'actuelle Copa America. Les moyens de communication n'étant alors pas comparables à ceux d'aujourd'hui, la mise en place des premières éditions ne fut pas une mince affaire : la plupart d'entre elles ne sont d'ailleurs pas reconnues officiellement. S'ajouta la question des calendriers, quand les pays ne purent convoquer leurs meilleurs joueurs, employés en Europe. Cet exode se révéla notamment problématique pour l'Argentine à la fin des années 1950 : lauréate de la Copa America 1957, elle faisait figure de favorite pour la Coupe du Monde 1958. Sauf qu'entre-temps, *l'Albiceleste* avait perdu son trio offensif composé d'Humberto Maschio, Antonio Valentin Angelillo et Enrique Omar Sivori, tous trois recrutés par des clubs italiens.

La FIFA a depuis mis fin au bras de fer entre les clubs et les fédérations en imposant un calendrier international unifié qui assure un statut prioritaire à la Copa America.

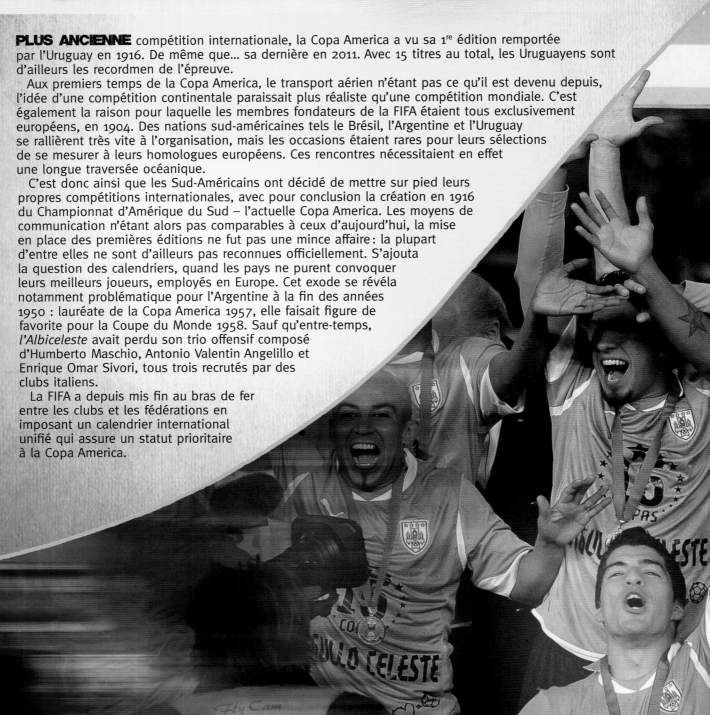

> L'Uruguay a beau être la nation la plus titrée en Copa America, le succès des hommes de Tabarez lors de l'édition 2011 en Argentine a surpris tous les observateurs.

LA COPA AMERICA
LES RECORDS COLLECTIFS

ÇA SE CORSE POUR NAPOLEON

En 1942, l'Équateur et son gardien Napoleon Medina ont battu le record du plus grand nombre de buts encaissés en une épreuve : 31 en 6 matchs. Trois ans plus tard, les Andins sont parvenus à rendre une copie parfaite en obtenant un nul sans but contre la Bolivie. En revanche, leur filet a tremblé à 27 reprises sur les 5 autres rencontres.

PARCOURS ATYPIQUE

Le Paraguay s'est hissé en finale de la Copa America 2011 sans remporter un seul match dans le temps réglementaire : trois nuls en phase de groupe, puis qualification aux tirs au but en quart face au Brésil et en demie face au Venezuela (chaque fois après un 0-0). Rien d'étonnant, dès lors, à ce que le capitaine paraguayen **Justo Villar** ait été désigné meilleur gardien du tournoi.

VAINQUEURS DE LA COPA AMERICA

1910	(non officiel) Argentine (mini-championnat)
1916	Uruguay (minichampionnat)
1917	Uruguay (minichampionnat)
1919	Brésil 1 Uruguay 0
1920	Uruguay (minichampionnat)
1921	Argentine (minichampionnat)
1922	Brésil 3 Paraguay 1
1923	Uruguay (minichampionnat)
1924	Uruguay (minichampionnat)
1925	Argentine (minichampionnat)
1926	Uruguay (minichampionnat)
1927	Argentine (minichampionnat)
1929	Argentine (minichampionnat)
1935	Uruguay (minichampionnat)
1937	Argentine 2 Brésil 0
1939	Pérou (minichampionnat)
1941	Argentine (minichampionnat)
1942	Uruguay (minichampionnat)
1945	Argentine (minichampionnat)
1946	Argentine (minichampionnat)
1947	Argentine (minichampionnat)
1949	Brésil 7 Paraguay 0
1953	Paraguay 3 Brésil 2
1955	Argentine (minichampionnat)
1956	Uruguay (minichampionnat)
1957	Argentine (minichampionnat)
1959	Argentine (minichampionnat)
1959	Uruguay (minichampionnat)
1963	Bolivie (minichampionnat)
1967	Uruguay (minichampionnat)
1975	Pérou 4 Colombie 1 (score cumulé, après 3 matchs)
1979	Paraguay 3 Chili 1 (score cumulé, après 3 matchs)
1983	Uruguay 3 Brésil 1 (score cumulé, après 2 matchs)
1987	Uruguay 1 Chili 0
1989	Brésil (minichampionnat)
1991	Argentine (minichampionnat)
1993	Argentine 2 Mexique 1
1995	Uruguay 1 Brésil 1 (l'Uruguay s'est imposé 5-3 aux tirs au but)
1997	Brésil 3 Bolivie 1
1999	Brésil 3 Uruguay 0
2001	Colombie 1 Mexique 0
2004	Brésil 2 Argentine 2 (le Brésil s'est imposé 4-2 aux tirs au but)
2007	Brésil 3 Argentine 0
2011	Uruguay 3 Paraguay 0

NOMBRE D'ÉDITIONS ORGANISÉES PAR PAYS

Argentine	9	(1916, 1921, 1925, 1929, 1937, 1946, 1959, 1987, 2011)
Uruguay	7	(1917, 1923, 1924, 1942, 1956, 1967, 1995)
Chili	6	(1920, 1926, 1941, 1945, 1955, 1991)
Pérou	6	(1927, 1935, 1939, 1953, 1957, 2004)
Brésil	4	(1919, 1922, 1949, 1989)
Équateur	3	(1947, 1959, 1993)
Bolivie	2	(1963, 1997)
Paraguay	1	(1999)
Colombie	1	(2001)
Venezuela	1	(2007)

À L'USURE

Le plus long match de l'histoire de la Copa America est la finale de 1919 entre le Brésil et l'Uruguay. Il a duré 150 minutes, soit 90 minutes de temps réglementaire plus deux prolongations de 30 minutes chacune.

LA GENÈSE

Le premier Championnat d'Amérique du Sud des Nations, tel qu'il s'appelait à l'origine, s'est déroulé en Argentine du 2 au 17 juillet 1916, à l'occasion des fêtes du centenaire de l'indépendance du pays. Cette édition a été remportée par l'Uruguay, qui a tenu l'Argentine en échec lors d'une finale en plusieurs actes. Le 16 juillet, la partie avait été interrompue par des spectateurs mécontents qui avaient envahi la pelouse et mis le feu aux tribunes. Le match a repris dans un autre stade et, faute de buts, c'est l'Uruguay qui a été déclaré vainqueur. Isabelino Gradin a remporté le classement des buteurs. En marge de l'événement, les dirigeants ont fondé le 9 juillet 1916 la CONMEBOL, instance centrale des fédérations sud-américaines. Le tournoi s'est ensuite déroulé tous les deux ans, même si certaines éditions n'ont pas été reconnues officiellement. Les choses ont changé récemment : on a laissé passer trois ans entre les éditions 2004 et 2007, et depuis la Copa America se dispute tous les quatre ans, comme la Coupe du Monde ou l'Euro.

OH ! LÀ, LÀ ! AYALA

En 1953, le Pérou a été déclaré vainqueur par forfait contre le Paraguay, qui a essayé de faire un remplacement de plus que prévu. Furieux, le remplaçant prévu, Milner Ayala, a adressé un coup de pied à l'arbitre anglais Richard Maddison et a été interdit de soccer pendant trois ans. Cette défaite n'a pas empêché le Paraguay de battre en finale le Brésil, mais sans le malheureux Ayala.

CHACUN SON TOUR

Le Championnat d'Amérique du Sud des Nations a été rebaptisé Copa America en 1975, mais il n'y a pas eu de pays hôte jusqu'en 1983, lorsque la CONMEBOL a adopté une politique de rotation entre les 10 nations. La première rotation s'est achevée en 2007, avec l'épreuve reçue par le Venezuela. L'Argentine a accueilli pour la 9e fois le tournoi en 2011.

LA DOYENNE DES COMPÉTITIONS

La Copa America est la compétition internationale la plus ancienne de la planète soccer. Lancée en 1916, sa 1re édition a opposé l'Argentine, la Bolivie, le Brésil, le Chili, la Colombie, l'Équateur, le Paraguay, le Pérou, l'Uruguay et le Venezuela. En 1910, un Championnat d'Amérique du Sud officieux avait sacré l'Argentine, vainqueur 4-1 de l'Uruguay en finale. Ce match avait été reporté d'une journée après que les supporters eurent brûlé les gradins du stade de Gimnasia, à Buenos Aires.

ANGES DÉCHUS

Humberto Maschio, Omar Sivori et Antonio Valentin Angelillo, les attaquants de l'**Argentine** sacrée en 1957, étaient surnommés «les anges au visage sale». Ce trio s'est distingué en inscrivant au moins 1 but lors de chacun des 6 matchs du parcours *albiceleste*, Maschio finissant à 9, Angelillo à 8 et Sivori à 3. C'est lors de leur entrée en lice que les Gauchos ont le plus brillé, avec une victoire 8-2 sur la Colombie. Au bout de 25 minutes, l'Argentine menait déjà 4-0 malgré un penalty raté ! Ces performances ont fait des Argentins, et non des futurs vainqueurs brésiliens, les principaux candidats au titre mondial de 1958. Mais entre-temps, Maschio, Sivori et Angelillo ont accepté les propositions de clubs italiens et la fédération argentine a refusé de les sélectionner pour la Suède. Plus tard, Sivori et Maschio ont pris part au rendez-vous mondial de 1962, mais sous le maillot italien, au grand dam de tous les Argentins.

VIERGE DE BUTS POUR UNE PREMIÈRE

En 2001, lors de son unique sacre, la Colombie a réussi l'exploit de préserver l'invincibilité de ses cages pendant toute la compétition. Les deux artisans de ce succès sont **Victor Aristizabal**, meilleur réalisateur de l'épreuve avec 6 buts sur les 11 de l'équipe, et le gardien Oscar Cordoba, qui a grandi dans l'ombre de l'excentrique René Higuita. Un mois plus tôt, Cordoba avait remporté la Copa Libertadores, équivalent sud-américain de la Ligue des Champions, avec le club argentin de Boca Juniors.

NOMBRE DE TITRES PAR PAYS

Uruguay 15 (1916, 1917, 1920, 1923, 1924, 1926, 1935, 1942, 1956, 1959, 1967, 1983, 1987, 1995, 2011)
Argentine 14 (1921, 1925, 1927, 1929, 1937, 1941, 1945, 1946, 1947, 1955, 1957, 1959, 1991, 1993)
Brésil 8 (1919, 1922, 1949, 1989, 1997, 1999, 2004, 2007)
Pérou 2 (1939, 1975)
Paraguay 2 (1953, 1979)
Bolivie 1 (1963)
Colombie 1 (2001)

L'ÉQUATEUR PERD LE NORD

Nation la plus titrée de l'épreuve, l'Argentine est aussi à l'origine de la victoire la plus large: un 12-0 infligé à l'Équateur en 1942. Parmi les 5 réalisations de José Manuel Moreno figurait le 500e but de l'histoire du tournoi. Né à Buenos Aires le 3 août 1916, Moreno a remporté le classement des buteurs avec son compatriote Herminio Masantonio. Tous deux comptaient 19 buts sous le maillot *albiceleste* à la fin de leur carrière, mais là où Moreno a eu besoin de 34 sélections, Masantonio s'est contenté de 21. Masantonio a signé un quadruplé contre l'Équateur.

LA PASSE DE QUINZE POUR L'URUGUAY

Premier lauréat de l'épreuve, l'Uruguay a soulevé le trophée pour la 15e fois en 2011, devançant d'une unité ses rivaux argentins. Le tout alors que cette édition se déroulait en terre argentine, et que l'Uruguay a éliminé le pays hôte aux tirs aux but en quart de finale. Argentins et Brésiliens faisaient figure de favoris, à l'entame du tournoi. D'aucuns prédisaient même une troisième finale consécutive entre ces deux poids lourds. Mais tous deux ont été éliminés en quart, et le dernier carré du tournoi a regroupé l'Uruguay, le Paraguay, le Venezuela et le Pérou. Une combinaison pour le moins inattendue !

SERGIO LIVINGSTONE, LE GOAL BRILLANT

Avec 34 matchs répartis dans les éditions 1941, 1942, 1945, 1947, 1949 et 1953, le gardien chilien Sergio Livingstone détient le record de la Copa America. Surnommé «le crapaud», Livingstone devient en 1940 le 1er gardien élu Meilleur joueur du tournoi. Il aurait pu améliorer son record s'il n'avait pas raté l'édition 1946. Né à Santiago le 26 mai 1920, Livingstone a passé toute sa carrière dans son pays, sauf la saison 1943/1944, qui l'a vu s'expatrier dans le club argentin de Racing Club. Il a totalisé 52 sélections entre 1941 et 1954, avant de prendre sa retraite pour devenir un commentateur télé à succès.

CHILI PAS VERNI

C'est le Chilien Luis Garcia qui a inscrit, en 1917 lors de la 2e édition, le 1er but contre son camp de la Copa America, offrant ainsi une victoire 1-0 à l'Argentine. C'est le seul but marqué par le Chili lors de cette épreuve, ce qui en fit le 1er pays à ne marquer aucun but à la Copa America.

PLUS GRAND NOMBRE D'APPARITIONS

1	Sergio Livingstone (Chili)	34
2	Zizinho (Brésil)	33
3	Leonel Alvarez (Colombie)	27
4	Carlos Valderrama (Colombie)	27
5	Alex Aguinaga (Équateur)	25
6	Claudio Taffarel (Brésil)	25
7	Teodoro Fernandez (Pérou)	24
8	Angel Romano (Uruguay)	23
9	Djalma Santos (Brésil)	22
10	Claudio Suarez (Mexique)	22

MEILLEURS BUTEURS DE L'HISTOIRE

1	Norberto Mendez (Argentine)	17
=	Zizinho (Brésil)	17
3	Teodoro Fernandez (Pérou)	15
=	Severino Varela (Uruguay)	15
5	Ademir (Brésil)	13
=	Jair da Rosa Pinto (Brésil)	13
=	Gabriel Batistuta (Argentine)	13
=	José Manuel Moreno (Argentine)	13
=	Hector Scarone (Uruguay)	13

BUTEURS RÉCIDIVISTES

L'Uruguayen Pedro Petrone (en 1923 et 1924) et l'Argentin **Gabriel Batistuta** (en 1991 et 1995) sont les seuls joueurs à avoir conquis deux fois le classement des buteurs de la Copa America. «Batigol» avait fait ses débuts internationaux quelques jours avant la Copa America 1991, mais ses performances extraordinaires, couronnées par le but décisif en finale, lui ont valu un transfert de Boca Juniors à la Fiorentina.

UNE FAMILLE DE CHAMPIONS

Les deux buts inscrits par Diego Forlan contre le Paraguay en finale de la Copa America (3-0) ont contribué à l'obtention du 15e titre continental de l'Uruguay. Ils lui ont aussi permis de perpétuer la tradition familiale : son père **Pablo** faisait en effet partie de l'équipe sacrée en 1967, tandis que son grand-père, le sélectionneur Juan Carlos Corazo, avait mené le pays à la victoire en 1959. Son doublé contre le Paraguay a également permis à Forlan d'égaler le record de buts en sélection détenu par Hector Scarone (31 unités). Petit bémol à tant de gloire, c'est son partenaire d'attaque Luis Suarez (auteur de l'ouverture du score en finale) qui a été élu meilleur joueur du tournoi.

ALEX PUISSANCE HUIT

En disputant le 1er match de l'Équateur de l'édition 2004, contre l'Uruguay, Alex Aguinaga est devenu le 2e joueur de l'histoire à participer à huit Copas America, en compagnie du légendaire gardien uruguayen Angel Romano. Aguinaga, milieu créatif né à Ibarra le 9 juillet 1969, a porté le maillot national à 109 reprises, dont 25 capes en Copa America, une compétition qui l'a vu inscrire 4 de ses 23 buts en sélection. Ses excellents débuts en Copa America, marqués par 4 matchs sans défaite en 1987 et 1989, contrastent avec ses 7 dernières rencontres, qui se sont soldées par autant de défaites.

L'EXPLOIT DE GUERRERO

Derniers de la zone AmSud pour les éliminatoires de la Coupe du Monde FIFA 2010, les Péruviens ont créé la sensation en se classant 3es de la Copa America 2011. L'attaquant **Paolo Guerrero** est en outre devenu, avec ses 5 buts, le 3e Péruvien à finir meilleur buteur du tournoi (après Teodoro Fernandez en 1939 et Eduardo Malasquez en 1983). À son crédit notamment, un hat-trick réalisé lors de la victoire 4-1 des siens au cours de la petite finale contre le Venezuela.

DE BOUT EN BOUT

Le meneur Carlos Valderrama et le milieu défensif **Leonel Alvarez** ont disputé les 27 rencontres de la Colombie en Copa America, entre 1987 et 1995. Ils ont récolté 10 succès, 10 matchs nuls et 7 défaites, et décroché le bronze en 1987, 1993 et 1995. Valderrama a signé ses 2 buts lors de sa 1re et de sa dernière apparition : victoire 2-0 sur la Bolivie en 1987 et atomisation 4-1 des États-Unis en 1995.

QUATRE QUINTUPLÉS

Quatre joueurs ont inscrit un quintuplé dans un match de Copa America : l'Uruguayen Hector Scarone lors d'un 6-0 sur la Bolivie en 1926 ; l'Argentin Juan Marvezzi lors d'un 6-1 contre l'Équateur en 1941 ; l'Argentin José Manuel Moreno lors d'un 12-0 face à l'Équateur en 1942 ; et le Brésilien Evaristo de Macedo lors d'un 9-0 contre la Colombie en 1957.

PROFIL BAS

C'est José Piendibene, lors d'un succès 4-0 sur le Chili en 1916, qui a inscrit le 1er but de l'histoire de la Copa America. Mais l'homme, reconnu pour son sens du fair-play, n'a pas cherché à commémorer cet instant, pour ne pas heurter ses adversaires.

L'IDOLE DE PELÉ

C'est le Brésilien **Zizinho** et l'Argentin Norberto Mendez qui détiennent le record du plus grand nombre de buts inscrits dans le cadre de la Copa America. Tous deux ont signé 17 buts, Zizinho sur 6 éditions et Mendez sur 3 (dont les éditions 1945 et 1946, qui ont opposé les 2 joueurs). Vainqueur du classement des buteurs à une reprise et deux fois 2e, Mendez a systématiquement décroché le titre avec l'Argentine, alors que les buts de Zizinho n'ont contribué qu'au sacre de 1949. Zizinho, idole de Pelé, allait être le meilleur buteur et le meilleur joueur de la Coupe du Monde 1950, mais la surprenante défaite en finale face à de l'Uruguay allait le traumatiser à jamais.

LA COPA AMERICA
LES AUTRES RECORDS

ÉTRANGERS À SUCCÈS

Seules deux équipes ont empoché une Copa America avec un sélectionneur étranger: la Bolivie du Brésilien Danilo Alvim en 1963 et le Pérou de l'Anglais Jack Greenwell en 1939. Alvim, vainqueur de l'édition 1949 en tant que milieu axial de la *Seleçao*, a non seulement offert à la Bolivie son seul sacre, mais il l'a fait en battant ses compatriotes 5-4 en finale.

IMPRENABLE MONTEVIDEO

Avec ses 31 victoires et 7 nuls obtenus à Montevideo, l'Uruguay est à créditer de la plus longue période d'invincibilité à domicile en Copa America.
Le dernier match en date, disputé en 1995, s'est soldé par un nul 1-1 contre le Brésil, mais l'Uruguay s'est finalement imposé 5-3 aux tirs au but grâce à un arrêt de Fernando Alvez sur Tulio.

PAYS INVITÉS

1993 Mexique (finaliste), États-Unis
1995 Mexique, États-Unis (quatrième)
1997 Costa Rica, Mexique (troisième)
1999 Japon, Mexique (troisième)
2001 Costa Rica, Honduras (troisième), Mexique (deuxième)
2004 Costa Rica, Mexique
2007 Mexique (troisième), États-Unis
2011 Costa-Rica, Mexique

PIRIZ OUVRE LE BAL

Il aura fallu attendre 21 ans pour qu'un arbitre exclue un joueur en Copa America. Le 1er fut l'Uruguayen Juan Emilio Piriz, en 1937 face au Chili, et 169 autres allaient lui emboîter le pas. Seuls 127 d'entre eux ont reçu un carton rouge, puisque la FIFA a introduit ce système en 1970.

POLYVALENCE

Avec 6 titres conquis en 1941, 1945, 1946, 1947, 1955 et 1957, l'entraîneur argentin **Guillermo Stabile** détient le record du plus grand nombre de sacres en Copa America, loin devant ses poursuivants, bloqués à 2. Nommé sélectionneur à 34 ans, Stabile a dirigé l'Argentine à 123 reprises de 1939 à 1960, remportant 83 victoires. En parallèle, il a trouvé le temps d'entraîner trois clubs, tout d'abord le Red Star français pendant sa 1re année à la tête des *Albicelestes,* puis l'équipe argentine de Huracan pendant 9 ans, avant de changer de quartier de Buenos Aires pour rejoindre le Racing Club de 1949 à 1960. L'Argentine de Stabile n'a certes pas remporté l'édition de 1949, mais le Racing Club a obtenu cette année le 1er de ses trois Championnats d'Argentine consécutifs.

DE LA SUITE DANS LES IDÉES

Le capitaine de l'Uruguay champion du monde en 1930, **José Nasazzi**, est le seul à avoir été élu Meilleur joueur du tournoi à deux reprises. Le plus impressionnant est qu'il a réussi cet exploit à 12 ans d'intervalle, d'abord en 1923, puis en 1935. Vainqueur de l'épreuve en 1923, 1924, 1926 et 1935, Nasazzi a également brandi le titre olympique en 1924 et 1928.

LE JAPON EN DEUIL

Le Japon est le pays ayant disputé (en tant qu'invité) le plus petit nombre de rencontres en Copa America, avec ses trois matchs de l'édition 1999. Invités à nouveau pour l'édition 2011, les Japonais ont dû se désister suite au terrible tremblement de terre et au tsunami qui ont frappé leur pays quatre mois avant le match d'ouverture. C'est le Costa Rica qui les remplaça, pour le bonheur de leur grand espoir, l'attaquant **Joel Campbell,** qui s'est engagé avec Arsenal à la fin du tournoi.

BUTEURS EN PANNE

En moyenne de buts par match, la Copa America 2011 est la 2e édition la plus pauvre de l'histoire – 2,08 buts par match, pour un total de 54 en 26 matchs. Seule l'édition 1922, au Brésil, avait fait pire avec 22 buts en 11 rencontres. À des années-lumière du tournoi péruvien de 1927, qui avait vu les joueurs inscrire la bagatelle de 37 buts en 6 rencontres, soit 6,17 buts par match.

BOUILLANTS URUGUAYENS

Si le Brésil présente le plus mauvais bilan disciplinaire en Coupe du Monde, c'est l'Uruguay qui affiche ce statut peu enviable en Copa America. Les joueurs de la Celeste ont été exclus à 31 reprises, contre 24 fois pour les Péruviens, 23 pour les Argentins, 20 pour Brésiliens et Vénézuéliens, 17 pour les Chiliens, 13 pour Boliviens et Paraguayens, 9 pour les Colombiens, les Équatoriens et les Mexicains, et une seule fois pour les Costariciens, les Honduriens et les Japonais. Seuls les Américains ont réussi à terminer toutes leurs rencontres à onze. Cette piètre performance n'a toutefois pas empêché l'Uruguay de s'adjuger le prix du fair-play pour l'édition 2011. Le Vénézuélien Tomas Rincon, parvenant pour sa part à récolter deux cartons rouges directs pendant la compétition.

MARKARIAN SE DÉMARQUE

En conduisant ses joueurs à la 3e place de la Copa America 2011, le sélectionneur uruguayen du Pérou, **Sergio Markarian,** a fait presque aussi bien que son homologue de l'Uruguay, Oscar Washington Tabarez, qui l'avait entraîné en club, à Bella Vista, dans les années 1970. En finale, les hommes de Tabarez affrontèrent d'ailleurs de vieilles connaissances de Markarian : les Paraguayens, qu'il avait dirigés dans les années 1980, 1990 et 2000.

PARTIE 5 :
LA COUPE D'AFRIQUE DES NATIONS

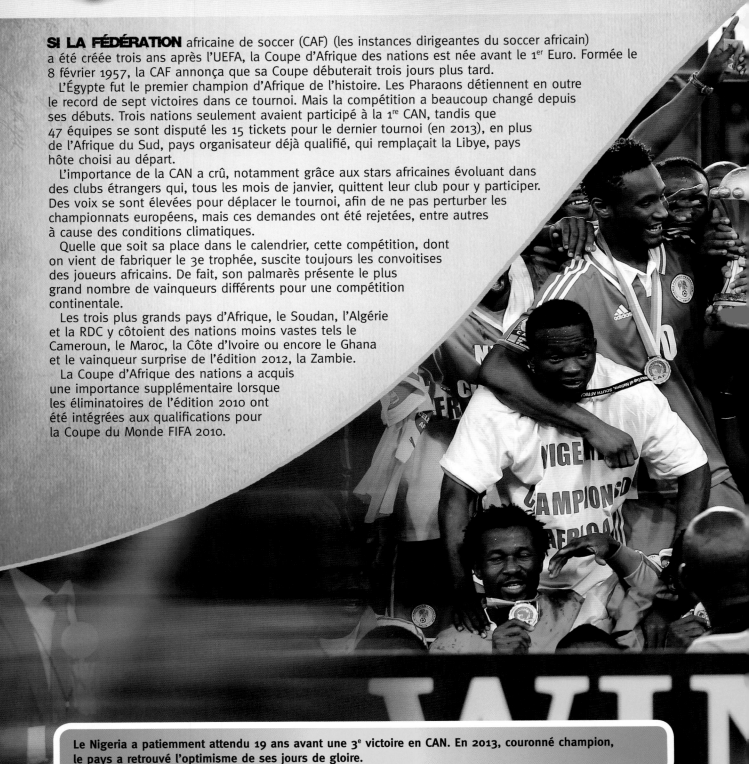

SI LA FÉDÉRATION africaine de soccer (CAF) (les instances dirigeantes du soccer africain) a été créée trois ans après l'UEFA, la Coupe d'Afrique des nations est née avant le 1er Euro. Formée le 8 février 1957, la CAF annonça que sa Coupe débuterait trois jours plus tard.

L'Égypte fut le premier champion d'Afrique de l'histoire. Les Pharaons détiennent en outre le record de sept victoires dans ce tournoi. Mais la compétition a beaucoup changé depuis ses débuts. Trois nations seulement avaient participé à la 1re CAN, tandis que 47 équipes se sont disputé les 15 tickets pour le dernier tournoi (en 2013), en plus de l'Afrique du Sud, pays organisateur déjà qualifié, qui remplaçait la Libye, pays hôte choisi au départ.

L'importance de la CAN a crû, notamment grâce aux stars africaines évoluant dans des clubs étrangers qui, tous les mois de janvier, quittent leur club pour y participer. Des voix se sont élevées pour déplacer le tournoi, afin de ne pas perturber les championnats européens, mais ces demandes ont été rejetées, entre autres à cause des conditions climatiques.

Quelle que soit sa place dans le calendrier, cette compétition, dont on vient de fabriquer le 3e trophée, suscite toujours les convoitises des joueurs africains. De fait, son palmarès présente le plus grand nombre de vainqueurs différents pour une compétition continentale.

Les trois plus grands pays d'Afrique, le Soudan, l'Algérie et la RDC y côtoient des nations moins vastes tels le Cameroun, le Maroc, la Côte d'Ivoire ou encore le Ghana et le vainqueur surprise de l'édition 2012, la Zambie.

La Coupe d'Afrique des nations a acquis une importance supplémentaire lorsque les éliminatoires de l'édition 2010 ont été intégrées aux qualifications pour la Coupe du Monde FIFA 2010.

Le Nigeria a patiemment attendu 19 ans avant une 3e victoire en CAN. En 2013, couronné champion, le pays a retrouvé l'optimisme de ses jours de gloire.

LA COUPE D'AFRIQUE DES NATIONS 2013

Le Nigeria s'est enfin montré à la hauteur de sa réputation au sein du soccer africain, en remportant la CAN en Afrique du Sud. Profitant de l'absence de l'Égypte et du Cameroun, le Nigeria a remporté son 3e titre (sur 29 compétitions depuis 1957). Quatre joueurs de l'équipe nigériane ont été sélectionnés dans l'équipe idéale du tournoi, Emmanuel Emenike a été l'un des meilleurs buteurs *ex-aequo* (avec 4 buts) et Stephen Keshi le 2e joueur vainqueur à la fois comme joueur et comme entraîneur.

DÉJÀ DE RETOUR ?

La CAN s'est de nouveau tenue en 2013, juste un an après l'édition précédente : ce calendrier a été établi pour que la compétition n'ait plus lieu la même année que la phase finale de la Coupe du Monde.

UN JEU PAS SÉRIEUX

En 2013, cinq cartons rouges ont été distribués lors de la CAN, même si l'un d'eux – celui de l'attaquant burkinabé Pitroipa – a été annulé par la suite. Un autre était destiné à l'un de ses coéquipiers, deux à des Éthiopiens et un à un Nigérian. Le gardien éthiopien **Sisay Bancha** a été expulsé au cours du match du 1er tour contre le Nigeria, pour deux cartons jaunes à trois minutes d'intervalle (82e et 85e minute). C'était la 2e expulsion de Bancha en six apparitions pour son pays.

ON EST MIEUX AU PAYS

Stephen Keshi a réussi à conserver son poste à la veille de la CAN 2013, devenant le 1er sélectionneur nigérian vainqueur de la CAN après l'avoir gagnée comme joueur. Keshi avait choisi six joueurs parmi les équipes de son pays – une première depuis plusieurs années. Ces joueurs locaux ont été renforcés par des stars évoluant en Europe comme **Jon Obi Mikel** et Victor Moses (Chelsea) ou Ikechukwu Uche (Villareal). Stephen Keshi s'est dispensé d'autres grands joueurs, comme Shola Ameobi (Newcastle United), Obafemi Martins (Levante) ou Peter Odemwingie (West Bromwich Albion).

L'ÉQUIPE IDÉALE 2013

Gardien	Vincent Enyeama (Nigeria)
Défens.	Bakary Kone (Burkina Faso)
Défens.	Nando (Cap Vert)
Défens.	Siaka Tene (Côte d'Ivoire)
Défens.	Efe Ambroke (Nigeria)
Milieu	Jonathan Pitroipa (Burkina Faso)
Milieu	Seydou Keita (Mali)
Milieu	John Obi Mikel (Nigeria)
Milieu	Victor Moses (Nigeria)
Attaq.	Asamoah Gyan (Ghana)
Attaq.	Emmanuel Emenike (Nigeria)

SANS BUT

Le Niger a été la seule équipe à rentrer de la CAN sans avoir marqué un seul but, mais du moins a-t-il échappé aux pires performances en défense : l'Éthiopie a concédé 7 buts en 3 matchs et le Mali 8 buts, mais en 6 matchs.

SI HAUT, SI MBA

En marquant le but de la victoire pour le Nigeria lors du quart de finale l'opposant à la Côte d'Ivoire, favorite à l'issue des qualifications, **Sunday Mba** est devenu le 1er joueur depuis 1990 à marquer en CAN tout en évoluant dans un club nigérian. Le dernier buteur jouant dans son pays était Emmanuel Okocha, en 1990. Mba, milieu des Warri Wolves, a encore amélioré cette performance en marquant le seul but de la finale contre le Burkina Faso, cinq minutes avant la mi-temps.

JEU DE PATIENCE

La CAN 2013 a mis un terme à la longue attente des deux finalistes. En 26 rencontres, le Burkina Faso n'avait jamais remporté un match de CAN joué à l'extérieur – en dehors de son passage en finale en tant que pays hôte, en 1998. Les vainqueurs nigérians de 2013 ont, eux, remporté le titre pour la 1re fois depuis 1994 (et la 3e fois en tout), malgré leur statut traditionnel de géant du soccer africain.

SEYDOU CHAMPION

Seydou Keita, deux fois vainqueur ······················ de la Ligue des Champions avec Barcelone, jouant ensuite dans une équipe chinoise, a remporté quatre titres de «Meilleur joueur du match», un record pour la CAN 2013.

DE STADE EN STADE

Le stade de Soccer City – tel était son nom pour le match d'ouverture et la finale de la Coupe du monde 2010 – a accueilli la finale de la CAN 2013. Entre-temps, ce stade de 85 000 places a repris son nom de FNB d'avant sa rénovation, celui de son sponsor d'origine. La compétition 2013 a attiré au total 729 000 spectateurs, soit en moyenne 22 781 personnes par match : un record pour un événement impliquant 16 équipes. Les quatre autres stades se trouvaient à Durban, à Port Elizabeth, à Nelspruit et à Rustenburg.

À FOND LA CONF'

Le triomphe du Nigeria l'a qualifié pour la Coupe des Confédérations 2013 au Brésil en tant que représentant de l'Afrique, au détriment de la Zambie. Les vainqueurs surprise de la CAN 2012 ont été sortis lors des éliminatoires 2013, après trois matchs nuls en trois rencontres disputées contre l'Éthiopie, le Niger et le Burkina Faso.

ACCLAMONS EMMANUEL

L'attaquant du Spartak de Moscou **Emmanuel Emenike** a rapporté ···· le titre de la CAN, mais aussi le Soulier d'or, grâce à ses quatre buts pour le Nigeria. Mubarak Wakaso, le milieu ghanéen des Espanyols, en a marqué autant, mais n'a pas réalisé de passes décisives, contrairement à Emenike, qui a permis à ses coéquipiers de marquer trois buts supplémentaires. Trois des buts de Wakaso avaient pour origine un penalty.

PRÊTS... TOGO !

L'équipe du Togo n'était même pas censée jouer la CAN 2013, car elle avait été disqualifiée pour avoir décidé de se retirer après l'attaque en 2010 de son bus par des rebelles en Angola, qui avait fait trois morts. Le Togo a fait appel de son exclusion – avec succès – et s'est qualifié pour l'Afrique du Sud. Son capitaine **Emmanuel Adebayor** était présent, malgré des problèmes personnels. L'attaquant de Tottenham a marqué un but contre l'Algérie, permettant à son équipe de passer pour la 1re fois le 1er tour de la CAN, pour perdre ensuite 1-0 contre le Burkina Faso en quart de finale.

STATISTIQUES 2013

Buts : **69 (2,16/match en moyenne)**
Penaltys sifflés : **15**
Penaltys transformés : **10**
Plus grand nombre de buts : **Nigeria, 11**
Plus petit nombre de buts : **Niger, 0**
Plus grand nombre de buts encaissés : **Éthiopie, 7**
Plus petit nombre de buts encaissés : **Zambie, 2**
Plus haut score : **Nigeria 4, Mali 1**
Plus grand nombre de buts marqués contre son camp : **Nando (Cap Vert), 1**
Buteur le plus âgé : **Didier Drogba (34 ans 324 jours, Côte d'Ivoire-Algérie)**
Buteur le plus jeune : **Ahmed Musa (20 ans 115 jours, Nigeria-Mali)**

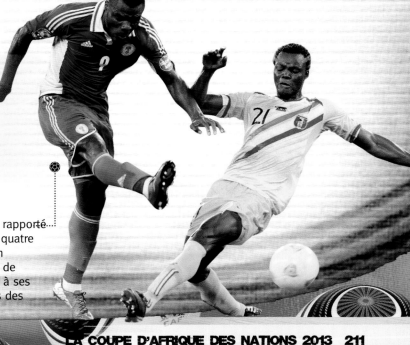

LA COUPE D'AFRIQUE DES NATIONS LES RECORDS COLLECTIFS

DUR POUR LES NERFS

La Côte d'Ivoire détient les deux records de tirs au but de l'histoire du soccer international. Elle bat le Ghana 11-10 (sur un total de 24 tirs) lors de la finale de la CAN 1992 et l'emporte sur le Cameroun 12-11 (sur 24 tirs aussi) dans le quart de finale de l'édition 2006.

LES RECORDS GHANÉENS

Les *Black Stars* du Ghana ont été la 1re équipe à atteindre les quarts de finale pour la 4e fois consécutive dans la Coupe d'Afrique des Nations, emportant le trophée en 1963, 1965, et terminant finalistes en 1968 et 1970. À ce jour, le Ghana a disputé huit finales, un record égalé seulement par l'Égypte. Autre point commun : les deux pays ont organisé ce tournoi quatre fois.

DE LA TRAGÉDIE AU TRIOMPHE

La victoire surprise de la Zambie lors de la CAN 2012 s'est déroulée à quelques centaines de mètres à peine du lieu d'une tragédie nationale. Les joueurs zambiens ont d'ailleurs, la veille de leur finale contre la Côte d'Ivoire, jeté des fleurs à la mer, en hommage aux 30 victimes d'une catastrophe aérienne survenue au large de Libreville le 27 avril 1993. Victimes parmi lesquelles figuraient 18 internationaux zambiens se rendant au Sénégal pour y disputer un match éliminatoire de Coupe du Monde. Le sélectionneur de la Zambie a dédié la victoire de ses hommes (0-0, 8 tirs au but à 7) aux victimes du crash. Le défenseur central Stoppila Sunzu a inscrit le tir au but décisif, après que l'Ivoirien Kolo Touré eut vu sa tentative détournée par Kennedy Mweene, et Gervinho rater le cadre. Les deux équipes disputaient leur 3e finale de CAN, les Ivoiriens ayant remporté celle de 1992 et échoué en 2006, tandis que les Zambiens avaient terminé 2e en 1974 et 1994. Le triomphe des Zambiens fut l'ultime surprise d'une édition riche en rebondissements : élimination au 1er tour du Sénégal, de l'Angola et du Maroc, et échec en éliminatoires de poids lourds tels que le Cameroun, le Nigeria et l'Afrique du Sud.

LE RÈGNE DES PHARAONS

La majorité des records de la CAN sont détenus par l'**Égypte**. Elle remporte le 1er tournoi de 1957, profitant de la disqualification de l'Afrique du Sud en demi-finale. Depuis, elle a été championne six fois. Lauréate en 2006, 2008 et 2010, elle est la seule à avoir brandi le trophée trois fois de suite. Elle détient aussi le record de 22 qualifications pour cette compétition, ayant disputé 84 matchs, 10 de plus que son dauphin au classement, le Nigeria. Dans le palmarès des victoires en CAN, l'Égypte occupe la 1re place avec 51 matchs, suivie par le Ghana et le Nigeria (46), le Cameroun (37) et la Côte d'Ivoire (36).

LES BAFANA BAFANA

La Coupe d'Afrique des Nations a été remportée par le pays organisateur 11 fois, dont 3 par l'Égypte et 2 par le Ghana. Mais, le plus surprenant triomphe d'un pays organisateur fut assurément celui de l'Afrique du Sud en 1996. Ce pays n'avait réintégré la communauté du soccer mondial que depuis quatre ans lorsque la transformation d'un penalty par Theophilus Khumalo lui donna la victoire face au Cameroun, le 7 juillet 1992. En février 1996, le remplaçant Mark Williams inscrivit les deux buts contre la Tunisie, marquant la victoire de l'Afrique du Sud dans la CAN – trophée soulevé par son capitaine **Neil Tovey** avant d'être offert au président Nelson Mandela, dans le stade Soccer City de Johannesburg. L'Afrique du Sud ne devait pas organiser la compétition ; elle a remplacé le Kenya qui n'a pu achever la construction de ses nouveaux stades et a dû se désister.

UNE GUINÉE SIX PUISSANTE

La Guinée a égalé le record de la plus large victoire en CAN en s'imposant 6-1 face au Botswana au 1er tour de l'édition 2012. Aucune des deux équipes ne parviendra hélas à s'extirper du Groupe D. La Guinée fut aussi la 3e équipe à inscrire 6 buts en phase finale, après l'Égypte (6-3 contre le Nigeria en 1963) et la Côte d'Ivoire (6-1 contre l'Éthiopie en 1970). L'autre détenteur du record de la plus large victoire est la Côte d'Ivoire, victorieuse 5-0 de… la Guinée en 2008.

L'ENTRÉE DE LA GUINÉE ÉQUATORIALE

La Guinée Équatoriale a participé à sa 1re phase finale de CAN en 2012, édition qu'elle co-organisait avec le Gabon. Elle n'avait jamais réussi à se qualifier jusque-là, contrairement au Gabon, présent à quatre reprises. Le Botswana et le Niger furent les autres nouveaux venus de la CAN 2012. Le match d'ouverture du tournoi se déroula à Bata (Guinée Équatoriale), tandis que la finale eut lieu à Libreville, au Gabon. Cette CAN fut seulement la 2e à être organisée par deux nations, après celle de 2000 au Ghana et au Nigeria. La Libye devait accueillir sa 2e compétition en 2013, jusqu'à ce que la situation politique du pays n'incite les organisateurs à se tourner vers l'Afrique du Sud – alors même que le Nigeria avait été désigné 1er remplaçant. Le Maroc organisera sa 2e CAN en 2015, tandis que la Libye est à nouveau en lice pour 2017.

TITRES (COUPE D'AFRIQUE DES NATIONS)

7 Égypte (1957, 1959, 1986, 1998, 2006, 2008, 2010)
4 Ghana (1963, 1965, 1978, 1982)
  Cameroun (1984, 1988, 2000, 2002)
3 Nigeria (1980, 1994, 2013)
2 Zaïre/RD Congo (1968, 1974)
1 Côte d'Ivoire (1992)
  Zambie (2012)
  Soudan (1970)
  Tunisie (2004)
  Algérie (1990)
  Éthiopie (1962)
  Maroc (1976)
  Afrique du Sud (1996)
  Congo (1972)

PARTICIPATIONS À LA CAN

22 Égypte
20 Côte d'Ivoire
19 Ghana
17 Nigeria
16 Cameroun, RDC (anc. Zaïre), Tunisie, Zambie
15 Algérie, Maroc
12 Sénégal
10 Éthiopie, Guinée
9 Burkina Faso
8 Mali, Afrique du Sud, Soudan, Togo
7 Angola
6 Congo
5 Gabon, Kenya, Ouganda
4 Mozambique
3 Bénin, Libye
2 Liberia, Malawi, Namibie, Niger, Sierra Leone, Zimbabwe
1 Botswana, Cap-Vert, Guinée Équatoriale, Maurice, Rwanda, Tanzanie

UNE REMONTÉE SPECTACULAIRE

L'**Angola**, pays organisateur de la Coupe d'Afrique des Nations 2010, est le protagoniste de la défaite la plus dramatique de l'histoire de cette épreuve. Il menait 4-0 à 11 minutes de la fin du match d'ouverture contre le Mali, à domicile, dans l'Estadio 11-de-Novembro de Luanda. Mais les Maliens parvinrent à marquer 4 buts, les 2 derniers pendant les arrêts de jeu par Seydou Keita et Mustapha Yatabaré. Malgré cette remontée spectaculaire, le Mali ne se qualifia pas pour le tour suivant alors que l'Angola ne s'inclina qu'en quart de finale.

CAP MAGIQUE

En 2013, le Cap-Vert a été le seul pays à faire ses débuts en CAN. Les nouveaux venus, que l'on n'attendait guère après le 1er tour, se sont pourtant qualifiés pour les quarts de finale, qu'ils ont perdu 2-0 contre le Ghana, habitué du tournoi. Le 1er but du Cap-Vert en phase finale a été marqué par **Luis Carlos Almada Soares** lors du match d'ouverture (1-1 contre le Maroc). Ce joueur, qui a grandi à Paris, est plus connu sous son surnom de « Platini ».

YO, YOBO

Joseph Yobo, le légendaire Nigérian – après Marseille et Everton, il évolue au club turc de Fenerbahce – a soulevé des acclamations lors des dernières minutes de la victoire contre le Burkina Faso, pour sa 6e CAN. Yobo a ensuite eu l'honneur, en tant que capitaine, de recevoir le trophée. Le record du plus grand nombre de victoires en CAN reste au Camerounais Rigobert Song – en 1996, 1998, 2000, 2002, 2004, 2006, 2008 et 2010, dont une série inégalée de 35 matchs d'affilée. Le gardien de but ivoirien Alain Gouamene a également disputé sept tournois, de 1988 à 2000.

DES HAUTS ET DES BAS

Le meilleur buteur en phase finale de la Coupe d'Afrique des Nations est le Zaïrois Ndaye Mulamba, auteur de neuf réalisations lors de l'édition 1974. Trois mois plus tard, à la Coupe du Monde RFA 74, l'attaquant a écopé d'un carton rouge lors de la défaite 9-0 des siens face à la Yougoslavie.

UN TALENT PRÉCOCE

Le Gabonais Shiva Star N'Zigou a été le plus jeune à participer à la CAN en affrontant l'Afrique du Sud en janvier 2000, à 16 ans et 3 mois. Le Gabon a perdu 3-1 et terminé dernier du groupe B sans avoir gagné un seul match.

DES BUTS À LA PELLE

L'Ivoirien Laurent Pokou détient le record de 5 buts marqués au cours d'un match de la Coupe d'Afrique des Nations 1968, alors que son équipe a finalement écrasé l'Éthiopie 6-1. Il a terminé la compétition en tête des buteurs de cette édition et de la suivante – son équipe n'a, cependant, pas remporté le tournoi. Seul le Camerounais Samuel Eto'o a fait mieux depuis, avec 18 réalisations.

OUVERTURE DU SCORE

Le 1er but marqué dans la 1re Coupe d'Afrique des Nations est un penalty transformé à la 21e minute par l'Égyptien Raafat Ateya, lors de la demi-finale Égypte-Soudan en 1957. Mohamed Diab El-Attar prend le relais et marque le second but égyptien, mais il est aussi l'auteur des 4 buts marqués en finale contre l'Éthiopie.

LES BUTEURS DE LA CAN

Année	Buteur	Buts
1957	Mohamed Diab El-Attar (Égypte)	5
1959	Mahmoud Al-Gohari (Égypte)	3
1962	Abdelfatah Badawi (Égypte)	
	Mengistu Worku (Éthiopie)	3
1963	Hassan El-Shazly (Égypte)	6
1965	Ben Acheampong (Ghana)	
	Kofi Osei (Ghana)	
	Eustache Manglé (Côte d'Ivoire)	3
1968	Laurent Pokou (Côte d'Ivoire)	6
1970	Laurent Pokou (Côte d'Ivoire)	8
1972	Salif Keita (Mali)	5
1974	Mulamba Ndaye (Zaïre)	9
1976	Keita Aliou Mamadou (N'Jo Lea') (Guinée)	4
1978	Opoku Afriyie (Ghana)	
	Segun Odegbami (Nigeria)	
	Philip Omondi (Ouganda)	3
1980	Khaled Al Abyad Labied (Maroc)	
	Segun Odegbami (Nigeria)	3
1982	George Alhassan (Ghana)	4
1984	Taher Abouzaid (Égypte)	4
1986	Roger Milla (Cameroun)	4
1988	Gamal Abdelhamid (Égypte)	
	Lakhdar Belloumi (Algérie)	
	Roger Milla (Cameroun)	
	Abdoulaye Traoré (Côte d'Ivoire)	2
1990	Djamel Menad (Algérie)	4
1992	Rashidi Yekini (Nigeria)	4
1994	Rashidi Yekini (Nigeria)	5
1996	Kalusha Bwalya (Zambie)	
	Mark Williams (Afrique du Sud)	5
1998	Hossam Hassan (Égypte)	
	Benni McCarthy (Afrique du Sud)	7
2000	Shaun Bartlett (Afrique du Sud)	5
2002	Julius Aghahowa (Nigeria)	
	Patrick Mboma (Cameroun)	
	Salomon Olembé (Cameroun)	5
2004	Francileudo Santos (Tunisie)	
	Frédéric Kanouté (Mali)	
	Patrick Mboma (Cameroun)	
	Youssef Mokhtari (Maroc)	
	Jay-Jay Okocha (Nigeria)	4
2006	Samuel Eto'o (Cameroun)	5
2008	Samuel Eto'o (Cameroun)	5
2010	Mohamed Nagy (Gedo) (Égypte)	5
2012	Pierre-Emerick Aubameyang (Gabon), Cheick Diabate (Mali), Didier Drogba (Côte d'Ivoire), Christopher Katongo (Zambie), Houssine Kharja (Maroc), Manucho (Tunisie), Emmanuel Mayuka (Zambie)	3
2013	Emmanuel Emenike (Nigeria), Mubarak Wakaso (Ghana)	4

KATONGO, C'EST DU COSTAUD

Non content de soulever le trophée de la CAN 2012, l'attaquant et capitaine zambien **Christopher Katongo** a également remporté le trophée du Meilleur joueur du tournoi. Évoluant en Chine, au sein du club de Henan Construction, Katongo a converti le 1er tir au but de la séance qui a décidé du vainqueur en finale. Son frère cadet Felix, entré en jeu à la 74e minute, l'a ensuite imité. Milieu de terrain du club libyen d'Al-Ittihad, Felix Katongo avait été rapatrié par les autorités zambiennes au début de la guerre civile qui ravagea le pays. Enfin, c'est un autre Zambien qui a reçu le Soulier d'or : Emmanuel Mayuka, auteur de 3 buts, tout comme 6 autres joueurs : son coéquipier Christopher Katongo, le Gabonais Pierre-Emerick Aubameyang, le Malien Cheick Diabate, l'Ivoirien Didier Drogba, le Marocain Houssine Kharja et l'Angolais Manucho.

TROIS COURONNEMENTS POUR ETO'O

Le Camerounais **Samuel Eto'o,** qui a fait ses débuts internationaux au Costa Rica, le 9 mars 1997, la veille de ses 16 ans, détient le record de buts marqués en Coupe d'Afrique des Nations. Il a fait partie des équipes camerounaises victorieuses en 2000 et en 2002, mais a dû attendre 2008 pour battre le record de 14 buts de Laurent Pokou (avec 16 buts). Deux ans plus tard, l'ancien avant-centre du Real Madrid, de Barcelone et de l'Inter de Milan, actuellement au FK Anji Makhachkala en Russie, a établi un nouveau record à 18 buts. En 2005, Eto'o devient le premier joueur élu trois années de suite Joueur africain de l'année.
Il a aussi remporté les JO avec le Cameroun en 2000 et la Ligue des Champions à trois reprises avec Barcelone en 2006, 2009 (il a marqué dans les deux finales) et l'Inter de Milan en 2010.

SURSIS POUR PITROIPA

L'attaquant **Jonathan Pitroipa** a été élu meilleur joueur de la CAN 2013, bien que son équipe du Burkina Faso ait perdu contre le Nigeria en finale. Pitroipa n'a pu participer à ce match que grâce à un sursis : le joueur avait en effet reçu un carton rouge lors de la victoire en demi-finale face au Ghana. Son 2e carton jaune – pour simulation, à la 117e minute – a été jugé trop sévère en appel. Pitroipa, qui joue en club au Stade Rennais, a marqué le but vainqueur du Burkina contre le Togo en quart de finale, lors des prolongations.

BUTS (COUPE D'AFRIQUE DES NATIONS)

1	Samuel Eto'o (Cameroun)	18
2	Laurent Pokou (Côte d'Ivoire)	14
3	Rashidi Yekini (Nigeria)	13
4	Hassan El-Shazly (Égypte)	12
5	Didier Drogba (Côte d'Ivoire)	10
=	Hossam Hassan (Égypte)	11
=	Patrick Mboma (Cameroun)	11
8	Kalusha Bwalya (Zambie)	10
=	Ndaye Mulamba (Zaïre)	10
=	Francileudo Santos (Tunisie)	10
=	Joel Tiehi (Côte d'Ivoire)	10
=	Mengistu Worku (Éthiopie)	10

HASSAN BAT DES RECORDS

L'Égyptien **Ahmed Hassan** a été le premier joueur à participer à la finale de quatre éditions de la Coupe d'Afrique des Nations, mais aussi à remporter quatre médailles d'or. Sa participation aux quarts de finale de l'édition 2010 contre le Cameroun a constitué sa 170e sélection, un nouveau record pour l'Égypte. Hassan a marqué 3 buts : un contre son camp et deux contre Carlos Kameni, le gardien camerounais – même si l'un des deux ne semble pas avoir franchi la ligne.

LA COUPE D'AFRIQUE DES NATIONS
LES AUTRES RECORDS

LES FINALES DE LA CAN

1957	(Soudan)	Égypte/Éthiopie 4-0
1959	(Égypte)	Égypte/Soudan 2-1
1962	(Éthiopie)	Éthiopie/Égypte 4-2 (après prolongations)
1963	(Ghana)	Ghana/Soudan 3-0
1965	(Tunisie)	Ghana/Tunisie 3-2 (après prolongations)
1968	(Éthiopie)	RD Congo (Zaïre)/Ghana 1-0
1970	(Soudan)	Soudan/Ghana 1-0
1972	(Cameroun)	Congo/Mali 3-2
1974	(Égypte)	RD Congo (Zaïre)/Zambie 2-2 (match rejoué: 2-0)
1976	(Éthiopie)	Maroc/Guinée 1-1 – le Maroc l'emporte car le deuxième tour s'est déroulé sous forme de championnat
1978	(Ghana)	Ghana/Ouganda 2-0
1980	(Nigeria)	Nigeria/Algérie 3-0
1982	(Libye)	Ghana/Libye 1-1 (Le Ghana l'emporte 7 tirs au but à 6)
1984	(Côte d'Ivoire)	Cameroun/Nigeria 3-1
1986	(Égypte)	Égypte/Cameroun 0-0 (L'Égypte l'emporte 5 tirs au but à 4)
1988	(Maroc)	Cameroun/Nigeria 1-0
1990	(Algérie)	Algérie/Nigeria 1-0
1992	(Sénégal)	Côte d'Ivoire/Ghana 0-0 (La Côte-d'Ivoire l'emporte 11 tirs au but à 10)
1994	(Tunisie)	Nigeria/Zambie 2-1
1996	(Afrique du Sud)	Afrique du Sud/Tunisie 2-0
1998	(Burkina Faso)	Égypte/Afrique du Sud 2-0
2000	(Ghana et Nigeria)	Cameroun/Nigeria 2-2 (Le Cameroun l'emporte 4 tirs au but à 3)
2002	(Mali)	Cameroun/Sénégal 0-0 (Le Cameroun l'emporte 3 tirs au but à 2)
2004	(Tunisie)	Tunisie/Maroc 2-1
2006	(Égypte)	Égypte/Côte d'Ivoire 0-0 (L'Égypte l'emporte 4 tirs au but à 2)
2008	(Ghana)	Égypte/Cameroun 1-0
2010	(Angola)	Égypte/Ghana 1-0
2012	(Gabon & Guinée Équatoriale)	Zambie/Côte d'Ivoire 0-0 (La Zambie l'emporte 8 tirs au but à 7)
2013	(Afrique du Sud)	Nigeria/Burkina Faso 1-0

RENARD, CE SEIGNEUR

Sélectionneur des champions zambiens de la CAN 2012, **Hervé Renard** honorait son 2e mandat après celui de 2008-2010, dont il avait démissionné après un quart de finale de CAN perdu, pour s'engager avec l'Angola. Son retour aux affaires en octobre 2011 fit donc grincer des dents… jusqu'au sacre final. À la fin de la séance de tirs au but, Renard porta lui-même sur le terrain le défenseur Joseph Musonda, blessé et sorti après 10 minutes de jeu. Il remit sa médaille de vainqueur à Kalusha Bwalya, l'un des plus grands joueurs zambiens. Bwalya avait échappé à la catastrophe aérienne de 1993 (qui avait coûté la vie à 18 internationaux zambiens), car il avait été retenu par son club, le PSV Eindhoven. Un temps sélectionneur de son pays, Bwalya présidait la fédération zambienne lors du triomphe de 2012.

APARTHEID EXCLU

En février 1957, l'Afrique du Sud fut disqualifiée de la 1re édition de la Coupe d'Afrique des Nations, pour avoir refusé d'aligner une équipe multiraciale.

LE «PAPI»

En 2010, le héros de l'équipe d'Égypte est Mohamed Nagy, dit Gedo («grand-père» en arabe). Il a marqué l'unique but de la finale contre le Ghana, son 5e du tournoi et a été récompensé par le Soulier d'or. Il a réalisé ces exploits sans être titulaire au début d'une partie. De fait, il a été remplaçant dans les 6 matchs, jouant 135 minutes au total. Né à Damanhur le 3 octobre 1984, Nagy n'avait fait ses débuts internationaux que deux mois plus tôt et participé qu'à deux matchs amicaux avant d'entamer la compétition.

LA TRAGÉDIE DU TOGO

Le Togo a été victime d'une tragédie peu avant le début de la CAN 2010, puis a été exclu de la compétition. Le bus de l'équipe a été mitraillé par des opposants angolais trois jours avant le premier match du Togo: l'assistant de l'entraîneur, le responsable de la communication et le chauffeur du bus ont été tués. L'équipe est rentrée au Togo pour les trois jours de deuil national qui ont été déclarés et a été exclue pour avoir été forfait lors de son 1er match contre le Ghana. Le Togo avait aussi été exclu des éditions 2012 et 2014, mais cette sanction a été levée en appel en mai 2010.

DES RENCONTRES ÉCOURTÉES

Attention, si vous regardez un match entre le Nigeria et la Tunisie, le spectacle ne durera peut-être pas 90 minutes. En match éliminatoire de la CAN 1978 que le Nigeria a terminée 3e, la Tunisie a abandonné la partie après 42 minutes alors que le score était de 1 partout. Elle protestait ainsi contre certaines décisions de l'arbitre, mais ne réussit qu'à donner la victoire sur le tapis vert au Nigeria 2-0. Seize ans plus tôt, c'est le Nigeria qui avait quitté le terrain lors du match retour de l'édition de 1962, alors que la Tunisie venait d'égaliser à la 65e minute. Le match fut donné à la Tunisie par 2-0, lui assurant la victoire sur les deux matchs (match aller: 2-1 pour le Nigeria).

LE BIG BOSS ET LE PHARAON

Stephen Keshi – surnommé « Big Boss » par ses fans – est devenu le 2e joueur à remporter la CAN comme joueur et comme sélectionneur, en menant le Nigeria à la victoire en 2013. Il a remporté la coupe en 1994 comme capitaine. L'Association du soccer nigérian, longtemps empêtrée dans des problèmes de corruption, avait soutenu Keshi presque à contrecœur. Il était leur 19e sélectionneur en 19 ans. Avant lui, le seul à avoir remporté la CAN comme joueur puis comme entraîneur était l'Égyptien Mahmoud Al-Gohary, meilleur buteur en 1959 et sélectionneur 39 ans plus tard. **Hassan Shehata,** attaquant égyptien en 1970 (son pays avait fini 3e), a par la suite établi un record en entraînant trois fois son équipe vers la victoire dans la CAN (2006, 2008, 2010).

LE SOUDAN DEVANT LE PETIT ÉCRAN

La Coupe d'Afrique des Nations au Soudan, en 1970, est la 1re à bénéficier d'une couverture télévisée. Le Ghana y atteint la finale pour la 4e fois d'affilée, établissant un nouveau record, avant de s'incliner 1-0 contre l'équipe locale.

DES ENTRAÎNEURS GAGNANTS

1988	Claude Le Roy (Cameroun)
1990	Abdelhamid Kermali (Algérie)
1992	Yeo Martial (Côte d'Ivoire)
1994	Clemens Westerhof (Nigeria)
1996	Clive Barker (Afrique du Sud)
1998	Mahmoud El-Gohary (Égypte)
2000	Pierre Lechantre (Cameroun)
2002	Winfried Schafer (Cameroun)
2004	Roger Lemerre (Tunisie)
2006	Hassan Shehata (Égypte)
2008	Hassan Shehata (Égypte)
2010	Hassan Shehata (Égypte)
2012	Hervé Renard (Zambie)
2013	Stephen Keshi (Nigeria)

DÉFAITE INTERDITE

En 1980, le dirigeant militaire du Liberia Samuel Doe menaça d'emprisonner les joueurs de l'équipe nationale en cas de défaite face à la Gambie, lors d'un match qualificatif à la fois pour la CAN et pour la Coupe du Monde. Avec un nul 0-0, les internationaux ont réussi à échapper à la prison, mais le Liberia ne se qualifia pour aucune coupe.

UNE GAFFE COLOSSALE

Les absences du Cameroun, du Nigeria et des champions en titre égyptiens avaient de quoi surprendre au départ de la CAN 2012. Mais l'échec le plus humiliant en éliminatoires revint à l'**Afrique du Sud.** Auteurs d'un match nul 0-0 contre la Sierra Leone pour leur dernier match qualificatif, les Bafana Bafana croyaient être qualifiés au bénéfice de la différence de buts dans leur groupe. Au coup de sifflet final, ils célébraient déjà leur qualification sur le terrain. Or c'est le Niger qui avait décroché son ticket pour la phase finale, au bénéfice des rencontres particulières Niger-Afrique du Sud. Le sélectionneur sud-africain Pisto Mosimane reconnut par la suite avoir mal interprété le règlement en incitant ses joueurs à jouer le nul. La fédération sud-africaine interjeta appel, au motif que la qualification devait se jouer selon elle à la différence de buts... mais elle abandonna très vite la procédure.

LE DOUBLÉ MANQUÉ

Stephen Keshi n'était pas le seul entraîneur de la CAN 2013 à espérer devenir le 2e vainqueur en tant que joueur et entraîneur. James Kwesi Appiah, entraîneur du Ghana, son pays d'origine, avait remporté la Coupe en 1982 – date du dernier titre continental obtenu par le Ghana. Cette fois-ci, pourtant, le Ghana a perdu en demi-finale contre le Burkina Faso, aux tirs au but.

PARTIE 6 : LES AUTRES COMPÉTITIONS DE LA FIFA

ON ESTIME à environ trois milliards le nombre de personnes qui, de près ou de loin, s'occupent de soccer. Tant de passion et d'ambitions ne pouvait que donner lieu à la création de nouvelles épreuves. La valeur de toutes ces compétitions de la FIFA tient aussi à ce que leur organisation est décentralisée dans chaque région – que ce soit en Afrique, en Europe ou en Océanie.

Cela permet de rapprocher des compétitions mondiales du niveau local. D'autant qu'avec la multiplication des concepts originaux, les nations sont de plus en plus nombreuses à pouvoir accueillir un tournoi, comme la Coupe du Monde féminine des moins de 17 ans, prévue pour l'automne 2012 en Azerbaïdjan – l'un des petits nouveaux dans la grande famille de la FIFA. Ce genre d'événement encourage et rend hommage au travail de milliers d'amateurs enthousiastes. Les confédérations régionales organisent également des tournois internationaux pour plusieurs catégories d'âge.

En 1977, la FIFA a renforcé son programme de développement, avec le lancement de la Coupe du Monde junior. Lors de la première finale, en Tunisie, l'URSS a battu le Mexique. Huit ans plus tard, la FIFA a lancé la Coupe du Monde des moins de 17 ans. Parallèlement, le soccer olympique est devenu une compétition réservée aux moins de 23 ans, avec une tolérance de 3 joueurs dépassant cette limite d'âge. En 2000, la FIFA a créé la Coupe du Monde des clubs seniors. Ces événements ont encouragé les confédérations régionales à organiser des compétitions parallèles, afin que leurs équipes puissent se mesurer aux meilleurs mondiaux.

Le capitaine des Corinthians, Alessandro, brandit la Coupe du Monde des clubs après la victoire 1-0 des Brésiliens contre les champions européens de Chelsea lors de la finale de 2012, mettant ainsi fin à cinq ans de suprématie européenne.

LA COUPE DU MONDE
DES MOINS DE 20 ANS

Organisée pour la 1re fois en 1977 en Tunisie et jusqu'en 2005 sous le nom de Championnat du Monde espoirs, la Coupe du Monde des moins de 20 ans est le rendez-vous mondial des jeunes joueurs. Cette compétition bisannuelle a donné lieu à des rencontres exceptionnelles, notamment de la part de l'Argentine, six fois vainqueur de l'épreuve.

RECORDS À LA PELLE

En 2011, c'est au total 1 309 929 spectateurs qui ont assisté aux 52 matchs répartis dans 8 villes de Colombie (soit une moyenne de 25 191 spectateurs par rencontre). Deux ans plus tôt, en Égypte, ce chiffre avait été de 1 295 299. L'édition de 1983 au Mexique décroche toutefois le pompon avec une moyenne de 36 099 spectateurs pour 32 matchs. 167 buts ont été marqués lors du tournoi de 2009 (encore un record), soit 2 de plus qu'en Malaisie 12 ans plus tôt, pour une moyenne de 3,17 buts par match en Malaisie contre 3,21 en Égypte. Les pauvres Tahitiens n'y ont pas peu contribué, à ces 3,21 buts de moyenne, eux qui ont encaissé 21 buts en 3 matchs de groupe sans en marquer un seul...

YOURI BIEN QUI RIRA LE DERNIER

En 1977, la 1re édition de la Coupe du Monde des moins de 20 ans a été remportée par l'URSS, victorieuse 9-8 du Mexique aux tirs au but (2-2 après les prolongations). Le héros était le gardien remplaçant Youri Sivuha, qui a relayé Aleksandre Novikov en prolongations. C'est le seul succès soviétique dans cette épreuve, même si l'attaquant **Oleg Salenko**, futur Soulier d'or en 1994, allait dominer le classement des buteurs en 1989, avec cinq réalisations. Celui-ci a été imité deux ans plus tard par son compatriote Sergueï Sherbakov (5 buts), qui a connu une carrière internationale malheureuse. Après 2 capes avec l'équipe d'Ukraine, il a eu un accident qui l'a privé de l'usage de ses jambes.

TRIPLE SUCCÈS POUR ADIYIAH

Le Ghana a été le 1er pays africain à remporter le trophée en battant le Brésil lors de la finale 2009 – bien qu'ayant joué à 10 pendant 83 minutes, après l'expulsion de Daniel Addo. La finale s'est terminée sur un score vierge; c'est l'un des deux seuls matchs au cours desquels **Dominic Adiyiah** n'a pas marqué. Il est le meilleur buteur de la compétition avec 8 buts; il a aussi reçu le Soulier d'or. Ces succès ont été suivis de son transfert de l'équipe norvégienne de Fredrikstad à celle de l'AC Milan. Le Ballon d'argent est revenu au Brésilien Alex Teixeira, même si c'est son tir manqué aux tirs au but qui a donné la victoire au Ghana.

ET LA LUMIÈRE FUT

En 1991, avec la célèbre «génération dorée» qui comprenait des joueurs comme Luis Figo, Rui Costa, Joao Pinto, Abel Xavier et Jorge Costa, le Portugal a été le 1er pays à emporter la Coupe à domicile. Sur le banc, on retrouvait un certain Carlos Queiroz, qui deviendrait plus tard sélectionneur des seniors lusitaniens, entraîneur du Real Madrid et entraîneur adjoint de Manchester United. La finale, remportée aux tirs au but face au Brésil, a eu lieu dans le légendaire Estadio da Luz de Lisbonne, antre de Benfica. En 2001, l'Argentine est venue allonger la liste des organisateurs vainqueurs.

SAVIOLA SAVOURA

Avec 11 buts en 7 matchs lors de l'édition 2001, **Javier Saviola** est le meilleur buteur de l'épreuve. Cette année-là, l'Argentine a pris le meilleur 3-0 sur le Ghana en finale, grâce à un triplé du « Conejito ». Né le 11 décembre 1981 à Buenos Aires, Saviola a joué à River Plate avant de rejoindre le FC Barcelone pour 23,5 millions de dollars, puis le Real Madrid mais avec un temps de jeu limité. En mars 2004, lorsque Pelé a dévoilé sa liste des 125 « meilleurs joueurs vivants », Saviola était le plus jeune membre de ce prestigieux contingent.

OSCAR LA STAR

Un seul joueur a inscrit un *hat-trick* en finale de la Coupe du Monde des moins de 20 ans : le milieu de terrain brésilien Oscar, lors de la victoire 3-2 des siens contre le Portugal, dans la finale d'août 2011. C'étaient ses trois premiers buts dans le tournoi ! Une performance suivie de sa 1re sélection chez les A le mois suivant contre l'Argentine. Le Soulier d'or alla par ailleurs à son coéquipier Henrique, auteur de 5 buts lors des 6 matchs précédents (dont le 200e but de l'histoire du tournoi, lors d'un 3-0 contre l'Autriche en match de groupe).

CAPITAINES POUR LA VIE

Deux joueurs ont brandi la Coupe du Monde des moins de 20 ans et la Coupe du Monde en tant que capitaines : le Brésilien Dunga (en 1983 et 1994) et l'Argentin Diego Maradona (en 1979 et 1986). Nombre d'observateurs voyaient Maradona participer à la Coupe du Monde 1978, mais César Luis Menotti ne l'a pas retenu. Qu'à cela ne tienne, il a été élu Meilleur joueur de l'épreuve des moins de 20 ans au Japon.

ORGANISATEURS ET RÉSULTATS FINAUX

1977	(pays organisateur : Tunisie) URSS 2 Mexique 3 (a.p. : l'URSS l'emporte 9-8 aux t.a.b.)
1979	(Japon) Argentine 3 URSS 1
1981	(Australie) RFA 4 Qatar 0
1983	(Mexique) Brésil 1 Argentine 0
1985	(URSS) Brésil 1 Espagne 0 (a.p.)
1987	(Chili) Yougoslavie 1 RFA 1 (a.p. : la Yougoslavie l'emporte 5-4 aux t.a.b.)
1989	(Arabie saoudite) Portugal 2 Nigeria 0
1991	(Portugal) Portugal 0 Brésil 0 (a.p. : le Portugal l'emporte 4-2 aux t.a.b.)
1993	(Australie) Brésil 2 Ghana 1
1995	(Qatar) Argentine 2 Brésil 0
1997	(Malaisie) Argentine 2 Uruguay 1
1999	(Nigeria) Espagne 4 Japon 0
2001	(Argentine) Argentine 3 Ghana 0
2003	(Émirats Arabes Unis) Brésil 1 Espagne 0
2005	(Pays-Bas) Argentine 2 Nigeria 0
2007	(Canada) Argentine 2 République tchèque 1
2009	(Égypte) Ghana 0 Brésil 0 (a.p. : le Ghana l'emporte 4-3 aux t.a.b.)
2011	(Colombie) Brésil 3 Portugal 2 (a.p.)

MAIS OUI MESSI !

Auteur de 2 buts sur penalty en finale, l'Argentin Lionel Messi a crevé l'écran en 2005. Soulier d'or et Ballon d'or de la compétition, distinctions qui récompensent le meilleur buteur et le meilleur joueur, le lutin gaucher a emmené les siens au titre mondial. Ce triplé a été imité deux ans plus tard par son compatriote Sergio Aguero, qui a ouvert le score en finale contre la République tchèque, avant que Mauro Zarate ne scelle la marque en fin de rencontre. Quatre autres joueurs ont remporté le Soulier d'or et le Ballon d'or (désigné par les journalistes) : le Brésilien Geovani en 1983, l'Argentin Javier Saviola en 2001, le Ghanéen Dominic Adiyiah en 2009 et le Brésilien Henrique, en 2011.

MEILLEURS BUTEURS PAR ÉDITION

1977	Guina (Brésil)	4
1979	Ramon Diaz (Argentine)	8
1981	Ralf Loose (RFA), Roland Wohlfarth (RFA), Taher Amer (Égypte), Mark Koussas (Australie)	4
1983	Geovani (Brésil)	6
1985	Gerson (Brésil), Balalo (Brésil), Muller (Brésil), Alberto Garcia Aspe (Mexique), Monday Odiaka (Nigeria), Fernando Gomez (Espagne), Sebastian Losada (Espagne)	3
1987	Marcel Witeczek (RFA)	7
1989	Oleg Salenko (URSS)	5
1991	Sergueï Sherbakov (URSS)	5
1993	Ante Milicic (Australie), Adriano (Brésil), Gian (Brésil), Henry Zambrano (Colombie), Vicente Nieto (Mexique), Chris Faklaris (États-Unis)	3
1995	Joseba Etxeberria (Espagne)	7
1997	Adailton Martins Bolzan (Brésil)	10
1999	Mahamadou Dissa (Mali), Pablo (Espagne)	5
2001	Javier Saviola (Argentine)	11
2003	Fernando Cavenaghi (Argentine), Dudu (Brésil), Daisuke Sakata (Japon), Eddie Johnson (États-Unis)	4
2005	Lionel Messi (Argentine)	6
2007	Sergio Agüero (Argentine)	7
2009	Dominic Adiyiah (Ghana)	8
2011	Henrique (Brésil)	5

LE TOUR DES TURCS

En 2013, c'est la Turquie qui accueille la compétition – sa première dans le cadre de la FIFA. La Turk Telecom Arena d'Istanbul, avec ses 52 000 places, a été choisie pour la finale de juin 2013. La Turquie a été préférée aux Émirats arabes unis et à l'Ouzbékistan. Le Pérou, la Tunisie et le Pays de Galles n'ont pas eu plus de chance pour la Coupe de 2015, qui aura lieu en Nouvelle-Zélande.

LA COUPE DU MONDE
DES MOINS DE 17 ANS

Après une 1re édition organisée en Chine en 1985, sous le nom de Championnat du Monde des moins de 16 ans de la FIFA, l'âge limite a été porté à 17 ans en 1991. Rebaptisée Coupe du Monde des moins de 17 ans en 2007, cette compétition bisannuelle se déroulera en 2009 chez le tenant du titre nigérian, pays le plus titré (3) avec le Brésil.

LE NIGERIA OUVRE LA VOIE

L'équipe des moins de 16 ans du Nigeria, les « Golden Eaglets », est devenue la 1re équipe africaine à remporter une compétition de la FIFA. Elle a conquis en 1985 la Coupe du Monde des moins de 16 ans. En finale, contre l'Allemagne de l'Ouest, c'est Jonathan Akpoborie qui a ouvert le score, ce qui ne l'a pas empêché d'évoluer plus tard outre-Rhin, à Stuttgart et Wolfsburg.

PETIT SOULIER

Sani Emmanuel peut se targuer d'être le meilleur buteur et le meilleur joueur désigné après son match avec le Nigeria lors de la finale 2009 – même si ce dernier match est le seul qu'il ait disputé en entier. Il a reçu le Ballon d'or pour ses résultats et le Soulier d'argent malgré les 5 buts marqués – un score identique à celui de Borja, Soulier d'or. Le buteur espagnol a remporté le trophée suprême, car il a été aussi l'auteur d'une passe décisive. L'Uruguayen Sebastian Gallegos et le Suisse Haris Seferović totalisent également 5 buts à l'issue du tournoi. Youri Nikiforov marque 5 buts pour l'Union soviétique durant le tournoi de 1987, dont 1 en finale alors que son équipe l'emporte sur le Nigeria aux tirs au but – mais la FIFA décerne le Soulier d'or à l'Ivoirien Moussa Traoré dont l'équipe totalise moins de buts. L'Union soviétique marque 21 buts contre 9 pour la Côte d'Ivoire.

UNE FLOPÉE DE BUTS

Outre Cesc Fabregas, le seul joueur ayant décroché le Ballon d'or et le Soulier d'or lors d'une même édition est **Florent Sinama-Pongolle**, en 2001. Auteur de 9 buts, record de la compétition, le joueur formé au Havre a signé 2 *hat-tricks* au 1er tour. Au contraire de Fabregas, « Flo » a bouclé l'épreuve du côté des gagnants. Le record de buts pour une équipe a été établi par l'Espagne, 22 fois buteuse en 1997 et médaille de bronze. En 2011, l'attaquant ivoirien Souleymane Coulibaly a égalé le record de Sinama-Pongolle, mais en quatre matchs et non six. Nul doute que cette performance de premier plan a favorisé son transfert du club italien de Sienne chez les Anglais de Tottenham Hotspurs.

SÉOUL INNOVE

La finale de l'édition 2007, qui opposait 24 pays au lieu de 16, a été la 1re à se dérouler dans un site de Coupe du Monde. Il s'agissait du Stade de la Coupe du Monde de la FIFA de Séoul, pouvant accueillir 68 476 spectateurs et construit pour le rendez-vous mondial de 2002.
Les fans qui ont assisté à la finale étaient 36 125 (record de la compétition), finale qui a sacré le Nigeria, aidé par trois échecs espagnols aux tirs au but.

KRKIC QUI CRAQUE

Auteur du but de la victoire espagnole sur le Ghana en demi-finale de l'édition 2007 à 4 minutes de la fin des prolongations, la star du FC Barcelone, **Bojan Krkic,** a été exclu juste avant la fin du match pour une accumulation de cartons jaunes. Automatiquement suspendu pour la finale, il n'a rien pu faire pour éviter la défaite des siens aux tirs au but face au Nigeria.

JEUNES ET EFFICACES

L'Allemand de l'Ouest Marcel Witeczek est le seul joueur à avoir remporté le classement du meilleur buteur en Coupe du Monde des moins de 17 ans et des moins de 20 ans. L'attaquant d'origine polonaise a inscrit 8 buts chez les moins de 17 ans en 1985, puis encore 7 chez les moins de 20 ans 2 ans plus tard. Le Brésilien Adriano (sans aucun lien avec celui qui a évolué chez les seniors brésiliens et à l'Inter) a bien failli l'imiter. Vainqueur du Soulier d'or grâce aux 4 buts inscrits à la Coupe du Monde des moins de 17 ans 1991, il a ensuite reçu le Ballon d'or, qui récompense le Meilleur joueur de l'épreuve, lors du rendez-vous mondial des moins de 20 ans en 1993.

REPLI À L'ITALIENNE

À l'origine, l'édition 1991 devait se dérouler en Équateur, mais une épidémie de choléra a entraîné un déménagement vers l'Italie. Cependant, les rencontres ont eu lieu dans des stades plus petits que ceux utilisés l'année précédente en Coupe du Monde. Cette édition 1991 allait être la 1ʳᵉ disputée par des joueurs de moins de 17 ans (lors des trois premières, la limite était fixée à 16 ans).

MEILLEURS BUTEURS PAR ÉDITION

1985	Marcel Witeczek (RFA)	8
1987	Moussa Traoré (Côte d'Ivoire)	5
	Youri Nikiforov	5
1989	Khaled Jasem (Bahreïn)	3
	Fodé Camara (Guinée)	3
	Gil (Portugal)	3
	Tulipa (Portugal)	3
	Khalid Al Roaihi (Arabie saoudite)	3
1991	Adriano (Brésil)	4
1993	Wilson Oruma (Nigeria)	6
1995	Daniel Allsopp (Australie)	5
	Mohamed Al Kathiri (Oman)	5
1997	David (Espagne)	7
1999	Ishmael Addo (Ghana)	7
2001	Florent Sinama-Pongolle (France)	9
2003	Carlos Hidalgo (Colombie)	5
	Manuel Curto (Portugal)	5
	Cesc Fabregas (Espagne)	5
2005	Carlos Vela (Mexique)	5
2007	Macauley Chrisantus (Nigeria)	7
2009	Borja (Espagne)	5
	Sani Emmanuel (Nigeria)	5
	Sebastian Gallegos (Uruguay)	5
	Haris Seferović (Suisse)	5
2011	Souleymane Coulibaly (Côte d'Ivoire)	9

LES SUISSES SURPRENNENT

Pour leur 1ʳᵉ participation en 2009, les Suisses surprennent en l'emportant en finale 1-0 sur les Nigérians favoris, grâce à un but de Haris Seferović. Benjamin Siegrist, le gardien de but suisse, qui n'a concédé que quatre buts en sept matchs, est récompensé par le Gant d'or du meilleur gardien. Les préparations nigérianes ont été bouleversées lorsque 15 de leurs joueurs se sont révélés trop âgés pour la compétition et ont dû quitter l'équipe.

GOMEZ, COMME À LA MAISON

Le Mexique est devenu le 1ᵉʳ pays à remporter sur son sol la Coupe du Monde des moins de 17 ans, lors de sa victoire 2-0 contre l'Uruguay au stade Azteca de Mexico, en juillet 2011. Le Ballon d'or du tournoi fut décerné à l'ailier mexicain **Julio Gomez,** auteur d'un doublé en demi-finale contre l'Allemagne – dont une spectaculaire bicyclette pour sceller la victoire en fin de match. En finale, Gomez n'entrera en jeu qu'une dizaine de minutes, une blessure contractée en demie le privant d'une place de titulaire.

FABULEUX FABREGAS

L'Espagnol **Cesc Fabregas** est l'un des deux seuls joueurs à avoir remporté à la fois le Ballon d'or et le Soulier d'or d'une Coupe du Monde des moins de 17 ans. Il doit ces distinctions aux 5 buts inscrits lors de l'édition 2003, perdue par l'Espagne en finale contre le Brésil. Avec David Silva, il intégrera plus tard l'équipe d'Espagne senior victorieuse à l'Euro 2008. En 2003, un mois après la fin du tournoi, Fabregas a quitté le FC Barcelone pour Arsenal, dont il est devenu ensuite le capitaine. Né le 4 mai 1987, le Catalan a également été désigné meilleur joueur du Championnat d'Europe des moins de 17 ans 2004, même s'il s'est encore incliné en finale.

ORGANISATEURS ET RÉSULTATS FINAUX

Entre parenthèses, le pays organisateur

1985	(Chine) Nigeria 2 RFA 0
1987	(Canada) URSS 1 Nigeria 1 (a.p. : l'URSS s'impose 4-2 aux t.a.b.)
1989	(Écosse) Arabie saoudite 2 Écosse 2 (a.p. : l'Arabie saoudite l'emporte 5-4 aux t.a.b.)
1991	(Italie) Ghana 1 Espagne 0
1993	(Japon) Nigeria 2 Ghana 1
1995	(Équateur) Ghana 3 Brésil 2
1997	(Égypte) Brésil 2 Ghana 1
1999	(Nouvelle-Zélande) Brésil 0 Australie 0 (a.p. : le Brésil s'impose 8-7 aux t.a.b.)
2001	(Trinité-et-Tobago) France 3 Nigeria 0
2003	(Finlande) Brésil 1 Espagne 0
2005	(Pérou) Mexique 3 Brésil 0
2007	(Corée du Sud) Nigeria 0 Espagne 0 (a.p. : le Nigeria l'emporte 3-0 aux t.a.b.)
2009	(Nigeria) Suisse 1 Nigeria 0
2011	(Mexique) Mexique 2 Uruguay 0

LA COUPE DES CONFÉDÉRATIONS
DE LA FIFA

La Coupe des Confédérations de la FIFA a connu différents formats au fil des années. En 1992 et 1995, elle était disputée en Arabie saoudite et mettait aux prises certains champions continentaux. De 1997 à 2003, la FIFA a organisé une édition tous les deux ans. La compétition a adopté son format actuel lors de l'édition 2005 en Allemagne et est devenue, tous les 4 ans, un vrai Championnat des Champions.

MEILLEURS BUTEURS DE L'HISTOIRE

1	Cuauhtemoc Blanco (Mexique)	9
=	Ronaldinho (Brésil)	9
3	Fernando Torres (Espagne)	8
4	Romario (Brésil)	7
=	Adriano (Brésil)	7
6	Marzouk Al-Otaibi (Arabie saoudite)	6
7	Alex (Brésil)	5
=	John Aloisi (Australie)	5
=	Luis Fabiano (Brésil)	5
=	Fred (Brésil)	5
=	Vladimir Smicer (Rép. tchèque)	5
=	Robert Pires (France)	5

ET DE CINQ !

Grâce à sa victoire sur les États-Unis durant la finale 2009, le Brésil devient le premier pays à obtenir trois victoires dans la Coupe des Confédérations, après 1997 et 2005. Mais c'est une victoire à l'arraché, car l'équipe est menée 2-0 à la mi-temps avant de l'emporter 3-2 grâce à un but marqué par le libéro Lucio. Les deux autres buts sont l'œuvre de l'avant-centre Luis Fabiano, qui termine en tête des buteurs avec 5 buts. Kaká, son partenaire, est désigné meilleur joueur du tournoi, suivi par Luis Fabiano à la 2e place et par l'Américain Clint Dempsey à la 3e.

MEILLEURS BUTEURS PAR ÉDITION

1992	Gabriel Batistuta (Argentine), Bruce Murray (États-Unis) 2
1995	Luis Garcia (Mexique) 3
1997	Romario (Brésil) 7
1999	Ronaldinho (Brésil), Cuauhtemoc Blanco (Mexique), Marzouk Al-Otaibi (Arabie saoudite) 6
2001	Shaun Murphy (Australie), Éric Carrière (France), Robert Pires (France), Patrick Vieira (France), Sylvain Wiltord (France), Takayuki Suzuki (Japon), Hwang Sun-Hong (Corée du Sud) 2
2003	Thierry Henry (France) 4
2005	Adriano (Brésil) 5
2009	Luis Fabiano (Brésil) 5
2013	Fernando Torres (Espagne) 5 Fred (Brésil) 5

ANTÉCÉDENTS ROYAUX

Avant d'être rebaptisée Coupe des Confédérations de la FIFA, une compétition réunissant les champions de chaque continent était organisée en Arabie saoudite sous le nom de Coupe du Roi Fahd. L'Argentine, représentante de l'Amérique du Sud, a atteint les deux finales et remporté la 1re, en 1992, grâce à des buts signés Leonardo Rodriguez, Claudio Caniggia et Diego Simeone. Cette édition a rassemblé quatre équipes (les deux citées, plus les États-Unis et la Côte d'Ivoire), puisque les champions du monde allemands et les champions d'Europe néerlandais n'ont pas souhaité y participer. En 1995, une version à six équipes a été remportée par le Danemark champion d'Europe. L'actuelle version à huit équipes, avec deux groupes et des demi-finales éliminatoires, a été adoptée en 2005.

DOUBLÉ GAGNANT

Andrea Pirlo et Diego Forlan ont tous deux fêté leur 100e match international pendant la Coupe des Confédérations 2013. Le meneur de jeu Pirlo a marqué le 1er but italien lors d'une victoire 2-1 contre le Mexique en ouverture, au stade Maracana. Forlan, 1er Uruguyen à atteindre 100 capes, a fêté ce succès par un tir exceptionnel du pied gauche, marquant un but décisif pour une victoire 2-1 contre le Nigeria.

NEYMAR INARRÊTABLE

La Coupe des Confédérations 2013 a couronné six mois mémorables pour l'attaquant brésilien Neymar. En janvier, il a été désigné joueur sud-américain de l'année pour la 2e année consécutive et en juin, il a quitté Santos pour un contrat de 5 ans avec Barcelone. Pour ses adieux au Brésil, Neymar a marqué le 1er but de la Coupe des Confédérations à la 3e minute seulement de la compétition, lors du match d'ouverture contre le Japon. Neymar a marqué dans tous les matchs de poule du Brésil, puis à nouveau contre l'Espagne en finale.

ASSURANCE HIGH-TECH

La technologie sur la ligne de but a fait sa 1re apparition en Coupe des Confédérations au Brésil. GoalControl, une entreprise allemande, a obtenu un contrat pour installer son système dans les six stades. Le système n'a, en fait, pas servi à cette occasion, mais la FIFA a été satisfaite de son fonctionnement. Howard Webb, le seul arbitre anglais de la Coupe, a salué «la sécurité que ce système nous donne».

L'IMPORTANT, C'EST DE PARTICIPER

En 2013 au Brésil, l'équipe de Tahiti a subi la plus lourde défaite de l'histoire de la Coupe des Confédérations, en étant écrasée 10-0 par l'Espagne. Ces joueurs semi-professionnels – dont un comptable, un menuisier et un enseignant – ne s'en sont pas trop formalisés. Aucun d'eux n'avait jamais rêvé de jouer dans le légendaire Maracana ou contre les Champions du Monde et d'Europe. Les champions d'Océanie ont aussi concédé 24 buts en 3 matchs, un record, et Jonathan Tehau a marqué leur unique but, historique, contre le Nigeria. Le résultat de Tahiti-Espagne égale le plus gros score de la Coupe: une victoire 8-2 du Brésil sur l'Arabie saoudite en 1999.

LE BRÉSIL BRILLANT

En battant 3-0 l'Espagne, Championne du Monde et d'Europe, lors de la finale 2013 à Maracana, le Brésil a renforcé sa domination historique sur la Coupe des Confédérations, avec une 12e victoire consécutive. Les hommes de Luiz Felipe Scolari sont devenus les premiers à décrocher la Coupe trois fois d'affilée. Ils ont marqué au moins 3 buts dans chacune de leurs victoires pendant cette compétition, dont ils sont les seuls quadruples champions. Le Brésil a aussi établi un record hors du terrain, avec un total de 804 659 billets vendus en 16 matchs, soit 50 291 par match en moyenne. Cette édition s'est aussi révélée la plus prolifique des 6 dernières compétitions, avec 68 buts, soit 4,25 buts par match en moyenne.

POUR TOI, MARCO

L'édition 2003 a été endeuillée par la mort tragique de **Marc-Vivien Foé** à l'âge de 28 ans. Le Camerounais s'est écroulé sur la pelouse de Lyon, victime d'un arrêt cardiaque à la 73e minute de la demi-finale contre la Colombie. Après avoir inscrit le but en or qui donnait la victoire finale à la France, Thierry Henry a tenu à dédier son but à Foé, passé par plusieurs clubs français. Au terme de la rencontre, disputée au Stade de France, le trophée a été brandi par les deux capitaines: Marcel Desailly et Rigobert Song.

JOUR DE GLOIRE AMÉRICAIN

L'accession surprise des États-Unis à la finale 2009 est née d'un succès inattendu en demi-finale contre l'Espagne, qui mit fin à une longue série. En effet, l'Espagne avait établi un record avec 15 victoires internationales d'affilée et 35 matchs joués sans défaite – un record partagé avec le Brésil. L'Espagne espérait une 36e victoire, mais grâce aux buts de Jozy Altidore et de **Clint Dempsey**, les Américains se qualifièrent pour leur 1re finale dans une compétition Seniors de la FIFA.

ORGANISATEURS DE LA COUPE DES CONFÉDÉRATIONS ET RÉSULTATS DES FINALES

1997	(Pays organisateur: Arabie saoudite)	Brésil 6 Australie 0
1999	(Mexique)	Mexique 4 Brésil 3
2001	(Corée du Sud et Japon)	France 1 Japon 0
2003	(France)	France 1 Cameroun 0
	(a.p.: la France s'impose sur un but en or)	
2005	(Allemagne)	Brésil 4 Argentine 1
2009	(Afrique du Sud)	Brésil 3 États-Unis 2
2013	(Brésil)	Brésil 3 Espagne 0

LA COUPE DU MONDE DES CLUBS DE LA FIFA

À l'instar de la Coupe des Confédérations, la Coupe du Monde des clubs a connu plusieurs formats depuis sa première édition de 1960, qui a vu le Real Madrid battre Peñarol. Dans sa déclinaison actuelle, elle oppose tous les ans les clubs champions de chacune des six confédérations. Depuis 2005, la compétition a lieu au Japon, à l'exception des éditions 2009 et 2010, qui se sont déroulées à Abu Dhabi.

ESPRIT CORINTHIEN

Non content d'avoir succédé à Barcelone comme vainqueur de la Coupe du Monde des clubs en 2012, les Corinthians du Brésil ont aussi égalé le record espagnol (deux victoires), et avec six matchs remportés. Le Péruvien Paolo Guerrero a marqué le but de la demi-finale victorieuse contre les Égyptiens d'Al-Ahly et renouvelé l'exploit en finale contre Chelsea. Les Corinthians comptent dans leurs rangs le gardien **Cassio**, sacré meilleur joueur de la compétition, ainsi que Danilo et Fabio Santos, déjà vainqueurs de la Coupe avec Sao Paulo sept ans plus tôt. La défaite des champions européens a aussi empêché Rafael Benitez, nouvel entraîneur de Chelsea, d'égaler le record de Pep Guardiola, l'ancien coach de Barcelone, vainqueur à deux reprises. Benitez avait déjà décroché le trophée comme entraîneur de l'Inter de Milan en 2010.

PALMARÈS*

- 10 **Brésil**
- 9 **Argentine, Italie**
- 6 **Uruguay, Espagne**
- 3 **Allemagne, Pays-Bas**
- 2 **Portugal, Angleterre**
- 1 **Paraguay, Yougoslavie**

*Coupe Intercontinentale comprise

DIX PARTICIPATIONS

Malgré la défaite 2-0 d'Al-Ahly contre Monterrey dans le match pour la 3e place, l'année 2012 a été cruciale pour trois joueurs de clubs égyptiens: **Mohamed Aboutrika,** Wael Gomaa et Hossam Ashour, qui disputaient un match de la Coupe du Monde des clubs pour la 10e fois, un record. L'ancien entraîneur d'Al-Ahly, Manuel Jose de Jesus, partage le record du plus grand nombre de compétitions (2005, 2006 et 2008) avec Rafael Benitez (2005, 2010, 2012), mais le Portugais a toujours travaillé avec Al-Ahly, tandis que Benitez s'est occupé de Liverpool, l'Inter de Milan et Chelsea.

SIX TROPHÉES

2009 marque le triomphe du FC Barcelone, 1er club à remporter six grands trophées en une seule saison: Coupe du Monde des clubs, Ligue des Champions, Supercoupe d'Europe et triplé en Espagne (Liga, Copa del Rey et Supercoupe d'Espagne). Le club dépasse ainsi le Liverpool de Gérard Houllier, vainqueur en 2001 de la Coupe d'Angleterre, de la Coupe de la Ligue et du Charity Shield en Angleterre, ainsi que de la Coupe de l'UEFA et de la Supercoupe d'Europe.

JAPON-ÉMIRATS: ALLER-RETOUR

Après le Japon, les Coupes du Monde des clubs 2009 et 2010 se sont déroulées dans l'Émirat d'Abu Dhabi. Les matchs se sont joués dans deux enceintes: le **stade Al Jazira Mohammed ben Zayed**, où a eu lieu le match d'ouverture opposant Al-Ahly à Auckland City, et le stade Cheikh Zayed, qui peut accueillir 60 000 spectateurs, et où se déroule la finale. La compétition est revenue au Japon en 2011 et 2012, la finale étant jouée au Stade International de Yokohama, qui avait accueilli la finale de la Coupe du Monde 2002.

CHANGEMENT DE SYSTÈME

De 1960 à 1968, la Coupe Intercontinentale ne se disputait pas sur le principe des scores cumulés : la victoire valait deux points et le nul un point. Un match d'appui a donc été nécessaire en 1961, 1963, 1964 et 1967. Jamais le finaliste présentant le score cumulé le plus bas n'a gagné la belle. Cependant, battu 1-0 en appui contre Racing Club en 1967, le Celtic aurait gagné sur deux matchs avec le principe du score cumulé et des buts à l'extérieur comptant double. Le club de Glasgow s'était imposé 1-0, avant de perdre 2-1 en Argentine. De 1980 à 2004, le trophée a été attribué sur un match disputé au Japon.

LA PREUVE PAR HUIT

La victoire 5-3 de Manchester United sur Gamba Osaka en demi-finales de la Coupe du Monde des clubs 2008 constitue le match le plus prolixe de l'histoire de la compétition. Celle-ci a effacé des tablettes le 5-2 de Benfica sur le Santos de Pelé en 1962. Le plus extraordinaire est que 6 des 8 réalisations sont intervenues après la 74e minute du match. Les Red Devils menaient alors 2-0, avant que les buts ne pleuvent des deux côtés du terrain. Manchester United est ainsi devenu la 1re équipe à signer 5 buts dans un match de la Coupe du Monde des clubs nouvelle version.

UNE COMPÉTITION QUI A GRANDI

L'ancêtre de la Coupe du Monde des clubs actuelle est la Coupe Intercontinentale, parfois appelée Coupe Europe/Amérique du Sud, qui mettait aux prises le champion d'Europe et celui d'Amérique du Sud. Les représentants de l'UEFA et de la CONMEBOL ont disputé cette compétition de 1960 à 2004, mais aujourd'hui, chaque confédération envoie au moins un club à la Coupe du Monde des Clubs organisée chaque année sous l'égide de la FIFA. La première finale de l'Intercontinentale opposait en 1960 les Espagnols du Real Madrid aux Uruguayens de Peñarol. Après un nul vierge sous la pluie de Montevideo, le Real s'impose 5-1 chez lui à Madrid. Ce jour-là, les *Merengues* signent 3 buts, dont 2 de leur star hongroise Ferenc Puskas, en 8 minutes. Ces deux clubs font partie des cinq triples vainqueurs de l'épreuve avec Boca Juniors (Argentine), Nacional (Uruguay) et l'AC Milan (Italie). Dans ce cercle de recordmen, le club lombard est le seul à avoir conquis la Coupe du Monde des Clubs, dont la première édition s'est disputée en 2000 au Brésil avant d'être absorbée par la Coupe Intercontinentale jusqu'en 2004. Aujourd'hui, la Coupe du Monde des clubs se dispute tous les ans.

L'EMPRISE BRÉSILIENNE

Depuis que la FIFA a introduit en 2000 sa propre Coupe du Monde des clubs, où les représentants de toutes les confédérations sont présents, les Brésiliens dominent les débats. Les Corinthians ont remporté la 1re édition en 2000. En 2007, l'AC Milan de Carlo Ancelotti a mis fin à la mainmise brésilienne. Entre 1989 et 2003, le capitaine lombard Paolo Maldini avait disputé cinq Coupes Intercontinentales dans les rangs *rossoneri* avec son coéquipier Alessandro Costacurta.

DANSE CONGOLAISE

En 2010, pour la 1re fois dans une coupe intercontinentale non officielle et dans l'histoire de la Coupe du Monde des clubs, une équipe africaine disputa la finale. Le TP Mazembe de la R.D. du Congo battit en effet les champions brésiliens du SC Internacional 2-0 en demi-finale. L'Internacional, vainqueur en 2006, fut le 1er ancien vainqueur de la Coupe du Monde des clubs à disputer le tournoi une 2e fois. Bien que privé de son attaquant star et capitaine Trésor Mputu, suspendu un an pour avoir agressé un arbitre en mai 2010, le TP Mazembe se qualifia pour la finale. Le gardien de but **Muteba Kidiaba,** expulsé lors de la Coupe 2009, fut désigné « homme du match » un an après, contre l'Internacional. Il célébra sa victoire en dansant sur les fesses.

FINALES DE LA COUPE DU MONDE DES CLUBS (2000-2012)

2000	Corinthians (Brésil) 0 Vasco da Gama (Brésil) 0 (a.p. : Corinthians gagne 4-3 aux tirs au but)
2005	São Paulo (Brésil) 1 Liverpool (Angleterre) 0
2006	Internacional (Brésil) 1 Barcelone (Espagne) 0
2007	AC Milan (Italie) 4 Boca Juniors (Argentine) 2
2008	Manchester United (Angleterre) 1 LDU Quito (Équateur) 0
2009	Barcelone (Espagne) 2 Estudiantes (Argentine) 1 (après prolongations)
2010	Inter de Milan (Italie) 3 TP Mazembe (R.D. du Congo) 0
2011	Barcelone (Espagne) 4 Santos (Brésil) 0
2012	Corinthians (Brésil) 1 Chelsea (Angleterre) 0

VICTOIRES EN COUPE INTERCONTINENTALE (1960-2004)*

3 victoires : Real Madrid, Espagne (1960, 1998, 2002) ; Peñarol, Uruguay (1961, 1966, 1982) ; AC Milan, Italie (1969, 1989, 1990) ; Nacional, Uruguay (1971, 1988, 1988) ; Boca Juniors, Argentine (1977, 2000, 2003).

2 victoires : Santos, Brésil (1962, 1963) ; Inter Milan, Italie (1964, 1965) ; Ajax, Pays-Bas (1972, 1995) ; Independiente, Argentine (1973, 1984) ; Bayern Munich, RFA/Allemagne (1976, 2001) ; Juventus, Italie (1985, 1996) ; Porto, Portugal (1987, 2004) ; São Paulo, Brésil (1992, 1993).

1 victoire : Racing Club, Argentine (1967) ; Estudiantes, Argentine (1968) ; Feyenoord, Pays-Bas (1970) ; Atlético de Madrid, Espagne (1974) ; Olimpia Asunción, Paraguay (1979) ; Flamengo, Brésil (1981) ; Gremio, Brésil (1983) ; River Plate, Argentine (1986) ; Étoile Rouge de Belgrade, Yougoslavie (1991) ; Vélez Sarsfield, Argentine (1994) ; Borussia Dortmund, Allemagne (1997) ; Manchester United, Angleterre (1999).

*non disputée en 1975 et 1978

LE TOURNOI OLYMPIQUE DE SOCCER MASCULIN

Disputé pour la 1re fois aux JO de Paris en 1900, même s'il n'a été reconnu par la FIFA qu'en 1908 à Londres, le Tournoi olympique de soccer est resté amateur jusqu'en 1984, année où les professionnels ont été autorisés à y participer. Cette compétition est désormais réservée aux moins de 23 ans (avec une tolérance de trois joueurs plus âgés) pour donner une chance aux étoiles montantes du soccer. Cependant, depuis 1945, aucun pays champion olympique n'a remporté la Coupe du Monde dans les 10 années suivant les JO.

TCHÈQUE ET MAT

Le Tournoi olympique de 1920 est la seule grande compétition internationale dont la finale n'a pu aller à son terme. Les joueurs tchécoslovaques ont quitté la pelouse avant la pause pour protester contre les décisions de l'arbitre anglais John Lewis, qui avait, entre autres, exclu Karel Steiner. La Belgique, qui menait alors 2-0, a été déclarée vainqueur et l'Espagne a battu les Pays-Bas 3-1 dans le barrage pour l'argent.

FINALES DU TOURNOI OLYMPIQUE DE SOCCER

1896 Non disputé
1900 (Paris, France)
Or: Upton Park FC (G.-B.) Argent: USFSA XI (France) Bronze: Université Libre de Bruxelles (Belgique) [2 matchs d'exhibition ont été disputés]
1904 (Saint Louis, E.-U.)
Or: Galt FC (Canada) Argent: Christian Brothers College (E.-U.)
Bronze: Saint Rose Parish (E.-U.) [5 matchs d'exhibition ont été disputés]
1908 (Londres, Angleterre) Grande-Bretagne 2 Danemark 0 (Bronze: Pays-Bas)
1912 (Stockholm, Suède) Grande-Bretagne 4 Danemark 2 (Bronze: Pays-Bas)
1916 Non disputé
1920 (Anvers, Belgique) Belgique 2 Tchécoslovaquie 0 (Or: Belgique, Argent: Espagne, Bronze: Pays-Bas)
1924 (Paris, France) Uruguay 3 Suisse 0 (Bronze: Suède)
1928 (Amsterdam, Pays-Bas) Uruguay 1 Argentine 1; Uruguay 2 Argentine 1 (Bronze: Italie)
1932 Non disputé
1936 (Berlin, Allemagne) Italie 2 Autriche 1 (a.p.) (Bronze: Norvège)
1940 Non disputé
1944 Non disputé
1948 (Londres, Angleterre) Suède 3 Yougoslavie 1 (Bronze: Danemark)
1952 (Helsinki, Finlande) Hongrie 2 Yougoslavie 0 (Bronze: Suède)
1956 (Melbourne, Australie) URSS 1 Yougoslavie 0 (Bronze: Bulgarie)
1960 (Rome, Italie) Yougoslavie 3 Danemark 1 (Bronze: Hongrie)
1964 (Tokyo, Japon) Hongrie 2 Tchécoslovaquie 1 (Bronze: RFA)
1968 (Mexico, Mexique) Hongrie 4 Bulgarie 1 (Bronze: Japon)
1972 (Munich, RFA) Pologne 2 Hongrie 1 (Bronze: URSS/RDA)
1976 (Montréal, Canada) RDA 3 Pologne 1 (Bronze: URSS)
1980 (Moscou, URSS) Tchécoslovaquie 1 RDA 0 (Bronze: URSS)
1984 (Los Angeles, E.-U.) France 2 Brésil 0 (Bronze: Yougoslavie)
1988 (Séoul, Corée du Sud) URSS 2 Brésil 1 (Bronze: RFA)
1992 (Barcelone, Espagne) Espagne 3 Pologne 2 (Bronze: Ghana)
1996 (Atlanta, E.-U.) Nigeria 3 Argentine 2 (Bronze: Brésil)
2000 (Sydney, Australie) Cameroun 2 Espagne 2 (Cameroun l'emporte 5-3 aux t.a.b.) (Bronze: Chili)
2004 (Athènes, Grèce) Argentine 1 Paraguay 0 (Bronze: Italie)
2008 (Pékin, Chine) Argentine 1 Nigeria 0 (Bronze: Brésil)
2012 (Londres, Angleterre) Mexique 2 Brésil 1 (Bronze: Corée du Sud)

FUTURS COÉQUIPIERS

Samuel Eto'o et Xavi, futurs coéquipiers au FC Barcelone, ont tous deux transformé un tir au but lors du match opposant le Cameroun à l'Espagne en finale de l'édition 2000. C'est l'échec d'Ivan Amaya qui a offert l'or aux Lions indomptables.

MÉDAILLES RÉTROSPECTIVES

Le soccer ne faisait pas partie du programme olympique lors des premiers Jeux de l'ère moderne, à Athènes 1896, et les éditions 1900 et 1904 du Tournoi olympique n'étaient pas reconnues par la FIFA. Par conséquent, aucune récompense n'avait été remise aux vainqueurs. Mais le Comité olympique a tenu à se racheter en attribuant des médailles aux trois premiers.

TOUS À BLOC

Les pays d'Europe de l'Est ont dominé le Tournoi olympique de 1948 à 1980, période où il était interdit de recourir à des professionnels. Avec leurs « amateurs d'État », ils ont empoché 23 des 27 médailles réparties. La Suède est le seul pays occidental à leur avoir « volé » des récompenses : l'or en 1948 et le bronze en 1952. Ensuite, le Danemark s'est adjugé l'argent en 1960 et le Japon le bronze, en 1968.

PREMIER TOUR D'HONNEUR

L'Uruguay présente un bilan olympique parfait, avec deux titres en deux participations, en 1924 et 1928. Considérées comme les précurseurs de la Coupe du Monde, ces deux épreuves ont incité la FIFA à organiser en 1930 la 1re édition. Et c'est encore l'Uruguay qui a triomphé, grâce à trois champions olympiques en 1924 et 1928 : José Nasazzi, José Andrade et **Hector Scarone**. L'équipe victorieuse aurait inauguré la pratique du tour d'honneur.

LONDRES SOURIT AU MEXIQUE

Le Mexique a été un vainqueur inattendu en 2012 au stade de **Wembley**, 1re enceinte à recevoir deux finales hommes de soccer olympique, outre le match de présentation des JO de Londres en 1948 ; la capitale anglaise est désormais la seule ville à avoir accueilli trois JO d'été différents, même si la finale de soccer de 1908 avait été disputée à White City. **Oribe Peralta** a marqué les deux buts du Mexique – sous la houlette de Luis Tena, assistant de l'équipe senior – battant le Brésil 2-1. Le Brésil, pourtant grand favori, ne s'est consolé qu'avec un but tardif de « Hulk » de Souza. Toutefois, le Brésilien Damiao s'est illustré comme buteur, avec 6 réalisations. Les matchs des JO 2012 ont également eu lieu à Hampden Park (Glasgow), Old Trafford (Manchester), St James' Park (Newcastle) et Coventry. Pour la 1re fois depuis 1960, la Grande-Bretagne alignait une équipe unifiée (avec l'Écosse, le Pays de Galles et l'Irlande du Nord), comprenant des stars de la Premier League comme Ryan Giggs et Craig Bellamy.

AFRIQUE OLYMPIQUE ET FUTURES STARS

En s'adjugeant le bronze en 1992, le Ghana est devenu le 1er pays africain à remporter une médaille olympique en soccer. Le Nigeria a fait mieux quatre ans après, en conquérant le premier titre olympique du continent noir, grâce à un but d'Emmanuel Amunike dans le temps additionnel face à l'Argentine. Cette victoire a surpris plus d'un observateur, compte tenu de la présence de joueurs comme les Brésiliens Ronaldo et Roberto Carlos, les Argentins Hernan Crespo et Roberto Ayala, les Italiens Fabio Cannavaro et Gianluigi Buffon, et les Français Robert Pires et Patrick Vieira. La liste des vainqueurs de la Coupe du Monde ou de l'Euro ayant participé aux JO inclut les Français Michel Platini et Patrick Battiston (Montréal 1976) ; l'Allemand de l'Ouest Andreas Brehme et le Brésilien Dunga (Los Angeles 1984) ; les Brésiliens Taffarel, Bebeto et Romario et l'Allemand de l'Ouest Jürgen Klinsmann (Séoul 1988) ; les Français Vieira, Pires et Sylvain Wiltord, les Italiens Cannavaro, Buffon et Alessandro Nesta, et les Brésiliens Roberto Carlos, Rivaldo et Ronaldo (Atlanta, 1996) ; l'Italien Gianluca Zambrotta et les Espagnols Xavi, Carles Puyol et Joan Capdevila (Sydney, 2000) ; et enfin les Italiens Daniele De Rossi, Andrea Pirlo et Alberto Gilardino (Athènes, 2004).

LE TOURNOI JUNIORS
FIFA/BLUE STARS

Organisé tous les ans par le club zurichois FC Blue Stars depuis 1939 et parrainé par la FIFA depuis 1991, le Tournoi juniors FIFA Blue Stars est l'une des compétitions juniors les plus prestigieuses de la planète soccer. Elle accueille des clubs du monde entier et a vu passer des joueurs de renommée internationale comme David Beckham, Jay-Jay Okocha ou Pep Guardiola.

FIDÈLES PARMI LES FIDÈLES

Le 1er club espagnol à participer au tournoi a été, en 1988, le FC Barcelone de **Josep Guardiola** et d'Albert Ferrer. Tous deux ont aidé le club blaugrana à conquérir sa première Coupe d'Europe en 1992.

PATIENTS ZURICHOIS

Après des défaites aux tirs au but contre les Argentins de Boca Juniors en 2010 et les Portugais du FC Porto en 2011, les jeunes du FC Zurich ont enfin remporté leurs 4e Blue Stars en 2012, 2-0 face aux Grasshoppers, grâce à des buts de Fabio Schmid et Ali Imren. Ils ont confirmé en 2013.

SEPP, L'AVANT-CENTRE

Bien avant d'être élu président de la FIFA en 1998, Sepp Blatter a été avant-centre du club suisse amateur du FC Sierre, qui a pris part au tournoi Blue Stars au début des années 1950. Il est aujourd'hui membre honoraire du FC Blue Stars.

UN EXCELLENT MILLÉSIME

En 2011, le **FC Porto** fut le 1er champion portugais du tournoi Juniors FIFA Blue Stars, peu après la triple victoire des seniors en Championnat du Portugal, Coupe du Portugal et Ligue Europa UEFA. Les juniors battirent le FC Zurich en finale du tournoi FIFA Blue Stars 3-0 aux tirs au but après un 0-0. La déception du FC Zurich fut amère : un an avant, elle avait perdu de la même façon face aux Boca Juniors argentins.

VENI, VIDI, VICI

Il a fallu attendre 1999 pour que le tournoi soit remporté par un club non européen, São Paulo, qui a battu le FC Zurich aux tirs au but dans le Letzigrund Stadion. Renforcés par Kaká, les Brésiliens ont conservé leur couronne l'année suivante. Les Argentins de Boca Juniors sont les seuls autres vainqueurs sud-américains, en 2010.

VAINQUEURS DES BLUE STARS

Manchester United 18
(1954, 1957, 1959, 1960, 1961, 1962, 1965, 1966, 1968, 1969, 1975, 1976, 1978, 1979, 1981, 1982, 2004, 2005)

Grasshoppers 6
(1939, 1956, 1971, 1987, 1998, 2006)

FC Zurich 5
(1946, 1949, 2008, 2012, 2013)

FC Barcelone 3
(1993, 1994, 1995)

FC Young Fellows 3
(1941, 1942, 1953)

AC Milan 2
(1958, 1977)

Arsenal 2
(1963, 1964)

AS Rome 2
(1980, 2003)

FK Austria Vienne 2
(1947, 1948)

São Paulo 2
(1999, 2000)

Spartak Moscou 2
(1991, 1992)

FC Bâle 1
(2009)

Boca Juniors 1
(2010)

FC Porto 1
(2011)

BLUE STARS/
FIFA YOUTH CUP 2011

LA COUPE DU MONDE DE FUTSAL

Né en Amérique du Sud dans les années 1930, le Futsal, autrement dit le soccer en salle, a vu sa popularité et son nombre de participants monter en flèche ces dernières années. La 1re Coupe du Monde de Futsal a eu lieu aux Pays-Bas en 1989 et l'événement se tient tous les quatre ans depuis 1992. Deux nations dominent le palmarès : l'Espagne, couronnée à deux reprises, et le Brésil, quintuple vainqueur.

FINALES DE LA COUPE DU MONDE DE FUTSAL ET PAYS ORGANISATEURS

1989 (pays organisateur: Pays-Bas)
Brésil 2 Pays-Bas 1
1992 (Hong Kong) Brésil 4 États-Unis 1
1996 (Espagne) Brésil 6 Espagne 4
2000 (Guatemala) Espagne 4 Brésil 3
2004 (Taïwan) Espagne 2 Italie 1
2008 (Brésil) Brésil 2 Espagne 2
(a.p.: le Brésil l'emporte 4-3 aux tirs au but)
2012 (Thaïlande) **Brésil 3 Espagne 2**
(après prolongations)

MACHINE À BUTS

Le Brésilien Manoel Tobias est le buteur le plus prolifique de l'histoire de la Coupe du Monde de Futsal, avec 43 réalisations en 32 sélections. Né à Salgueiro le 19 avril 1971, Tobias a représenté son pays lors des éditions 1992, 1996, 2000 et 2004, et ne s'est incliné qu'une fois dans le temps réglementaire. En 1996 et 2000, il a enlevé les titres de meilleur joueur et meilleur buteur.

MALADRESSE CUBAINE

Les **Cubains** détiennent le record du plus petit nombre de buts inscrits lors d'un tournoi. En 2000, ils ont marqué un seul but en 3 matchs, tout en encaissant 20 buts de la part de l'Iran, de l'Argentine et du futur champion espagnol.

LA SAMBA DU BRÉSIL

Dans un jeu comme le Futsal (soccer en salle à 5 contre 5, sur deux mi-temps de 20 minutes), qui fait la part belle au jeu à une touche et à la technique, il semble logique que les Brésiliens excellent. Depuis que la FIFA a lancé la Coupe du Monde de Futsal, en 1989, la *Seleçao* a remporté cinq éditions sur sept, perdu contre l'Espagne en finale en 2000 et fini en 3e position derrière l'Espagne et l'Italie en 2004. Équipe la plus prolifique de toutes les éditions, le Brésil a frappé à 78 reprises en 8 matchs en 2000, soit un taux record de 9,75 buts par rencontre. Si sa victoire la plus large en Coupe du Monde de Futsal est un 29-2 infligé au Guatemala en 2008, c'est contre le Timor-Oriental en octobre 2006 qu'il a obtenu son résultat le plus spectaculaire : 76-0. Signalons enfin que les *Auriverdes* ont perdu leur 1er match dans cette compétition, en 1989 : 3-2 face à la Hongrie.

FALCAO ÉCLIPSÉ PAR PULA

Dépassé par Pula au classement des buteurs en 2008 (16 buts contre 15), le Brésilien Falcao, Ballon d'or et Soulier d'or en 2004, a quand même été élu meilleur joueur de l'épreuve. Sur ses 16 réalisations, Pula en a signé 9 lors de l'atomisation 31-2 des îles Salomon, soit un record dans l'histoire de la Coupe du Monde de Futsal.

NETO AU POINT

La Coupe du Monde de Futsal 2012 a été la plus importante depuis sa création, avec 24 pays participants présents en Thaïlande, 4 de plus qu'au précédent tournoi. La finale n'a guère été surprenante, le Brésil et l'Espagne se la disputant pour la 4e fois, avec encore une victoire des Sud-Américains, sur le score de 3-2 après prolongations. Le but décisif (et 2e d'affilée) a été l'œuvre de **Neto,** nommé meilleur joueur de la compétition. Le Russe Eder Lima a obtenu le Soulier d'or grâce à ses 9 buts sur l'ensemble du tournoi.

LA COUPE DU MONDE DE BEACH SOCCER

Le Beach Soccer puise lui aussi ses racines en Amérique du Sud. Il s'agit d'une version survitaminée du jeu, privilégiant les buts et les actions spectaculaires dans un format pensé pour la télévision. Après un 1er tournoi organisé en 1995 dans son berceau de Copacabana, à Rio de Janeiro, la Coupe du Monde de Beach Soccer est devenue un événement bisannuel depuis l'édition 2009.

ÉRIC THE KING

Joueur, acteur, peintre... Telles sont les occupations d'**Éric Cantona**, qui a également entraîné l'équipe de France championne du monde lors de l'édition 2005, la 1re estampillée FIFA. Auparavant, la compétition s'appelait Championnat du Monde de Beach Soccer. Cependant, l'ancien héros d'Old Trafford ne s'est accordé que quelques minutes de jeu, juste le temps d'inscrire un but lors du succès 7-4 en quart de finale sur l'Espagne.

FINALES DE LA COUPE DU MONDE DE BEACH SOCCER

1995 (Plage et ville organisatrice/pays : Copacabana, Rio de Janeiro/Brésil) **Brésil 8 États-Unis 1**
1996 (Copacabana) **Brésil 3 Uruguay 0**
1997 (Copacabana) **Brésil 5 Uruguay 2**
1998 (Copacabana) **Brésil 9 France 2**
1999 (Copacabana) **Brésil 5 France 2**
2000 (Marina da Gloria, Rio de Janeiro) **Brésil 6 Pérou 2**
2001 (Costa do Sauipe, Rio de Janeiro) **Portugal 9 France 3**
2002 (Vitoria/Brazil) **Brésil 6 Portugal 5**
2003 (Copacabana) **Brésil 8 Espagne 2**
2004 (Copacabana) **Brésil 6 Espagne 4**
2005 (Copacabana) **France 3 Portugal 3 (la France l'emporte 1-0 aux tirs au but)**
2006 (Copacabana) **Brésil 4 Uruguay 1**
2007 (Copacabana) **Brésil 8 Mexique 2**
2008 (Plage du Prado, Marseille/France) **Brésil 5 Italie 3**
2009 (Jumeirah, Dubaï/Émirats arabes unis) **Brésil 10 Suisse 5**
2011 (Ravenne, Italie) **Russie 12 Brésil 8**

MADJER PEUT LE FAIRE

Madjer, joueur portugais né en Angola, crée l'exploit en 2006 en inscrivant 21 buts au cours d'un tournoi – l'une des 5 compétitions qui l'a désigné meilleur buteur. En 2009, il marque sept fois contre l'Uruguay, battant son propre record établi en 2006 contre le Cameroun avec 6 buts.

COMME S'IL EN PLEUVAIT

L'édition 2003 a été la plus prolifique de l'histoire, avec près de 9,4 buts par match et 150 réalisations. Deux ans plus tôt, la moyenne de 7,2 buts par match était la plus basse de l'histoire.

DE MARSEILLE À DUBAÏ

En 2008, la compétition se déroule pour la 1re fois hors du Brésil et c'est Marseille qui est choisie. En 2009, elle se tient à Dubaï. Dorénavant, elle a lieu tous les deux ans, en 2011 en Italie, à Ravenne.

DERNIER REMPART

Élu meilleur gardien des quatre premières Coupes du Monde de Beach Soccer, le Brésilien Paulo Sergio a ensuite cédé son titre au Portugais Pedro Crespo (1999), au Japonais Kato (2000), au Français Pascal Olmeta (2001), au Thaïlandais Vilard Normcharoen (2002), au Brésilien Robertinho (2003), à l'Espagnol Robert (2004), au Brésilien Roberto Valeiro (2008) et au Russe Andrey Bukhlitskiy (2011). De 2005 à 2007, ce titre n'a pas été attribué.

LE BULLDOZER RUSSE

La finale de l'édition 2011 de la Coupe du Monde de Beach Soccer a été la plus prolifique de l'histoire du tournoi. Elle a vu les tenants du titre brésiliens s'incliner 12-8 face à un pays assez peu connu pour ses plages ensoleillées : la Russie. Reste que les Russes étaient alors les champions d'Europe en titre, et qu'ils ont conquis leur première couronne mondiale notamment grâce à un *hat-trick* de Dmitry Shishin et aux performances du meilleur joueur du tournoi, Ilya Leonov. Côté brésilien, Andre a pu se consoler avec son Soulier d'or pour ses 14 réalisations.

LA COUPE DU MONDE INTERACTIVE

La Coupe du Monde Interactive (FIWC), le plus grand tournoi de jeux vidéo de la planète, a été lancée en 2004. La 1ʳᵉ édition a vu des participants du monde entier ferrailler sur le terrain virtuel de FIFA 2005. Lors de la phase finale disputée à Zurich, ils étaient 8 à se disputer le billet pour le gala du Joueur mondial de la FIFA, à Amsterdam. Depuis, la FIWC a grandi et ce sont 1,3 million de joueurs qui ont tenté de décrocher une place pour la phase finale de l'édition 2012 à Dubaï. Vingt-quatre concurrents s'y sont disputé le trophée, ainsi que 20000 dollars et deux billets pour le gala du Ballon d'or. Les parties se jouaient sur EA Sports™ FIFA 2012 sur Sony PlayStation® 3.

LA RECETTE DES QUALIFICATIONS

En 2012 comme en 2011, deux places furent mises en jeu lors de six «saisons» mensuelles disputées en ligne par des joueurs du monde entier. Le champion en titre, Francisco Cruz était l'un des trois anciens lauréats à disputer la phase finale. Quant au champion 2010, Nenad Stojković, il livra son analyse en temps réel via le *streaming* – une grande première pour la Coupe du Monde Interactive.

NOUVEAUX VENUS

Sur les 24 concurrents de la grande finale de la FIWC, 15 y participaient pour la 1ʳᵉ fois. Tassal Rushan affronta le champion en titre, Francisco Cruz, pour son 1ᵉʳ match, et dut s'incliner 2-1. Seuls trois «nouveaux venus» ont accédé aux quarts de finale.

VERS L'INFINI ET AU-DELÀ

1,3 million de joueurs ont participé à l'édition 2012 de la Coupe du Monde interactive, contre 870000 en 2011. Deux ans plus tôt, ils n'étaient que 420000...

DE MAGNIFIQUES CHAMPIONS

La Coupe du Monde FIFA Interactive a couronné sept champions. L'édition 2012 a sacré pour la 1ʳᵉ fois un joueur déjà titré. Thiago Carrico de Azevado (Brésil) remporta la 1ʳᵉ édition en 2004 à Zurich. La 2ᵉ saison vit la victoire de Chris Bullard (Angleterre) à Londres. En 2006, le Néerlandais Andries Smit triomphe à Amsterdam. Après une pause en 2007, l'Espagnol Alfonso Ramos gagne à Berlin en 2008; l'année suivante voit le triomphe du Français Bruce Grannec. En mai 2010, l'Américain Nenad Stojković est couronné à Barcelone (comme Grannec). À Los Angeles, en juin 2011, Francisco Cruz devient non seulement le 1ᵉʳ champion portugais, mais aussi le plus jeune de tous les temps: à 16 ans. La finale de l'édition 2012 à Dubaï a opposé Grannec à Ramos et s'est conclue aux tirs au but par la victoire de Ramos, fan du Real Madrid.

TOUT LE MONDE JOUE

Alfonso Ramos, fan du Real Madrid, est devenu en 2012 le premier double vainqueur de la Coupe du Monde Interactive – en remportant aussi un match disputé lors des célébrations du Ballon d'or FIFA, cette fois-ci avec l'arrière de Barcelone Gerard Pique aux manettes de l'équipe adverse. Pique jouait Barcelone contre le Real d'Alfonso, et il a perdu 1-0. Ramos, surnommé «Vamos Ramos», a célébré son triomphe en dansant comme le buteur brésilien Neymar. Parmi les autres invités du Ballon d'or 2012 à s'adonner aux joies du jeu vidéo se trouvaient Christian Karembeu et l'Italien Luca Toni, vainqueur de la Coupe du Monde 2006.

CHELSEA CONTRE MADRID

Bien qu'il soit supporter du FC Porto, Francisco Cruz choisit le club anglais de Chelsea lors de la FIWC 2011, tandis que le Colombien Javier Muñoz, finaliste malheureux, jouait pour le Real Madrid espagnol.

PARTIE 7 : LE SOCCER FÉMININ

LES FEMMES sont aujourd'hui 30 millions à pratiquer le soccer à travers le monde, un chiffre qui a plus que doublé en dix ans. Ces chiffres sont peut-être la meilleure illustration du changement de mentalités que le soccer a réussi à imposer, là où d'autres sports peinent encore. Les compétitions internationales féminines attirent désormais un public nombreux, dont l'engouement s'est propagé aux championnats et coupes domestiques. Les premières rencontres féminines auraient été organisées outre-Manche au début du xxᵉ siècle, avant que la fédération anglaise ne les interdise en 1921. De ce rejet naît une fédération féminine indépendante dotée de sa propre coupe nationale. Parallèlement, la discipline commence à s'implanter dans d'autres pays, si bien qu'au début des années 1980, le premier Championnat d'Europe officiel voit le jour. En 1988, la FIFA organise à Taipei un tournoi sur invitations.

En 1991, la FIFA lance son 1ᵉʳ championnat du monde, remporté par les Américaines, et la Coupe du Monde féminine suivante se dispute aux États-Unis. La finale se déroule devant une affluence record de 90 185 spectateurs (victoire des locales aux tirs au but contre la Chine à Pasadena). Les *Stars and Stripes* glaneront encore l'or olympique en 1996, l'argent en 2000 et l'or en 2004, 2008 et 2012. Dans le même temps, la FIFA met en place une compétition junior en 2002.

À l'origine estampillée moins de 19 ans, elle s'adresse désormais aux moins de 20 ans. En 2008, la version moins de 17 ans est ajoutée au calendrier. Bâti sur la réussite des États-Unis en Coupe du Monde et aux JO, le 1ᵉʳ championnat professionnel américain finira par capoter. Une nouvelle tentative a été lancée en 2009.

Les franchises de Women's Professional Soccer (WPS) ont fait signer des stars comme la Brésilienne Marta et l'Anglaise Kelly Smith, mais ont suspendu leurs activités en janvier 2012. L'Angleterre a lancé son propre championnat semi-pro en avril 2011. La même année, la Coupe du Monde féminine en Allemagne sacrait le onze japonais – le 1ᵉʳ titre mondial FIFA pour une nation d'Asie.

Les joueuses américaines célèbrent leur 4ᵉ médaille d'or olympique à Wembley (Londres 2012). Les États-Unis ont joué les cinq finales et n'ont perdu qu'une fois, face à la Norvège, aux JO 2000 à Sydney.

LA COUPE DU MONDE FÉMININE

La première phase finale de la Coupe du Monde féminine a eu lieu en Chine en 1991. Elle regroupait 12 équipes réparties en 3 groupes, les 2 premiers de chaque poule et les 2 meilleurs troisièmes se qualifiant pour les quarts de finale. En 1999, le nombre d'équipes a été étendu à 16, divisées en 4 groupes, dont les 2 premiers passaient en quarts. Cette configuration n'a pas varié depuis lors, mais l'on évoque un élargissement à 24 pays.

GRANDE PREMIÈRE

Les Japonaises ont été les premières à offrir à leur pays un titre mondial FIFA en s'imposant en finale de la Coupe du Monde féminine 2011 (2-2 puis 3-1 aux tirs au but face aux Américaines). La meilleure joueuse du tournoi, Homare Sawa, avait égalisé à trois minutes de la fin de la prolongation. Puis c'est **Saki Kumagai** qui transforma le tir au but victorieux lors de la séance qui suivit. Les 25 oppositions précédentes des 2 nations s'étaient soldées par 22 victoires américaines et 3 nuls. La meilleure performance des Japonaises dans la compétition était jusque-là le quart de finale perdu en 1995. Le triomphe de 2011 fut d'autant plus poignant que les lauréates le dédièrent aux victimes du Tsunami qui avait frappé le Japon au mois de mars précédent.

LE RÊVE DE JOÃO

La Coupe du Monde féminine était la marotte de **João Havelange**. Lancée en 1991 à titre expérimental, la compétition a vu sa taille et son rayonnement grandir progressivement. Le succès de l'édition américaine de 1999 s'est révélé décisif pour le tournoi, qui attire aujourd'hui des affluences considérables et des médias du monde entier. Les premières épreuves ont été dominées par les États-Unis et la Norvège, des pays où le soccer est beaucoup pratiqué par les femmes. La 1re édition a été remportée par les Américaines, qui se sont aussi imposées en 1999. La Norvège a été sacrée en 1995 et le changement de siècle a précipité l'émergence de l'Allemagne, victorieuse en 2003 et 2007. Quant au bon niveau affiché par le Brésil, la Chine et la Suède, il prouve la popularité croissante de la version féminine du jeu.

DÉFENSES DE FER

La Coupe du Monde féminine 2011 en Allemagne s'est révélée la moins riche en buts de l'histoire de la compétition, avec une moyenne de 2,69 réalisations par match pour un total de 86 buts. La plus prolifique fut l'édition 1999 avec 123 buts, soit 3,84 par match.

PREMIER SACRE AMÉRICAIN

En s'imposant lors de la 1re Coupe du Monde féminine, en 1991, les Américaines ont décroché le 1er titre mondial du pays en soccer. Troisièmes de l'édition inaugurale, en 1930, les hommes n'ont jamais dépassé les quarts (2002) par la suite.

FINALES DE LA COUPE DU MONDE FÉMININE

Année	Ville	Vainqueur	Finaliste	Score
1991	Canton	États-Unis	Norvège	2-1
1995	Stockholm	Norvège	Allemagne	2-0
1999	Los Angeles	États-Unis	Chine	0-0
	Les États-Unis l'emportent 5-4 aux tirs au but			
2003	Los Angeles	Allemagne	Suède	2-1
2007	Shanghai	Allemagne	Brésil	2-0
2011	Francfort	Japon	États-Unis	2-2 (a.p.)
	Le Japon l'emporte 3-1 aux tirs au but			

PETITES FINALES DE LA COUPE DU MONDE FÉMININE

Année	Ville	Vainqueur	Finaliste	Score
1991	Canton	Suède	Allemagne	4-0
1995	Gavle	États-Unis	Chine	2-0
1999	Los Angeles	Brésil	Norvège	0-0
	Le Brésil l'emporte 5-4 aux tirs au but			
2003	Los Angeles	États-Unis	Canada	3-1
2007	Shanghai	États-Unis	Norvège	4-1
2011	Sinsheim	Suède	France	2-1

QUATRE JOUEUSES BISSENT

Quatre Américaines championnes du monde en 1991 ont aussi battu la Chine aux tirs au but lors de la finale 1999 : **Mia Hamm**, Michelle Akers, Kristine Lilly et Julie Foudy.

ON NE CHANGE PAS UNE ÉQUIPE QUI GAGNE

Six Allemandes ont pris part aux sacres de 2003 et 2007: les titulaires **Kerstin Stegemann**, Birgit Prinz, Renate Lingor, Ariane Hingst et Kerstin Garefrekes et Martina Muller, entrée les deux fois en cours de jeu.

FAIR-PLAY, MAIS PAS QUALIFIÉES

Seul pays à avoir remporté deux fois le trophée du Fair-Play en Coupe du Monde féminine (en 1999 et 2003), la Chine n'a toutefois pas réussi à se qualifier pour le tournoi 2011, une 1re pour elle. Les seules nations à avoir participé à toutes les éditions sont donc le Brésil, l'Allemagne, le Japon, le Nigeria, la Norvège, la Suède et les États-Unis.

MUR DÉFENSIF

En 2007, l'Allemagne est devenue la première équipe à conserver un titre mondial. Elle y est parvenue en établissant un autre record, puisqu'elle a traversé l'épreuve (6 matchs et 540 minutes) sans concéder le moindre but. La gardienne Nadine Angerer a ainsi effacé des tablettes le record de 517 minutes signé par le portier italien Walter Zenga lors d'Italie 1990. C'est une Suédoise qui a marqué, à la 41e minute de la finale 2003, le dernier but encaissé par l'Allemagne: **Hanna Ljungberg.**

LES SPECTATEURS ADORENT

L'édition américaine 1999 a décroché les plus grosses affluences de l'histoire: au total 3 687 069 spectateurs, pour une moyenne de 24 913 personnes par match. La finale, opposant les États-Unis et la Chine au Rose Bowl de Los Angeles le 10 juillet, a attiré 90 185 fans, un record mondial pour un match féminin. Le programme du jour incluait également la petite finale entre Brésiliennes et Norvégiennes.

MEILLEURES ÉQUIPES

Pays	Vainqueur	Finaliste	Troisième
Allemagne	2	1	-
États-Unis	2	1	3
Norvège	1	1	1
Japon	1	-	-
Brésil	-	1	1
Suède	-	1	2
Chine	-	1	-

PAYS LES PLUS PROLIFIQUES

1991 :	États-Unis	25
1995 :	Norvège	23
1999 :	Chine	19
2003 :	Allemagne	25
2007 :	Allemagne	21
2011 :	États-Unis	13

PAYS LES PLUS PROLIFIQUES DE L'HISTOIRE

1	États-Unis	98
2	Allemagne	91
3	Norvège	77
4	Brésil	55
5	Suède	54

LE PREMIER MATCH

Le 1er match de la Coupe du Monde féminine a eu lieu le 16 novembre 1991. Devant 65 000 spectateurs réunis à Canton, la Chine a battu la Norvège 4-0.

SUPER 8

Huit équipes ont disputé les cinq phases finales de l'épreuve: États-Unis, Allemagne, Norvège, Brésil, Chine, Japon, Nigeria et Suède.

LA NORVÈGE ENCHAÎNE

Sacrée en 1995, la Norvège a réalisé la plus longue série de victoires en phase finale: 10. Celle-ci a commencé par un 8-0 sur le Nigeria le 6 juin 1995 et s'est prolongée jusqu'à un 3-1 sur la Suède en quart de l'édition 1999. Le 4 juillet, en demi-finale, la Chine a mis un terme à ce record en s'imposant 5-0.

INVINCIBILITÉ STÉRILE

En 1999, la Chine est devenue le 1er pays à boucler le tournoi invaincu, tout en repartant les mains vides. En poule, les Roses d'acier ont vaincu la Suède 2-1, le Ghana 7-0 et l'Australie 3-1. Ensuite, elles ont battu 2-0 la Russie en quart, puis la Norvège 5-0 en demie, avant d'échouer aux tirs au but en finale contre les Américaines. En 2011, le Japon est devenu le premier pays à soulever le trophée après avoir perdu un match de 1er tour.

LA NORVÈGE MARQUE SON ÉPOQUE

La Norvège a marqué pendant 15 matchs d'affilée, ce qui constitue le record de l'épreuve. La série a commencé lors du 4-0 contre la Nouvelle-Zélande le 19 novembre 1991 et s'est terminée par le succès 3-1 sur la Suède le 30 juin 1999.

PAS UNE ONZE DE PITIÉ

En atomisant l'Argentine 11-0 le 10 septembre 2007, **l'Allemagne** a signé la plus large victoire de l'épreuve. La gardienne Vanina Correa a expédié un corner de Melanie Behringer dans ses propres filets à la 12e minute et les autres buts ont été marqués par Birgit Prinz (3) et Sandra Smisek (3), Renate Lingor (2), Behringer et Kerstin Garefrekes.

MAIGRE RECETTE

C'est le 8 juin 1996, lors du 3-3 entre le Canada et le Nigeria à Helsingborg, que l'on a enregistré l'affluence la plus faible de l'épreuve: 250 spectateurs.

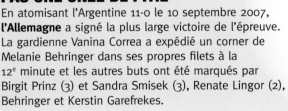

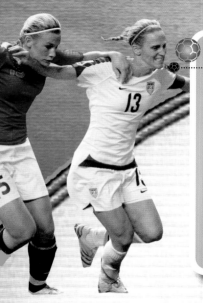

LA MACHINE À RECORDS

Kristine Lilly a été la première joueuse à avoir disputé cinq Coupes du Monde féminines. Elle a inscrit 129 buts au fil de ses 340 matchs sous le maillot américain. Elle est également la doyenne des buteuses puisqu'elle a fait trembler les filets anglais à 36 ans et 62 jours lors de la victoire 3-0 en quart de finale de l'édition 2007. La gardienne norvégienne Bente Nordby, bien que sélectionnée, ne participa à aucune rencontre de l'édition 1991, avant de défendre les buts de son pays lors des quatre tournois qui suivirent. Les trois autres joueuses à avoir participé à cinq tournois sont les Brésiliennes Formiga et Marta, et l'Allemande Birgit Prinz.

CARTONS EXPRESS

L'Australienne Alicia Ferguson est détentrice du record du carton rouge le plus rapide. Elle l'a reçu à la 2e minute de la défaite 3-1 des Mathildas face à la Chine le 26 juin 1999. Le record de l'avertissement le plus rapide appartient à la Nord-Coréenne Ri Hyang Ok, sanctionnée dès la 1re minute lors de la défaite 2-1 face au Nigeria, le 20 juin 1999.

LE BUT LE PLUS RAPIDE

En ouvrant le score dès la 30e seconde lors de la victoire suédoise 8-0 sur le Japon, le 19 novembre 1991, Lena Videkull a inscrit le but le plus rapide de l'épreuve. La Canadienne **Melissa Tancredi** a fait à peine moins bien en marquant à la 37e seconde du match nul 2-2 avec l'Australie, le 20 septembre 2007.

PRINZ AIME LES FINALES

En 2007, Birgit Prinz est devenue la 1re joueuse à disputer trois finales de Coupe du Monde féminine. En 1995, elle avait déjà battu le record de précocité en disputant la finale du rendez-vous mondial, perdu 2-0 contre la Norvège, à 17 ans et 336 jours, soit 14 jours de moins que sa coéquipière Sandra Smisek. La doyenne des finalistes est la Suédoise Kristin Bengtsson, qui avait 33 ans et 273 jours quand son pays s'est incliné contre l'Allemagne lors de la finale 2003.

ELLE AVAIT À CŒUR DE BRILLER

L'attaquante américaine Michelle Akers, née à Santa Clara le 1er février 1966, détient le record du plus grand nombre de buts inscrits dans une phase finale : 10 en 1991. Il faut reconnaître qu'elle venait d'établir un autre record, en marquant 5 buts en un seul match lors de l'atomisation 7-0 de Taïwan en quarts, le 24 novembre 1991 à Foshan. Akers a également signé les 2 buts du succès américain 2-1 en finale, ce qui lui a valu d'être élue Joueuse du Siècle de la FIFA.

LES REMPLACEMENTS LES PLUS RAPIDES

Les deux remplacements les plus rapides de l'histoire sont intervenus à la 6e minute. Le 21 novembre 1991, la défenseuse taïwanaise Liu Hsiu Mei a été supplantée par la gardienne Li Chyn Hong lors de la victoire 2-0 sur le Nigeria, suite à l'exclusion de la titulaire, Lin Hui Fang. Therese Lundin a remplacé Hanna Ljungberg, blessée, lors du succès suédois 2-0 sur le Ghana à Chicago le 26 juin 1999.

DANILOVA, LA PLUS JEUNE

La plus jeune buteuse de la compétition est la Russe Elena Danilova. À 16 ans et 96 jours, elle a signé l'unique but russe lors du quart de finale de 2003 contre Allemagne, disputé le 2 octobre à Portland et perdu 7-1.

PREMIER COUP DE CHAPEAU

L'Italienne Carolina Morace a inscrit le premier *hat-trick* de l'histoire de l'épreuve. Le 17 novembre 1991, à Jiangmen contre Taïwan, elle a signé les 3 derniers buts de la victoire 5-0

À CHAQUE ÉDITION SA VEDETTE

La Coupe du Monde Féminine a été dominée par une série de grandes joueuses. Les attaquantes américaines Michelle Akers et Carin Jennings ont marqué l'édition inaugurale de 1991. Quatre ans plus tard, **Hege Riise** (*à droite*) et Ann-Kristin Aarones ont offert la victoire à la Norvège. L'édition 1999 allait révéler le talent exceptionnel de Mia Hamm, qui a pesé de tout son poids sur le 2e titre américain, et de la Chinoise Sun Wen, meilleure buteuse *ex aequo* et élue Meilleure joueuse du tournoi. En 2003, lors du 1er sacre allemand, c'est Birgit Prinz qui a décroché les deux distinctions individuelles les plus prestigieuses. Et quatre ans plus tard, ces récompenses sont revenues à la géniale attaquante brésilienne Marta, laquelle n'a pas eu la chance de brandir le titre suprême. Hamm, Prinz et Marta sont les seules à avoir été désignées Joueuse mondiale de la FIFA, un titre qui a été instauré en 2001. Hamm s'est imposé en 2001 et 2002, Prinz en 2003, 2004 et 2005, et Marta en 2006, 2007, 2008 et 2009. La capitaine japonaise – et lauréate – Homare Sawa s'est adjugée les prix de la meilleure joueuse et de la meilleure buteuse en 2011, avant d'être désignée Joueuse mondiale de la FIFA.

COUPE DU MONDE FÉMININE : MEILLEURE JOUEUSE DU TOURNOI

Année	Pays hôte	Vainqueur
1991	Chine	Carin Jennings (États-Unis)
1995	Suède	Hege Riise (Norvège)
1999	États-Unis	Sun Wen (Chine)
2003	États-Unis	Birgit Prinz (Allemagne)
2007	Chine	Marta (Brésil)
2011	Allemagne	Homare Sawa (Japon)

COUPE DU MONDE FÉMININE : MEILLEURE BUTEUSE DU TOURNOI

1991	Michelle Akers (États-Unis)	10
1995	Ann-Kristin Aarones (Norvège)	6
1999	Sissi (Brésil)	7
2003	Birgit Prinz (Allemagne)	7
2007	Marta (Brésil)	7
2011	Homare Sawa	5

MEILLEURES BUTEUSES DU TOURNOI DE L'HISTOIRE

1	Birgit Prinz (Allemagne)	14
=	Marta (Brésil)	
3	Abby Wambach (États-Unis)	13
4	Michelle Akers (États-Unis)	12
5	Sun Wen (Chine)	11
=	Bettina Wiegmann (Allemagne)	
7	Ann Kristin Aarones (Norvège)	10
=	Heidi Mohr (Allemagne)	
9	Linda Medalen (Norvège)	9
=	Hege Riise (Norvège)	

COUPE DU MONDE FÉMININE :
CAPITAINES DE L'ÉQUIPE GAGNANTE

1991	April Heinrichs (États-Unis)
1995	Heidi Store (Norvège)
1999	Carla Overbeck (États-Unis)
2003	Bettina Wiegmann (Allemagne)
2007	Birgit Prinz (Allemagne)
2011	Homare Sawa (Japon)

PLUS GRAND NOMBRE DE MATCHS EN PHASE FINALE

30	Kristine Lilly (États-Unis)
25	Birgit Prinz (Allemagne)
24	Julie Foudy (États-Unis)
23	Joy Fawcett (États-Unis)
=	Mia Hamm (États-Unis)
22	Bente Nordby (Norvège)
	Hege Riise (Norvège)
	Bettina Wiegmann (Allemagne)

L'ÉLITE

Quatre joueuses seulement figurent dans le onze type de deux Coupes du Monde féminines différentes : la Chinoise Wang Liping, l'Allemande Bettina Wiegmann, la Brésilienne Marta et l'Américaine Shannon Boxx – cette dernière ayant toutefois eu le malheur de rater un tir au but crucial en finale de l'édition 2011.

LE GRAND RATÉ DE MARTA

La Brésilienne **Marta** a certes crevé l'écran lors de l'édition 2007, mais à 1-0 pour l'Allemagne en finale, elle a vu son penalty arrêté par Nadine Angerer. Résultat : l'Allemagne s'est imposée 2-0.

UN ROUGE TARDIF

Azuza Iwashimizu joue en défense pour le Japon. Lors de la finale 2011 contre les États-Unis, elle est devenue la 1re joueuse expulsée en finale de la Coupe du Monde féminine. Et ce suite à une faute commise sur l'attaquante Alex Morgan quelques minutes après l'égalisation japonaise à 2-2.

PREMIÈRE EXCLUSION

La gardienne taïwanaise Lin Hui Fang a été la 1re joueuse à recevoir un carton rouge dans l'histoire du tournoi. Elle a été exclue dès la 6e minute lors de la victoire 2-0 sur le Nigeria, le 21 novembre 1991.

SENSATIONNELLE SUN WEN

En 1999, **Sun Wen** est devenue la 1re femme nommée pour le titre de Joueuse asiatique de l'année, une sélection qui récompensait sa contribution au parcours de la Chine jusqu'en finale de la Coupe du Monde féminine 1999. Trois ans plus tard, elle a été élue Joueuse du Siècle Internet.

LES AUTRES COMPÉTITIONS FÉMININES

CHANGEMENTS OLYMPIQUES

L'avant-centre allemande Birgit Prinz a été la seule joueuse à marquer lors des 4 premières finales olympiques, mais elle a manqué Londres 2012, car son pays ne s'est pas qualifié – ce qui a permis à la Brésilienne Cristiane de passer en tête du classement des buteurs, ajoutant 2 buts, pour un total de 12. Le score de Prinz (10 buts) a aussi été égalé en 2012 par la Canadienne Sinclair.

FINALES DU TOURNOI OLYMPIQUE DE SOCCER FÉMININ

Année	Ville hôte	Vainqueur	Finaliste	Score
1996	Atlanta	États-Unis	Chine	2-1
2000	Sydney	Norvège	États-Unis	3-2
	La Norvège l'emporte grâce à un but en or			
2004	Athènes	États-Unis	Brésil	2-1 (a.p.)
2008	Pékin	États-Unis	Brésil	1-0 (a.p.)
2012	Londres	États-Unis	Japon	2-1

PETITES FINALES DU TOURNOI OLYMPIQUE DE SOCCER FÉMININ

Année	Ville hôte	Vainqueur	Perdant	Score
1996	Atlanta	Norvège	Brésil	2-0
2000	Sydney	Allemagne	Brésil	2-0
2004	Athènes	Allemagne	Suède	1-0
2008	Pékin	Allemagne	Japon	2-0
2012	Londres	Canada	France	1-0

TABLEAU DES MÉDAILLES

Pays	Or	Argent	Bronze
États-Unis	4	1	-
Norvège	1	-	1
Brésil	-	2	-
Chine	-	1	-
Japon	-	1	-
Allemagne	-	-	3
Canada	-	-	1

PAYS LES PLUS PROLIFIQUES DANS LE TOURNOI OLYMPIQUE DE SOCCER FÉMININ

1996 :	Norvège	12 buts
2000 :	États-Unis	9 buts
2004 :	Brésil	15 buts
2008 :	États-Unis	12 buts
2008 :	États-Unis	16 buts

MEILLEURES BUTEUSES DU TOURNOI OLYMPIQUE DE SOCCER FÉMININ

1996 :	Ann Kristin Aarones (Norvège)	
	Linda Medalen (Norvège)	
	Pretinha (Brésil)	4 buts
2000 :	Sun Wen (Chine)	4 buts
2004 :	Cristiane (Brésil)	
	Birgit Prinz (Allemagne)	5 buts
2008 :	Cristiane (Brésil)	5 buts
2012 :	Christine Sinclair (Canada)	6 buts

DEUX *HAT-TRICKS* POUR CRISTIANE

La Brésilienne **Cristiane** est la seule joueuse à avoir inscrit deux *hat-tricks* dans l'histoire olympique de la FIFA. Le 1er a eu lieu lors du 7-0 infligé aux organisatrices grecques en 2004 et le 2e, lors du succès 3-1 sur le Nigeria à Pékin quatre ans plus tard. Birgit Prinz a signé un quadruplé contre la Chine en 2004.

À ELLES DE JOUER

La Coupe du Monde féminine des moins de 20 ans se tient tous les deux ans et non tous les quatre comme chez les seniors – mais depuis 2010, le tournoi se déroule un an avant la Coupe du Monde, dans le même pays. Ainsi l'Allemagne a-t-elle accueilli la Coupe du Monde féminine des moins de 20 ans en 2010, avant la compétition senior de 2011. En 2010, l'Allemagne est d'ailleurs devenue le 1er pays hôte à remporter l'épreuve. Deux ans plus tard, le Japon n'a pas pu réitérer l'exploit : l'Allemagne a été battue 1-0 en finale par les États-Unis, grâce à un but de Kealia Ohai. L'Allemagne avait défait les États-Unis 3-0 en 1er match de poule. La Japonaise Kim Un-Hwa a fini meilleure buteuse, et l'Allemande Dzsenifer Marozsan – dont le père Janos avait joué pour la Hongrie – a été élue meilleure joueuse.

HUIT, ÇA SUFFIT !

L'Allemagne détient le record de la plus large victoire en finale du tournoi olympique féminin. Le 11 août 2004, les Allemandes ont écrasé les Chinoises 8-0 à Patras. Birgit Prinz avait alors inscrit la moitié des buts de son équipe. Les autres furent l'œuvre de Pia Wunderlich, Renate Lingor, Conny Pohlers et Martina Müller. Pourtant, à la surprise générale, les Allemandes n'ont pas réussi à se qualifier pour le tournoi 2012. La qualification pour les JO de Londres se jouait lors de la Coupe du Monde féminine 2011, or, éliminées en quart de finale, les Allemandes n'ont pu composter leur billet, au contraire des demi-finalistes, dont la Suède (avec leur capitaine, recordwoman des sélections, Therese Sjogran) et la France (avec **Louisa Necib**).

AU DERNIER MOMENT

Carli Lloyd a inscrit le but décisif des États-Unis contre le Brésil pour l'or olympique en 2008 – avant de marquer le doublé de la victoire 2-1 contre le Japon lors de la finale des JO 2012 à Londres. Autre moment fort du soccer féminin aux JO 2012, le but d'Alex Morgan pour les États-Unis contre le Canada, en demi-finale : après un score nul 3-3 à la fin du temps réglementaire, elle a marqué le 4e but après trois minutes de temps additionnel dans les prolongations... C'est le but le plus «tardif» de l'histoire olympique. Le pays hôte présentait une équipe pour la 1re fois et termina 1er de sa poule (trois victoires en trois matchs sans concéder un seul but), mais la Grande-Bretagne fut battue 2-0 en quart de finale par le Canada.

IMPÉRIALE ROMANE

Mana Iwabuchi a été élue meilleure joueuse de la Coupe du Monde 2008 des moins de 17 ans, malgré le modeste quart de finale de son équipe japonaise. En revanche, la Nord-Coréenne Yeo Min-Ji (2010) et la Française Griedge Mbock Bathy (2012) ont pu savourer leur triomphe individuel et par équipe. La France a en effet remporté le titre 2012 en battant la Corée du Nord, tenante du titre, par 7 tirs au but à 6. La gardienne française Romane Bruneau a été l'héroïne de cet épisode, arrêtant deux des huit tirs coréens.

LES DEUX CORÉES

Deux ans après la victoire de la Corée du Nord lors de la 1re Coupe du Monde féminine des moins de 17 ans, sa voisine sud-coréenne remporta le trophée à Trinité-et-Tobago. La finale du 25 septembre fut la 1re à se dérouler aux tirs au but, la Corée du Sud (revenue de loin après une défaite 3-0 contre l'Allemagne au 1er tour) battant le Japon 5-4, au terme d'un match nul 3-3. L'Allemagne, auteur de 22 buts en 3 matchs, sera éliminée en quart de finale 1-0 par la Corée du Nord.

MAIN BASSE SUR L'OR OLYMPIQUE

Les États-Unis dominent le tournoi olympique de soccer depuis son introduction aux JO d'Atlanta (1996), avec quatre médailles d'or et une d'argent, en quatre éditions. Les Norvégiennes et les Chinoises furent leurs premières adversaires en finale, mais les Brésiliennes et les Allemandes (alors championnes du monde en titre) leur proposèrent une plus farouche opposition en 2004 et 2008. La popularité du tournoi s'est très rapidement développée, au point d'attirer des foules record à Pékin en 2008. Par ailleurs, la FIFA a créé d'autres compétitions mondiales en catégories de jeunes. La 1re Coupe du Monde féminine des moins de 20 ans s'est ainsi disputée en 2000, suivie en 2008 par celle des moins de 17 ans. Là encore, les Américaines dominent, même si la Corée du Nord apparaît comme l'équipe montante.

COUPE DU MONDE FÉMININE DES MOINS DE 20 ANS

FINALES

Année	Site	Vainqueur	Finaliste	Score
2002	Edmonton	États-Unis	Canada	1-0 (a.p.)
2004	Bangkok	Allemagne	Chili	2-0
2006	Moscou	Corée du Nord	Chine	5-0
2008	Santiago	États-Unis	Corée du Nord	2-1
2010	Bielefeld	Allemagne	Nigeria	2-0
2012	Tokyo	États-Unis	Allemagne	1-0

MEILLEURES BUTEUSES PAR ÉDITION

2002	Christine Sinclair (Canada)	10 buts
2004	Brittany Timko (Canada)	7 buts
2006	Ma Xiaoxu (Chine), Kim Song-Hui (Corée du Nord)	5 buts
2008	Sydney Leroux (États-Unis)	5 buts
2010	Alexandra Popp (Allemagne)	10 buts
2012	Kim Un-Hwa (Japon)	7 buts

COUPE DU MONDE FÉMININE DES MOINS DE 17 ANS

FINALES

Année	Site	Vainqueur	Finaliste	Score
2008	Auckland	Corée du Nord	États-Unis	2-1 (a.p.)
2010	Port of Spain	Corée du Sud	Japon	3-3 (a.p.)
	(la Corée du Sud l'emporte 5-4 aux tirs au but)			
2012	Bakou	France	Corée du Nord	1-1 (a.p.)
	(la France l'emporte 7-6 aux tirs au but)			

MEILLEURES BUTEUSES

2008	Dzsenifer Marozsan (Allemagne)	6
2010	Yeo Min-Ji (Corée du Sud)	8
2012	Ri Un-Sim (Corée du Nord)	8

À LA CONQUÊTE DES CONTINENTS

Le Nigeria domine le soccer africain féminin, avec 8 des 10 victoires en Coupe d'Afrique des Nations, la Guinée-Équatoriale ayant remporté les deux autres, dont la dernière en 2012. Le titre équivalent a été remporté sept fois par l'Allemagne pour l'Europe, huit fois par la Chine pour l'Asie, cinq fois par le Brésil et une fois par l'Argentine pour l'Amérique du Sud et trois fois chacune par la Nouvelle-Zélande et l'Australie pour l'Asie.

CINQ BUTS POUR SINCLAIR

La Canadienne **Christine Sinclair** et l'Allemande Alexandra Popp ont en commun le record du plus grand nombre de buts marqués (10 chacune) lors d'une même Coupe du Monde des moins de 20 ans – Sinclair détenant de surcroît le record du plus grand nombre de buts en un seul match (5 en quart de finale contre l'Angleterre le 25 août 2002). Popp, toutefois, est l'unique joueuse à avoir marqué lors des six matchs joués par sa sélection. Sinclair a fini les JO de 2012 comme meilleure buteuse du tournoi (6 buts). Elle a notamment réussi un *hat-trick* lors de la défaite du Canada 4-3 en demi-finale, face aux États-Unis.

UN TRIPLÉ INÉDIT POUR KIM

La Nord-Coréenne **Kim Song-Hui** est l'auteure de l'unique triplé de toutes les finales de Coupes du Monde féminin des moins de 20 ans, lors de la victoire de son pays 5-0 contre la Chine en 2006.

LES PRIX DE LA FIFA

CHAQUE ANNÉE, AU MOIS DE JANVIER, le sport le plus populaire de la planète s'offre une soirée de gala. L'occasion de rendre hommage aux personnalités et aux performances marquantes de l'année écoulée. Ainsi l'édition de janvier 2012 a-t-elle rendu honneur à Lionel Messi, l'Argentin du FC Barcelone, et à la superstar de l'équipe états-unienne Abby Wambach. Messi a de nouveau reçu le Ballon d'or, mais il n'est pas le seul à pouvoir être fier de cette année mémorable. Abby Wambach faisait suite à la 1re joueuse asiatique à remporter un prix international : Homare Sawa, de l'équipe japonaise, victorieuse en Coupe du Monde féminine 2011. La soirée présentait aussi les 11 joueurs de la « dream team » 2012 : Iker Casillas (Espagne), Dani Alves (Brésil), Marcelo (Brésil), Gerard Pique (Espagne) et Sergio Ramos (Espagne) en défense ; Xabi Alonso (Espagne), Andrés Iniesta (Espagne) et Xavi Hernández (Espagne) en milieu de terrain ; Cristiano Ronaldo (Portugal), Radamel Falcao (Colombie) et Lionel Messi (Argentine) en attaque. Seuls Marcelo, Alves, Ramos, Alonso et Falcao ne figuraient pas dans l'équipe de l'année précédente. Les deux prix d'entraîneur de l'année ont été remis aux vainqueurs de compétitions internationales : l'Espagnol Vicente Del Bosque a décroché la récompense pour sa victoire en Coupe du Monde 2010 et à l'Euro 2012 et Pia Sundage, qui avait obtenu l'or olympique pour les États-Unis avant de retourner en Suède, son pays natal, a reçu le prix féminin. Nommé deux fois Joueur européen de l'année et seul homme à avoir remporté la Coupe du Monde en tant que capitaine (1974) et sélectionneur (1990), l'Allemand Beckenbauer – qui avait également organisé la compétition 2006 dans son pays – a reçu le prix du Président. Miroslav Stoch, du club turc Fenerbahce, a été choisi pour le but de l'année : un tir magistral lors d'un match de championnnat contre Genclerbirligi. Stoch s'est vu décerner le prix Ferenc Puskas. La Fédération de soccer ouzbek a, quant à elle, reçu le trophée du fair-play.

Tous les joueurs sélectionnés pour le « onze type » de la FIFA jouent en club en Espagne et six d'entre eux (Iker Casillas, Gerard Pique, Xavi, Andres Iniesta, Christiano Ronaldo et Lionel Messi) étaient déjà dans l'équipe 2011.

LE BALLON D'OR
DE LA FIFA 2012

LIONEL MESSI

Lors du gala du Ballon d'or, nul n'a disputé à l'Argentin Lionel Messi son record : un 4e titre. Messi avait conclu 2012 sur un record personnel de 91 buts. Il s'était également affirmé comme meilleur buteur de la Ligue des Champions de 2011-2012, avec 14 réalisations. Pourtant, désireux de prouver simplement que le soccer est un sport d'équipe, Messi avait fini l'année avec « un seul trophée », la Coupe du roi d'Espagne. « C'est incroyable, s'est enthousiasmé Messi après être devenu le 1er joueur à remporter quatre Ballons d'or successifs, égalant le record du légendaire Michel Platini, président de l'UEFA. Je voudrais remercier mes collègues de Barcelone, mes amis de l'équipe d'Argentine, les entraîneurs et leurs équipes, ma famille, mes amis... et aussi ma femme et mon fils. »

Lors de cette année mémorable, Messi a surmonté son principal handicap : un faible nombre de buts pour sa sélection nationale. Le capitaine Messi a marqué 12 buts pour l'Argentine, dont ses 2 premiers *hat-tricks* en équipe nationale, pour la propulser vers une place au Mondial 2014. En club, pourtant, Messi et Barcelone ont fini derrière leurs vieux rivaux du Real Madrid, et leur parcours en Ligue des Champions s'était achevé sur une défaite en demi-finale face à Chelsea.

Le Madrilène Christiano Ronaldo, 2e du trophée du Ballon d'or, s'est consolé avec son succès en Liga. Messi a reçu 41,6 % des votes des entraîneurs et capitaines des équipes nationales et des journalistes, Ronaldo 23,68 % et le Barcelonais Andres Iniesta, 10,91 %.

C'était la 3e fois d'affilée, depuis la réunion du prix du Joueur FIFA de l'année et du Ballon d'Or *France Soccer,* que le podium accueillait trois joueurs de Liga. Un autre héros de Barcelone, Xavi, était 4e, et Radamel Falcao, de l'Atletico Madrid, 5e.

Le seul représentant de l'Afrique sur la liste des 23 joueurs sélectionnés était Didier Drogba, classé 8e après son but décisif lors de la séance des tirs au but qui avait offert la victoire à Chelsea en finale de Ligue des champions contre le Bayern Munich qui jouait à domicile.

Même si la Coupe du Monde est toute proche, le seul représentant du Brésil était Neymar, l'attaquant de Santos. Il figurait en 13e position sur la liste, avec 0,61 % des voix. Les quintuples champions du monde n'ont pas placé un seul joueur dans les trois finalistes depuis la victoire de Kaká en 2007.

Ainsi, les seuls Brésiliens présents sur la scène du gala ont été l'entraîneur national Luiz Felipe Scolari et la mascotte de la Coupe du Monde : Fuleco, un tatou géant.

PRÉCÉDENTS LAURÉATS

1991 Jean-Pierre Papin (France)
1992 Marco van Basten (Pays-Bas)
1993 Roberto Baggio (Italie)
1994 Hristo Stoïchkov (Bulgarie)
1995 George Weah (Libéria)
1996 Matthias Sammer (Allemagne)
1997 Ronaldo (Brésil)
1998 Zinedine Zidane (France)
1999 Rivaldo (Brésil)
2000 Luis Figo (Portugal)
2001 Michael Owen (Angleterre)
2002 Ronaldo (Brésil)
2003 Pavel Nedved (Rép. tchèque)
2004 Andriy Chevtchenko (Ukraine)
2005 Ronaldinho (Brésil)
2006 Fabio Cannavaro (Italie)
2007 Kaká (Brésil)
2008 Cristiano Ronaldo (Portugal)
2009 Lionel Messi (Argentine)
2010 Lionel Messi (Argentine)
2011 Lionel Messi (Argentine)

LA JOUEUSE MONDIALE
DE LA FIFA 2012

ABBY WAMBACH

Au vu du statut du soccer au États-Unis, il est un peu étonnant que 2012 ait consacré Abby Wambach, la première Américaine à recevoir le titre de Joueuse de l'année depuis une décennie.

Abby Wambach suivait ainsi sa compatriote Mia Hamm, lauréate en 2001 et 2002. Wambach a réuni 20,67 % des voix, devant la Brésilienne Marta et l'Américaine Morgan, avec respectivement 13,5 % et 10,87 %. Cette victoire correspondait à la plus belle année de la carrière déjà impressionnante d'Abby Wambach. Elle avait mené les États-Unis à la médaille d'or aux JO de Londres, en obtenant le Ballon d'or, et terminé 2e meilleure buteuse derrière la Canadienne Sinclair, avec 5 buts marqués. Wambach a été la seule à avoir marqué dans chacun des 5 premiers matchs à Londres, et la seule États-Unienne à figurer dans les 32 matchs joués par l'équipe nationale en 2012. «Je suis très, très étonnée, a-t-elle déclaré. Je ne me considère vraiment pas comme la meilleure joueuse du monde, juste une joueuse de la meilleure équipe du monde.»

Abby Wambach et Alex Morgan ont, à elles deux, marqué 55 buts, lors de l'une des années les plus fructueuses du soccer féminin américain. Ensemble, elles ont égalé le record en duo établi en 1991 par Michelle Akers (39) et Carin Jennings (16).

Avec ses 27 buts, Abby Wambach arrive à un total de 152 en presque 200 matchs, Alex Morgan ayant marqué 28 buts et réalisé 21 passes décisives.

Sunil Gulati, président de l'US Soccer, a déclaré : «La contribution d'Abby Wambach au soccer des États-Unis et au sport féminin en général est importante. Tout au long de sa carrière, la qualité de son jeu n'a eu d'égale que ses talents de capitaine, qui nous ont grandement aidés à obtenir la médaille d'or. En tant que joueuse et que personne, elle a représenté son pays et ses équipières pendant plus d'une décennie, avec un immense professionnalisme.» Abby Wambach, également championne olympique aux JO 2008 de Pékin, a été nommée cinq fois Joueuse américaine de l'année.

PRÉCÉDENTES LAURÉATES

2001 Mia Hamm (États-Unis)
2002 Mia Hamm (États-Unis)
2003 Birgit Prinz (Allemagne)
2004 Birgit Prinz (Allemagne)
2005 Birgit Prinz (Allemagne)
2006 Marta (Brésil)
2007 Marta (Brésil)
2008 Marta (Brésil)
2009 Marta (Brésil)
2010 Marta (Brésil)
2011 Homare Sawa (Japon)

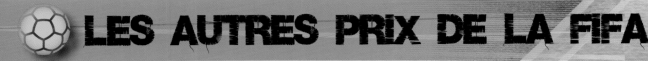

LES AUTRES PRIX DE LA FIFA

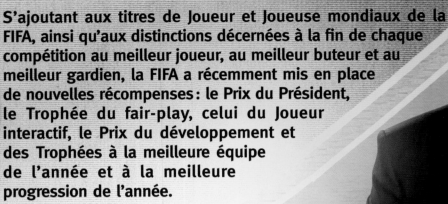

S'ajoutant aux titres de Joueur et Joueuse mondiaux de la FIFA, ainsi qu'aux distinctions décernées à la fin de chaque compétition au meilleur joueur, au meilleur buteur et au meilleur gardien, la FIFA a récemment mis en place de nouvelles récompenses : le Prix du Président, le Trophée du fair-play, celui du Joueur interactif, le Prix du développement et des Trophées à la meilleure équipe de l'année et à la meilleure progression de l'année.

La réussite de **Vicente Del Bosque** parle pour lui, à rebours ·········· des dirigeants charismatiques et médiatiques en vogue. Patron de l'équipe nationale d'Espagne, il l'a menée à la victoire en Coupe du Monde 2010 et à l'Euro 2012, recevant la distinction d'entraîneur de l'année en 2012.

L'ancien joueur et entraîneur du Real Madrid a obtenu 34,51 % des votes, devant José Mourinho, l'entraîneur portugais du Real Madrid avec 20,49 %, et Pep Guardiola avec 12,91 % pour sa réussite durable avec Barcelone.

Hervé Renard, qui avait conduit la Zambie à une impressionnante et improbable victoire lors de la CAN, et Tite, entraîneur des champions sud-américains Corinthians, ne sont ni l'un ni l'autre parvenus dans la liste des 10 premiers sélectionnés.

Pia Sundhage arriva, elle, en tête dans la catégorie entraîneur de soccer féminin avec 28,59 % des voix, devant Norio Sasaki (23,83 %) de l'équipe japonaise qui avait décroché l'argent aux JO 2012 de Londres, et Bruno Bibi, de l'équipe de France (9,02 %). La médaille d'or des États-Unis les a consolés de leur défaite de 2011 contre le Japon, lors de la finale de la Coupe du Monde féminine.

Le buteur slovaque Miroslav Stoch a remporté le prix Puskas du « but le plus remarquable » de l'année, après le vote de plus de cinq millions de fans sur FIFA.com, FIFA YouTube et francesoccer.fr. La star de Fenerbahce était ainsi récompensée pour son tir spectaculaire contre Glençlerbirligi en mars 2012.

Le vétéran Beckenbauer, capitaine et dirigeant, a reçu le prix du Président pour ses services rendus au soccer, tandis que la Fédération ouzbek obtenait le Trophée du fair-play pour le comportement exemplaire de son équipe, juste devant l'Iran.

Enfin, Lionel Messi a reçu une récompense supplémentaire – outre celle de Joueur de l'année – en étant sélectionné pour le « onze type » de la FIFA par un panel de 50 000 joueurs. Messi était l'un des cinq joueurs de Barcelone élus, mais le respect mondial qu'inspire la Liga espagnole se voit aussi à l'appartenance de six autres joueurs de cette super-équipe : cinq du Real Madrid et un, Radamel Falcao, du rival madrilène du Real, l'Atlético !

1991
Trophée du fair-play : Real Federación Española de Fútbol (fédération espagnole), Jorginho (Brésil)

1992
Trophée du fair-play : Union Royale Belge des Sociétés de Soccer Association

1993
Trophée du fair-play : Nandor Hidgekuti (Hongrie)*, Fédération zambienne de soccer
Trophée de la Meilleure équipe de l'année : Allemagne
Meilleure progression de l'année : Colombie

1994
Trophée de la Meilleure équipe de l'année : Brésil
Meilleure progression de l'année : Croatie

1995
Trophée du fair-play : Jacques Glassmann (France)
Trophée de la Meilleure équipe de l'année : Brésil
Meilleure progression de l'année : Jamaïque

1996
Trophée du fair-play : George Weah (Liberia)
Trophée de la Meilleure équipe de l'année : Brésil
Meilleure progression de l'année : Afrique du Sud

1997
Trophée du fair-play : les spectateurs irlandais du match préliminaire de Coupe du Monde face à la Belgique, Julie Foudy (États-Unis), Jozef Zovinec (joueur amateur slovaque)
Trophée de la Meilleure équipe de l'année : Brésil
Meilleure progression de l'année : Yougoslavie

1998
Trophée du fair-play : Fédérations nationales iranienne, américaine et nord-irlandaise
Trophée de la Meilleure équipe de l'année : Brésil
Meilleure progression de l'année : Croatie

1999
Trophée du fair-play : Communauté du soccer néo-zélandais
Trophée de la Meilleure équipe de l'année : Brésil
Meilleure progression de l'année : Slovénie

2000
Trophée du fair-play : Lucas Radebe (Afrique du Sud)

Trophée de la Meilleure équipe de l'année : Pays-Bas
Meilleure progression de l'année : Nigeria

2001
Prix du Président : Marvin Lee (Trinité-et-Tobago)*
Trophée du fair-play : Paolo Di Canio (Italie)
Trophée de la Meilleure équipe de l'année : Honduras
Meilleure progression de l'année : Costa Rica

2002
Prix du Président : Parminder Nagra (Angleterre)
Trophée du fair-play : Communautés du soccer du Japon et de Corée du Sud
Trophée de la Meilleure équipe de l'année : Brésil
Meilleure progression de l'année : Sénégal

2003
Prix du Président : Communauté irakienne du soccer
Trophée du fair-play : Fans du Celtic Glasgow (Écosse)
Trophée de la Meilleure équipe de l'année : Brésil
Meilleure progression de l'année : Bahreïn

2004
Prix du Président : Haïti
Trophée du fair-play : Fédération brésilienne de soccer
Trophée de la Meilleure équipe de l'année : Brésil
Meilleure progression de l'année : Chine
Joueur interactif de la FIFA : Thiago Carrico de Azevedo (Brésil)

2005
Prix du Président : Anders Frisk (Suède)
Trophée du fair-play : Communauté du soccer d'Iquitos (Pérou)
Trophée de la Meilleure équipe de l'année : Brésil
Meilleure progression de l'année : Ghana
Joueur interactif de la FIFA : Chris Bullard (Angleterre)

2006
Prix du Président : Giacinto Facchetti (Italie)*
Trophée du fair-play : Fans de la Coupe du Monde 2006
Trophée de la Meilleure équipe de l'année : Brésil
Meilleure progression de l'année : Italie
Joueur interactif de la FIFA : Andries Smit (Pays-Bas)

2007
Prix du Président : Pelé (Brésil)
Trophée du fair-play : FC Barcelone (Espagne)
Trophée de la Meilleure équipe de l'année : Argentine
Meilleure progression de l'année : Mozambique

2008
Prix du Président : Soccer féminin (décerné à l'équipe féminine des États-Unis)
Trophée du fair-play : Arménie, Turquie
Prix du Développement : Palestine
Joueur interactif de la FIFA : Alfonso Ramos (Espagne)
Trophée de la Meilleure équipe de l'année : Espagne
Meilleure progression de l'année : Espagne

2009
Prix du Président : Reine Rania Al-Abdullah de Jordanie (co-présidente de « 1 Goal : Education for All »).
Trophée du fair-play : Sir Bobby Robson (Angleterre)*
Prix du Développement : Association chinoise de soccer
Joueur interactif de la FIFA : Bruce Grannec (France)
Trophée de la Meilleure équipe de l'année : Espagne
Prix Puskás (but remarquable) : Cristiano Ronaldo (Manchester United-Porto)

2010
Entraîneur de l'année : José Mourinho (Inter Milan, puis Real de Madrid)
Entraîneuse de l'année : Silvia Neid (équipe nationale féminine d'Allemagne)
Prix Puskás (but remarquable) : Hamit Altintop (Turquie-Kazakhstan)
Prix du Président : Archevêque Desmond Tutu (Afrique du Sud)
Trophée du fair-play : Haïti, équipe féminine des moins de 17 ans

2011
Entraîneur de l'année : Pep Guardiola (Barcelone)
Entraîneuse de l'année : Norio Sasaki (équipe nationale féminine du Japon)
Prix Puskás (but remarquable) : Neimar (santos-Flamingo)
Prix du Président : Sir Alex Ferguson (Manchester United)
Trophée du fair-play : Association japonaise de soccer

ANNEXE 2 :
LE CLASSEMENT MONDIAL
FIFA/COCA-COLA

L'Allemagne figurait en tête du tout 1er classement mondial FIFA de décembre 1992. Le Brésil l'a ensuite détrônée peu avant le Mondial 1994 – qu'il devait d'ailleurs remporter. Ces dernières années, l'hégémonie est espagnole. Le système de calcul, simplifié après la Coupe du Monde 2006, offre une statistique qui rend compte des évolutions de toutes les nations du monde. Sont pris en compte le nombre de matchs disputés, le nombre de buts marqués, la valeur des équipes rencontrées, et l'équilibre régional, le tout sur les matchs disputés au cours des quatre dernières années. Le classement est publié tous les mois.

L'équipe d'Espagne pose pour les photographes avant la finale de la Coupe des Confédérations 2013. Même si elle a perdu son match contre le Brésil, l'Espagne reste au sommet du classement mondial FIFA/Coca-Cola.

LE CLASSEMENT MONDIAL
FIFA/COCA-COLA 2013

Le classement mondial FIFA/Coca-Cola offre un instantané de la hiérarchie de la planète soccer, ici en juillet 2013, prenant en compte notamment la Coupe des Confédérations. L'Espagne, malgré sa défaite en finale face au Brésil, reste en tête. Le Brésil est remonté de la 22ᵉ place (la plus basse qu'il ait connue) à la 9ᵉ. Les quintuples champions du monde étaient descendus dans le classement car, en tant qu'hôtes de la Coupe du Monde 2014, ils sont qualifiés d'office et leurs résultats avaient moins de valeur compétitive. *A contrario,* La Colombie est passée 3ᵉ grâce à sa progression dans le groupe de qualification sud-américain pour la Coupe du Monde. Le Bhoutan, Saint-Marin et les îles Turques-et-Caïques n'ont malheureusement enregistré aucune progression, restant derniers *ex æquo,* comme en juillet 2012.

Sept victoires en 12 matchs lors des qualifications pour la Coupe du Monde 2014 : la Colombie, emmenée par **Radamel Falcao,** a grimpé de la 7ᵉ à la 3ᵉ place au classement.

CLASSEMENT (juillet 2013)

Rang	Pays	Pts	(Évol.)
1	Espagne	1532	(0)
2	Allemagne	1273	(0)
3	Colombie	1206	(4)
4	Argentine	1204	(-1)
5	Pays-Bas	1180	(0)
6	Italie	1142	(2)
7	Portugal	1099	(-1)
8	Croatie	1098	(-4)
9	Brésil	1095	(13)
10	Belgique	1079	(2)
11	Grèce	1038	(5)
12	Uruguay	1016	(7)
13	Côte d'Ivoire	1009	(0)
14	Bosnie-Herzégovine	995	(1)
15	Angleterre	994	(-6)
16	Suisse	987	(-2)
17	Russie	979	(-6)
18	Équateur	932	(-8)
19	Pérou	898	(11)
20	Mexique	880	(-3)
21	Chili	872	(4)
22	États-Unis	865	(6)
23	France	838	(-5)
24	Ghana	830	(-3)
25	Norvège	801	(4)
26	Rép. tchèque	797	(-2)
27	Danemark	788	(-7)
28	Mali	774	(-5)
=	Monténégro	774	(-3)
=	Ukraine	774	(11)
31	Suède	765	(-4)
32	Hongrie	749	(1)
33	Roumanie	732	(1)
34	Algérie	730	(1)
35	Nigeria	723	(-4)
36	Venezuela	704	(1)
37	Albanie	689	(1)
=	Japon	689	(-5)
39	Costa Rica	688	(9)
40	Australie	671	(7)
41	Serbie	661	(-5)
42	Burkina Faso	656	(9)
43	République de Corée	642	(-3)
44	République d'Irlande	639	(-3)
45	Slovénie	634	(10)
46	Pays de Galles	630	(-1)
47	Tunisie	627	(-5)
48	Paraguay	622	(-4)
49	Cap-Vert	620	(23)
50	Écosse	610	(24)
51	Panama	601	(-8)
52	Bulgarie	596	(-6)
=	Iran	596	(15)
54	Autriche	595	(22)
55	Honduras	582	(-3)
=	Nouvelle-Zélande	582	(2)
57	Turquie	573	(-3)
58	Ouzbékistan	563	(0)
59	Afrique du Sud	558	(1)
60	Zambie	554	(-11)
61	Guinée	545	(24)
62	Égypte	543	(9)
63	Slovaquie	542	(-7)
64	Israël	540	(-2)
65	Finlande	537	(19)
66	Arménie	534	(23)
67	Guinée équatoriale	532	(-3)
68	Bolivie	528	(-15)
69	Haïti	522	(-6)
70	Libye	518	(-1)
71	Cameroun	517	(-6)
72	Togo	511	(1)
73	Islande	499	(-12)
74	Sénégal	497	(25)
75	Pologne	493	(-10)
76	Jordanie	489	(-1)
77	Jamaïque	484	(-28)
78	Biélorussie	482	(-11)
79	Maroc	470	(-2)
80	Ouganda	466	(13)
81	Gabon	459	(1)
82	Cuba	458	(9)
83	Sierra Leone	443	(-13)
84	Rép. Dém. du Congo	434	(-5)
85	Emirats arabes unis	432	(2)
86	Estonie	423	(3)
87	Trinité et Tobago	419	(-6)
88	Canada	413	(-5)
89	Rép. centrafricaine	398	(-30)
90	Congo	396	(-10)
=	Rép. dominicaine	396	(4)
92	Macédoine	395	(-14)
93	Guatemala	388	(-5)
94	Salvador	382	(-8)
95	Éthiopie	381	(11)
96	Angola	380	(-5)
97	Nouvelle-Calédonie	377	(0)
98	Géorgie	369	(-2)
99	Oman	361	(2)
100	Chine	339	(-5)
101	Irak	335	(-3)
102	Mozambique	326	(1)
103	Liberia	324	(-3)
104	Lituanie	321	(1)
105	Arabie saoudite	315	(3)
106	Tadjikistan	314	(6)
107	Niger	313	(0)
108	Malawi	312	(1)
109	Surinam	311	(4)
110	Koweït	309	(1)

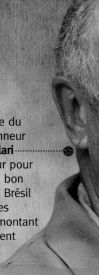

À l'approche de la Coupe du Monde 2014, le sélectionneur brésilien **Luis Felipe Scolari** tente d'inverser la vapeur pour le pays hôte. Il a pris un bon départ, en conduisant le Brésil à la victoire en Coupe des Confédérations 2013, remontant à la 9e place du classement mondial.

Rang	Pays	Pts	(Évol.)
111	Irlande du Nord	307	(5)
112	Corée du Nord	306	(2)
=	Qatar	306	(-8)
114	Zimbabwe	304	(-12)
115	Bénin	302	(0)
116	Botswana	301	(11)
117	Azerbaïdjan	298	(1)
118	Bahreïn	286	(-1)
119	Lettonie	280	(0)
120	Burundi	273	(5)
121	Tanzanie	271	(-12)
122	Antigua-et-Barbuda	265	(-1)
123	Grenade	264	(1)
=	Kenya	264	(0)
125	Chypre	256	(-3)
=	Moldavie	256	(9)
127	Namibie	252	(-7)
128	Guyane	250	(-2)
129	Liban	246	(2)
130	Belize	242	(-1)
131	Porto-Rico	241	(-3)
132	St-Vincent-et-les-Grenadines	238	(-2)
133	Malte	236	(23)
134	Rwanda	233	(1)
=	Soudan	233	(1)
136	Turkménistan	232	(-4)
137	Kirghizstan	227	(6)
138	Thaïlande	223	(4)
139	St-Kitts-et-Nevis	218	(-2)
140	Afghanistan	214	(0)
141	Luxembourg	210	(4)
=	Steép; -Lucie	210	(-1)
143	Syrie	205	(-5)
44	Philippines	203	(0)
145	Vietnam	182	(-12)
146	Inde	178	(1)

147	Barbade	175	(2)
148	Hong Kong	173	(-1)
=	Liechtenstein	173	(10)
150	Kazakhstan	172	(-4)
151	Palestine	167	(0)
152	Bangladesh	166	(0)
153	Aruba	163	(-3)
154	Maldives	147	(3)
=	Tahiti	147	(-16)
156	Singapour	146	(9)
157	Bermudes	139	(4)
158	Nicaragua	138	(4)
159	Malaisie	136	(0)
160	Tchad	134	(-6)
161	Lesotho	133	(-8)
162	Îles Salomon	132	(4)
163	Myanmar	129	(-8)
164	Gambie	126	(-2)
165	Dominique	124	(2)
166	Sao-Tome-et-Principe	120	(-7)
167	Pakistan	114	(1)
168	Indonésie	112	(2)
169	Népal	106	(2)
170	Yémen	96	(3)
171	Sri Lanka	95	(1)
172	Mauritanie	94	(2)
173	Laos	87	(-5)
174	Îles Féroé	81	(-12)
175	Taiwan	77	(0)
176	Guam	70	(2)
177	Montserrat	66	(-1)
178	Curacao	65	(0)
179	Swaziland	60	(-1)
180	Guinée-Bissau	58	(1)
181	Bahamas	53	(-5)
182	Brunei	52	(3)
=	Maurice	52	(3)

=	Timor-oriental	52	(3)
185	Madagascar	51	(-1)
186	Mongolie	49	(-4)
187	Samoa	46	(1)
=	Îles Vierges américaines	46	(6)
189	Tonga	43	(1)
=	Vanuatu	43	(2)
191	Comores	41	(1)
=	Fidji	41	(-9)
193	Îles Vierges britanniques	34	(2)
194	Îles Caïman	33	(2)
195	Samoa américaines	30	(2)
196	Érythrée	24	(2)
197	Papouasie Nouvelle-Guinée	23	(-3)
198	Cambodge	20	(-9)
=	Sud Soudan	20	(2)
200	Seychelles	19	(-1)
201	Somalie	14	(1)
202	Macao	12	(0)
203	Djibouti	11	(1)
204	Îles Cook	9	(-3)
205	Andorre	8	(0)
206	Anguilla	3	(0)
207	Bhoutan	0	(0)
=	Saint-Marin	0	(0)
=	Îles Turques-et-Caïques	0	(0)

INDEX